KU-017-199

INTRODUCCIÓN A LA LITERATURA
MEDIEVAL ESPAÑOLA

BIBLIOTECA ROMÁNICA HISPÁNICA

Dirigida por DÁMASO ALONSO

III. MANUALES, 4

FRANCISCO LÓPEZ ESTRADA

INTRODUCCIÓN A LA LITERATURA MEDIEVAL ESPAÑOLA

CUARTA EDICIÓN RENOVADA

UNIVERSITY LIBRARY NOTTINGHAM

BIBLIOTECA ROMÁNICA HISPÁNICA

EDITORIAL GREDOS

MADRID

© FRANCISCO LÓPEZ ESTRADA, 1979

EDITORIAL GREDOS, S. A.

Sánchez Pacheco, 81, Madrid. España.

PRIMERA EDICIÓN, octubre de 1952.
SEGUNDA EDICIÓN, septiembre de 1962.
TERCERA EDICIÓN, mayo de 1966.
   1.ª reimpresión, julio de 1970.
   2.ª reimpresión, diciembre de 1974.
CUARTA EDICIÓN, enero de 1979.

Depósito Legal: M. 316 - 1979.

ISBN 84-249-1227-6. Rústica.
ISBN 84-249-1228-4. Tela.

Gráficas Cóndor, S. A., Sánchez Pacheco, 81, Madrid, 1979.—4847

A la memoria de mis padres

PRÓLOGO

En este libro se tratan, con brevedad y en una ordenada exposición de conjunto, las cuestiones más importantes que los estudios críticos y eruditos han planteado sobre la literatura medieval española. No es, pues, ni una historia ni un ensayo cultural sobre la época; el libro quiere ser sólo una guía para el estudiante universitario que pretenda conocer, en términos generales, esta materia, para luego proseguir, si es el caso, los estudios hacia un aspecto determinado de la literatura de la Edad Media. También es propósito de esta obra dotar al lector de los datos y conceptos necesarios para que la lectura de la obra medieval se realice con la mayor comprensión poética. Por esto menciono los estudios de los temas concretos y las monografías sólo en el grado indispensable para que la información sea suficiente; predominan, por el contrario, las citas de las obras que pueden informar de modo extenso sobre las cuestiones de mayor amplitud, o las que resultan de importancia por el método que aplican, o las que estimo que son ejemplares para el alumno en algún sentido. He dado también preferencia a la mención de los estudios y ediciones más recientes, y concedo especial atención a las teorías y explicaciones que aún no han llegado a los manuales de la historia literaria, en particular si proceden de obras polémicas o de controversia con una base científica; como son frecuentes las reediciones (a veces, facsímiles) de estudios críticos del siglo XIX y del XX, así como los libros que reúnen artículos publicados antes por un autor, indico entre corchetes, después del título, la fecha de la primera aparición de la obra *referida, y hago lo mismo en el caso de traducciones, dando la fecha del original, si lo estimo conveniente. Sin embargo, a poco que se abriese la mano en la cita de los libros, esta obra perdería su carácter; y aun establecida con esa limitación, el logro está lejos de ser alcanzado por razón de la diversidad de la literatura medieval y por la variedad de cuestiones que plantea, muchas de ellas de carácter diferente de las que se encuentran en el estudio de la literatura moderna. Resulta imposible lograr un equilibrio que satisfaga a todos en el conjunto de la exposición que me propongo realizar en este libro, pues el objeto del estudio sobrepasa, por su complejidad y extensión, cualquier simplificación excesiva. Sin embargo, la intención de una posible armonía entre el pormenor y la generalización guió la continua selección de datos que entraña esta obra. Mi experiencia como profesor en las aulas universitarias me ha sido de gran ayuda, pues me propuse conseguir una obra de índole pedagógica, destinada sobre todo a los estudiantes de la literatura española.*

Este libro se ocupa fundamentalmente de las obras literarias escritas en castellano, y también de las que lo fueron en los dialectos pericastellanos: leonés y aragonés. Sólo se citan las obras catalanas o gallegoportuguesas (o de otros dialectos iberorrománicos) en la medida en que pueden servir para completar el conjunto señalado. La importancia de las literaturas catalana y gallegoportuguesa es de tal naturaleza, que se requerirían otros tantos libros como este para poder estudiarlas con el mismo propósito. El título de Literatura medieval española *se usa, pues, en una significación restringida. Con lo de «española» se quiere indicar que las obras de las que trato en este libro son, tanto por la lengua como por la condición poética, el precedente de las que constituyen la literatura de los Siglos de Oro de España y que llegan hasta nuestros días en una línea directa. Sólo esta continuidad justifica el título y sirve de límite en cuanto a las obras de que me ocupo.*

Las diferentes cuestiones que convergen en el estudio y en la inteligencia poética de la literatura medieval se han reunido en forma que el orden y desarrollo del libro proceden del mis-

mo sentido poético testimoniado por las obras. Se ha querido
evitar la rigidez cronológica de un tratado meramente histórico;
tampoco se ha elaborado un diccionario de conceptos o materias. Sin embargo, el libro posee una evidente base histórica,
y un índice adecuado permite el acceso directo a las principales
cuestiones que se plantean en el estudio de la literatura medieval. La obra poética es la unidad primera que se considera
en el fondo de la exposición y, al mismo tiempo, se reconoce
que las obras pueden agruparse según criterios que elabora el
investigador en el examen de las mismas. La ciencia literaria
necesita un orden y un sistema expositivos que, reconociendo y
salvando siempre la unidad de creación de cada obra, permita
establecer estas agrupaciones destinadas a orientar al estudiante
universitario en un primer conocimiento profundo de la materia.
El método es necesario para la progresión en la labor de la
crítica, e indispensable para un tratamiento histórico de la Literatura que quiera sobrepasar las meras catalogaciones de obras
y autores.

También quiero hacer presente que en los casos en que cito
un texto de la época, lo doy generalmente en forma adaptada
a la lengua moderna; el lector sabe que esto es un acuerdo
discrecional, y que puede acudir a una edición responsable (casi
siempre señalada en nota) para hallar el aspecto del párrafo según la grafía medieval. De igual manera, las citas de autores
extranjeros que han escrito en sus lenguas de origen, se pasan
siempre a la lengua española, o a través de las traducciones
mencionadas en las notas o por las que yo mismo he realizado.
De este modo me atengo al carácter de este libro, que es una
obra de introducción general, propia para ser leída por todos,
tanto por los que luego van a proseguir en estos estudios, como
por los que pretenden sólo conocer un planteamiento general
de la materia. De la lectura de mi Manual se ha de sacar la
conclusión de que, en los estudios de la literatura de la Edad
Media, la obra poética, en verso o en prosa, constituye una
entidad delicadísima; cada elemento, desde el más menudo
detalle de la letra del manuscrito o del incunable que la conserva hasta el más complejo postulado de su significación esté-

tica o cultural, ha de considerarse como integrado en una sola e irreemplazable estructura; la obra creada en un proceso de elaboración, estuvo destinada a unos oyentes o lectores situados en un contorno cultural, con sus implicaciones humanas, diferentes del que nos rodea. Cuando hoy se lee una obra de la literatura medieval, es preciso contar con que se concibió para hombres de otra época; su lectura representa una aproximación convencional a su significado primero. Sin embargo, debido a la peculiar condición del hecho poético, la obra puede resultar también una experiencia viva para el lector de hoy; sólo que si este lector posee la perspectiva histórica adecuada, el hecho de la percepción ha de quedar notablemente enriquecido y representar un ejercicio que acreciente su formación cultural. Esta presencia del pasado inteligentemente percibido incrementa la conciencia del presente.

Finalmente, en el comienzo de esta cuarta edición de mi manual, quiero manifestar mi agradecimiento a las numerosas bibliotecas a las que acudí a lo largo de la redacción de estas páginas; en especial menciono (y sólo porque di más trabajo a los bibliotecarios de las mismas, pues mi estancia en ellas duró más) a las de las Facultades de Filosofía y Letras, y de Filología (Complutense), de Sevilla y de Madrid, respectivamente, a las Universitarias de ambas ciudades, a la Biblioteca Nacional de Madrid, y a la Biblioteca de la Universidad de Ottawa (Canadá), donde di un último repaso a este libro. También doy las gracias a cuantos se ocuparon de una manera u otra de las anteriores ediciones de este manual y a los que me alentaron a proseguir con ellas. He querido recoger lo que se me dijo con ocasión de las mismas e incorporarlo a esta edición renovada con objeto de que el libro resulte lo más completo posible. Un estudio de esta naturaleza es un poco obra de todos, porque el autor sólo pone la trama que sostiene la exposición, y establece el orden de los datos, guiado por una finalidad pedagógica. No quiere decir esto que, junto a la noticia o juicio ajenos, esté ausente el comentario o el dato aportado por mí.

*Aun reconociendo la modestia de su fin, anima a este libro
el propósito, que estimo inexcusable en esta coyuntura histórica, de manifestar la relación de España con la cultura medieval europea de la que formó parte integrante; y esto en los dos
sentidos: España (con una compleja población, empeñada en
una vida colectiva de peculiares contrastes, efecto de una singular y divergente historia) presente en los destinos literarios
de Europa; y Europa (cuanto formaba por tradición y por
conformidad cultural el estilo de esta comunidad de tan larga
historia) moviendo en España los resortes religiosos y políticos
comunes con los otros pueblos europeos, de una manera que
hay que conocer con precisión. Por eso, es necesario en nuestro
tiempo un justo y suficiente conocimiento de lo que se hizo
en el recinto peninsular durante aquella Edad Media, cada vez
menos oscura y más cercana. También se puede progresar en el
entendimiento mutuo con la Europa de hoy interpretando veraz
y cordialmente la época de los orígenes comunes. Y esto con
singular dedicación investigadora lo hacen críticos, historiadores
y eruditos de muchos países, junto a los españoles. El hispanismo sigue teniendo un campo fecundo en la Edad Media. Y los
investigadores, y en general los curiosos de la obra medieval,
saben que sus estudios resultan menos espectaculares que los
de otras épocas, pero son más propicios a la penetración detenida y minuciosa. La inventiva crítica puede mostrarse más
audaz, puesto que los textos y los datos conservados son menos
y más esparcidos en el tiempo y, por tanto, domina el claroscuro
alternante de la noticia y el vacío. Por eso las hipótesis abundan
y, por otra parte, la convivencia en el mismo solar de las culturas árabe y judía crea unas relaciones controvertidas.*

*Insisto, para terminar esta presentación, en que este libro
se escribió sobre todo imaginando que podría ser un instrumento de iniciación para los estudiantes. Pienso que ésta es la
sola justificación para que aparezcan libros como el presente.
Para un investigador resulta más grato trabajar en campos en
los que el trabajo propio abre nuevas brechas en el conocimiento de la ciencia literaria y en su valoración crítica, que elaborar obras de esta clase, donde hay que recopilar un gran*

número de datos a través de despaciosas lecturas, de las que poco se aprovecha. Se corre el riesgo de que otros crean que los datos que no se incluyen son más importantes que los reseñados; no siempre se puede acertar encerrando en pocas palabras lo que los autores de los correspondientes estudios dijeron en centenares de páginas, y en consecuencia estos autores pueden sentirse mal interpretados. La ordenación de los datos es el único portillo en donde se puede manifestar la limitada originalidad posible en una obra de esta clase, y esto resulta siempre lo más opinable.

Sin embargo, aun contando con estos inconvenientes, estimo que los profesores de cualquier ciencia debemos realizar obras de esta especie. Un manual de esta naturaleza quiere ser sólo un punto de partida firme para la aventura de un conocimiento más idóneo de la Literatura medieval española. Para cumplir este servicio, me arriesgué a escribirlo, y continúo reformándolo en las sucesivas ediciones.

Tuve también un particular empeño mientras lo redactaba: que la Ciencia literaria fuese no sólo la información sobre su campo y los principios de sus diferentes metodologías, sino que representase también un aspecto del humanismo en correspondencia con los tiempos que nos tocó vivir. Este humanismo debe hallarse en el fondo de cualquier ciencia como un norte que la oriente para el servicio y salvación del hombre. La literatura embebió en determinadas épocas un humanismo circunstanciado en el proceso de la creación poética. Ahora puede la Ciencia de la literatura participar en la intención humanística presentando la obra literaria como un hecho y como un proceso, y mostrando la variedad de los enjuiciamientos que se encuentran en su historia. Es posible que el planteamiento de las cuestiones en forma problemática resulte a algunos enojoso, porque hubieran preferido soluciones definidas en cada caso. Pero, más allá de la base de los datos establecidos, estimo conveniente que el conocimiento universitario ponga a prueba el espíritu de curiosidad manteniéndolo siempre en vilo y con asomos de insatisfacción, pensando en que, a la vez que conviene hacer el recuento de carácter informativo, hay que apuntar también a las cuestiones de la investigación, que es el camino adelante de nuestra Ciencia, y así proseguir en la aventura de la interpretación de los datos logrados. La sombra de los maestros es lugar en el que resulta grato permanecer, pero el porvenir aguarda [1].

Universidad Complutense (Madrid), 1978.

---

[1] He procurado dar las referencias bibliográficas con la necesaria extensión e incluso no me ha importado, a veces, repetir extensamente una mención en el lugar en que he entendido que era fundamental. He usado por eso muy pocas abreviaturas, y éstas son:

OC: Obras Completas en cualquier autor.
CSIC: Consejo Superior de Investigaciones Científicas, como editor.
RAE: Real Academia Española.
BLH: Bibliografía de la Literatura Hispánica, de José SIMÓN DÍAZ.
ELH: Enciclopedia Lingüística Hispánica.
GRLMA: Grundriss der Romanischen Literaturen des Mittelalters.
HGLH: Historia General de las Literaturas Hispánicas.

Capítulo Primero

FUENTES DE INFORMACIÓN SOBRE
LA LITERATURA MEDIEVAL

LA LITERATURA MEDIEVAL Y LA CON-
SIDERACIÓN DE SU ÁMBITO: ESPAÑOL,
ROMÁNICO, COMPARATISTA Y EUROPEO

Ha ocurrido con frecuencia que, en los estudios generales sobre la literatura española, la consideración del período medieval
ha sido breve, y sólo referida en particular a las cuestiones que
se encontraban luego en los Siglos de Oro. Esto acontecía, a veces, por la necesidad de reducir por alguna parte la tan amplia
literatura de España; o, a veces, por considerar que, del conjunto de la misma, el período medieval era el de menos interés
para la formación de los lectores actuales, y era sólo coto
erudito. Sin embargo, una consideración de signo positivo viene
asegurándose cada vez con más firmeza como consecuencia de
un mejor conocimiento y juicio de la Edad Media desde el
punto de vista histórico. Habida cuenta de su resonancia cultural, la literatura de este período ha ido logrando una valoración
propia, reconociéndose para ella un dominio peculiar, con unas
características idóneas entre límites temporales que es preciso
fijar con cuidado. Además, los modernos estudios sobre el estilo
y la estructura literarios han puesto de manifiesto que la literatura medieval no es obra de iniciación primeriza, torpe en sus

manifestaciones, sino que ofrece una creación acabada y completa, y cumple unos fines estéticos establecidos y reconocibles si se logra que el lector posea una formación adecuada.

El desarrollo de la Ciencia literaria ha influido en este movimiento renovador. De ahí que también en el dominio medieval exista una labor cada vez más empeñada en el conocimiento de la teoría de la obra poética; crecen los estudios sobre los géneros literarios; se ensayan nuevos métodos en la crítica; las exigencias sobre la fidelidad en los textos y otros aspectos externos de la obra son cada vez más rigurosas. Y así, en lo que va de siglo, esta consideración de la literatura medieval está ampliando y renovando muchas de sus apreciaciones y juicios. No ha habido, sin embargo, grandes descubrimientos en cuanto al caudal de obras conocidas (por ejemplo, en relación con las mencionadas en la *Historia crítica*, de José Amador de los Ríos, obra publicada de 1861 a 1865), pero con las que se han encontrado (a veces sólo fragmentos de códices) se ha completado el conocimiento de algunas cuestiones. Desde luego, hay que seguir contando con que el número de los textos de la literatura medieval es mucho más limitado que el de las épocas siguientes. En la Edad Media se escribieron menos obras en cantidad, y son más las perdidas. Por otra parte, aunque las diferencias entre la morfología, sintaxis y léxico del español moderno y el medieval no son tantas como las que se presentan en otras lenguas románicas, para la comprensión y estudio de los textos de esta época se necesita una mayor preparación filológica que para el estudio de los períodos posteriores. Pero, una vez asegurado el conocimiento de la lengua de los textos, la literatura medieval ofrece el apasionante atractivo de los estudios sobre las épocas de los orígenes, envueltos en el misterio del silencio documental; plantea los problemas del primer desarrollo de la creación vernácula en el marco de los siglos menos conocidos, junto con el enigma de la vida y obra de unos escritores de los que suele saberse poco; y esto que se sabe pertenece a una época en la que la interpretación de los datos requiere una gran disciplina y cautela filológicas, unida a una audacia consciente para formular las hipótesis que rellenen los vacíos. La exposición de conjunto tiene que ser concorde en sí misma y se ha de adecuar al marco general de la cultura de la época, en el que domina una conformidad que es de un orden diferente al de las que siguen. En este sentido, la literatura medieval estudiada en este libro (dentro de la limitación de «española», tal como se señaló en el prólogo) será objeto de una consideración que pretende establecer un cuadro de conjunto organizado en grupos idóneos de obras de características semejantes.

Pero esta unidad ha de situarse a su vez dentro de otros ámbitos que recojan en una consideración superior lo que se haya reunido. Uno de ellos procede del carácter románico que es propio de la lengua castellana, y que lo es también de las lenguas mozárabe, leonesa y aragonesa, que confluyen con ella en este período. Este otro ámbito superior es el de su consideración como literatura románica, que es una concepción que procede de la herencia de la Filología románica, sólida construcción de la ciencia del siglo XIX, que dio a fines del mismo un maduro fruto en el *Grundriss der romanischen Philologie*[1], recogido por Gustavo Gröber; actualmente se está publicando un *Grundriss der romanischen Literaturen des Mittelalters*[2], que trata ampliamente del acopio de la literatura medieval románica. La peculiar posición de la literatura española en el conjunto románico ofrecerá, sin embargo, determinadas peculiaridades de las que aquí se hará la conveniente mención. El ámbito propuesto por esta concepción de la literatura románica resulta convencional, y va referido básicamente a un motivo filológico: la extensión de las lenguas románicas.

---

[1] La parte española fue confiada a Gottfried BAIST en especial, I, Estrasburgo, 1888, págs. 689-714 (2.ª edición, 1904, págs. 878-915).

[2] De esta nueva edición han aparecido los tomos I (Heidelberg, Winter, 1972), con estudios del conjunto románico, relaciones con las literaturas árabe y judía y la formación de las lenguas literarias; VI, 1 (ídem, 1968), relativo a la literatura religiosa, la forma y tradición didáctica, la alegoría y la sátira; VI, 2 (ídem, 1970), con la bibliografía y parte documental del anterior. Añádase el repertorio bibliográfico de Hernan BRAET y J. LAMBERT, *Encyclopédie des études littéraires romaines*, Gand, Éditions Scientifiques, 1971.

La metodología de la literatura comparada ha tardado en aplicarse al dominio medieval [3]; como dice J. Frappier, motivos han sido «la insuficiencia de información, la rareza de documentos y las incertidumbres de la cronología» [4]. Sin embargo, la Edad Media ha sido un período en que los principios críticos que aseguran la literatura comparada han actuado de una manera inadvertida en los estudios medievales; son muchos los medievalistas que —como observa el mencionado crítico— han trabajado con un criterio comparatista sin saberlo. Las relaciones entre la literatura latina y las vernáculas son un presupuesto en cualquiera de ellas, a poco que se profundice; la existencia de unas relaciones folklóricas generales es otra cuestión fundamental; la circulación de los temas, las técnicas poéticas y los intérpretes requieren una dimensión comparatista. En cierto modo, el ámbito que propone el estudio de la literatura medieval en un marco europeo representa la solución más idónea desde un punto de vista comparatista, por cuanto recoge mejor, en la medida de su diversidad, los diversos factores que entran en juego al considerar la literatura medieval, y a los que me he de referir en este libro en cuanto afecte a la española.

Pero cualquier ámbito que se señale como límite tiene sólo una función relativa, pues hay que contar con factores que traspasen este período y pertenezcan a corrientes más amplias [5], dentro de las cuales este período medieval que aquí se estudia resulta sólo una parte de un conjunto más extenso. Si bien la literatura medieval representa el comienzo de la literatura española, que es el propósito de nuestro estudio, ella por sí misma aparece en relación con situaciones precedentes y subsiguientes que hay que considerar desde esta perspectiva.

---

[3] Jean FRAPPIER, *Littérature médiévale et littérature comparée*, en *GRLMA*, I, 1970, págs. 139-162; bibliografía en la pág. 665.

[4] Ídem, pág. 140.

[5] Así en el planteamiento, sólo informativo, de W. T. H. JACKSON, *The Literature of the Middle Age*, New York, Columbia University, 1960, con escasa representación española; el mismo autor tiene un manual de bolsillo, *Medieval Literature (A History and a Guide)*, New York-Londres, Collier, 1967, 2.ª impresión.

LA HISTORIA DE LA LITERATURA
MEDIEVAL, DESDE NICOLÁS ANTO-
NIO HASTA EL ROMANTICISMO

Las primeras noticias sobre la literatura medieval se encuentran en las obras generales que estudian el conjunto de
los autores españoles. El primer cuerpo orgánico de información fue la *Bibliotheca hispana* de Nicolás Antonio (1617-1684);
la primera parte de este monumento de la erudición fue la *Bibliotheca hispana vetus* (desde Augusto hasta 1500), publicada, en
primera edición, en Roma, 1696, y en segunda, cuidada y anotada
por Francisco Pérez Bayer (1714-1794), en Madrid, 1788 [6]. Los
autores del período medieval que escribieron en las lenguas
vernáculas en España figuran en esta obra, que fue durante
mucho tiempo la más importante en su género; los que cuidaron
la segunda edición de la otra parte de la obra de Nicolás Antonio la titularon *Bibliotheca Hispana Nova* (Madrid, 1783-1788),
y esta oposición *vetus-nova* recayó en la consideración de la
literatura medieval.

Los eruditos del siglo XVIII, apoyándose en esta importante
obra de Nicolás Antonio, al tiempo que la reeditaron y com-
pletaron, comenzaron a establecer el criterio histórico en el
estudio de la literatura, del que se benefició la parte medieval.
Luis José Velázquez, Marqués de Valdeflores (1722-1772), escribió
unos *Orígenes de la Poesía Castellana* (Málaga, 1754), obra que
ya articula, aunque de manera elemental, una parte del período
medieval, del que dice, según un criterio neoclásico: «Los poetas de este tiempo carecían de invención y de numen, apenas
acertaban a ser buenos rimadores.» De mayor enjundia fue la
obra de Fray Martín Sarmiento (1695-1771), discípulo de Feijoo
y seguidor de sus afanes renovadores; con una información me-

---

6 Nicolás Antonio, *Bibliotheca hispana vetus*, Roma, A. de Rubeis, 1696,
2 volúmenes; la segunda edición, con el mismo título y adicionada por
Francisco Pérez Bayer, Madrid, Vda. de Ibarra, 1788, 2 volúmenes.

jor establecida, escribió unas *Memorias para la historia de la poesía y poetas españoles*, obra que apareció póstuma en 1775.

Una obra fundamental para el conocimiento de la poesía medieval fue la *Colección de poesías castellanas anteriores al siglo XV...*, que, anotada por Tomás Antonio Sánchez (1723-1802), se publicó en Madrid (1779-90) en cuatro volúmenes. El editor reunió algunos de los textos básicos de la Edad Media española: el *Poema del Cid*, el *Libro de Buen Amor*, obras de Berceo y el *Poema de Alexandre*, junto al *Prohemio* al Condestable don Pedro de Portugal, del Marqués de Santillana, obra de teoría poética medieval que encabeza la selección. Esta *Colección*, incompleta e inútil hoy por haber sido recogida en un tiempo en que la disciplina de la filología no se había aún desarrollado, fue, sin embargo, de gran valor en la primera ola de difusión de la literatura medieval; por eso señala W. Krauss: «España ha tenido el honor de haber sido el primer país del mundo que constituyó el *corpus* de su literatura medieval desde un punto de vista científico»[7]. En vísperas del Romanticismo, estos viejos textos, por vez primera impresos en su mayor parte, mostraban el ejemplo de una poesía diferente de la que era común en el tiempo y de la que se tenía como «clásica» por tradición; la Edad Media se hallaba así presente en el período prerromántico preparando una radical renovación de los gustos literarios. La fortuna de la *Colección* fue grande, pues con alguna ampliación y notas fue publicada otra vez en París, 1842, y fue el fondo de textos sobre el que Pedro José Pidal reunió en 1864 el tomo 57 de la «Biblioteca de Autores Españoles», reimpreso hasta la actualidad y probablemente la fuente más importante para el conocimiento de la poesía medieval entre los lectores que no tuvieron ocasión de conocer mejores textos.

La actividad de las Academias que se crearon en el siglo XVIII en Madrid, Sevilla, Barcelona y otras ciudades removió la erudición, y también la literatura medieval salió a la luz en las

---

[7] Werner KRAUSS, *Le Moyen Âge au temps de l'Aufklärung*, «Mélanges à la mémoire de Jean Sarrailh», París, 1966, pág. 469.

disertaciones de estos centros. El *Diccionario de Autoridades* de la Real Academia Española apareció en 1726-1739; en su tomo I trae la «Lista de los autores elegidos» para explicar las definiciones, y en ella figuran desde los orígenes hasta 1500 unos 40 autores u obras o colecciones de ellas en prosa, y siete en verso; en el único tomo I de una segunda edición se indica el aumento de las palabras «anticuadas»[8]. De esto resulta que las obras fundamentales de la literatura medieval se consideraron, en la realización más importante del espíritu de la Ilustración lingüística, como parte del vocabulario de la nación. Y si de esta entidad colectiva pasamos a los autores de la erudición del siglo XVIII, encontramos entre otros a Rafael de Floranes (1743-1801) que, aunque publicó poco, fue un buen conocedor de la Edad Media, así como Francisco Cerdá y Rico (1739-1800). Leandro Fernández de Moratín (1760-1828) escribió unos *Orígenes del Teatro Español*, de aparición póstuma entre sus *Obras* (tomo I, 1830), estudio difundido luego en el tomo II de la «Biblioteca de Autores Españoles» (1850). Por diversos motivos, y en particular al establecer los primeros estudios históricos de los géneros, los autores medievales fueron incorporándose al conocimiento de la literatura.

También los primeros autores que comenzaron los estudios de la literatura en una dimensión universal, acorde con el pensamiento de la época, utilizaron las obras de los escritores medievales. El término «literatura» tenía un sentido enciclopédico, más amplio que el que limita la significación estética. Juan Andrés (1740-1817), jesuita que trabajó en la Biblioteca Real de Nápoles, escribió una importante obra *Dell'Origine, Progressi e stato attuale d'ogni Letteratura* (1782 a 1798), sucesivamente traducida al español (1784 a 1806); la obra, especie de historia literaria general, resultó en parte polémica, pues quiso mostrar la aportación española al dominio intelectual de Europa, y en sus páginas se defiende la contribución de los árabes españoles y se mencionan los autores del período medieval, de los que se

---

[8] Véase Homero SERÍS, *Bibliografía de la lingüística española*, números 12561 y 12583, Bogotá, Instituto Caro y Cuervo, 1964. El *Diccionario de Autoridades* ha sido reeditado en facsímil (Madrid, Gredos, 1969).

dice: «Pero todos estos [autores mencionados desde el *Poema del Cid* a Mena y Santillana] no eran más que ligeros bosquejos del magnífico cuadro que la Poesía preparaba a la España para el siglo XVI.»[9] Esta fue la opinión más general en que se tuvo la obra de la Edad Media en la época.

DESDE EL ROMANTICISMO HASTA
LA ACTUAL HISTORIA LITERARIA

Con el triunfo y difusión del Romanticismo (teoría poética, obra literaria y moda de la sociedad), la Edad Media ganó un gran favor en la consideración literaria. La literatura recogió el beneficio de una corriente cultural de base estética y emotiva, y esto favoreció la labor de los eruditos y ayudó a la extensión, divulgación y popularidad del período. Y, sobre todo, los artistas (contando entre ellos a los creadores de la literatura) hicieron del conocimiento y comprensión de la Edad Media objeto de su experiencia estética. En el arte literario, erudición y creación se unieron para establecer un concepto renovador del período, y así surge la crítica romántica, de orientación intensamente histórica. El conocimiento de obras y autores iba unido a una nueva valoración de la tradición europea, y la literatura medieval resultaba atractiva por ser distinta de la de los antiguos y de los modernos. La Edad Media se entendió también como romántica, y en su exaltación a veces se confundieron la creación imaginativa y el dato histórico. Un traductor de la *Historia*, de J. Ch. L. Simonde de Sismondi, escribe: «Otros toman la palabra romanticismo para expresar la literatura de Europa de los siglos medios.»

Tales consideraciones procedían del criterio romántico que se había extendido por Europa, y que expusieron, entre otros, Federico Schlegel (1771-1829), y su hermano A. Guillermo (1767-1845). La literatura española, apoyada en este caso por las

---

[9] Juan ANDRÉS, *Origen, progreso y estado actual de toda la literatura*, trad. de Carlos Andrés, III, Madrid, Sancha, 1785, pág. 118. Véase Heinrich BIHLER, *Spanische Versdichtung des Mittelalters im Lichte der spanischen Kritik der Aufklärung und Vorromantik*, Münster, 1957.

corrientes de moda, iba conociéndose mejor, y su estudio entraba en el marco de las grandes historias. Así, Federico Bouterwek dedicó el tomo III de su *Geschichte der Poesie und Beredsamkeit...* a la española (Göttingen, 1804), y Juan Carlos Leonardo Simonde de Sismondi, los tomos III y IV de su obra *De la Littérature du Midi de l'Europe* (París, 1813). Las historias de la literatura española publicadas por Jorge Ticknor (New York, 1849) y por Fernando José Wolf (Berlín, 1859, refundiendo y ampliando estudios aparecidos en Viena, 1831 y 1832), Ludwig Clarus (Mainz, 1846) y Alexander F. Foster (Edimburgo, 1851) fueron, entre otras, las contribuciones más importantes del naciente hispanismo erudito, que aparecía al mismo tiempo que se aseguraba la opinión de que España era un país romántico por naturaleza y por razón de historia [10]. Menéndez Pelayo resume en estos términos los rasgos generales de esta corriente representada por los Schlegel: «Es carácter común a la mayor parte de estos escritores el entusiasmo por los recuerdos de la Edad Media; el gusto de cierta poesía feudal y caballeresca; la exaltación del espíritu teutónico; la *galofobia*, o sea, la aversión a las ideas, costumbres y gustos de los franceses; la admiración más o menos sincera y desinteresada por las literaturas menos parecidas a la de sus vecinos, especialmente la inglesa y la española; la tendencia a lo sobrenatural y a lo fantástico, que en (Zacarías) Werner (1768-1823) y Ernst Th. A. Hoffmann (1776-1882) degenera en verdadero delirio; la efervescencia, no siempre sana, de la pasión, mezclada con cierto idealismo vaporoso y tenue, y, finalmente, el culto de la

---

[10] Marcelino MENÉNDEZ PELAYO, *Historia de las ideas estéticas*, en *Obras Completas*, IV, Madrid, 1940, pág. 136; el cap. III, págs. 133-155, orienta sobre el asunto; véase *BLH*, I, págs. 9-65. En cuanto a la diversa valoración que de la Edad Media hizo la progresión de la crítica literaria europea, véase René WELLEK, *Historia de la crítica moderna*, tomo I *(La segunda mitad del XVIII)*, Madrid, Gredos, 1959; II *(El Romanticismo)*, Madrid, 1962; III *(Los años de transición)*, Madrid, 1972. Sobre la eclosión del medievalismo en la crítica, véase III, págs. 22-23. En particular, los datos de la vertiente alemana, en Gerhart HOFFMEISTER, *Spanien und Deutschland. Geschichte und Dokumentation der literarischen Beziehungen*, Berlín, E. Schmidt, 1976.

arquitectura gótica, de las noches de luna, de las nieblas del Rhin, de la mitología popular, de las baladas y consejas, de las artes taumatúrgicas y de las potencias misteriosas»[11].

Estos tratados extranjeros resultaban insatisfactorios para los españoles, y así como se tradujeron a las lenguas europeas, también pasaron al español con ampliaciones, al tiempo que abundaban las críticas sobre ellos. Aun teniendo en cuenta lo que representaron para un mejor conocimiento de conjunto en cuanto a la Edad Media, se inclinaban más hacia el estudio de los Siglos de Oro; por otra parte, la consideración común y manida de los románticos había difundido una serie de tópicos deformantes, y faltaba la exploración ordenada del dominio medieval.

La labor de Bartolomé José Gallardo (1776-1852), el bibliófilo que mayor número de manuscritos y libros conoció en su tiempo, contribuyó a esta exploración. Pero sólo con la gran obra de José Amador de los Ríos (1818-1878) se entra en el período moderno de los estudios sobre la literatura medieval. Sintiendo el fervor propio del romántico por la Edad Media, su obra resulta, con todo, mesurada y objetiva, y constituye la más extensa revisión de la literatura medieval que se realizó en su tiempo. Su *Historia crítica de la literatura española* (Madrid, 1861-1865), quedó trunca como totalidad, pero los siete volúmenes impresos son todavía hoy la más amplia exposición de la literatura medieval (incluyendo la hispanorromana) hasta el filo del reinado de Carlos V[12].

Con la abundante cosecha bibliográfica de Gallardo y esta *Historia* de Amador de los Ríos, quedó asegurado el estudio de la literatura medieval[13]. Por otra parte, la metodología positivista, que tanto impulso había dado a la Filología románica,

---

[11] Marcelino MENÉNDEZ PELAYO, *Historia de las ideas estéticas*, en *OC*, IV, Santander, Aldus, 1940, pág. 136.

[12] Ha sido reproducida en edición facsímil: José AMADOR DE LOS RÍOS, *Historia crítica de la literatura española* [1861-1865], Madrid, Gredos, 1969.

[13] Guillermo DÍAZ-PLAJA publicó un *Esquema historiográfico de la literatura española*, que encabeza la *HGLH*, I, LXI-LXXV, Barcelona, Barna, 1949. Las referencias completas de los libros citados y de sus traducciones, ampliaciones y críticas pueden hallarse en las bibliografías que luego se-

también halló su eco en España, templada casi siempre por
cuanto los eruditos no fueron sólo colectores de datos, sino
que procuraron valorar poética y críticamente las obras que
trataban en sus libros; tal es el caso de Manuel Milá y Fontanals (1818-1884), cuyas lecciones y estudios en el campo medieval,
sobre todo en la épica y el romancero [14], resultaron fundamentales. «La implantación en España de los modernos métodos de
investigación crítica a Milá se debe principalmente», escribió en
1908 Menéndez Pelayo [15]. Desde entonces la mayor parte de los
historiadores de la Filosofía, Ciencias, Religión y de los demás
aspectos de la cultura española han tenido ocasión de ocuparse
de este período, y muchos de ellos han publicado textos y trabajos cuyo conocimiento resulta necesario para los estudios
de la literatura medieval. En el aspecto literario, la figura de
más relieve en la segunda mitad del siglo XIX fue Marcelino
Menéndez Pelayo (1856-1912). Discípulo de Amador de los Ríos
y de Milá, supo recoger la erudición de sus maestros y unirla
a una lectura intensa y extensa de la literatura española. Su
vida estuvo entregada a la realización de una historia total de
la literatura española que no pudo realizar completa; con ese
propósito trató la estética, la novela y la lírica, en cuyos aspectos tuvo ocasión de ocuparse extensamente de la parte medieval por ser la primera de la historia de los géneros respectivos. Su sistema de crítica fue de orden personal y se basó
en sus lecturas, en su gran memoria y su portentosa capacidad
de asociación; se mostró dispuesto a rectificar y matizar las
opiniones en busca de la mejor ponderación, pues de un relativo despego hacia el Medievo, que aparece en sus primeras
obras, acabó siendo uno de sus mejores conocedores [16].

ñalaré de H. SERÍS (principalmente págs. 2-18), expuestas cronológicamente,
y de J. SIMÓN DÍAZ, I (2.ª ed.), por orden alfabético (págs. 9-65).

[14] Manuel MILÁ Y FONTANALS, *De la poesía heroico-popular castellana*,
Barcelona, CSIC, 1949, edición de Martín de RIQUER y Joaquín MOLAS, que
reproduce, mejorándola, la deficiente edición primera de 1874.

[15] Véase Marcelino MENÉNDEZ PELAYO, *El doctor don Manuel Milá y
Fontanals (semblanza literaria)*, publicado en los *Estudios y discursos de
crítica histórica y literaria*, en *OC*, V, Santander, Aldus, 1942, pág. 137.

[16] Sobre los aspectos fundamentales de su concepción de la literatura

Otros eruditos y críticos siguieron trabajando sobre la literatura de la Edad Media, aunque muchas veces sin contar con los métodos del positivismo filológico. Sobre todo resultó patente la conveniencia de asimilar los procedimientos que la filología románica había establecido en relación con la edición de textos, e incorporar a los estudios históricos la minuciosa investigación de datos documentales sobre las obras y los autores, paso necesario para una segura interpretación crítica de las obras literarias. Cualquier estudio que se emprendiese debía tener en consideración los precedentes, y la labor de la investigación se había de repartir entre muchos. Y así ocurrió que algunos esfuerzos se frustraron por esto, como, por ejemplo, la *Historia de la lengua y literatura castellana*, de Julio Cejador y Frauca, cuyo tomo I (Madrid, 1915) recoge organizado por un posible orden cronológico de autores el período comprendido desde los orígenes hasta 1516. Los muchos datos que reúne resultan inoperantes, algunas veces por su descuido, y otras, por

medieval, véase Juan Loveluck, *Menéndez Pelayo y la literatura española medieval*, Santiago de Chile, Universidad, 1957, que trata sobre todo de los juicios sobre Berceo, Juan Ruiz y la *Celestina*, y su relación con la crítica posterior. Sobre el sucesivo reconocimiento de la lírica popular, véase Dámaso Alonso, *Menéndez Pelayo, crítico literario*, Madrid, Gredos, 1956, y Pedro Sainz Rodríguez, *Menéndez Pelayo, historiador y crítico literario*, Madrid, A. Aguado, 1956, págs. 61-65. Sobre las orientaciones metodológicas de la crítica de Menéndez Pelayo, véase César Real de la Riva, *Menéndez Pelayo y la crítica literaria*, «Boletín de la Biblioteca Menéndez Pelayo», XXXII, 1956, 293-341; para fijar las ideas que tuvo sobre conceptos de crítica e historia literarias, lenguaje, estilo, filología y la diversa creación poética (en particular sobre la Edad Media) resulta útil para el estudiante la *Antología General de Menéndez Pelayo. Recopilación orgánica de su doctrina*, por J. M. Sánchez de Muniáin, Madrid, Biblioteca de Autores Cristianos, 1956, 2 tomos. Las *Obras Completas* de M. Menéndez Pelayo han sido publicadas otra vez (repitiendo los textos anteriores y añadiendo algún nuevo material); comenzó esta edición el año 1940 y en el de 1958 la colección había alcanzado el tomo 65, que se daba como último de la serie; algunas colecciones de obras han sido editadas por segunda vez, como los *Orígenes de la novela*, 1962. Por los índices que tienen las diversas obras en esta Colección, aunque desiguales, resultan útiles para la consulta.

los juicios violentos que expone desde una posición casticista que sólo busca realzar un realismo de carácter español y popular.

Incorporar a los estudios de la filología española las exigencias del método positivista para asegurar la base de las investigaciones fue la intención de Ramón Menéndez Pidal (1869-1968). La larga duración de su vida hizo que pudiese conocer los métodos críticos que se sucedieron en casi un siglo. Desde el rigor del positivismo inicial, que establece la fiabilidad científica del dato, fue estableciendo su propia interpretación de la filología, atendiendo a la vez a la lengua y a la literatura; la unidad de ambas guió su obra, sobre todo en el período primitivo, en el que entendió que la lengua vernácula llevaba en su desarrollo consigo la literatura del pueblo que la hablaba, que él llamó tradicional. De esta manera su criterio se afirma en un neorromanticismo crítico que se acomoda flexiblemente a la diversidad de los campos de estudio; en su extensa vida fue remodelando sus libros, recogiendo de las teorías nuevas lo que podía confirmar o añadir matices a su obra, de base fundamentalmente histórica.

Desde sus primeras obras se dedicó, sobre todo, al estudio de la literatura medieval, en donde realizó trabajos básicos sobre la épica, el romancero y la lírica; destacó en especial una serie de caracteres que desde la Edad Media perduran hacia los tiempos modernos: arte sabio, sencillo y espontáneo, dedicado a mayorías, con abundante anonimia, y de colaboraciones y refundiciones, dentro de un peculiar realismo, parco en lo fantástico, con preferencia por la polimetría y la asonancia, y fuerte persistencia de lo tradicional [17]. Estas características se encuentran sobre todo en el período medieval, que así pasa a integrarse fuertemente en el conjunto de la literatura española.

La obra de investigación y difusión de la literatura medieval de Menéndez Pidal es paralela con la renovación estética del Modernismo, tal como referiré más adelante. La labor del filólogo se proyectó en la organización del Centro de Estudios

---

[17] Véase Ramón MENÉNDEZ PIDAL, *Caracteres primordiales de la literatura española...*, en *HGLH*, I, obra citada, 1949, págs. IX-LIX.

Históricos, dentro de cuyas actividades apareció en 1914 la «Revista de Filología Española», cuya información bibliográfica fue durante muchos años la fuente más importante para el estudio de la lengua y literatura españolas, con minuciosa atención para la parte medieval. Asimismo hay que contar con un grupo de revistas donde se encuentran también artículos, misceláneas y referencias relativas a nuestro campo: el «Boletín de la Real Academia Española», «Revista de Archivos, Bibliotecas y Museos», de Madrid, «Revista de Literatura» y «Revista de Dialectología y Tradiciones Populares», del Consejo Superior de Investigaciones Científicas de Madrid; «Berceo», del Instituto de Estudios Riojanos de Logroño; «La Ciudad de Dios», de los Agustinos del Monasterio del Escorial; «Prohemio», de Barcelona, etcétera.

La escuela de Menéndez Pidal contó con un importante grupo de eruditos y críticos que, aunque diversos en su orientación, tuvieron en común como punto de partida un conocimiento básico de la lengua aplicada a la interpretación del texto literario, y un afán por renovar y ampliar los datos mediante la investigación en los archivos y bibliotecas. Desde estos principios se ha llegado a nuevas concepciones de la crítica, diferentes según los autores. Ejemplo de esto se halla en la obra de Antonio García Solalinde (1892-1937) con sus ediciones y estudios de Alfonso X; Américo Castro y Quesada (1885-1972), que comenzó publicando textos medievales (Fueros, Glosarios, etc.), y reunió una gran documentación sobre el sentido de la cultura de España; Tomás Navarro Tomás (1884) puso base científica a la Fonética y Métrica españolas; Samuel Gili Gaya (1892-1976) se aplicó al estudio de la prosa y de autores de fin del Medievo. Homero Serís (1879-1969) publicó una bibliografía sobre la lengua española, la más extensa y completa que existe, y dejó en curso de publicación una bibliografía sobre la literatura española, así como también prosiguió el gran esfuerzo de Gallardo con una continuación de su *Ensayo...* bibliográfico. Pedro Salinas (1892-1951) fue poeta y profesor, y su libro sobre Jorge Manrique es un cabal logro en el que se equilibra la erudición con el esfuerzo por penetrar en el hondo sentido de la poesía.

También poeta y profesor es Dámaso Alonso (1898), empeñado en asegurar unos principios en la Estilística española y su aplicación al estudio de las grandes obras y autores de la literatura; colector de una ponderada Antología medieval, y autor de estudios sobre el *Poema del Cid*, Berceo, los libros de caballerías, etcétera. Eduardo Martínez Torner (1888-1955) se especializó en el estudio de la lírica popular tanto en su relación con la literatura como con la música, alcanzando los orígenes medievales. Manuel García Blanco (1902-1966) en Salamanca estudió entre otros el *Libro de Apolonio*, el Romancero, y el *Cancionero de Baena*. Rafael Lapesa Melgar (1908), documentado conocedor de varios autores de la Edad Media, en especial de Santillana, escribió un importante manual sobre la lengua española, cuya parte medieval trata en afortunada síntesis del proceso de la lengua literaria de la época. Los investigadores que han seguido a estos promueven actualmente los estudios medievalistas y la relación de sus actividades se puede encontrar en el *Repertorio del medievalismo hispánico* (1955-1975), que se citará después.

El estudio de la literatura medieval ha ocupado también a los eruditos y críticos hispanoamericanos, demostrando con esto la unidad de la lengua y la tradición literaria que es común para todos los que hablan en español. Andrés Bello (1781-1865) [18] vivió en tiempos en que la libertad romántica tuvo para los americanos un claro signo político en favor de la independencia de sus naciones; en esta situación supo establecer una distinción entre la actividad política, referente a una circunstancia determinada, y la permanente tradición cultural que podía seguir uniendo a España con las nuevas naciones americanas de habla española. Y, dando ejemplo, escribió notables estudios sobre la literatura medieval, que así pasaba a ser también patrimonio de estas naciones. Federico Hanssen (1857-1919) puede ser considerado como americano, y dio un rigor positivista al estudio de la lengua y la literatura medievales que sirvió de

---

[18] Julio CAILLET-BOIS, *Las investigaciones de Andrés Bello en torno a la poesía medieval*, «Humanidades», XXXIV, 1954, págs. 7-36; Ramón MENÉNDEZ PIDAL, *La nueva edición de las obras de Bello*, «Revista Nacional de Cultura», Caracas, núms. 106-107, 1954, separata de 14 págs.

guía. En el siglo actual ha crecido el número de investigadores que han estudiado estos dominios comunes de la filología española. Siguiendo la disciplina metodológica que marcó el Instituto de Filología de Buenos Aires, en el que trabajó con tanto fruto Amado Alonso (1896-1952), discípulo de Menéndez Pidal, se han escrito diversos trabajos sobre la literatura medieval. La intensa actividad de María Rosa Lida de Malkiel (1910-1962) será mencionada en diversas partes de este libro [19], así como la de otros eruditos y críticos formados de este grupo. La «Revista de Filología Hispánica» se publicó desde 1939 a 1946 en Buenos Aires; hoy la revista del Instituto se titula «Filología». La «Nueva Revista de Filología Hispánica», publicada desde 1947 en Méjico, continúa con la misma orientación, y su bibliografía es una excelente fuente de información. En las publicaciones de la Universidad de Chile se halla otro grupo de estudios sobre la Edad Media; la actividad de Rodolfo Oroz es notable. También se considera el período medieval en el Instituto Caro y Cuervo, de Bogotá, y el Boletín del mismo, *Thesaurus*, se ocupa de estos estudios.

Desde un punto de vista informativo conviene también conocer las revistas que se ocupan de la filología románica, pues en ellas pueden aparecer noticias que son de interés para el dominio español o encontrarse aplicados métodos que interesa conocer; así ocurre con «Archiv für das Studium der Neueren Sprachen und Literaturen», «Archivum Romanicum», «Les Lettres Romanes», «Modern Languages Notes», «Modern Philology», «Neophilologus», «Philological Quartely», «Romania», «Studia Neophilologica», «Zeitschrif für Romanische Philologie», etc.

En un campo más amplio, y a la vez más específico, son de interés las revistas que se ocupan de la Edad Media de una manera general, como son: «Speculum», la veterana revista de «The Mediaeval Academy of America», los «Cahiers de Civilisation Médiévale», de la Universidad de Poitiers; el «Anuario

---

[19] Sobre María Rosa Lida, véase el prefacio de Jakov Malkiel, y el prólogo de Alberto Várvaro en la colección de estudios de la misma autora, titulada *Juan Ruiz. Selección del «Libro de Buen Amor» y estudios críticos*, Buenos Aires, Eudeba, 1973, págs. VII-XXIV.

de Estudios Medievales», de Barcelona; «Studia Mediaevalia», de Turín; «Medieval Studies», de Toronto; «Le Moyen Âge», de Bruselas, etc.

Las relaciones que hubo entre los diversos reinos cristianos de la Península Ibérica obligan a tener en cuenta sus efectos en la literatura que hemos llamado «española» en el sentido señalado. Por eso hay que mencionar aquí las aportaciones de los estudiosos de la literatura catalana como J. Rubió y Balaguer y F. Vendrell de Millás, cuyos trabajos se refieren en particular a los reyes de Aragón relacionados con Nápoles, Cancioneros, etcétera, dominio en cierto modo común; M. de Riquer, P. Bohigas, G. Díaz-Plaja y J. Romeu y Figueras alternan ambas literaturas, con una labor muy provechosa para matizar la complejidad de la literatura medieval en lengua castellana.

Muchas cuestiones literarias del Medievo son comunes entre Portugal, Galicia y Castilla, y de ahí que muchos autores las hayan tratado conjuntamente. La obra de los grandes eruditos del siglo XIX, Teófilo Braga, Carolina Michäelis, etc., fue continuada en el presente por los estudios de Manuel Paiva Boléo, J. J. Nunes, Manuel Rodrigues Lapa, Luis Felipe Lindley Cintra, entre otros más.

Dedicados específicamente al estudio de la literatura medieval son los manuales de A. Millares [20], A. Várvaro [21], Clare y Chevalier [22] y H. López Morales [23]; incluso hay una exposición

---

[20] Agustín MILLARES CARLO, *Literatura española hasta fines del siglo XV*, México, Robredo, 1950 (Criterio fundamentalmente histórico y de información de datos).

[21] Alberto VÁRVARO, *Manuale di Filologia Spagnola Medievale*, II, Liguori, Nápoles, Università, 1969 (Exposición histórica de la literatura medieval adecuada para los estudiantes italianos). Esta obra, con algunas adiciones y notas, aparece también en el libro *La Letteratura Spagnola dal Cid ai Rei Catolici*, Milán, Sansoni, 1972, donde figura una parte dedicada a la narrativa, de Carmelo SAMONÀ.

[22] La segunda parte y la antología del volumen de Lucien CLARE y Jean Claude CHEVALIER, *Le Moyen Age espagnol*, París, Colin, 1972, páginas 65-322, exponen la Literatura medieval española. (Se trata de una obra de iniciación en el asunto, concebida como manual para estudiantes franceses.)

[23] Humberto LÓPEZ MORALES, *Historia de la literatura medieval espa-*

de la literatura medieval destinada a la juventud, escrita por C. Conde [24] sin aparato erudito, pero con dignidad literaria.

Los libros más recientes sobre la historia literaria de España tienen partes y capítulos en que tratan de la Edad Media, y que pueden ayudar al estudiante para una primera orientación. Así ocurre con las Historias de Angel Valbuena Prat [25], Ángel del Río [26] y Alborg [27]. Las más recientes historias de la literatura española realizadas en colaboración comprenden el estudio de nuestro período; así ocurre con la *Historia*, dirigida por R. O. Jones, de la que el primer tomo, escrito por A. D. Deyermond [28], lo trata en particular; G. Díaz-Plaza [29] y J. M. Díez Borque [30]

ñola, I, Madrid, Hispanova, 1974; este tomo comprende las partes de «Orígenes», «Siglo XII» y «Siglo XIII» (Carácter informativo, para estudiantes).

[24] Carmen CONDE, *Un pueblo que lucha y canta (Iniciación a la literatura española de los siglos XII al XV)*, Madrid, Editora Nacional, 1967.

[25] Ángel VALBUENA PRAT, *Historia de la literatura española*, I, Barcelona, G. Gili, 1964, 7.ª edición (Selección de datos con criterio idealista, acompañada de bibliografía básica; su primera edición es de 1937; y la segunda, corregida y aumentada, de 1946; la parte medieval presenta pocas variaciones).

[26] Ángel del RÍO, *Historia de la literatura española*, I, New York, Holt, Rinehardt and Winston, 1966, 3.ª edición. (Hábil resumen de la información y bibliografía muy selecta, propio para estudiantes extranjeros).

[27] Juan Luis ALBORG, *Historia de la literatura española*, Madrid, Gredos, 1972, 2.ª ed. (La parte medieval ocupa las págs. 11-616. Abundante información, puesta al día en cuanto a noticias.)

[28] Alan D. DEYERMOND, *Historia de la literatura española*, I, *La Edad Media*, Barcelona, Ariel, 1973; es traducción puesta al día de *A Literary History of Spain, The Middle Ages*, Londres, E. Benn, 1971, de la que Antonio Antelo hizo una extensa reseña en el «Anuario de Estudios Medievales», VIII, 1972-1973, págs. 627-666. (Manual condensado y sistemático, procurando referirse a autores hasta ahora poco valorados en obras de esta clase.)

[29] *Historia general de las literaturas hispánicas*, I, publicada bajo la dirección de G. Díaz-Plaja, Barcelona, Barna, 1949. Desde los orígenes hasta 1400; II, íd., 1953, Prerrenacimiento y Renacimiento. La parte medieval abarca hasta la pág. 315. (De desigual valía en sus diversas partes, daré las referencias en los lugares convenientes.)

[30] *Historia de la literatura española*, Madrid, Guadiana, 1974, que comprende hasta el siglo XVI (parte medieval, págs. 45-461). (Obra de

coordinaron la publicación de sendas *Historias*, en las que el período medieval se encuentra estudiado por varios autores; con la novedad de contener cada volumen una serie de diapositivas, la colección «Literatura española en imágenes» dedicó varios de sus tomos a la parte medieval [31].

Las nuevas corrientes de la crítica literaria de los últimos años se están aplicando a la literatura medieval. En las páginas de este libro se encontrará su noticia en la medida en que lo permita su condición de manual informativo. Ha crecido mucho el número de obras sobre la Edad Media que, publicadas en otras lenguas, se han traducido al español; así ocurre, como se irá viendo, con los libros de Curtius, Cohen, Patsch, De Bruyne, Richthofen, etc. De esta manera las fuentes de estudio se han ampliado mucho, y los libros de teoría literaria resultan accesibles para todos, contribuyendo a la renovación de los métodos. Asegurada la necesidad de una base lingüística firme, como propugnaba Menéndez Pidal, los críticos prosiguen en la exploración, fijación de los textos y valoración de la literatura medieval. Aun con un caudal limitado de obras, pero siempre con la esperanza del hallazgo, continúa la elaboración de ediciones cada vez más rigurosas y cuidadas, y los datos literarios, reforzados por diversos aspectos de su resonancia cultural (estética, sociología, economía, etc.), se combinan en la exposición de estas nuevas obras de crítica literaria. Más que una dirección determinada, aparece una pluralidad de criterios, muchos de ellos tanteos, modificados en el curso de su aplicación, aparentemente contrapuestos a veces, pero de los que resulta una gran riqueza de perspectivas.

---

colaboración, con criterios diversos, es un manual de grado universitario, y se citará por partes; impresión e índices descuidados.)

[31] Se han publicado en la Editorial La Muralla los siguientes: *La épica* (por José Fradejas, 1973); *El Mester de clerecía* (por N. Salvador Miguel, 1973); *La lírica medieval* (por Arturo Ramoneda, 1973); *El teatro medieval* (por Nicasio Salvador, 1973); *La prosa hasta el siglo XIV* (por Francisco López Estrada, 1973); *La prosa del siglo XV* (por Arturo Ramoneda). (Breve planteamiento previo de cada asunto, con bibliografía sumaria.)

INFORMACIÓN BIBLIO-
GRÁFICA Y BIOGRÁFICA

El Manual de D. W. y V. R. Foster [32] es una guía inicial para conocer los títulos y contenidos de las bibliografías generales sobre la literatura española, de entre los cuales pueden seleccionarse los que tocan totalmente o en parte a la literatura medieval.

Un grado suficiente para una orientación general sobre los estudios de la literatura de la Edad Media se encuentra en la bibliografía general española de F. González Ollé [33]. En un campo más preciso resultan fundamentales las obras de bibliografía específicamente literaria de J. Simón Díaz [34] (en curso de publicación) y de H. Serís [35] (detenida en el tomo I a la muerte

---

[32] David W. Foster y Virginia R. Foster, *Manual of Hispanic Bibliography*, New York, Garland, 1977, 2.ª edición; importa la parte general y referente a la literatura española (págs. 3-111). Las referencias medievales más importantes, en págs. 13-15 y 66-70.

[33] Fernando González Ollé, *Manual bibliográfico de estudios españoles*, Pamplona, Universidad, 1976. La parte dedicada a la literatura medieval, páginas 773-775; con información sobre la latino-medieval, pág. 792; hispano-árabe, págs. 792-793; la hispano-judía, págs. 793-794; la iglesia medieval, págs. 382-383; Biblia, págs. 385-386; espiritualidad, págs. 386-387; Mariología, págs. 389-394; Hagiografía, págs. 394-395; minorías mozárabes, moros, judíos y conversos, págs. 529-534, y otros aspectos tratados en este libro.

[34] José Simón Díaz, *Bibliografía de la literatura hispánica*, I, Madrid, CSIC, 1960, 2.ª ed.; II, 1951 (Cuestiones generales); III, 2.ª ed. ampliada, volumen I, Madrid, 1963 (comprende los cuatro primeros siglos, las fuentes generales del siglo xv y los cancioneros. III, 2.ª ed. ampliada, vol. II, Madrid, 1965, con el resto de obras y autores del siglo xv hasta el fin de la Edad Media). J. Simón Díaz es autor también de un *Manual de bibliografía de la literatura española*, Barcelona, G. Gili, 1963, de utilidad para una iniciación en la materia; 2.ª edición, con adiciones 1962-1964, Barcelona, G. Gili, 1966; y un suplemento con las adiciones 1965-1970, Barcelona, G. Gili, 1972.

[35] La obra de Homero Serís, *Manual de bibliografía de la literatura española*, I, Syracuse, University, 1948-1954, vio interrumpida su publi-

de su autor). En cuanto a la literatura comparada, contamos
con la bibliografía general de F. Baldensperger y W. Friederich[36].

La bibliografía, por su peculiar condición, es materia siempre fluyente, y para la información reciente hay que acudir a
las secciones bibliográficas que desde 1914 ha venido publicando la «Revista de Filología Española», y desde 1939 a 1946
la «Revista de Filología Hispánica», continuada por la «Nueva
Revista de Filología Hispánica». El «Indice histórico español»,
desde 1953, dedica también sus referencias al campo de la literatura medieval, sobre todo si las obras se refieren de algún
modo a la historia. Para la información bibliográfica general se
recomienda la consulta de la «International Medieval Bibliography», de la Universidad de Leeds, y la bibliografía que publican los mencionados «Cahiers de civilisation médiévale», de
Poitiers.

Contamos con dos grandes repertorios de información biográfica, con referencias bibliográficas, de los estudiosos de la
literatura dedicados total o parcialmente a los estudios medievales; uno, internacional[37], y otro, relativo al dominio hispánico y luso[38].

---

cación en el tomo I, de generalidades; del mismo autor, véase la útil
recopilación de noticias reunida en su libro *Guía de nuevos temas de
literatura española*, edición de Dean W. McPHEETERS, Madrid, Castalia,
1973, págs. 115-156 en la parte medieval. Es importante, en cuanto que la
información lingüística puede completar la investigación literaria, la
mencionada *Bibliografía de la lingüística española*, Bogotá, Instituto Caro
y Cuervo, 1964 del mismo H. SERÍS.

[36] Ferdinand BALDENSPERGER y Werner P. FRIEDERICH, *Bibliography of
Comparative Literature* [1950], New York, Russell and Russell, con una
serie de suplementos, con noticias: *Yearbook of Comparative and General
Literature*, Chapel Hill, University of North Carolina, 1950...

[37] *Répertoire International des Médiévistes*. Publicación de los *Cahiers
de Civilisation Médiévale*, 2.ª ed., Poitiers, Centre d'Études Supérieures de
Civilisation Médiévale, 1965.

[38] *Repertorio de Medievalismo hispánico (1955-1975)*, tomo I (A-F),
Barcelona, Ed. El Albir, 1977.

Junto a estas obras específicamente dedicadas a la información bibliográfica y biográfica de los estudiosos actuales de nuestra literatura, existen otros repertorios de diverso contenido donde se pueden encontrar datos abundantes sobre la literatura medieval o de interés para ella. Son, por citar algunos, los Homenajes [39], los índices de publicaciones periódicas [40], de tesis doctorales [41], de motivos folklóricos [42], de lugares de nacimiento [43], guías para estudiantes [44], etc.

---

[39] Así se pueden buscar los estudios españoles en Harry F. Williams, *An Index of Mediaeval Studies published in Festschriften 1856-1946*, Berkeley, University of California, 1951; y Herbert H. Golden y Seymour O. Simches, *Modern Iberian Language and Literature: A Bibliography of Homage Studies*, Cambridge, Mass., Harvard University Press, 1958.

[40] Véase David S. Zubatsky, *An international bibliography of cumulative indexes to journals publishing articles on hispanic languages and literatures*, «Hispania», LIII, 1975, págs. 70-101. Una bibliografía general de los índices publicados de las revistas españolas (entre las cuales están las medievales) en Amancio Labandeira Fernández, *Índice de publicaciones periódicas*, Madrid, Fundación Universitaria Española, 1976, vol. IV de la «Biblioteca Bibliográfica Hispánica». En el libro de Anna Maria Paci, *Manual de bibliografía española*, Pisa, Università, 1970, figuran las referencias de los artículos aparecidos en las publicaciones periódicas más importantes, desde su origen hasta 1968, ordenados en temas generales y autores, con los índices correspondientes.

[41] James R. Chatham y Enrique Ruiz-Fornells, *Dissertations in Hispanic Languages and Literatures*, Lexington, University of Kentucky, 1970 (referentes a las tesis de los Estados Unidos 1876-1966).

[42] La serie general de los motivos folklóricos está reunida y ordenada en Stith Thompson, *Motif-Index of Folk-Literature* [1932-1936], Copenhagen-Bloomington, Ind., University Press, 1955-1958. En relación con la parte referida a los «ejemplos» medievales, véase John E. Keller, *Motif-Index of Mediaeval Spanish Exempla*, Knoxville, Ten., University of Tennessee, 1949.

[43] Aunque no siempre resulta fácil conocer el lugar de nacimiento de los autores medievales, cuando se conoce, puede haber datos de los mismos en algún repertorio local; véase Amancio Labandeira Fernández, *Repertorios por lugares de nacimiento*, Madrid, Fundación Universitaria Española, 1975, vol. I de la «Biblioteca Bibliográfica Hispánica».

[44] Así la obra colectiva *Spain. A Companion to Spanish Studies*, Londres, Methuen, 1973, publicada bajo la dirección de Peter E. Russell.

ANTOLOGÍAS

Unas veces por necesidades pedagógicas, tanto de carácter lingüístico como literario, otras para mostrar a los actuales lectores la riqueza de la literatura medieval, otras veces en el cuadro de exposiciones más amplias que los límites medievales se han reunido algunas antologías sobre este período. Cito sólo unas pocas de entre las más recientes en sus diversas orientaciones, publicadas en diversos países [45].

---

[45] Leonida BIANCOLINI, *Literatura española medieval (del Cid a la Celestina)*, Roma, A. Signorelli, 1955; Eugène KOHLER, *Antología de la literatura española de la Edad Media (1140-1500)*, París, Klincksieck, 1957; D. J. GIFFORD y F. J. HODCROFT, *Textos lingüísticos del Medioevo español*, Oxford, Dolphin, 1959; en la diversidad de obras recogidas en la antología histórica de Manuel ALVAR, *Textos hispánicos dialectales*, Madrid, 1960, 2 tomos, hay numerosos ejemplos de la literatura medieval; lo mismo ocurre con la *Crestomatía del español medieval*, por Ramón MENÉNDEZ PIDAL, acabada y revisada por Rafael LAPESA y María Soledad de ANDRÉS, que reúne muestras muy diversas, publicadas con gran cuidado filológico, de textos medievales en verso y prosa, en su mayor parte literarios, tomándolos de diversas ediciones: el tomo I (Madrid, Gredos, 1971, 2.ª edición) comprende desde los orígenes hasta la herencia alfonsí, 1325; el II (1976, 2.ª edición), de Juan II y Alfonso V, 1462. José María DÍEZ BORQUE ha dedicado el tomo I de su *Antología de la literatura española* (Madrid, Guadiana, 1977) a la Edad Media, con trozos precedidos de breves presentaciones. La antología de Dámaso ALONSO, *Poesía de la Edad Media y poesía de tipo tradicional*, Buenos Aires, Losada, 1942, 2.ª edición, es, limitada al verso, un muestrario seleccionado con criterio poético. Son antologías de este período los tomos primeros de Guillermo DÍAZ-PLAJA, *Tesoro breve de las letras hispánicas. Serie castellana*, I, Madrid, Novelas y Cuentos, 1968 (textos de prosa y verso, manual de bolsillo); y *Literatura de España*, I, Madrid, Editora Nacional, 1972 (amplia selección dirigida por Francisco YNDURÁIN, y con prólogo de Manuel ALVAR, de las obras más representativas, con textos de verso y prosa, escogidos por especialistas. El libro *Poesía española medieval* (Barcelona, Planeta, 1969) es un amplio muestrario en verso, desde los orígenes del siglo XV, elegido por Manuel ALVAR; la parte de esta Antología correspondiente a las obras desde los orígenes hasta 1400 (más las obras de sátira social y política en el siglo XV) ha aparecido con el mismo título de *Poesía española medieval*, Madrid, Cupsa, 1978. El tomo III del citado *Manuale di Filologia Spagnola Medievale* (Liguori-Napoli, Università, 1969) contiene una antología de prosa y verso medievales, por Alberto VÁRVARO.

Capítulo II

LA FILOLOGÍA EN EL ESTUDIO DE LA LITERATURA MEDIEVAL

LENGUA Y LITERATURA EN LA CONSIDERACIÓN DE LA OBRA MEDIEVAL

La obra literaria se constituye siempre por medio de un hecho lingüístico y, por tanto, consiste básicamente en una comunicación establecida dentro de los medios de la lengua entre un autor (a través de un intérprete o de la escritura) y un perceptor de la obra (sea oyente o lector), aislado o reunido en grupo [1]. La obra literaria es el objeto de esta comunicación, establecida en un texto que mantiene un determinado grado de cohesión y permanencia lingüísticas, de tal manera que es reconocible por su unidad. La palabra «literatura», de acuerdo con su significación etimológica, se refirió de un modo directo a las obras conservadas mediante la «letra» (>*literatura*); la cuestión que se presenta es la limitación que el término obtuvo para señalar la literatura «poética», es decir creadora, frente a

---

[1] Punto de partida básico es la citada obra de H. Serís, *Bibliografía de la lingüística española*, donde se hallan ordenados los numerosos estudios sobre textos literarios y sus comentarios, y entre ellos los referentes a la Edad Media. Está en curso de publicación desde 1960 la *Enciclopedia lingüística hispánica*, Madrid, CSIC, 1960..., exposición sucesiva de las cuestiones lingüísticas del español, encomendada por partes a varios especialistas, algunos de cuyos estudios se citarán en el lugar conveniente.

la literatura didáctica, destinada a la enseñanza de las gentes, la «documental» y la científica. En el período medieval estos límites se presentan indecisos, y, dentro de la consideración de la literatura, suelen incluirse obras que no son propiamente poéticas; esto ocurre por razón de que resulta necesario conocer todas las primeras manifestaciones de la prosa y del verso, desde las cuales se parte para el logro de la obra literaria en el sentido cada vez más estricto de la creación. Y, por el contrario, hay que incluir dentro de la literatura de la Edad Media obras que tuvieron una manifestación preponderantemente oral, mantenidas por una tradición de esta especie, diferente de la escrita.

La condición lingüística del fenómeno literario impone, pues, una primera relación de doble sentido: de la literatura a la lengua, y de la lengua a la literatura. En uno de los sentidos, la obra literaria representa una de las fuentes de documentación más importantes para el estudio del lenguaje, lo mismo que lo es cualquier otro testimonio escrito, como los procedentes del Derecho, las Ciencias, etc. Algunos lingüistas, reaccionando acaso ante el uso excesivo que los filólogos habían hecho de la obra literaria como documento lingüístico, prefieren valerse de otras fuentes de documentación, entendiendo que la obra literaria posee una limitación de recursos lingüísticos frente a otras manifestaciones, más completas, del lenguaje. Pero precisamente, en otro de los sentidos de la relación, existe el planteamiento de la peculiar condición lingüística de la obra literaria, que hace que ésta no se pueda identificar de una manera absoluta con el uso lingüístico común y general. La obra literaria es siempre una entidad completa, con límites que la encierran en un texto; la comunicación sólo se establece en una dirección, del autor o intérprete al perceptor, y es imposible la contraria; una vez establecida la obra, ésta debe permanecer en el estado en que quedó acabada, y el perceptor no puede modificarla, pues su función es pasiva. Cuanto sea apartar la obra de esta situación de término debe considerarse como una perturbación (salvo que haya habido un cambio con intención de reformar el texto); y esta ocurre en los casos en que se deterioran los textos, o bien por una mala copia, o bien por una interpretación oral anómala.

Cuando la conservación es por la escritura, los casos en que el texto se deteriora, suelen ser menos importantes, aunque a veces llegue a perderse la obra; en la conservación oral la obra acaba por desaparecer cuando se rompe el ciclo de comunicación entre el intérprete y su público. Es preciso contar, como he dicho, con las reformas intencionadas que establecen grados diversos de co-autoría, según los casos, que pueden ir desde ligeros retoques hasta profundas renovaciones.

Por otra parte, como ocurre que el perceptor (a diferencia de la comunicación lingüística común) no puede pedir aclaraciones ni tampoco matizar el sentido con el diálogo y con los gestos, esto obliga a que el autor use el lenguaje en el grado de la mayor eficacia comunicativa. Además, la obra literaria suele poseer un significado muy complejo, con implicaciones de toda especie, y esto crea una elevada exigencia para que se logre la necesaria comunicación.

Por causa de su misma constitución, la estructura que adopta cada obra literaria es única en sí misma e irrepetible como tal; pero al mismo tiempo la disposición de los significados y los aspectos formales de cada obra están relacionados con los de las otras obras semejantes, de tal manera que la sucesión histórica es un hecho actuante sobre la creación en cada caso en un grado determinador. De esta manera se reúnen las obras en grupos genéricos, denominación que utilizo en vez de la menos precisa de «género» cuando se trata de agrupaciones que poseen una vigencia creadora limitada en el tiempo.

La literatura de la Edad Media ha recibido un gran beneficio de los estudios que los filólogos realizaron sobre el lenguaje de esta época. La gran variedad de disciplinas que junta la Filología, considerada en su sentido más amplio, muchas de ellas con una técnica propia de trabajo, contribuye a que el investigador de la obra literaria disponga de estudios sobre datos concretos, de un gran valor en muchos casos. No hay que olvidar que la Filología tuvo en sus orígenes el propósito de dotar de una base científica el conocimiento de los textos literarios, primero los de los antiguos, y aplicándose luego esta técnica a los modernos. Esta antigua significación de la Filología aún actúa en muchos casos, y así es indudable que la gramática y el vocabulario que acompañaron a la edición del *Poema del Cid* realizada por Menéndez Pidal, sirvieron para que esta obra se valorase sobre una firme base filológica. Los conceptos y la disciplina de estudio creados por la Filología, y después por la Lingüística[2], pueden hallar aplicación en el estudio y adecuada percepción de la obra literaria, sobre todo en el caso de la medieval, y no pertenecen a campos distintos, sino que son aplicaciones diversas y condicionadas; pueden incluso reunirse en algunos casos, como ocurre con algunos aspectos de la teoría de Menéndez Pidal sobre los cambios lingüísticos y la poesía tradicional.

Uno de los estudiosos más calificados de la literatura medieval, E. R. Curtius, escribió: «Como la ciencia literaria se ocupa de los textos, es impotente sin la filología; no hay intuición ni visión de esencias que pueda compensar esta falta»[3]. Desde cualquier punto de vista que se considere, la diversidad de lenguajes de la España medieval ha de ser conocida, en grado suficiente, por los que quieran estudiar la literatura de la época. Sólo así se evitará una interpretación errónea por incomprensión lingüística.

Ahora bien, la lengua *literaria* de las obras medievales no es sino un aspecto del variado conjunto del lenguaje de la época. La lingüística histórica agrupa la abundancia de datos reunidos, distribuyéndolos en los dialectos iberorrománicos, cuyo estudio se establece siguiendo la evolución de los mismos en el tiempo y el espacio de los hombres que los hablaron y escribieron. Si imaginamos este conjunto en toda su compleja variedad espacial a

---

[2] Sobre el desarrollo de los conceptos básicos y métodos de los distintos autores, véase la exposición de conjunto de Yacov MALKIEL, *Filología española y lingüística general*, en las *Actas del Primer Congreso Internacional de Hispanistas*, Oxford, Dolphin, 1964, págs. 107-126.

[3] Ernst Robert CURTIUS, *Literatura europea y Edad Media latina* [1948], traducción de M. Frenk Alatorre y A. Alatorre, México, Fondo de Cultura Económica, 1955, pág. 33 (obra reimpresa en Madrid, por la misma Editorial, 1976).

través del tiempo, tendremos una imagen evolutiva del lenguaje, creada por abstracción, análisis y síntesis de los datos conservados en los documentos; esta imagen es una concepción general que reúne en sí lo que fue la realidad del uso general del lenguaje, y dentro de la cual se encuentra este peculiar hecho de habla que es el texto de la obra literaria. Cada obra literaria se nos presenta entonces como uno de estos específicos hechos de comunicación, establecidos de acuerdo con unos principios convencionales de teoría poética en los que confluyen los recursos elegidos por el autor de entre el conjunto de la lengua; la condición de poéticos (independientemente de si se usa el verso o la prosa) procede de que los medios lingüísticos elegidos se utilizan, como ya se ha dicho, para lograr la más alta eficacia en lo que el autor se propone dentro de las condiciones de la obra; además, el autor establece una combinación de elementos lingüísticos que es nueva para el fin propuesto, aunque utilice elementos conocidos de la poética y del lenguaje. De ahí que el testimonio lingüístico que aporta la unidad de cada obra literaria se considere como uno de los más valiosos; en él hallamos el lenguaje usado en el más alto grado del poder comunicativo que le es propio, aplicado así a la transmisión de los más complejos y matizados contenidos de la vida del hombre en una expresión premeditadamente literaria. La lengua de la obra literaria, encauzada a través de los diferentes grupos genéricos, abarca un dominio muy amplio de la variedad humana. Lo que no pudo decirse en los documentos cancillerescos, actas políticas, testimonios notariales, etc., aparece en la obra literaria a través de sus diversas especies, y si bien esto se establece en un grado de convencionalismo literario, hay que pensar que el mismo estuvo situado en un contorno de vida, y aceptado como tal. El autor pretende llegar a la altitud de la poesía creadora, y para esto (sobre todo en el caso de la literatura medieval) sigue el cauce lingüístico que es propio del grupo genérico de la obra que intenta realizar; dentro de él actúa una teoría literaria, formulada o no, pero siempre eficiente y valedera, y a la vez se apoya en la maestría de los mejores autores o en las obras que se consideran más afortunadas.

La condición artificiosa y concertada de esta lengua (a la que me referiré después extensamente) no se opone a su intención vital: «Y la Lengua *vive* en la lengua de los poetas...», escribe Spitzer [4].

EL CASTELLANO MEDIEVAL

La lengua castellana fue, de las peninsulares, la que tuvo mayor poder de expansión; desde un principio mostró gran decisión en el establecimiento de sus rasgos lingüísticos [5], que así obtuvieron una relativa cohesión, dominante en la literatura medieval. La lengua así establecida, en la parte más característica de su variedad interna, sufrió una rápida transformación, aproximadamente entre 1475 y 1525, para pasar a constituir el actual castellano moderno. De esta manera se conoce con la denominación de castellano «medieval» la modalidad lingüística que corresponde al período comprendido desde los orígenes hasta dicha transformación o crisis que crea el castellano moderno; esta es, pues, la modalidad que es propia de la literatura medieval, a la que, sin embargo, sobrepasa ligeramente.

Este castellano medieval ofrece unos rasgos lingüísticos que teóricamente son uniformes, pero que en la realidad de cada texto literario conservado se matizan de acuerdo con las variedades locales y los grados sociales del autor, los reformado-

---

[4] Leo SPITZER, *La interpretación lingüística de las obras literarias*, en *Introducción a la estilística romance*, Buenos Aires, Inst. de Filología, 1942, pág. 148.

[5] Información bibliográfica en Manuel ALVAR, *Dialectología española*, Madrid, CSIC, 1962; estudio en Alonso ZAMORA VICENTE, *Dialectología española*, Madrid, Gredos, 1970, 2.ª edición. Sobre los dialectos colindantes con el castellano: Manuel ALVAR, *El dialecto aragonés*, Madrid, Gredos, 1953, con mención de los textos literarios conservados en el mismo; y los artículos de Ramón MENÉNDEZ PIDAL sobre *El dialecto aragonés*, en la «Revista de Archivos, Bibliotecas y Museos», X, 196, págs. 128-172 y 294-311, reeditados en Oviedo (con prólogo, notas y apéndices de C. Bobes), 1962. Sobre la lengua mozárabe, Manuel SANCHÍS GUARNER, *El mozárabe peninsular*, en *ELH*, I, Madrid, 1960, págs. 293-342.

res de la obra y sus copistas, contando con el convencionalismo que en cada caso impone su grupo. Es importante, por otra parte, que la unidad de la obra no desaparece con las variaciones que representa su transvase al aragonés o al leonés (sobre todo en el período primitivo) o desde estos al castellano; la labor de las copias de los manuscritos matizó la obra literaria con estas modificaciones; y esto hizo que a veces una obra se haya conservado en textos con diferente contextura dialectal, y aun con mezcla de formas. Hay que contar con esta variabilidad textual que, dentro de unos márgenes lingüísticos, mantiene, sin embargo, la entidad única de la obra, así como los efectos de las ampliaciones y las reducciones por las que hayan tenido que pasar los textos en su conservación escrita.

Esto nos sitúa, pues, en el dominio de la dialectología hispánica: apoyándonos sobre todo en las obras castellanas y las leonesas y aragonesas concurrentes, y el gallego para lírica, ocurre que casi nunca se encuentran textos con formas dialectales «perfectas» en cuanto a una teórica caracterización lingüística. La obra literaria aparece escrita en un habla de acusada intención poética, y aun los usos retóricos más comunes pueden resultar eficaces si logran el efecto agresivo que el autor les ha confiado. Por otra parte, los esquemas propios de los cuadros de la distribución dialectal se han constituido por abstracción de los rasgos lingüísticos más peculiares de los documentos; los rasgos se reúnen en recuentos establecidos sobre la frecuencia de los usos. Ante la realidad del texto literario conservado, no hay, pues, que forzar la caracterización de una obra para que coincida con uno de estos cuadros dialectales, aunque puede señalarse en cada caso el predominio de determinado esquema básico y la posible concurrencia de otros. De esta manera se consigue, a veces, penetrar en el conocimiento de las diversas manos que fueron copiando el texto, con la aparición de rasgos nuevos, y también establecer las recreaciones sucesivas por las que ha podido pasar la obra con interpolaciones, a veces; omisiones, otras, y toda suerte de cambios.

Los tratados generales sobre la lengua española[6] (en particular los que se refieren más detenidamente al período medieval) son libros indicados como instrumentos de trabajo propios para comenzar el estudio de los aspectos literarios de esta época. Un buen punto de partida es el conocimiento de los orígenes de la lengua escrita, pues la vacilación propia de los comienzos se prolonga hasta cierto punto en los siglos siguientes, y esto ayuda a formarse una idea de lo que supuso el esfuerzo por el mantenimiento de una unidad relativa, tal como representó la grafía medieval que se constituye con la obra y tradición alfonsíes.

Después de la gran actividad cultural del reinado de Alfonso X (de 1252 a 1284), quedó establecida una escritura o sistema gráfico (representación de los sonidos con letras del alfabeto latino) que, con ligeras modificaciones y variantes, sirvió, aun a través de la transformación del castellano en el siglo XVI, hasta que la Real Academia Española aseguró en el XVIII las bases que han conducido a la actual ortografía[7]. No hay que creer que entonces se constituyera una *orto-grafía* entendida se-

---

[6] Información sobre el proceso de la lengua, en relación con el desarrollo de la literatura, se encuentra en la obra de Rafael Lapesa, *Historia de la lengua española*, Madrid, Escelicer, 1962, 5.ª edición; William J. Entwistle, *Las lenguas de España: castellano, catalán, vasco y gallego-portugués* [1936; revisado por W. D. Elcock, 1960], Madrid, Istmo, 1969. La evolución desde un punto de vista fonético se estudia en el libro de Ramón Menéndez Pidal, *Manual de gramática histórica española*, Madrid, Espasa-Calpe, 1973, 14.ª edición, y en la aún útil *Gramática histórica de* Federico Hanssen [1913], Buenos Aires, El Ateneo, 1945. Desde un punto de vista estructural, el asunto se plantea en la obra de Emilio Alarcos Llorach, *Fonología española*, Madrid, Gredos, 1965, 4.ª edición, págs. 209-281. Para el estudio del período anterior a la filación del castellano alfonsí es fundamental: Ramón Menéndez Pidal, *Orígenes del español*, Madrid, Espasa-Calpe, 1946, 4.ª edición.

[7] Una guía bibliográfica en Antonio Quilis, *Fonética y fonología del español*, Madrid, CSIC, 1963. Para la grafía y la pronunciación del castellano medieval, puede verse: Rufino José Cuervo, *Disquisiciones sobre antigua ortografía y pronunciación castellana*, «Revue Hispanique», II, 1895, págs. 1-60; V, 1898, págs. 273-307; y en *Obras...*, II, Bogotá, Instituto Caro y Cuervo, 1954. La transición entre el español medieval y el moderno se estudia detenidamente en la obra de Amado Alonso, *De la pronunciación medieval a la moderna en español*, Madrid, Gredos, I, 1955; II, 1969.

gún un criterio estricto, con normas fijas. Los escribientes, amanuenses y copistas de la Edad Media no se ciñeron a unas reglas únicas, sino que continuaron los hábitos del uso, con una oscilación relativa, propia de la lengua literaria. El establecimiento de una correspondencia entre signo y sonido se ha de asegurar a través de un término medio en el uso de las letras; en los diferentes casos acababan formándose sistemas de relativa uniformidad, modelados por convencionalismos de grupo: especie de género de la obra, escuela de los escribientes, si las copias eran ricas o pobres, etc. Por tanto, resulta aventurado corregir, en favor de una supuesta uniformidad, el texto de un manuscrito literario, según el patrón de un lenguaje medieval arquetípico; el lector actual tiene que habituarse a la flexibilidad de la lengua antigua, y las correcciones sólo se han de apoyar en motivos muy determinados y justificables. Ya veremos dentro de poco las cuestiones que esto plantea en las ediciones de las obras medievales.

Uno de los aspectos que presenta mayor dificultad en la lectura de una obra medieval es el del léxico. Si bien en las ediciones comentadas esto se salva en las notas aclaratorias, citaré algunas obras que pueden orientar al lector sobre esto: El *Diccionario* de la Real Academia Española [8] contiene las palabras medievales bajo la indicación de «anticuadas»; el número recogido no es muy grande y sujeto a revisión. El *Diccionario Histórico de la Lengua Española* [9], que sería el específico para estas consultas, está en curso de publicación. Como las palabras difíciles de los textos medievales implican problemas de interpretación en los que cuenta la etimología, es conveniente la consulta del *Diccionario crítico etimológico*, de J. Corominas [10]. Los

---

[8] Real Academia Española, *Diccionario de la Lengua Española*, Madrid, RAE, 1970, 19.ª edición.

[9] Real Academia Española, *Diccionario histórico de la lengua española*, Madrid, RAE, 1960...

[10] Joan Corominas, *Diccionario crítico etimológico de la lengua castellana*, Madrid, Gredos, 1954, 4 vols. [terminado en 1957] (en las páginas XXXIII-LIX, referencia de los textos medievales que han sido utilizados). Hay una edición reducida del mismo autor, conveniente para la

Diccionarios medievales que existen hoy son muy desiguales[11], y los glosarios[12] y concordancias[13] de obras literarias, escasos.

CONDICIONES INICIALES DEL
CASTELLANO LITERARIO

Conviene tener en cuenta que esta lengua de la literatura medieval aparece y se desarrolla en un campo gravitatorio de fuerzas culturales dentro del cual ha de establecer su función poética. En primer lugar tiene que situarse en relación con el latín, la lengua general de la cultura de Occidente, en la que obtenían expresión obras de toda índole; en principio, sólo aplicando principios análogos a los que mantenían la continuidad del latín, estas obras vernáculas se consideraron como «literarias»; para nuestro fin nos importa sobre todo considerar las de grupos genéricos de índole poética, pues la naciente literatura vernácula tiene que afirmarse dentro de ellos en una posición de combatividad creadora, puesto que debe afirmarse en domi-

---

consulta del estudiante: *Breve diccionario etimológico de la lengua castellana*, Madrid, Gredos, 1961.

[11] Véase H. Serís, *Bibliografía de la lingüística española*, obra citada, «Vocabularios generales de voces medievales», págs. 425-427. Existe un deficiente *Vocabulario medieval castellano*, de Julio Cejador [1929], New York, Las Américas, 1968. Un diccionario del cultismo en la primera época literaria en Jesús de Bustos Tovar, *Contribución al estudio del cultismo léxico medieval (1140-1252)*, Madrid, Real Academia Española, 1974. Una información sobre la metodología para la recogida del léxico medieval se encuentra en Manuel Alvar Ezquerra, *Proyecto de lexicografía española*, Barcelona, Planeta, 1976, págs. 73-92.

[12] Véase su relación, junto a las otras obras medievales de diverso carácter, en H. Serís, ídem, «Glosarios correspondientes a la Edad Media», páginas 464-468; añádanse entre los más importantes: Louis F. Sas, *Vocabulario del Libro de Alexandre*, Madrid, Real Academia Española, 1976, y el glosario total y automático del *Libro de Buen Amor*, edición crítica de M. Criado, E. W. Naylor y J. García Antezana, Barcelona, Seresa, 1973.

[13] Hay concordancias del *Poema del Cid* (F. M. Waltman, Pennsylvania State University, 1971); del *Libro de Apolonio* (M. Alvar, edición del poema, tomo III); y del *Arcipreste de Talavera*, o sea el *Corbacho* de Alfonso Martínez de Toledo (Madrid, Gredos, 1978).

nios que habían sido propios del latín; aun en el caso de libros
que respondían a una nueva circunstancia, la relación con la
tradición latina podía establecerse de algún modo. Así, notamos
una primera oposición o enfrentamiento:

1. Oposición entre el latín, lengua artificial conservadora de
la tradición cultural y también medio de expresión de las novedades, y las lenguas vernáculas en trance de desarrollar su literatura; si la lengua vernácula, como es el caso del castellano,
pertenece al grupo de las lenguas románicas, existe entonces una
relación de base, pues el fondo patrimonial del que procedía
la lengua era el latín vulgar; perdida, sin embargo, la relación
de origen, el latín, en el período literario, sólo puede actuar a través del cultismo. La lengua vernácula, aun contando con estas
sucesivas aportaciones, se considera como nueva, moderna, frente al latín, lengua antigua.

El latín había de aprenderse a partir de la lengua vernácula.
Sin embargo, una vez que se dominaba la expresión en latín,
esta lengua servía para la comunicación (y para la literatura)
de una manera firmemente establecida, cualquiera que fuese su
contenido. La lengua moderna, si se considera «natural» por
haberse aprendido espontáneamente en el seno de la familia y en
la convivencia social de un lugar, tiene una eficacia total como
sistema de comunicación hablada; y para darle condición literaria hay que asegurar los principios correspondientes de un
modo convencional y específico. Estos pueden hallarse dentro
de la misma lengua en el caso de la poesía popular y en otras
formulaciones folklóricas, y obtener su desarrollo mediante la
asimilación de los procedimientos de la expresión literaria propios del latín, uno de los cuales es asegurar un sistema de representación escrita.

2. Oposición entre el latín, lengua única y válida en los dominios de la Cristiandad romana, y las lenguas modernas, con
numerosas variantes dialectales y de uso en extensiones limi-
tadas.

La gran ventaja que poseía el latín era la disciplina organizada de su expresión, que la convertía en la lengua general de
la comunidad culta europea, asegurada en la Iglesia de Roma,

con base en la continuidad del mundo antiguo y afirmada en el ejercicio de las Cancillerías (lengua política), el Derecho y las Ciencias diversas. Las lenguas modernas contaban constitucionalmente con la variedad a que había dado lugar la evolución propia de las hablas coloquiales, sometida al influjo de un gran número de factores carentes de la disciplina gramatical propia del latín. Estas hablas se reunían en dialectos con un número de rasgos comunes y con una identificación de difícil señalamiento, sobre todo en su aplicación a los usos literarios. El castellano actúa desde los primeros tiempos de las literaturas vernáculas con una gran firmeza, y asegura en varias modalidades genéricas una sucesión de obras, sobre cuyo entramado y sucesivas transformaciones se desarrollaría una literatura que en el espacio peninsular llegaría a emparejarse con la latina por su unidad y área de extensión [14].

3. Oposición entre el árabe y el castellano. La frontera que durante la Edad Media existió entre los reinos cristianos y los reinos dominados por los árabes originó una activa participación de la lengua árabe en el castellano. En este caso se trataba de una lengua de otra «ley», y cuya organización política se consideraba contraria a la del pueblo castellano y de los otros cristianos de la Península. Pero la convivencia sobre un mismo suelo creó situaciones de comunicación en los dominios árabes a través de la mozarabía, de cuyos efectos literarios trataremos más adelante. La frontera fue un lugar por el que pasaron relaciones de toda especie, y el prestigio militar y artístico de los árabes ejerció una función difusora sobre la lengua vernácula, de largos alcances, literarios entre otros. El resultado fue que la lengua árabe tuvo también un papel en este juego de fuerzas, y que en la Península Ibérica fue mucho más intenso que el ejercido en otras partes de Europa. Uno de sus efectos fue confluir en este esfuerzo por asegurar una literatura para la lengua vernácula de Castilla. Desde el punto de vista externo

---

[14] Para apreciar la posición del castellano en el conjunto iberorrománico, véase Kurt BALDINGER, *La formación de los dominios lingüísticos en la Península Ibérica*, Madrid, Gredos, 1963, 2.ª edición.

de los arabismos léxicos introducidos en el castellano, E. K. Neuvonen [15] establece tres épocas: la primera, desde 711 a mediados del siglo XI; la segunda, desde el siglo XI a principios del siglo XIII, en el cual el castellano comenzó a afirmar su expansión, y la tercera, la más intensa, de principios a fines del siglo XIII, coincidiendo con el afianzamiento de la literatura castellana. La posterior degradación del poder militar y de las disciplinas culturales de los árabes de España fue rebajando la función de esta oposición.

LA PALEOGRAFÍA MEDIE-
VAL Y LOS INCUNABLES

Considerada la obra literaria medieval como un documento histórico, se requiere para su estudio, en primer lugar, la ayuda de una de las ciencias del estudio de la Historia, la paleografía [16], complementada con la novedad de los incunables [17] (libros impresos antes de 1500) y también de los impresos posteriores a 1500 que contengan obras de aquel período. Tal como quedó establecido desde un punto de vista lingüístico, el primer

---

[15] Eero K. Neuvonen, *Los arabismos en el español en el siglo XIII*, Helsinki, Akateeminen Kirjakamppa, 1941, págs. 28-32.

[16] Bibliografía general en Josefina y María Dolores Mateu Ibars, *Bibliografía paleográfica*, Barcelona, Universidad, 1974. Véanse los manuales de paleografía de uso más frecuente y que pueden servir para una iniciación del estudiante: Zacarías García Villada, *Paleografía española*, Madrid, Centro de Estudios Históricos, 1923, 2 tomos (facsímil en Ediciones El Albir); Agustín Millares Carlo, *Tratado de paleografía española*, Madrid, Hernando, 1932, 2 tomos; A. C. Floriano, *Curso general de paleografía...*, Oviedo, Universidad, 1946, 2 tomos; Filemón Arribas, *Paleografía documental hispánica*, Valladolid, Sever-Cuesta, 1965, colección de láminas y transcripción.

[17] Conrad Haebler es autor de amplios estudios sobre la paleografía tipográfica: *Typographie ibérique du quinzième siècle*, La Haya-Leipzig, M. Nijhoff, 1901-2, y la *Tipografía ibérica del siglo XV*, ídem, 1903-1917. Véase también la rica referencia contenida en la obra de Francisco Vindel, sobre *El arte tipográfico en España durante el siglo XV*, Madrid, Ministerio de Asuntos Exteriores, 1946-1951.

Copla cxlix.

¶ Mucha morisma vi descabeçada
mas que reclusa detras de su miro
y aun que gozaua de tiempo seguro
quiso la muerte por saña de espada
y mucha otra mas por pieças tajada
que quiere la muerte tomar la mas tarde
huyendo no huye la muerte el couarde
que mas a los viles es siempre allegada.

¶ Mucha morisma vi descabeçada. Prosigue el auctor las victori-
as del rey don Juan contra los moros y dize que vio muchos dlos moros que salieron a pelear con el en cã-
po muertos. y mas grãd numero delos que estauan que dos en sus lugares que no quisierõ salir a la batalla.
los quales como medrosos murieron
vilmente. tomados sus lugares de-
los rpianos y entrados por fuerça de armas: lo qual se ha de referir alo que dixo enla copla precedente. tomando castillos ganando lugares. ¶ Reclusa. Aqui significa encerrada. pero en latin recludo quiere dezir abrir. y recluso lo abierto. ¶ Y avn que gozaua de
tiempo seguro. Avn que pudieran estar seguros cada vno en su lugar quisieron mas salir a pelear por la defension dela patria con auentura dela vida que no viendo la destru
y gozar de seguridad. ¶ Que quiere la muerte tomarla mas tarde. Significa los que
por miedo dela muerte no osaron salir ala batalla los quales no por esso escaparon la vida
porque la muerte mas sigue al couarde. ¶ Y mas a los viles es siepre allegada. Asy dize Boratio enel tercero delas odas la muerte psigue al couarde y Vergilio: y Seneca ela
tragedia mede a la fortũa teme a los fuertos y persigue a los cobardes.

La imprenta y la interpretación poética a través de los comentarios: Mena, el clásico universal.

Copla 149 de *El laberinto de Fortuna*, de Juan de Mena, tal como aparece con su comentario en la edición *Glosa sobre las trezientas del famoso
poeta Juan de Mena*, compuesta por Hernand Núñez [de Toledo, según el
colofón], comendador de la Orden de Santiago... En el colofón se declara
que las *Trezientas* fueron «enmendadas en esta segunda impresión [había
otras más] por el mismo Comendador quitando el latín que no era necesario y añadiendo algunos dichos de poetas en el comento, muy provechosos para entender las Coplas», Granada, por Juan Varela, 1505. Obsérvese,
en comparación con el ejemplo de la *Coronación*, cómo la glosa tiene un
carácter más filológico, yendo del comentario lingüístico a la cita de autoridades, en lo que representa los principios de la consideración de Mena
como el «clásico» medieval más importante. Sobre la personalidad del
comentarista, véase María Dolores de Asís, *Hernán Núñez en la historia de
los estudios clásicos*, Madrid, Sáez, 1977.

requisito para la lectura y estudio de una obra literaria medieval es establecer el grado del crédito científico de la edición en que se lee la obra, y conocer el criterio de la misma, para así fijar el grado de su fidelidad y validez filológicas.

Estableciendo un doble fin en la lectura, en un caso, como lector de la obra para conocer su contenido, y en el otro, como investigador que la estudia, esta precaución previa es fundamental: en ambos casos la lectura tiene que realizarse sobre un texto de garantías filológicas. La técnica de la lectura paleográfica, como base para la fijación del texto, se aplica a los códices manuscritos y a los incunables; por otra parte, las distintas especies de obras se conservan en códices y libros de disposición material semejante. La «letra», en el sentido amplio de esta disposición (escritura, papel, etc.), resulta así la primera manifestación objeto del estudio literario para la penetración en el significado de la obra y en el establecimiento de sus agrupaciones.

En la realización de las obras literarias de la Edad Media hay que contar con los factores materiales que actuaron «desde fuera»; así ocurre con la difusión del papel, más barato y adecuado para la redacción de los borradores y para la confección de los códices que el costoso pergamino o las pesadas tabletas de pizarras enceradas. La labor del copista, a cuyos efectos lingüísticos me referí antes, puede ser creadora. Escribe M. de Riquer: «Que el amanuense interviene activa y literariamente en la obra que está copiando, es cosa cierta»[18]. Y en otra parte afirma: «En la Edad Media los amanuenses eran gente culta y docta, a veces más que los autores cuyas obras copiaban pacientemente...»[19]. Esto mismo se puede aplicar a la literatura castellana, si bien en ella el número de manuscritos que conservan

---

[18] Martín de RIQUER, *La influencia de la transmisión manuscrita en la estructura de las obras literarias medievales*, en *Historia y estructura de la obra literaria*, Madrid, CSIC, 1971, pág. 35; se refiere a la literatura catalana y francesa.

[19] Ídem, pág. 34; sobre la organización de los libros en bibliotecas, véanse págs. 132-133.

una obra no suele ser numeroso; por otra parte, la organización de los libros en las bibliotecas de las Universidades, Colegios y Escuelas tenía unos fines específicos, en los que la obra en latín era primordial, y la escrita en romance resultaba accesoria.

Es importante notar la gran importancia que tuvo para la literatura el nuevo procedimiento de transmisión de los textos que representó la imprenta. Aun cuando en la imprenta primitiva el prestigio del códice manuscrito guió el aspecto del nuevo arte de imprimir, pronto se echó de ver las diferencias entre ambos procedimientos. El número de ejemplares de una obra fue siempre escaso en la época de los manuscritos; con la imprenta este número creció en cantidad y, por tanto, la cifra de ejemplares fue más elevada, y así, mientras disminuyó el riesgo de que la obra se perdiese, aumentó su difusión llegando a públicos más amplios. Los efectos fueron también notables en la técnica de la reproducción del texto; en el caso de la copia de un códice, el error era más fácil; el escribiente podía intervenir de una manera activa sobre la obra reduciendo o ampliando el texto, o bien podía cambiar en la copia el matiz dialectal de la obra reproducida; el proceso de refundición y modernización del texto era más activo a través de las copias manuscritas. La imprenta creó una técnica diferente: para imprimir un libro era conveniente elegir el mejor texto, y después componer con él cuidadosamente cada página de la obra; los errores se convierten en erratas, que aparecen en todos los ejemplares y disminuyen la valía de la edición. Una incipiente filología cuidaba de las obras en razón de que habían de venderse en el mercado de libros, pues la imprenta fue un comercio gobernado por familias de maestros. Se imprimen los libros que pagan los mecenas, y los que los lectores buscan en las tiendas de libros. Las diversas clases de público y el diferente género de libros mantienen una relación peculiar que estudia la sociología y que conviene tener en cuenta en la difusión medieval de la literatura, desde la copia manuscrita a los comienzos de la imprenta, tal como estudia H. J. Chaytor.

Aun cuando los manuscritos e incunables que conservan los textos de las obras medievales están localizados en lugares conocidos [20], la investigación debe proseguir explorando los fondos de las bibliotecas y archivos que no tengan un catálogo bien establecido. Unas veces se logra dar con obras de las que se tenía la presunción de su existencia; otras se hallan trozos de obras incompletas, o continuaciones que distinto autor prolongó más allá de lo que había hecho el primero; otras veces se descubren textos que mejoran las lecciones de una obra, completan lagunas, revelan interpolaciones, etc. Este trabajo es el filón siempre abierto del que surgen unas veces noticias menudas y otras importantes, pero todas igualmente indispensables para que haya un progreso en el conocimiento de los textos y, en consecuencia, de la literatura medieval. Los casos más importantes han sido la incorporación de un nuevo siglo en el conocimiento de la lírica primitiva, el hallazgo de un fragmento del *Poema de Roncesvalles* y de otros del *Amadís* medieval; los *Proverbios Morales* de Sem Tob han resultado depurados; también se han descubierto un *planto* narrativo del siglo XIII y otros dos poemillas religiosos; y se encontró una *Vida e historia del Rey Apolonio*, incunable acaso de Zaragoza, 1488.

De todo lo indicado resulta que la edición de los textos literarios medievales es el resultado de una labor compleja y cuidadosa. Tanto para la lectura adecuada de los textos impresos, como para la preparación de su edición cuentan la filología (consideración lingüística de la obra como una entidad en sí, su caracterización dialectal, estudio del estilo del autor, afiliación a un estilo genérico, correspondencia con la lengua de la época, etc.), y las ciencias históricas (paleografía, cronología, sociología y política, su relación con las otras manifestaciones estéticas, si las hubiere, y en general con la cultura coetánea, etcétera). Aun eruditos y críticos que estimaron lícito imprimir obras de los Siglos de Oro aproximándolas al español moderno,

---

[20] La *BLH* de J. Simón Díaz antes mencionada trae la signatura de los códices e incunables de las obras y la referencia de la biblioteca que las guarda. Para el conocimiento de los lugares puede valer como guía informativa la parte V, «Archivos, Bibliotecas y Museos», del *Manuel de l'Hispanisant*, de Raymond Foulché-Delbosch y Louis Barrau-Dihigo, París-New York, Puttman's Sons, 1920-1925.

Dentre las ffamas mas bellas
De aquel seluatico seno
Salieron quatro donzellas
Mas claras que las estrellas
Con el nocturno sereno.
Las quales cantando en arte
El ffomançe de atlante
Circundaron su persona
y le dieron la corona.
Sobre todas illustrante.

Enesta parte la copla quiere dezir τ mostrar do
salieron aquellas donzellas que trayan la coro‑
na et dize que dentre las τc ¶ Por ānto aālla mō
tana τ su altura significa la excelençia dela sabi‑
duria asi que las fermosas ffamas suyas son las
sçiençias por do la sabiduria es ffepartida τ por
ā aāllas donzellas eran las quatro virtudes car
dinales como adelante paresçera dize que salierō
quatro donzellas dentre las ffamas mas bellas
La dela sçiençia nasçe la virtud
¶ Mas claras que las estrellas ¶ Enesta parte po
ne vna semejança ala claridad delas dōzellas et
mas claras τc el ffomançe de atalante deste ffo‑
mançe habla vgilio en su libro eneidos. Et por ā
atalante fue muy grand astrologo et hablo dlos
movimientos delos çielos τ delos hechos de aff
iba dixeron que aquel hablar fue ffomançe que
el juglar hazia en la çithara en las bodas de ene
as con la ffeyna dido de cartago yo dixe que est‑
as donzellas con aquel cantar o ffomançe traxe
ron la corona esto es con los pensamientos dlas
cosas çelestiales que son verdadero ffomançe las
quales cosas hazen al honbre virtuoso cōtēplar
las virtudes qne se entiende por las dōzellas de
que aqui habla la copla.
¶ Circundaron su persona ¶ Esto asi acaesçe ā las
virtudes cercan τ aconpanan al ome virtuoso et
son asi como preçiosas vestiduras.
¶ Sobre todas illustrante ¶ Resplandeçiente esto
por quāto era de soia de dos arboles como pare
sçera en la copla siguiente.

Juan de Mena, *La Coronación* [del Marqués de Santillana] (¿Toulouse, 1489?), edición facsímil de Antonio PÉREZ GÓMEZ del ejemplar de la biblioteca de «The Hispanic Society of America», Valencia, «...la fonte que mana y corre...», 1964.

Procedente de los folios LXXV, LXXV vuelto y LXXVI, en el espacio que ocupa la copla y el comentario. Obsérvese que Mena explica esta parte de la *Coronación* indicando quiénes eran las doncellas y la significación alegórica del lugar mencionado; señala luego qué es el llamado «romance» de Atlante; y luego explica los cultismos *circundar* e *ilustrante*. Como dice M. R. Lida, en el caso de este poema el comentario es imprescindible.

muéstranse rigurosos cuando se trata de textos medievales. Un ejemplo característico lo ofrece Menéndez Pelayo, el cual, al frente de su edición de las *Obras* de Lope de Vega, hace el siguiente comentario para defender el criterio que siguió: «Publíquense enhorabuena con estricto rigor paleográfico (y no de otro modo deben publicarse) todos los monumentos literarios anteriores a la Era de los Reyes Católicos...»[21]. Pero los criterios para editar las obras medievales no son uniformes ni únicos; las diferentes clases de lectores requieren criterios distintos, en los cuales la fidelidad y el rigor propuestos como base del estudio y de la lectura se matizan en grados diversos.

EDICIONES DE TEXTOS   MEDIEVALES

Para transcribir y publicar el texto de una obra medieval[22] es necesario establecer previamente unas normas adecuadas que han de seguirse luego con rigor. El fin es conseguir la fidelidad filológica antes señalada, adecuada al carácter de la publicación, tal como se explica convenientemente en el prólogo de cada edición. Las normas varían dentro de unos límites según el caso planteado, la colección en que la obra aparece y otros factores. Por eso es muy sensata esta observación de M. Morreale, resultado de su gran experiencia en esta tarea: «Es indudable que cada obra constituye un caso especial, y que cada

[21] Marcelino Menéndez Pelayo, *Estudios sobre el teatro de Lope de Vega*, OC, edición citada, I, pág. 18.

[22] Títulos que pueden valer como orientación: Giorgio Pasquali, *Storia della tradizione e critica del texto*, Florencia, Le Monnier, 1952, 2.ª edición. Un manual universitario de introducción al asunto: Roger Laufer, *Introduction à la textologie. Vérification, établissement, édition des textes*, París, Larousse, 1972. En español Antonio Marín Ocete, *El estado actual de la crítica de los textos*, «Boletín de la Universidad de Granada», IV, 1932, págs. 349-361. Con destino a su uso en la transcripción de textos históricos, la Escuela de Estudios Medievales de Madrid publicó unas *Normas de transcripción y edición de textos y documentos*.

tradición manuscrita ofrece sus propios problemas y sus propias soluciones»[23].

Tal variedad puede agruparse, y con este fin proponemos esta clasificación inicial:

a) *Ediciones facsímiles.*—Tal como indica su denominación, ofrecen al lector en forma exacta el texto de la obra, tomándolo del manuscrito o del incunable mediante reproducciones fotográficas que luego se multiplican a través de la imprenta. Por tanto, esta clase de ediciones no plantea inicialmente otros problemas que los técnicos para lograr la mayor limpieza en la reproducción gráfica, pero dejan las cuestiones referentes a la lectura e interpretación en el punto de partida, y requieren que cada lector conozca la letra medieval y sea, al menos en principio, un investigador. También su alto precio es un inconveniente. Se reserva para la reproducción de manuscritos e incunables de valor reconocido, que así pueden encontrarse en las grandes bibliotecas. Puede añadirse a este grupo la reproducción por el procedimiento del microfilm y de la xerocopia, cada vez más frecuente por su gran aplicación en los trabajos de investigación literaria.

b) *Ediciones paleográficas.*—Estas ediciones reproducen los textos aplicándoles los criterios que la paleografía establece para la lectura. Si bien los conocimientos de la paleografía son necesarios para fijar cualquier texto en relación con un códice o

---

[23] Enrique de VILLENA, *Los doce trabajos de Hércules*, edición de Margherita Morreale, Madrid, RAE, 1958, pág. LXXIII. Estas ediciones se hacen con textos de obras importantes; así, las hay del *Poema del Cid* [Milenario de Castilla, 1946, y Donación del códice a la Biblioteca Nacional de Madrid, 1961]; *Cancionero de Baena*, New York, The Hispanic Society of America, 1926; para el *Libro de Buen Amor* véase la relación de ediciones facsímiles al fin de este capítulo. Para los incunables, la serie «Incunables poéticos castellanos», dirigida por Antonio PÉREZ GÓMEZ, ha reunido valiosas piezas, editadas por el procedimiento del facsímil, en la colección «la fonte que mana y corre...»; véase la bibliografía de esta actividad editorial en *Cuaderno-Homenaje a Antonio Pérez Gómez*, Murcia, Academia Alfonso X el Sabio, 1976, págs. 81-93.

incunable medieval, en las ediciones así llamadas se pretende que el texto impreso sea un fiel reflejo del manuscrito, y el editor se limita a reproducir el mismo y no corrige lo que pueda hallar equivocado (o lo hace de modo que siempre quede manifestada la integridad del texto reproducido). La dificultad más importante es la variedad de signos de s (s|s| = [z], s|, |s, |ss| = [s]) y la posible confusión entre los signos de *s* con los de *z* [z], unido a las vacilaciones de orden fonético [24]. En alguna ocasión la que se denomina *s* alta fue confundida por inadvertidos editores con la letra *f*. Por otra parte, en los códices e incunables no aparece la unidad gramatical de las palabras tal como se halla establecida en la escritura actual; o no existen los signos de puntuación o son diferentes, ni tampoco se encuentra una división en párrafos que sea clara, y esto dificulta la lectura para los que no están al tanto de estos conocimientos. Por esto, aun salvando la dificultad de las ediciones facsímiles, pues en las paleográficas existe una lectura establecida con las letras de la imprenta actual, resulta, sin embargo, un tipo de ediciones que sigue requiriendo lectores especializados en el conocimiento de la lengua y literatura de la Edad Media.

c) *Ediciones críticas.*—La mención de *crítica* aplicada a una edición ha sido objeto de discusiones, y no todos los que la usan están de acuerdo en su significado. Para llegar a establecer una edición crítica se han de reunir todos los textos que se hayan conservado de una obra, asegurar sus lecciones, cotejarlas, y sobre estos resultados, fijar el texto que, según el editor, resulte más cercano al prototipo. La edición crítica debe tener como

---

[24] Véase Jean ROUDIL, *Pour un meilleur emploi de l'adjectif «critique» appliqué aux éditions de textes espagnols du Moyen Âge*, en el Homenaje, *Estudios de filología e historia literarias* [...] *publicados para celebrar el tercer lustro del Instituto de Estudios Hispánicos* [ ] *de la Universidad Estatal de Utrecht*, La Haya, Van Goor Zonen, 1966, págs. 531-568. J. Roudil propone la mención de «edición con notas críticas» para el texto en que exista un cuidado filológico en la edición, mediante notas de toda especie, incluso lingüísticas, pero que la presentación textual del mismo no comporte la elaboración en busca del que fue texto inicial definitivo.

fundamento el rigor de interpretación de la letra que es propio de la paleográfica, pero el editor establece las modificaciones que estima convenientes para acercar el texto que él propone hacia una forma más legítima que la ofrecida por el manuscrito o incunable, si es uno solo el que se conserva, o señala la mejor combinación de versiones, si son varios. La cuestión está en fijar el grado de esta legitimidad y discutir hasta qué punto es posible lograrlo.

Según esta interpretación rigurosa, la mención de «edición crítica» debe limitarse a los casos en que se establece la labor de alcanzar un posible arquetipo a través de todos los testimonios textuales que cabe reunir; la edición crítica combina todas las lecciones conservadas y reelabora otra que no es ninguna de ellas. Esta especie de edición, si cumple con todo rigor lo que se propone, puede llamarse «edición crítica integral».

Se aplica también la mención de edición crítica al caso en que el editor pretende llegar a un texto más satisfactorio de una obra mejorando el conservado, o, si son varios, elige uno como básico y lo rectifica con el apoyo de las lecciones parciales que le ofrecen los demás. Cabe llamar a esta otra clase «edición crítica singular».

La diferencia entre ambas clases reside en el criterio de cada una: en la integral se reconstruye con un sentido teórico el texto propuesto, y en la singular se da validez fundamental a uno, y se procura mejorar en la medida de lo posible con los otros, si los hay, o con cualesquiera testimonios secundarios. El texto de la integral es hipotético, y el de la singular se asienta en la realidad de un episodio de la transmisión textual.

En el caso de la edición crítica integral y en el de la singular que así se lo proponga su editor, se acude a un proceso de elaboración del texto cuyo resultado es que la grafía presentada se corresponde con la situación de la fonología de la lengua medieval propia de su tiempo, lugar y situación social. En este proceso el editor puede unificar los signos en lo que sean sólo variaciones gráficas, y distribuirlos en un sistema de grafía relativamente uniforme, de manera que el texto se lea con el menor esfuerzo. En el caso de que el sintagma del texto esté organizado en versos, puede auxiliarse del criterio métrico correspondiente, dentro de las condiciones de la medida que corresponda a la métrica (anisosilabismo, ametría relativa o isometría).

Además de la estricta interpretación de la letra, el editor suele cuidar en las ediciones críticas de otros aspectos que hacen más accesible la mejor interpretación de la lectura. Lo más frecuente es que se separen las palabras según el criterio morfológico moderno, salvo alguna leve excepción, sobre todo ocasionada por la apócope y la enclisis, debidamente señaladas. Los signos de la puntuación actual ayudan en la interpretación de las unidades sintagmáticas del texto: así el uso de los acentos facilita la lectura y puede usarse según las normas actuales, salvo si se sabe o se sospecha que hay diferencia entre la pronunciación medieval y la moderna en relación con el sistema fonológico correspondiente; también es recomendable el uso moderno de las letras mayúsculas, y la ordenación de los versos en estrofas según la manera de imprimir la métrica moderna, así como la separación en párrafos en la prosa, si esto resulta conveniente. Más delicado y complejo es el criterio aplicable para la unificación o separación de determinadas vocales y consonantes; con todas las reservas del caso y contando con que el editor establezca su criterio con el mayor rigor, según el propósito que lo guíe, puede valer como término medio el siguiente:

a) Adscribir a *i* y a *u* los valores fonológicos de vocal.

b) Uso de la letra *s* para cualquier signo gráfico que la denote en sus variantes, respetando la identidad de valores fonológicos en los casos de la correspondencia con las modalidades sordas o sonoras o en los de su confusión.

c) Uso de la letra *j* para el valor fonológico de la consonante medieval [ž].

d) Uso de la letra *v* para el valor consonántico que se halle en confluencia con *u* consonante, dejando que *u* asuma el valor vocálico.

e) Correcta distinción de la letra *z* a través de sus variantes, unificándolas siempre que esto resulte claro y conveniente para el valor fonológico; y si no se alcanza una diferenciación neta, indicar los casos en que pueda confundirse con los signos de *s* con el fin de evitar los falsos aspectos de un seseo.

f) Uso de *ce, ci, ça, ço, çu* en los casos correspondientes en que se use la cedilla de otra manera.

g) Se mantiene el mismo aspecto del texto en los grupos cultos o semicultos de consonantes o en cualquier palabra de origen diferente del latín.

h) Se procura unificar los signos de los sonidos nasales en el sentido de reproducir *m, n* y *ñ* con las letras de la ortografía moderna, eliminando los signos de abreviación nasal que son inoperantes. No obstante, se ha de cuidar de que no desaparezca cualquier indicio fónico que pudiera ser de interés (como por ejemplo una posible pronunciación *muncho,* hoy vulgar); también hay que mencionar, aunque sea en nota, los signos de la palatal que se aparten del general *nn = ñ.*

i) Se eliminan otros signos gráficos que no tienen una significación explícita, como los que se presentan en *ch* en función de *c.*

j) Cualesquiera otras modificaciones que el editor establezca han de quedar cuidadosamente indicadas en la declaración previa de la edición, y su justificación ha de poseer un fundamento lingüístico, de tal manera que quede bien claro el conjunto del sistema gráfico utilizado en la obra, hasta el grado en que sea posible establecerlo.

La elaboración del texto suele ir acompañada de un aparato de notas que sirve de información para las modificaciones establecidas; dada la naturaleza del castellano medieval, abundan las notas léxicas que ayudan al conocimiento contextual de la obra; la identificación o la referencia de las personas citadas o hechos acontecidos conduce hacia la Historia la condición de las notas. El sentido de Filología en su acepción más amplia cabe en este aspecto de la edición de los textos.

Por otra parte, la paleografía posee un repertorio de indicaciones, aplicable a la edición de documentos y códices en general, de los que puede hacer uso el editor de un texto literario.

Así, es común el numerar las líneas de la prosa o los versos para hacer más fáciles y precisas las referencias a trozos de la obra. Para justificar las variaciones y hacer comentarios de todas clases, lo más útil es un cuerpo de notas, donde cada caso examinado pueda plantearse en la forma debida; para esto se organiza un conjunto de siglas de las obras más comúnmente usadas en las referencias, a fin de que la nota resulte lo más breve.

Existe un conjunto de signos convencionales para señalar las cuestiones que se plantean en la fijación del texto. Enumeraré algunos:

Las letras cuya lectura es dudosa se marcan con un punto debajo. Las letras que resultan ilegibles, si se conoce su número, se marcan con tantos puntos como letras, o con la cifra aproximada de ellas, encerrada entre corchetes: [5] o [10]. En general, los corchetes rectos señalan letras, palabras o frases que se suplen, y los paréntesis redondos, lo que se propone que se quite. Las posibles lagunas se indican con tres asteriscos * * *. Las adiciones se marcan con corchetes agudos < >.

Las soluciones de las abreviaturas de las letras se imprimen en cursiva; también cabe no marcarlas si son regulares en el sistema, comentando en nota las anomalías, y si las letras son dudosas, encerrarlas entre paréntesis redondos con un signo de interrogación (?). Lo que se juzga interpolación, va entre llaves { }. Los raspados o tachaduras figuran entre corchetes dobles [[ ]]. Las posibles corrupciones se marcan con la cruz †. Las adiciones interlineales van entre trazos oblicuos de sentido contrario \adición/. Las correcciones que establece el editor se sitúan entre medios corchetes rectos ⌈ ⌉. No siempre son necesarios todos estos signos, y las normas declaradas en cada obra o en el criterio común de las colecciones señalan cuáles son los que se usan y su valor.

En el caso de que los manuscritos o incunables que conservan una obra sean varios, hay que examinar sus características internas y externas. Esta labor resulta siempre minuciosa, y el editor recoge el mayor número de noticias sobre los aspectos textuales de la obra. El trabajo tiene en teoría dos partes: la *recensio* y la *emendatio*. La primera es la labor de clasificación de los textos documentados; la segunda representa el examen del conjunto, para valerse en cada caso del espacio de texto que se estime mejor, y establecer a través de este cotejo sucesivo la versión más depurada. Si de una obra nos queda un solo manuscrito, éste puede publicarse o con un criterio paleográfico estricto o estableciendo las modificaciones propias de la edición crítica. Pero, como ocurre que el texto conservado no es el primero, sino una copia en la que la lengua del original ha pasado por un cierto número de cambios, cabe intentar un acercamiento al «arquetipo» (o supuesto original o texto de primera mano) por medio de correcciones dirigidas según un criterio de lingüística histórica. Uno de los casos más definidos fue la edición del *Poema del Cid*, establecida por Menéndez Pidal, y cuyo criterio fue el siguiente: «Si el códice único del siglo XIV se deriva, no de la tradición oral, sino de una serie de copias del primitivo original del siglo XII, será posible en muchos casos llegar al conocimiento de éste, salvando los yerros de aquél, haciendo desaparecer del texto la capa de modernismos con que el transcurso de siglo y medio de copias empañó la faz primitiva del original» [25]. La edición crítica que, a través de una labor de depuración de esta naturaleza, quiere acercarse al pretendido arquetipo filológico, es empresa difícil, y siempre queda pendiente del criterio del que la realizó y de la habilidad con que supo valerse de los datos recogidos, e interpretarlos en este retroceso temporal a que somete el conjunto del texto documentado.

Si los manuscritos o incunables que se conservan son varios, la labor resulta aún más compleja. No es de rigor científico publicar el primer manuscrito que se tenga a mano (salvo en circunstancias excepcionales), ni tampoco es adecuado establecer el texto de la edición sobre el manuscrito aparentemente más antiguo, sin la previa comprobación de que no sólo es el primero de los conocidos, sino el que mejor mantiene el texto.

---

[25] Ramón Menéndez Pidal, *Cantar de Mio Cid*, I, Madrid, Espasa-Calpe, 1954-1956, pág. 34, 3.ª edición. Reproduce el texto que comenzó a establecer en 1898 y 1900, y se fijó en la 1.ª edición en 1908-1911.

Se establece entonces una clasificación genealógica (*stemma*) que agrupe los manuscritos y los impresos; para esto el editor se basa en la coincidencia de faltas o variantes comunes en el grupo (lagunas, interpolaciones, etc.), y de este modo se ordenan formando a manera de un árbol y, a través de sus ramas, el editor se esfuerza por ordenar la transmisión del texto hacia un arquetipo, si no definitivo, a lo menos fiable. Los árboles de la literatura medieval [26] española son de escaso ramaje en comparación con la frondosidad de las obras latinas, y de la relativa abundancia de las italianas y francesas del mismo período. Puede decirse en general que los textos literarios que se conservan de la Edad Media española son escasos, y pocas también las veces en que se plantean graves divergencias de criterio en cuanto a su edición. De ahí que apenas se puedan emplear con todo rigor sistemas de clasificación textual, como el de Quentin. Por otra parte, no ha faltado una recia crítica de estos procedimientos objetivos para la clasificación de los manuscritos y para la elección y corrección de un texto literario; según ella, vale más conceder al editor la libertad para elegir el que crea mejor como base de los manuscritos, siguiendo un criterio declarado, y corrigiendo en la edición las faltas que a su juicio son evidentes. Según este criterio se estima que aun en el caso de que se haya aplicado la más estricta severidad objetiva en la depuración, al fin y al cabo el texto logrado es sólo una versión que queda separada del arquetipo en medida que se desconoce [27].

Las peculiares condiciones históricas de la Edad Media en España repercuten también en este aspecto de la preparación de los textos, hasta el punto de haberse creado una técnica fi-

---

[26] Un ejemplo se encuentra en la edición de Antonio García Solalinde de la *General Estoria* de Alfonso el Sabio, I, Madrid, Centro de Estudios Históricos, 1930; 2.ª parte, I, CSIC, 1957; II, 1961; al fin del capítulo se pueden ver los ejemplos procedentes del *Libro de Buen Amor*.

[27] Los textos bíblicos son los más abundantes; exposición de estos métodos en Henry Quentin, *Mémoire sur l'établissement du texte de la Vulgata*, Roma-París, Desclée-Gabalda, 1922, y los *Essais de critique textuelle (Ecdotique)*, París, Picard, 1926. Frente a este criterio, Joseph Bédier, *La Tradition manuscrite du «Lai de l'ombre». Réflexions sur l'art d'éditer les anciens textes*, «Romania», LIV, 1928, págs. 161-196 y 321-356.

lológica especial, aplicada a determinadas ediciones: unas pocas obras literarias en lengua romance se hallan escritas utilizando los signos de los alfabetos árabe y hebreo [28]. Así ocurre con los cantarcillos románicos de la Andalucía árabe, cuya edición plantea cuestiones capitales para el conocimiento del mozárabe, y en la que han de colaborar romanistas y hebraístas o arabistas. El alfabeto de las lenguas semíticas sólo sirvió para escribir de una manera aproximada el texto de estas obrecillas mozárabes, o sea pertenecientes a una lengua románica; posee una imprecisión que no se ajusta al vocalismo romance, y diferencias en cuanto al sistema de representación de las consonantes. Y si a esto se añade la deformación que estos textos, con tanto esfuerzo escritos por los que fueron bilingües, sufrieron luego por amanuenses y copistas que ya no entendían lo que escribían, aumenta el número de dificultades para conseguir lecciones acertadas de estos poemas. Además de estos cantarcillos hubo obras más extensas conservadas en forma semejante. Así, las *Coplas de Yoçef* [29], contenidas en un manuscrito probablemente de la primera mitad del siglo xv, cuya escritura es hebrea; también hay un manuscrito de los *Proverbios morales* en español rabínico. Otro caso es el *Poema de Yúçuf*, del que existe un manuscrito árabe, transcrito en caracteres latinos por M. Schmitz, y otro, un poco más antiguo (fines del siglo xiv o primera mitad

---

[28] Sobre las cuestiones lingüísticas referentes a los lenguajes mozárabe, morisco y aljamía, véase H. Serís, *Bibliografía lingüística española*, obra citada, págs. 629-635. En un sentido estricto, el término *aljamiado*, aplicado a los textos, significa el romance escrito en caracteres arábigos, pero suele ampliarse a estos otros, pocos en número, escritos en caracteres hebreos.

[29] *Coplas de Yoçef*, Cambridge, The University Press, 1935, edición de Ignacio González Llubera. *Proverbios morales*, Cambridge, The University Press, 1947, por el mismo Ignacio González Llubera. La transcripción del códice de la Biblioteca de Cambridge, escrito en caracteres rabínicos españoles, fue publicada por el mismo en *A Transcription of Ms. C. of Santob de Carrion's «Proverbios Morales»*, «Romance Philology», IV, 1950, páginas 217-256. Los problemas filológicos que plantea un texto de esta clase en el mismo, *The Text and Language of Santob de Carrion's «Proverbios Morales»*, «Hispanic Review», VIII, 1940, págs. 113-124; y Emilio Alarcos Llorach, *La lengua de los «Proverbios Morales» de don Sem Tob*, «Revista de Filología Española», XXXV, 1951, págs. 249-309.

del xv), más incompleto, con la escritura magrebina. Estas obras suelen reunirse en el capítulo de la llamada literatura aljamiada.

Por otra parte, el perceptor, oyente o lector, de la obra literaria condicionó también las características del lenguaje empleado en el texto. El autor y los sucesivos copiadores, partícipes en esto de una función de autoría, tuvieron en cuenta cuál había de ser el público de la obra, y así orientaron el matiz lingüístico del códice que escribían. Cada una de las copias se alineaba en una sucesión desde un original primero (imposible de conocer), y en esta sucesión pudo haber una variedad de versiones sin que por eso se perdiese la identidad de la obra. Por ejemplo, del *Libro de Alexandre* se conserva un manuscrito, el de Osuna, con leonesismos, y otro, el de París, con algún aragonesismo, sobre un fondo de habla castellana; cualquiera que haya sido su aspecto de origen, los copiadores posteriores pudieron matizar en uno u otro sentido un texto precedente. Abundan los manuscritos medievales en los que, con un determinado fondo dialectal, hay, sin embargo, rasgos de otro u otros dialectos.

d) *Ediciones modernizadas.*—Este género de ediciones cumple el fin de divulgar las obras literarias de la Edad Media obviando las dificultades lingüísticas con la modernización del texto antiguo. Dos criterios se utilizan en esta clase de ediciones. En uno se corrige sólo el aspecto gráfico del texto, pero sin variaciones en su constitución morfológico-sintáctica. En el otro criterio se establece una libre versión de la obra medieval, en la que se ajusta la significación del texto antiguo a la expresión común del español moderno. Este procedimiento, que es propiamente una traducción de la lengua medieval a la moderna, sirve para extender el conocimiento de las viejas obras en amplios círculos de lectores [30]. Las ediciones modernizadas sólo sirven

---

[30] En la literatura española, la colección más importante de versiones al español moderno de las obras de la literatura medieval está constituida por la Colección «Odres Nuevos» (*Leyendas épicas*, por Rosa Castillo; *Milagros* de Berceo, por Daniel Devoto; *Libro de Apolonio*, por Pablo Cabañas; *Fernán González*, por Emilio Alarcos; *Libro de Buen Amor*,

para dar a conocer el contenido de las obras medievales, y son siempre un medio para disponer de un conocimiento inicial o para el caso en que baste sólo llegar al significado de las obras; sobre ellas no pueden realizarse estudios en que intervengan las cuestiones formales del significante poético. Son, sin embargo, necesarias en su función de acceso y divulgación del tesoro patrimonial de la literatura de un país entre los lectores del mismo que no posean una formación filológica, y entre los extranjeros que no dominen la lengua en grado suficiente.

Cualquiera que sea el procedimiento seguido por el editor de un texto medieval, su labor necesita haberse desarrollado con un sentido de responsabilidad filológica. El lector ha de quedar siempre informado de una manera exacta del valor de la edición, de su propósito, de las normas que ha utilizado, y en todos los casos el editor ha de declarar el criterio con el cual ha impreso el texto, su tratamiento, así como las condiciones del sistema empleado. La inteligencia y valoración de la literatura medieval ha de hacerse sobre textos publicados con un criterio científico para que exista una garantía de fidelidad en el fundamento mismo de la expresión idiomática.

* * *

A continuación, expondré varios casos de las diferentes especies de ediciones valiéndome del fragmento de un texto del *Libro de Buen Amor*, correspondiente a las estrofas 1513 y 1514; ha de entenderse que los manuscritos de Salamanca, Gayoso y Toledo se designan por las iniciales S G y T.

Edición facsímil, acompañada de la transcripción paleográfica:

Esta reproducción procede de la edición de Juan Ruiz, *Libro de Buen Amor*, edición facsímil del códice de Salamanca, Ms. 2663, Salamanca, Edilan, 1975:

---

por María Brey: *Conde Lucanor*, por Enrique Moreno; *Libro de la Caza*, por José Fradejas; *Teatro medieval*, por Fernando Lázaro, y *Poema del Cid*, por mí).

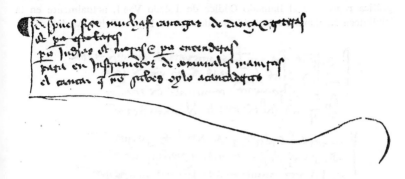

La edición va acompañada de un estudio histórico-crítico y transcripción textual por César Real de la Riva, Salamanca, Edilan, 1975; en ella
las referidas estrofas se imprimen así:

En q*u*ales instr*u*me*n*tos no*n* convie*n*en los cantar*e*s de arauigo

1513   Despues fise muchas cantigas de dança e troteras,
        p*a*ra judias e moras e p*a*ra entenderas, [149]
        para en instrume*n*tos de comunales maneras:
        el cantar q*u*e no*n* sabes, oylo a cantaderas.

1514   Cantares fiz algu*n*os de los·q*u*e disen los siegos, ^{fol. 91v.}
        e p*a*ra escolar*e*s q*u*e andan nocherniegos,
        e p*a*ra muchos otros por puertas andariegos,
        caçurros e de bulrras, no*n* cabrian en diez pri*e*gos.

* * *

Otra edición facsímil, también acompañada de la transcripción paleográfica reproduce el llamado Códice de Toledo Vª-6-1, actualmente en la Biblioteca Nacional de Madrid, publicada por Espasa-Calpe, Madrid, 1977:

La parte de la transcripción paleográfica ha sido realizada por Manuel Criado de Val y Eric W. Naylor, Madrid, Espasa-Calpe, 1977, y aparece así:

1513.   deſpues fis muchas cantycas de dança e trota,
          para judias e moras E para entenderas,
          e para eſtromentes comunales de maneras ¹;
          el que non ſabes, oye le A cantaderas.

1514   cantares fis alguno que diſen los çiegos
          E para eſcolares que andan nocharniegos,
          e para otros muchos por puertas adariegos,
          caçurros, de bulrras, non caberian en dies pliegos.

El manuscrito llamado de Gayoso posee también su edición facsímil, publicada en Madrid por la Real Academia Española en 1974. No creo necesaria su reproducción. En los dos casos anteriores, junto a la edición facsímil se ha establecido otra, de carácter paleográfico, paralela a la anterior, de tal manera que así se puede verificar la lectura más inmediata al texto medieval.

Edición paleográfica singular.

Se encuentra en el siguiente libro: Juan RUIZ, *Libro de Buen Amor. Texte du XIVᵉ siècle, publié pour la première fois avec les leçons des trois manuscrits connus*, Toulouse, E. Privat, 1901. La edición que realizó Jean

Ducamin representó en 1901 un caso ejemplar en lo que toca al rigor con que verificó su trabajo: la reproducción del texto se hace con el mayor cuidado posible, señalando en letra cursiva las letras extraídas de las abreviaturas y, además, para reflejar de manera fiel los signos de la escritura, estableció unos tipos de imprenta especiales para las variantes de *s* y *z*, y otras peculiaridades que se aprecian en la siguiente reproducción:

En quales inſtrumentos non convienen los cantares
de arauigo.   S

1513   Defpueſ fice' muchaſ' cantigas de dança e troteraſ,
        para' judias E moraſ e para entenderaſ,
        para en jnftrumentos de comunaleſ maneraſ :
        el cantar que non ſabes, oylo acantaderao.

514   Cantareſ fiç algunoɔ de los que diɔen los ɔiegoſ   (fº 91 vº)
        E para efcolareɔ que andan nochernjegoſ
        e para muchoſ otros por puertaſ andariegoſ,
        e caçurros E de bulrraſ, non cabrian en dyeç priegoſ.

Ducamin elige el texto que estima básico, que es del llamado manuscrito S, y sitúa luego las variantes del manuscrito G y las del T:

1513. — 1. G (fº 82 vº) d. fiɔ muchoɔ cantareɔ de d. e trobaɔ, *le copiste avait d'abord commencé ce vers :* de dança e trobaɔ & *a biffé ensuite ces mots;* T d. fiɔ m. cantycaɔ ... e trota — 2. G p. judjoɔ e moroɔ e p. entendedoraɔ — 3. G e p. j. c. m.; T e p. eftromenteɔ c. de m. — 4. G el canto q. ɔ. oyle a c.; T el q. n. ſ. oye le A c. ═ 1514. — 1. G ... alg. q. d. l. ç.; T .. alguno q. d. l. ç. — 2. G, T nocharnjegoɔ; *dans* G, *l'n initiale est rongée.* — 3. G E p. o. m...; T e p. o. m... adariegoɔ — 4. G ... burlaɔ ... pliegoɔ; T c. de bulrraɔ n. caberiaɔ ... pliegoɔ ═ 1515.   G, T

Y luego van al pie de la página las notas complementarias:

' *Correction du copiste sur* | ' *Le copiste avait commencé*
&ɔ. | *d'abord ainsi* E para efcolareſ,
' *L'ſ faite sur un* ɔ. | *qui est biffé.*

Edición paleográfica total.

Este tipo de edición aparece en la edición del *Libro de Buen Amor* realizada por Manuel Criado de Val y Eric W. Naylor, Madrid, CSIC, 1965. Los editores recogen los tres textos completos, reunidos de manera que se puedan compulsar las lecciones:

S   1513   DeSpueS fise [1] muchaS [2] cantigas de dança e troteraS,
             para [3] judias E moraS e para entenderaS,
             para en jnStrumentos de comunaleS maneraS;
             el cantar que non Sabes, oylo a -cantaderas.

T   1513   deSpues fis muchas cantycas de dança e trota,
             para judias e moras E para entenderas,
             e para eStromentes comunales de maneras [1];
             el que non Sabes, oye le A cantaderas.

G   1513   deSpueS [1] fis muchos cantares de dança e trobas,
             para judios e moros e para entendedoras,
             e para jnStrumentos comunales maneras:
             el canto que sabes, oyle A cantaderas.

S   1514   CantareS fiz algunos de -los que disen los siegoS
             E para eScolares que andan nocheriniegos *,
             e para muchoS otros por puertaS andariegoS,
             caçurros E de bulrraS, non cabrian en -dyez priegoS.

T   1514   cantares fis alguno que disen los çiegos
             E para eScolares que andan nocharniegos,
             e para otros muchos por puertas adariegos,
             caçurros, de bulrras, non caberian en dies pliegos.

G   1514   cantares [1] fis algunos que disen los çiegos
             e para eScolares que andan [n]ocharniegos [2],
             E para otros muchos por puertlas [3] andariegos,
             caçurros e de burlas, non cabrian en dies pliegos.

Los editores justifican así su criterio: «No basta anotar las variantes morfológicas al pie de un texto privilegiado con una reproducción extensiva; es preciso poder comparar el contenido total y equivalente de los tres códices, permitir una lección comparada que no sólo descubra el detalle ortográfico, léxico y morfológico, sino también el ritmo de la idea y del verso, la personalidad sistemática de la pronunciación y la multiplicidad a menudo equívoca de su intención estilística.» Esta especie de edición pertenece propiamente a las que hemos denominado paleográficas, aunque los editores la llamen «crítica»; sólo que en este caso se sitúa ante el lector todo el material textual para que él mismo aprecie las diferencias y conformidades. Al pie del texto se consignan las minuciosidades paleográficas:

1513 S¹ Corrección sobre "fiso".
S² La S escrita sobre una a.
S³ "E para eScolareS" tachado, entre lineas a y b.
T¹. La abreviatura es poco clara.
G¹ Encima y tachado: "de dança e trobas".

1514 G¹ Solo hay una tilde.
G² Carcomido.
G³ Carcomido.

Edición crítica integral.

Esta clase de ediciones está representada por la que hizo Giorgio Chiarini, Milán, R. Ricciardi, 1964. El editor propone un *stemma* para la ordenación de los manuscritos:

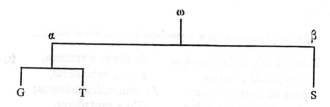

Según Chiarini, un criterio para la posible corrección de los textos procede del ajuste del verso al patrón de la cuaderna vía; así separa en la edición los dos hemistiquios que forman cada verso de una manera clara y busca una medida exacta ayudándose de signos diacríticos. Después, «sobre la base de la grafía de S, después de haber quitado la pátina dialectal leonesa, se ha elaborado un sistema ortográfico que, acercándose en lo posible al moderno, evite inútiles y fastidiosas dificultades de lectura» (pág. LXIII). Usa el punto alto para las formas apocopadas del pronombre enclítico *(que ·l)*, y el apóstrofo para la elisión *(ca diz')*; pone acento en la ý para la significación de 'allí'; y la diéresis sirve para dar plenitud tónica a la vocal del diptongo *(enbïada de Dios)*. Las variantes se distribuyen en dos grupos, uno para las de redacción:

tir de GT. 6173. m. e dixo a. GT. *vv. 6174-6201: testo in SGT.* 6176. E p. i. GT. 6177. óile GT. 6180. pa. o. m. p. GT. 6185. q. quier i. S.

6166. paz] plazer G, vida T. 6167. Non g. G, gela d. T. 6168. Aducho bueno v. a. SGT. 6169. t. sola d. . . . açud G. 6170. v. mi v. T, aý G. 6172. P. ál G, P. más n. me d. que ero me T. 6173. d. aun xí aunxí G, amexí amexí T. 6174. fize S, cánticas T, f. muchos cantares de d. e trobas G, e trota T. 6175. P. judíos e moros e p. entendedoras G. 6176. de *om.* G, i. c. de m. T. 6177. El canto q˷ G, cantar *om.* T, non *om.* G. 6178. alguno T, a. q. d. l. ç. GT, segos S. 6180. adariegos T. 6181. e *om.* T, caberían T. 6182. están

Y otro para los errores y también las lecciones singulares e interpretaciones, dejando aparte las variantes fonéticas y gráficas:

I 43. 6175. *entendera*: variante con aplologia sillabica di *entendedera*. 6178. S ha *segos*, non *sieços* come si legge nel DUCAMIN (p. 281). 6183. *cantares*: la concordanza al maschile dei versi seguenti dimostra la non autenticità della variante *cantigas*. 6184-5. «Dei diversi tipi di *cantares* che ho provato a comporre, adesso dirò con quali strumenti risulta più armoniosa la loro melodia».

Aplicando este criterio, las dos estrofas que sirven de muestra aparecen así:

En quáles instrumentos non convienen los cantares de arávigo.

Después fiz' muchas cantigas	de dança e troteras, (1513)
6175 para judiás e moras	e para entenderas,
para en instrumentos	de comúnales maneras:
el cantar que non sabes,	óilo a cantaderas.
Cantares fiz' algunos	de los que dizen los çiegos (1514)
e para escolares	que andan nocherniegos
6180 e para muchos otros	por puertas andariegos,
caçurros e de bulras:	non cabrían en diez pliegos.

* * *

Otro caso de edición crítica integral es la de Joan Corominas, Madrid, Gredos, 1967. Corominas reúne en torno y sobre los textos su amplio conocimiento del castellano medieval: si el poeta fue un viajero, pudo hallarse abierto a un gran número de variaciones lingüísticas: «En una época de evolución rápida del idioma común, esto creaba en él la sensación de naturalidad ante todas las variantes que entonces luchaban todavía por el triunfo en la lengua común de Castilla la Nueva y la Vieja» (pág. 66). Por otra parte, sin embargo, «un tipo de lenguaje con márgenes tan amplios de libertad y con normas tan flexibles y elásticas, se prestaba poco a la conservación de una tradición manuscrita invariable» (pág. 67). El criterio de Corominas fue madurando con el examen minucioso de los hechos lingüísticos, y en particular de los afectados por la medida del verso: «el buen método aconsejaba diferir el análisis de estas interesantes averiguaciones literarias, hasta que hubiese llegado a un establecimiento del texto por métodos meramente filológicos: es decir, a base de un análisis muy minucioso y agotador, *primero* de la tradición manuscrita, *segundo* de los vastos recursos internos que ofrece la comparación de unos trozos del Libro con otros, del lenguaje y léxico de J. Ruiz consigo mismo, particularmente en lo asegurado por las rimas, *tercero* de un escrutinio pormenorizado de los versos del Libro cotejándolos con los correspondientes de sus modelos, *cuarto* de la interpretación detallada de las ideas; y en fin, a medida que adelantaba en mis estudios puramente métricos, éstos a su vez iban ofreciendo base para decidir buen número de los puntos todavía dudosos» (pág. 45).

Y de acuerdo con lo dicho, Corominas ofrece la siguiente versión de los versos que sirven de ejemplo:

1513. Despuées muchas cantigas   fiz de dança ę troteras   HEPTASÍLABO
para judías e moras   e para ëntenderas;
para ën estrumentes,   comunales maneras:
el cantar que non sabes,   oilö a cantaderas.
1514. Cantares fiz algunos   de los que dizen ciegos
e para ëscolares   quë andaṇ nocherniegos,
e para otros muchos   por puertas andariegos,
caçurros e de burlas: non cabrién en diez pliegos.

Las notas lingüísticas y métricas que establece son estas:

1513 a Reanuda aquí el alejandrino, pero cómo acostumbran en tales casos los escribas tienen cierta tendencia a seguir el ritmo octosilábico y así suelen mezclar algo los dos. De ahí la anticipación de *fiz* en los mss., ayudada por la inclinación a evitar el hipérbaton poético. Por lo demás la enmienda que se hizo a sí mismo el copista de *G* (que había empezado el verso escribiendo *de dança e trobas*) puede indicar que habría alguna trasposición de palabras en el modelo común. La lectura *e de troteras* con que algunos han citado este verso no se funda en los mss. de J. Ruiz ni de otro escritor: *trotera* en el sentido de 'danzarina' parece ser debido sólo a una confusión de Mz. Pelayo; para las *cantigas troteras*, vid. Mz. Pidal, *Po. Ju.* 48, n. 3, y 265, y cf. 1021, 1022 y 1029 *a*.

1513 b Para la sinéresis *judías* además de la posición en el verso, que la facilita, cf. el traslado de acento, ya casi fijo, en *judiós* 1193 *c*, 1657 *d* etc. Para las cantigas de moras, vid. Mz. Pidal, *Po. Ju.* 138-9, 248-50, 296.

Enten(de)deras es 'enamoradas'. La lectura *éntenderas*, por haplología, figura así en *S* como en *T*, y por lo tanto tiene probabilidades de venir ya del autor.

1513 c *Para en* 'con destino a, para cantarse con'. *Maneras* 'módulos, melodías'. Parece infundada la interpretación de *Li* (instrumentos de toda clase), pues la *de* que sólo está en *S*, y fuera de sitio en *T*, se denuncia por este detalle como enmienda hecha en interlínea por un corrector que se deja llevar por la inercia del octosílabo.

1513 d 'Óyeselo a cantoras'.

1514 b c 'Que andan de noche, es decir trasnochadores (o dando serenatas)'. *Por puertas andariegos* 'que van de puerta en puerta cantando y pidiendo'.

1514 d Cantares caçurros 'satíricos, burlescos, chocarreros', V. notas a 114 *a*, 947 *b*, 557 *b*. Aunque aquí coinciden *S* y *T* en la forma *bulrras*, *G* trae *burlas*, y la otra forma es más leonesa y portuguesa que castellana.

Al pie de la página establece las diferentes lecciones de los manuscritos:

1513 a d. fize mu. cantigas *S:* d. fiz muchos cantares *G:* d. fiz m. canticas *T:* d. fiz mu. cántigas *C MzPi* (*Po. Ju.* 265) *Li* . e troteras *S:* e trobas *G:* e trota *T*

1513 b *S T*: para judios e moros *G C* entenderas *S T*: entendedoras *G*

1513 c para *S MzPi* (*l. c.*): e para *G T* en *S: om. G T* instrumentos *G S*: estromentes *T* comunales ma.' *G C:* com. de man. *T:* de 'com. man. *S Li*

1513 d cantar *S*: canto *G C: om. T* oylo *S*: oyle *G C*: oye le *T*

1514 a alg. de los q. d. los ci. *S Li C MzPi* (*l. c.*): alg. q. d. los ci. *G T* ciegos *Sd G T*: ₀egos *S* (*Chi*)

1514 b *S Mz Pi*: nocharniegos *G T C Li*

1514 c otros mu. *G T C*: muchos otros *S Li*

1514 d burlas *G C*: bulrras *S T MzPi* (*l. c. et 299*)

Para llegar a estas conclusiones, había establecido un *stemma* como el
que sigue (pág. 15), discutido por él mismo con otro (pág. 20). Doy el
extenso:

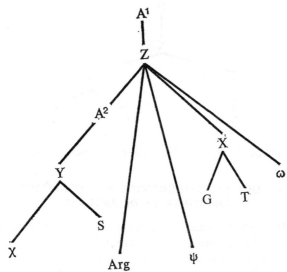

Edición crítica singular.

Es la que ofrece Jacques Joset, publicada en Madrid, Espasa-Calpe,
1974. El editor ha establecido en este caso un criterio que combina los
principios que estimó adecuados para los textos con la tradición editorial
de la colección de «Clásicos Castellanos», dentro de la cual aparece el
libro. El sistema que propone para el conjunto lo plantea Joset en estos
términos: «En conclusión, para el editor se plantea un problema muy
concreto: que el propio texto del *Libro de Buen Amor* sea restituido lo
más aproximado posible al que nos dejó finalmente Juan Ruiz. Aquí todos
concuerdan en que la lectura del *Libro* "definitivo" debe hacerse en la
versión larga, fundada esencialmente en *S* (1.544 c.), completada por *GT*
(1.219 c.). No quiere decir eso que *S* sea el mejor manuscrito en calidad.
Veremos a lo largo de la edición que *G* ofrece lecturas mucho más satis-
factorias desde el punto de vista métrico, lingüístico o literario. No es
extraño, puesto que, en valor absoluto, según nuestro esquema, *S* y *G* se
sitúan al mismo nivel. *T*, más fragmentario y menos cuidado en su forma,
funcionará las más de las veces como instrumento de control» (pág. XLIII).

Propone el siguiente *stemma* (pág. XXXVIII):

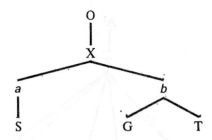

Y el resultado de su aplicación a las dos estrofas en cuestión es el siguiente:

EN QUÁLES INSTRUMENTOS NON CONVIENEN LOS CANTARES DE ARÁVIGO

1513   Despúes fiz muchas cánticas, de dança e troteras,
        para judías e moras e para entenderas,
        para en instrumentos comunales maneras:
        el cantar que non sabes, oílo a cantaderas.

1514   Cantares fiz algunos, de los que dizen çiegos,
        e para escolares que andan nocherniegos,
        e para muchos otros por puertas andariegos,
        caçurros e de burlas: non cabrién en diez pliegos.

Como una edición de esta naturaleza va destinada a un público que se supone que conoce poco el contexto cultural, abundan las notas aclaratorias de esta naturaleza:

> 1513a «Nótese cantigas *troteras* o 'andariegas' (?), comp. cítola *trotera* [...]» (R. Menéndez Pidal, *Poesía juglaresca*, ed. 1924, página 48, n. 3). «Esta enorme producción de cantigas troteras o callejeras se ha perdido [...]» (ibíd., pág. 265).
>
> 1513b Es muy probable que haya que leer `judias` o, tal vez, *judiás* por el metro. «... el Arcipreste de Hita coloca las cantaderas judías al lado de las moras, y realmente en todas las grandes fiestas de las ciudades españolas, donde al lado de las parroquias cristianas había sinagogas y mezquitas, concurrían juntamente los juglares de las tres religiones» (R. Menéndez Pidal, *Poesía juglaresca*, pág. 139). Sobre los juglares y cantaderas moras, véase

Poesía juglaresca, págs. 138-39, 248-50, 295-96. También los cristianos, como el protagonista en el episodio anterior, cantaron sus amores para jóvenes moras: así Alfonso Álvarez de Villasandino compuso una cantiga de amores dedicada a una mora hacia 1385 (texto
en *Crest. Mz. Pidal*, II, pág. 489).— *entendera:* véase 116b.

1513c *Comunal:* «aquí (de no ser por término técnico) parece tener sentido elogioso (v.s. 154d) ...» (M. Morreale, en *BRAE*, XLIII,
1963, pág. 345); también podría entenderse en el ámbito del *topos*
de la humildad fingida de autor.—*maneras:* 'frases melódicas'.

1513d *cantaderas:* véase 841d.

1514d *Cantares caçurros:* véase 947b.—*non cabrién en diez pliegos:* comp. *Alex.*, 2306dO: «Non cabrien en cartas de quince cabrones.»

Las notas de las variantes son las siguientes:

1513a *S: D. fize m. cantigas; G: f. muchos cantares.*
1513c *S: i. de c. m.; T: i. c. de m.*
1514a *S: de l. q. d. los siegos; GT: a. que d. ç.* Enmienda de Cor.
1514b *GT: nocharniegos (¿recte?;* véase 1220d).
1514d *ST: bulrras; SG: cabrían / T: caberían.*

*Edición modernizada sólo en cuanto a los aspectos gráficos y morfoló-
gicos del texto.*

De esta naturaleza es la que preparó María Rosa Lida para una edición
escolar (1941) y que se encuentra en el libro Juan Ruiz, *Selección del
«Libro de Buen Amor» y estudios críticos*, Buenos Aires, Editorial Universitaria, 1973, pág. 121, en donde las estrofas elegidas aparecen así:

1513   Después hiz muchas cántigas de danza y troteras,
        para judías y moras, y para entendederas;
        para en instrumentos de comunales maneras:
        el cantar que no sabes, [oy'lo] a cantaderas.

1514   Cantares hiz algunos de los que dicen los ciegos,
        y para escolares que andan nocharniegos,
        y para muchos otros, por puertas andariegos,
        cazurros y de burlas, no cabrían en diez pliegos.

La autora de la versión indica que su criterio, en lo fundamental, fue
haber «modernizado todo lo posible la ortografía y forma de las palabras»;
esto lo hizo «con el fin de evitar el aspecto de lengua extraña que es lo
que principalmente aleja de los textos literarios primitivos al lector no
especializado» (pág. 146).

Edición enteramente modernizada.

En este caso se trata de una labor de reconstrucción poética, como la realizada por María Brey (Madrid, Castalia, 1972, 9.ª edición). Las estrofas aparecen así:

1513   Después escribí coplas de danza y callejeras,
        para moras, judías y para recaderas,
        para todo instrumento, de vulgares maneras;
        el cantar que no sepas, óyelo a cantaderas.

1514   Hice algunas de aquellas que llaman para ciegos,
        también para escolares que andan nocherniegos
        y para los que corren las puertas, andariegos;
        cazurros y de burlas; no caben en diez pliegos.

El criterio seguido por la autora se justifica así: «La finalidad es vivificar el hallazgo para que sea posible ofrecerlo a la cultura presente de manera que despierte evocadora emoción de épocas pasadas, sin producir ni la indiferencia forzosa de lo ininteligible ni el escalofrío que provoca la contemplación de una momia» (pág. 7). La labor de ajuste adquiere en este caso un temple creador para que se pueda traspasar el poema desde la lengua antigua a la moderna, procurando que permanezca la esencia poética de la obra.

Edición sin un criterio definido, con notas críticas.

Hasta que apareció la edición que he mencionado, de J. Joset, la colección de «Clásicos Castellanos» venía repitiendo el texto que había sido preparado por Julio Cejador (Madrid, La Lectura, 1913). La labor de Cejador se limitó a retoques parciales, y el criterio que señala es impreciso: «Mi edición se atiene, en cuanto es posible, al texto más antiguo, que es G, corrigiendo por los demás...» (pág. XXXVIII). Las estrofas mencionadas aparecen así:

**EN QUÁLES INSTRUMENTOS NON CONVIENEN LOS
CANTARES DE ARÁVIGO**

1513   Después fiz' muchas cántigas de dança é troteras
Para judíos é moros é para entendederas,
E para estrumentos, comunales maneras:
El canto, que non sabes, óyle á cantaderas.

1514   Cantares fiz' algunos, de los que disen los çie-
E para escolares, que andan nocharniegos,   [gos,
E para otros muchos por puertas andariegos,
Caçurros é de burlas: non cabrían en dyez pliegos.

Comparando este texto con los anteriores, se observa la imprecisión de
su aspecto gráfico; Cejador estaba más atento a las anotaciones, como lo
prueba las que puso a las dos estrofas en cuestión:

> 1513 *Cántigas troteras*, como *trotallas*, como quien dice *embateria*
> griegas, marchas, pasacalles.—*Entendederas*, ensalmadoras o curan-
> deras con ensalmos. El canto o tonada de esas cántigas óyeselo a las
> *cantaderas*, si no lo conoces.
> 1514 *Nocharniego* o *nocherniego*, de noche.—*Caçurros*, de burlas,
> como troba *cazurra*, de bromas y chanzas.

Edición sin criterio filológico.

El tomo LVII de la colección «Biblioteca de Autores Españoles» fue de
gran ayuda para la difusión de la literatura medieval española; contenía
la obra de los *Poetas castellanos anteriores al siglo XV* (como es su título),
y allí figura el *Libro de Buen Amor*. Aparecido en 1864, acusa su vejez y
la mayor parte de los textos reunidos no cumplen las exigencias de la
filología actual. Las estrofas de muestra aparecen así:

1487   Despues fise muchas cantigas de danza e troteras
Para judias, et moras, e para entendederas
Para en instrumentos de comunales maneras,
El cantar que non sabes, oilo a cantaderas.

1488   Cantares fis algunos de los que disen los çiegos,
Et para escolares que andan nocherniegos,
E para muchos otros por puertas andariegos,
Cazurros et de bulras, non cabrian en dies priegos.

Florencio Janer realizó esta edición sobre la base de la *Colección* de Tomás Antonio Sánchez (a la que me refiero en el párrafo siguiente). Según él, la aumentó e ilustró «a vista de los códices y manuscritos antiguos con la intención de lograr una edición puramente crítica y de restauración paleográfica». Declara que tuvo en cuenta el manuscrito de Gayoso y de Salamanca, pero el resultado, como se puede comprobar, fue muy pobre.

Edición con sólo el valor de la curiosidad histórica.

En páginas anteriores destaqué la importancia de que ya en 1790 se publicase en España el *Libro de Buen Amor;* la *Colección de poesías castellanas anteriores al siglo XV* (Madrid, Sancha, 1790, tomo IV, Poesías del Arcipreste de Hita) permitió incorporar el conocimiento de la Edad Media al proceso de renovación de la cultura, propio de la época. Tomás Antonio Sánchez presenta así las dos estrofas:

1487. Despues fise muchas cántigas de danza è
                                                    [troteras
Para Judias, et Moras, è para entendederas
Para en instrumentos de comunales maneras,
El cantar que non sabes, oílo à cantaderas.
1488. Cantares fis algunos de los que disen los
                                                    [ciegos,
Et para escolares que andan nocherniegos,
E para muchos otros por puertas andariegos,
Cazurros et de bulras, non cabrian en dies
                                                    [priegos.

En el prólogo el editor dice que «la impresión [...] se ha hecho por la copia que se me sacó del códice de Salamanca...» (pág. XIX). Como cabe esperar de la situación de los conocimientos filológicos en la época, es sumamente defectuosa, no sólo en cuanto a la interpretación paleográfica, sino también porque el editor suprimió algunas partes «...por no ofender a los que lean estas composiciones olvidadas del fin que se publican» (página XVIII).

*   *   *

Cada edición de las que he mostrado tiene un fin específico y se dirige a un determinado grupo de lectores de preparación y propósitos distintos; no se eliminan las unas a las otras, siempre que se respeten los límites e intenciones respectivos, antes al contrario se complementan dentro del fenómeno de la comunicación entre el autor y el lector; son diferentes textos de una misma obra, pluralidad que es necesario admitir en el caso de la literatura medieval.

Capítulo III

PERIODICIDAD, HISTORIA Y CULTURA EN RELACIÓN CON LA LITERATURA MEDIEVAL

CUESTIONES DE PRINCIPIO

Una de las cuestiones que actualmente es objeto de discusión en el estudio de la literatura es la que se refiere a la división de su historia en períodos. Esto constituye un asunto que toca directamente a la composición del presente libro, puesto que se ocupa de un período determinado de la literatura española. Ya en 1931, con ocasión del I Congreso Internacional de Historia Literaria, se planteó en forma problemática la constitución de una «historia» de la «literatura», y la posible compatibilidad de ambos conceptos; este punto representa, pues, una característica de la crítica de nuestro tiempo, que quiere asegurar las bases de partida.

La aplicación del criterio histórico en el estudio de la literatura [1] se establece desde unos presupuestos diferentes de los que existen en el estudio histórico de otras ciencias. Admitiendo como principio que el estudio de la literatura se puede realizar con un sentido «científico», resulta que en ella el planteamiento histórico no opera en el campo estrictamente erudito de la ordenación cronológica de determinados datos. Lo que ocu-

---

[1] Véase Oscar Tacca, *La historia literaria*, Madrid, Gredos, 1968, con amplia bibliografía.

rre en otros aspectos de los estudios científicos puede perturbar la concepción que pretendo mostrar: el estudio de la historia en el Derecho, en la Medicina o en cualquier aspecto de las Ciencias (naturales y culturales) resulta informativo, y se ofrece como secundario en el conocimiento de la situación actual de estas ciencias. La consideración de la historia en estos estudios resulta tan sólo un elemento auxiliar para completar una situación en la que cuenta sobre todo el presente. No ocurre así en la Literatura, donde las obras se denominan «históricas» sólo porque se escribieron en el pasado, pero estas obras siguen en relación directa con el presente, y pueden convertirse, con una adecuada preparación, en un objeto de la experiencia del hombre de hoy, lo mismo que una obra recién acabada de escribir. Es cierto que la penetración en una obra histórica requiere una determinada formación «instrumental», pero, una vez en posesión de la misma, la obra puede acercarse a la consideración actual con una eficacia que es diferente de lo que ocurriría al valernos de la *Materia Médica* de Dioscórides para curar hoy a un enfermo; pero el *Poema del Cid*, un «ejemplo» de Juan Manuel, la *Celestina*, o cualquier obra de gran fuerza poética, pueden llegar a un lector de nuestro tiempo y constituir parte de su formación humana. Esto no significa que la literatura de nuestro tiempo valga más o menos que la «histórica» (en nuestro caso, la medieval). Lo que ocurre es que la literatura del pasado puede integrar el patrimonio de la cultura del hombre actual en un sentido mucho más amplio de lo que acontece con la historia de las otras Ciencias, y seguir «viviendo» en un número relativamente mayor de lectores, y no solamente entre los científicos del grupo correspondiente.

Situados en el dominio que nos ocupa, el concepto de «literatura medieval» se ha afirmado dentro de un tiempo histórico y un espacio determinados en relación con el concepto de «Edad Media», de mayor amplitud en su formulación histórica y, sobre todo, cultural.

LA NOCIÓN DE «EDAD ME-
DIA» EN EL RENACIMIENTO

En efecto, la aparición y el uso del concepto de Edad Media
aplicado a un período aconteció primero en los estudios de la
Historia, en la ordenación de los hechos del hombre y de las
diversas comunidades políticas que formó; su aplicación a los
de las Bellas Artes (y en particular a la literatura) es posterior.
De ahí que se haya considerado que esta aplicación fuese un
traslado de métodos de un campo a otro, y que, por tanto, la
literatura corría el peligro de convertirse en una *ancilla historiae*,
si persistía en limitarse a un planteamiento estrictamente histórico reuniendo hechos (la vida de los autores y la sucesión de
las obras) en una urdimbre cronológica.

El concepto de «Edad Media» apareció para designar situaciones negativas en las que se echaban de menos los valores
que se consideraron positivos desde una determinada concepción del hombre en la historia: lo medieval fue, en un principio,
lo que había antes del Renacimiento, lo que aún no era Renacimiento, según otro concepto histórico que hay que considerar
para que el de «Edad Media» cobre sustantividad. En los tratados de los eruditos y pensadores del Renacimiento, las Letras,
en el sentido amplio que se dio al término, contaron como un
factor activo en la concepción de la época, y su «historia» propia se acomodó a los esquemas historiográficos en uso. Uno
de estos eruditos, Alfonso García Matamoros (1490-1550), en su
libro apologético *Pro adserenda hispanorum eruditione*[2], trazó
las líneas generales del proceso de la cultura hispana, según este
punto de vista. Para señalar el comienzo del destino histórico
de los españoles, comienza por entroncarlos con los romanos
para así establecer la base de lo que se considerará luego la
apreciación positiva. Para él, Adriano fue el emperador hispa-

---

[2] Alfonso García Matamoros, *Apología «Pro adserenda hispanorum
eruditione»*. Edición, estudio, traducción y notas de José López de Toro, Madrid, CSIC, 1943.

norromano que dio realidad a los «siglos dorados»: «Pues en aquellos antiguos y famosos siglos, en virtud de la costumbre nunca suficientemente alabada y que hoy quisiéramos con sumo afán ver restablecida entre nuestros príncipes se sentaban a la mesa real los individuos más sobresalientes en la milicia, cultura, política y linaje» [3]. Pero los germanos interrumpieron esta paz fructuosa: «Secuela de circunstancias tan desfavorables y de la violencia de los inquietos godos, la inmensa noche de la barbarie oscureció el firmamento de las letras con manto tan impenetrable, que hasta la aparición en la Bética del salvador agüero de los hermanos Cástores [se refiere a Leandro, Fulgencio e Isidoro], no hubo estrella alguna que rompiese la negrura de la herejía arriana, que entre los godos había tomado carta de naturaleza» [4]. La *inmensa noche de la barbarie* fue la expresión que quedó establecida para designar estos tiempos que corrieron desde la caída del Imperio Romano hasta que llegó un «nuevo amanecer». García Matamoros sigue contando que después de los godos una nueva calamidad cayó sobre España: esta vez, los árabes. «De aquí arranca otra de las etapas más calamitosas que atravesó España, bien porque tomada casi toda ella por los sarracenos la nobleza goda, llevando consigo a los Dioses lares y el espíritu patrio, refugióse en Asturias y la Cantabria, bien porque en adelante la atención principal de los españoles la reclamarían, no el estudio de las letras, sino las luchas por sus vidas y fortunas» [5]. La herejía goda y la invasión árabe fueron, según esta concepción, factores negativos en el desarrollo de la cultura española; los nobles godos lograron sobrevivir y asegurar el camino de la liberación de la patria común de los españoles con sus sacrificios. Sólo en el reinado de Alfonso X, según estos juicios, se logró otra vez que las letras se juntasen con las armas: «Su favor y protección [se refiere al Rey Sabio] dilató el radio de acción de los estudios con atracción y fuerza tan misteriosa, que se tenían en poco las armas que no buscaban el

---

3 Ídem, párrafo 31.
4 Ídem, párrafo 50.
5 Ídem, párrafo 63.

auxilio de las letras»[6]. Y en el siglo XV con San Vicente Ferrer,
Pablo y Alonso de Cartagena, y Alfonso de Madrigal se inició
el predominio de las letras: «Fue esta edad un poco más culta;
toda vez que estaba consolidado el reino de las Españas y los
vientos de paz aseguraban la continuidad del reposo, no hubo
joven ávido de gloria que no se creyera obligado a emplearse de
lleno en los estudios»[7].

De esta manera queda, pues, patente que el período que
luego se llamó «Edad Media» es como un puente de transición
entre una época áurea y los tiempos que para el historiador
eran modernos, en que se sentía la presencia de un renacer
general, de una nueva época áurea en el presente: «Así vemos
que durante todo este tiempo, que databa de Boecio, penetró la
barbarie hasta la misma médula de los pueblos, sin que, al menos para España, se vislumbrase el libertador, hasta que por
fin al cabo de muchos siglos nació en Andalucía Antonio de Nebrija...»[8]. Observemos que la ordenación histórica se basa en
este caso sobre las letras, que de esta manera cuentan como un
motivo decisorio en la formulación del esquema.

Esta manera de presentar la historia del período medio y
situarlo entre la antigüedad áurea y un presente que se sentía
cada vez más semejante a aquella, se repitió muchas veces hasta
convertirse en un lugar común, admitido por todos; el maestro sevillano Francisco de Medina escribió que los españoles, so-
licitados siempre por el ejercicio de las armas «apenas pueden
difícilmente ilustrar las tinieblas de la oscuridad en que se hallaron por tan largo espacio de años»[9]. La existencia de este
período viene a quedar implícitamente formulada por los autores que poseen más viva la conciencia de pertenecer a una época
nueva, de gran pujanza creadora en todas las artes y abundancia de grandes hombres en el gobierno, la milicia y las letras. Y

---

[6] Ídem, párrafo 72.
[7] Ídem, párrafo 80.
[8] Ídem, párrafo 84.
[9] *Obras de Garcilaso de la Vega con anotaciones de Fernando de
Herrera*, Sevilla, 1580, Prefacio del Maestro Francisco de MEDINA, en los
preliminares del libro.

esto a veces se siente de tal manera, que se llega a preferir la condición de las artes y de los hombres del presente, no sólo a las oscuras del período de transición, sino a las más altas obras y vidas del pasado áureo. Tal es lo que viene a decir Cristóbal de Villalón. En la primera parte de su noble diálogo renacentista *Ingeniosa comparación entre lo antiguo y lo presente* se elogia la grandeza de los tiempos pasados, y después un personaje hace la alabanza de los tiempos presentes en contraste con los antiguos, y quiere probar que «los hombres de ahora exceden a los que en aquel tiempo pudieron ser, en cualesquiera ciencias y artes, y así en todo lo demás» [10].

De Boecio a Nebrija o Garcilaso hay, pues, un período bárbaro y oscuro, que no merece consideración. El propio Nebrija creó para sí la fama de ser el que comenzó los estudios de la latinidad en España: «Yo fui el primero que abrí tienda de la lengua latina...» [11]. Y esto hizo fortuna, y la fama de Nebrija fue uno de los hitos para señalar el fin de la Edad Media, según lo difundieron los eruditos latinizantes de la época. Pedro Mártir, en 1499, lo proclama debelador de la barbarie, y en una poesía en latín personifica a esta «barbarie», y le hace decir: «Hacía mil trescientos años que mandaba yo en todo el mundo y lo gobernaba a mi gusto sin pizca de elegancia. Hace cincuenta años determinaron los hados hacerme la guerra... Los dioses enviaron al mundo hombres extraordinarios...» [12].

tir, en 1499, lo proclama debelador de la barbarie, y en una

Si consideramos que esto se escribía a fines del siglo XV, estos 1300 años de que habla Pedro Mártir nos llevan hasta el siglo IV después de Cristo en que se puede decir que comienza la Edad Media, de acuerdo con estos primeros juicios sobre la misma, en el fondo de los cuales aparece delimitado el contenido de lo que será el período medieval. La consideración negativa de los valores literarios de este período, considerado como una transición, señala sus límites según este primer criterio.

---

[10] Cristóbal de VILLALÓN, *Ingeniosa comparación entre lo antiguo y lo presente* [Valladolid, 1539], Madrid, Bibliófilos Españoles, 1898, pág. 156.

[11] Preliminares del *Lexicon*, 1492.

[12] Citado por Félix OLMEDO, *Nebrija*, Madrid, CSIC, 1942, pág. 122.

La denominación precisa de este largo período de transición entre la antigüedad áurea y los tiempos nuevos en el juicio de los renacentistas, tardó en fijarse. Es sabido [13] que la primera vez que aparece una denominación para referirse a esta época, fue en 1469, en una carta de Giovanni Andrea dei Bussi, donde, en una necrología panegírica, se refiere a los grandes conocimientos del Cardenal Cusa en las letras antiguas, en las medias (que se señalan como pertenecientes a una *media tempestas*) y modernas; otras menciones se documentan en 1518, en que Joachim von Wat se refiere al escritor carolingio Strabo llamándole *mediae aetatis autor*. La expresión, aplicada a la época y a los hombres, fue utilizada por los eruditos europeos para referirse a la época merovingia y carolingia, extendiéndose también en el sentido moderno, o sea hasta fines del siglo XV, que acabó siendo el dominante. La palabra con su significación fue pasando de su uso en obras latinas al de las lenguas vulgares.

Desde el punto de vista de su propia historia, el concepto se considera asegurado para su utilización general a partir de la obra de Cristóbal Cellarius o Keller (1638-1707), autor que terminó su *Historia Antigua* (1685) en Constantino, y escribió luego la *Historia Medii Aevi* (1688) en la que cuenta los hechos históricos desde los tiempos de Constantino hasta la caída de Constantinopla en manos de los turcos; la gran difusión de la obra de Keller hizo que la periodización establecida en estas historias fuera extendiéndose cada vez más en los medios eruditos hasta que el Romanticismo convirtió la expresión en un término común entre los lectores de obras literarias.

En español, como en otras lenguas, encontramos su uso con el significado del tiempo que transcurre entre los antiguos y la

---

[13] Véase la cuestión y la bibliografía precedente en Kurt BALDINGER, *Moyen Âge: un anglicisme?*, «Revue de Linguistique Romane», XXVI, 1962, páginas 13-24.

época del que escribe, aun sin establecer de manera necesaria que ese límite sea un «Renacimiento», como se vio antes que aparecía en Nebrija y sus seguidores. Esto ocurre, por ejemplo, en los *Anales de Madrid*, de Antonio de León Pinelo. Cuenta este historiador que, en unas fiestas celebradas el día 15 de noviembre de 1649 en la Corte con ocasión de la entrada de Mariana de Austria, se levantó una tramoya que representaba el Parnaso, donde entre las alegorías se hallaban «nueve poetas españoles de tres edades. De la antigua, Séneca el trágico, Marcial y Lucano; de la Edad Media, Juan de Mena, Garcilaso y Luis de Camoes, y de la moderna, don Francisco de Quevedo Villegas, don Luis de Góngora y Lope Félix de Vega y Carpio» [14]. Como estos tres autores últimos habían muerto en 1645, 1627 y 1635 hay que considerar que para Pinelo la Edad Media representa la época que existe entre los antiguos y estos grandes autores mencionados, de los que la fama es aún reciente, inmediata a sus mismos tiempos.

Desde el punto de vista de la denominación, el fondo de significación del término *medio* será un lastre para la valoración de las obras (literarias, en este caso) pertenecientes al período. También el tópico que reúne «tinieblas» y «tiempos medios» persistió con tal fuerza que hasta Menéndez Pelayo, que tanto hizo por el estudio del período, utiliza la expresión «en medio de las tinieblas de la Edad Media» [15]. Con todo, como trataré más adelante, se dieron en España algunos factores favorables: la fuerza de la tradición medieval en los siglos XVI y XVII, la curiosidad de los tratadistas del siglo XVIII y, sobre todo, el gran impulso creador del Romanticismo aseguraron la necesaria noticia y persistencia de las obras medievales.

---

[14] Antonio de León Pinelo, *Annales o historia de Madrid*, ms. de la Biblioteca Nacional de Madrid, fol. 354v.

[15] Marcelino Menéndez Pelayo, *Orígenes de la novela*, en *OC*, I, Santander, Aldus, 1943, pág. 201.

CONDICIÓN HISTÓRICA Y CULTURAL
DE LA LITERATURA EN EL MEDIEVO

Los estudios sobre la literatura medieval se nos aparecen
como situados en el pasado y en relación con los otros conocimientos sobre la Edad Media. La percepción de la obra medieval
en cuanto texto puede realizarse tan directamente como lo permite su condición lingüística, pero la inteligencia de su contenido tiene el límite del conocimiento de la significación de los
términos. Lejos de la experiencia viva que rodea al lector de
nuestra época, es necesario que el estudio de la historia comple-
mente o supla esta falta, y por eso se requiere un relativo conocimiento del contorno de la obra que sólo la Historia puede
ofrecer a través de sus diversas disciplinas, a algunas de las
cuales ya me he referido [16]. El estudio y la comprensión de la
historia entra, por tanto, también en juego, y en esa vía la consideración cultural permite reunir la literatura con otros aspectos de la actividad del hombre. Hay que partir del principio
de que la obra literaria fue creación de un escritor destinada a
sus contemporáneos. Después, con el paso del tiempo, desapa-
recidos el autor y sus contemporáneos, la obra pasó a integrar

---

[16] Desde el punto de vista de la metodología propia de la historia es
útil aún en muchos aspectos el libro de Zacarías García Villada, *Metodología y crítica históricas*, Barcelona, 1921, 2.ª edición (reproducida en
facsímil por Ed. El Albir, Barcelona); más actual (y preparada para los
lectores españoles por Luis G. de Valdeavellano) es la *Introducción al
estudio de la historia*, de W. Bauer, en traducción de la segunda edición
alemana, Barcelona, 1952. Algunas obras de información general sobre la
Historia pueden suministrar datos útiles, como la obra de Ulysse Chevalier, *Répertoire des sources historiques du Moyen Âge*, I, [A-I], 1905,
II [J-Z], 1907, New York, Kraus Reprint, 1959. Información general en
Louis J. Paetow, *A Guide to the Study of Medieval History* [1928], New
York, Kraus Reprint, 1959. No es obra definitiva; la parte española es
insuficiente y anticuada. Como libros de información sobre la época histó-
rica del desarrollo de la literatura medieval, sirven los tomos XIV y XV
de la *Historia de España* dirigida por Ramón Menéndez Pidal, Madrid,
Espasa-Calpe, 1966 y 1964, respectivamente.

la herencia cultural de la comunidad a que aquellos pertenecían, y quedó formando parte de la nación (constituida y de las que de ella tomaron origen); como la lengua es el elemento idóneo para asegurar la persistencia de una literatura, ocurre que cualquier obra medieval española puede considerarse enlazada con la literatura de las naciones de Hispanoamérica. Otros factores son los de pertenecer a una nación (España, en este caso), a un grupo cultural (la tradición de Roma y la condición íberorrománica), a una entidad histórica (Europa); y, en general, la literatura es patrimonio de la formación de cualquier hombre en una función humanística. En este proceso secular la obra literaria se integra en la cultura histórica, condicionándose ambas mutuamente en un grado diverso, siempre aprovechable para un mejor conocimiento de las dos. La cultura representa así, en su acepción más amplia, el contorno y las motivaciones del autor y también del receptor contemporáneo de la obra. Y esto hay que entenderlo en toda su complejidad y estableciendo la interpretación adecuada para cada caso. Y así ocurre que no sólo existe una percepción «grave» de esta cultura a través de la cual el hombre entiende su trascendencia; al lado de ella, o mezclada con ella, también existió una consideración de la especie del juego, lúdica, que se refleja sobre todo en el arte y, especialmente, en la literatura, como ha estudiado Huizinga[17]. Señalar la relación que pudo haber habido entre el grado cultural y la creación literaria y la especie de ésta, es materia controvertida, y más en relación con el período que nos ocupa.

Aceptada la pertenencia de Castilla a la cultura europea, se ha discutido si esta relación fue paralela con la de otros reinos peninsulares o distinta en cuanto al ritmo de su desarrollo. Teniendo en cuenta esta relación de la literatura con el marco cultural, algunos críticos han pretendido apreciar la existencia de un «atraso cultural» de España con respecto al ritmo de la cultura europea contemporánea. Esto se indica sobre todo en relación con el Renacimiento del siglo XII y la expansión de las

---

[17] Johan Huizinga, *Homo ludens* [1938-1954], Madrid, Alianza Editorial, 1972.

universidades, los estudios sobre el Derecho y la Filosofía. Según A. D. Deyermond (siguiendo a Curtius), «España constituye una excepción al respecto» [18]; la causa le parece que se halla en la historia interna del siglo XII, las luchas contra el árabe y las discordias entre los reyes cristianos, si bien en los comienzos del siglo XIII, desde la victoria de las Navas de Tolosa, se inició un rápido despertar cultural y, por tanto, literario. Comentando esta opinión, A. Antelo indica que, aunque en líneas generales pueden admitirse la relativa inferioridad y «retraso» culturales de la España del siglo XII, es preciso matizar algunos conceptos y juicios de valor, y repasa la filosofía, la poesía latina y la situación de la economía y la sociedad, apoyándose en varios autores, sobre todo en Valdeavellano, para concluir que la Península «no se sustrajo a las incitaciones contemporáneas que dieron al siglo XII su inconfundible aire moderno» [19].

Ahora bien, estas relaciones no pueden entenderse en un solo sentido, el de Europa a España, sino en los dos, y en este punto se halla la función de España en la unidad europea, tal como señala F. Márquez Villanueva: «...España contribuye a la vez que recibe, enriqueciéndolo [el legado como tarea común y goce] con logros del espíritu que jamás se habían producido más allá de los Pirineos» [20]. En algunos puntos hay que plantear la cuestión de un ritmo diferente en el desarrollo cultural, reflejado en la literatura, unas veces por un avance y otras por una persistencia de formas que no desaparecen por la presión de las modas, creándose a veces un encabalgamiento entre gustos diferentes que no es frecuente en otras literaturas. Por otra parte, si bien Castilla con León son los Reinos que impulsaron la literatura castellana, y en ellos dominó una organización de pocos vuelos económicos, de base agraria, no hay que olvidar la fun-

---

[18] A. D. DEYERMOND, *Historia de la literatura española*, edición citada, I, pág. 104.

[19] Antonio ANTELO, *Comentarios. La literatura española medieval y su historia*, artículo citado, págs. 647-649.

[20] Francisco MÁRQUEZ VILLANUEVA, *Sobre la occidentalidad cultural de España* [1970], en *Relecciones de literatura medieval*, Sevilla, Universidad, 1977, págs. 135-168; la cita, en las págs. 164-165.

ción de las ciudades marítimas del Norte y las que se lograron conquistar en el Sur, sobre todo Sevilla. Y a esto se debe añadir la relación cultural con Portugal, Aragón y Cataluña, más fácil que con otros reinos cristianos más alejados. Todo esto lo encontraremos en el complejo proceso de creación de la obra literaria, en cuanto que éste aparece en un determinado marco político y social. Y, en último término, contando con los efectos del conservadurismo cultural consiguiente y con la peculiaridad, en cierto modo «agresiva», de Castilla, más accesible a los influjos de la cultura árabe, el proceso cultural se inscribe en el conjunto europeo con su peculiar originalidad. La crisis de ingreso en el mundo moderno, ocurrida en el siglo xv, tendrá también sus propias características, cuya cifra cultural se estudiará en su lugar.

La obra literaria resulta ser así el intérprete más fiel, de orden intuitivo a través del fenómeno poético, de la vida en que se desarrolla la situación cultural correspondiente. En las obras literarias se encuentran testimonios de primer rango sobre la vida de los hombres en la Edad Media, aun en el caso de los géneros de ficción y contando con el carácter convencional inherente a la especie de cada creación, pues este mismo carácter se incorpora activamente como un factor cultural más. De ahí que, en un sentido inverso, pueda utilizarse la literatura como fuente de información histórica, teniendo en cuenta el convencionalismo que está implícito en cada grupo literario [21]. En el proceso de la creación poética el escritor nos deja adivinaciones más *reales* (al menos, como testimonio sicológico) de sus deseos, ambiciones, esperanzas, frustraciones y ensueños que los que aparecen en documentos de carácter económico o social; el texto literario ilumina estos otros textos utilitarios y concretos con el testimonio de una experiencia interior poética. Por eso, la obra literaria intensifica la condición general de «signo» que posee por razón de su misma esencia lingüística. Signo portador

---

[21] Véase un ejemplo en M. Gual Camarena, *El «Cancionero de Baena» como fuente histórica*, «Anuario de Estudios Medievales», IV, 1967, páginas 613-626.

de una extraordinaria complejidad, cada obra forma la representación de un espacio de experiencia que el poeta ha querido conservar; si la historia es una manifestación de lo que el hombre logró ser en cada circunstancia, la literatura se convierte así en signo que alcanza condición de símbolo permanente, y aparece como información de primer orden, porque no es un fragmento conservado por el azar de la noticia histórica o del objeto arqueológico, sino una entidad acabada, en cuyas interpretaciones se revive la experiencia que la motivó. La riqueza humana de la literatura reside en que posee esta condición de signo con categoría simbólica, directamente relacionable con la naturaleza del hombre en total (y no con una ciencia o técnica determinadas), tal como lo es el lenguaje que constituye su entraña expresiva. Por esto abundan las citas literarias en obras que buscan una comprensión del concepto de «cultura», referido al ámbito europeo medieval, como son las tan características de Langlois [22] y de Huizinga [23], que han tenido también su repercusión en el planteamiento paralelo de la cultura española [24]. Este acercamiento

[22] Charles V. LANGLOIS, *La vie en France au Moyen Âge de la fin du XIIe au milieu du XIVe siècle*, París, Hachette, 1924-8, 4 tomos; R. W. SOUTHERN, *La formación de la Edad Media* [1953], Madrid, Revista de Occidente, 1955 (se refiere a los siglos X al XIII); con detalles concretos sobre la vida cotidiana en Londres y París, véase Urban T. HOLMES, Jr., *Daily Living in the Twelfth Century*, Madison, The University of Wisconsin, 1953.

[23] Johan HUIZINGA, *El otoño de la Edad Media* [1929], Madrid, Revista de Occidente, 1967, 7.ª edición; la obra lleva como subtítulo «Estudio sobre las formas de la vida y del espíritu durante los siglos XIV y XV en Francia y en los Países Bajos».

[24] En términos generales, véase Johannes BÜHLER, *Vida y cultura en la Edad Media* [1931], México, Fondo de Cultura Económica, 1946; y Henri PIRENNE, *Historia económica y social de la Edad Media* [1933], México, Fondo de Cultura Económica, 1974, con un anexo bibliográfico y crítico [1962] de H. van Werveke. Un manual breve, pero cuidadosamente establecido, teniendo en cuenta también el dominio español, es el de José Luis ROMERO, *La Edad Media*, México, Fondo de Cultura Económica, 1949. Un manual universitario con información cultural sobre el período: Wallace K. FERGUSON, *Europa in transition 1350-1520*, Boston, Houghton Mifflin, 1962. El libro de Francisco VERA, *La cultura española medieval*, I, Madrid, Góngora, 1933, y II, 1934, es un diccionario de autores, de interés sólo relativo

hizo posible que Gustavo Cohen titulase una exposición general de la literatura francesa de los siglos IX al XV *La vida literaria en la Edad Media*[25], subrayando la condición vital del documento literario. De carácter análogo es un tratado de Arnold Hauser[26], que enfatiza el factor social en una consideración en la que la literatura es la fuente más importante de su exposición, corroborada por las otras bellas artes.

Conviene tener en cuenta que los «actores de la historia», los que han convivido en un espacio geográfico dentro de un sistema político y social, suelen aparecer en la literatura dentro de una clasificación establecida[27]. En el caso de la Edad Media

---

en la parte científica. Abundan las ilustraciones en el libro de Enrique BAGUÉ, *Pequeña historia de la humanidad medieval*, Barcelona, Aymá, 1952. El códice mejor ilustrado de la Edad Media fue estudiado por José GUERRERO LOVILLO, *Las Cantigas*, Madrid, CSIC, 1949, estudio arqueológico de sus miniaturas.

[25] Gustavo COHEN, *La vida literaria en la Edad Media* [1949], México, Fondo de Cultura Económica, 1958. Sobre España, el libro de Jorge RUBIO Y BALAGUER, *Vida española en la época gótica*, Barcelona, A. Martín, 1943, es un ponderado ensayo de interpretación de textos literarios, particularmente referido a su parte oriental; hay datos sueltos en Ismael GARCÍA RAMILA, *Estampas de la vida medieval castellana, espigadas en textos literarios*, «Revista de Archivos, Bibliotecas y Museos», LXI, 1955, págs. 307-406; y referida al siglo XV, la antología de Kenneth R. SCHOLBERG, *Spanish Life in the Late Middle Ages*, Chapel Hill, University of North Caroline, 1965.

[26] Arnold HAUSER, *Historia social de la literatura y el arte* [1951], en cuyo tomo I (Madrid, Guadarrama, 1962) dedica la parte IV a la Edad Media (págs. 137-262). Hay edición popular (Madrid, Guadarrama, 1969, I, páginas 167-341).

[27] Ruth MOHL, *The Three Estates in Medieval and Renaissance Literature*, New York, Columbia University Press, 1933. Referida la cuestión a España, véase Luciana de STÉFANO, *La sociedad estamental de la baja Edad Media española, a la luz de la literatura de la época*, Caracas, Instituto Caro y Cuervo, 1966, con referencias de Alfonso X, Juan Manuel, el Canciller Ayala, y crónicas y poetas del siglo XV; y el comentario de José Antonio MARAVALL, *La sociedad estamental castellana y la obra de don Juan Manuel* [1966], en *Estudios de Historia del pensamiento español*, Madrid, Cultura Hispánica, 1967, págs. 451-472. Otro aspecto del asunto, en Joaquín GIMENO CASALDUERO, *La imagen del monarca en la Castilla del siglo XIV (Pedro el Cruel, Enrique II y Juan I)*, Madrid, Revista de Occidente, 1972.

española, encontramos la continuidad de la tripartición en *orato-
res, bellatores* y *laboratores* que se corresponde con las funciones mágico-religiosa, guerrera y económica. Esta división, que
alcanza la base indoeuropea, se repite con frecuencia en los
autores medievales, y Juan Manuel escribe: «los estados del mundo son tres: oradores, defensores, labradores»[28]. Por otra parte,
otra clasificación de los estados sociales dividía a los hombres
en los grupos del *pastor otiosus,* del *agricola* y del *dominus,*
división que procedía de las poéticas, como se verá más adelante. Estas agrupaciones se rompieron y mezclaron cuando llegaron a establecerse combinaciones entre las cualidades y funciones de los tres estados (el *imperator litteratus,* el plebeyo en-
noblecido por el comercio, etc.). La literatura constituyó personajes con abstracción de las figuras reales, y así encontramos
los tipos del caballero, el hidalgo, el pastor, el criado y el cortesano, tal como se encuentran representados[29] en las obras históricas, jurídicas y literarias durante la Edad Media. Otro tanto
puede decirse de la mujer, cuya función en relación con la vida
del hombre ha sido tan debatida y diversamente interpretada en
esta época[30].

---

[28] Juan MANUEL, *Libro del cavallero et del escudero,* edición de José
María CASTRO CALVO, *Obras,* I, Barcelona, CSIC, 1953, pág. 13.

[29] Véanse las referencias del tomo I de Bernardo BLANCO-GONZÁLEZ,
Del cortesano al discreto (Examen de una «decadencia»), Madrid, Gredos, 1962. Por las implicaciones políticas y sociales que pudiera haber en
las obras literarias medievales, indico los libros siguientes: el manual de
Walter ULLMANN, *Principios de gobierno y política en la Edad Media* [1961],
Madrid, Revista de Occidente, 1971, y E. N. van KLEFFENS, *Hispanic Law
until the end of the Middle Ages,* Edimburgo, University, 1968. Sobre clases
sociales de interés para la literatura, véanse Charles T. WOOD, *The age of
chivalry: manners and morals 1000-1450,* Londres, Weidenfeld and Nicholson,
1970; Salvador de MOXÓ, *De la nobleza vieja a la nobleza nueva* [de los Tras-
támara]. *La transformación nobiliaria castellana en la Baja Edad Media,*
«Cuadernos de Historia», III, 1969, págs. 1-210.

[30] Lucy A. SPOUSLER, *Women in the Medieval Spanish Epic and Lyric
Traditions,* Lexington, University Press of Kentucky, 1975; en términos ge-
nerales, referido a la exégesis bíblica, la alegoría y la literatura cortés,
Joan M. FERRANTE, *Woman as Image in Medieval Literature from the twelfth
Century to Dante,* New York, Columbia University, 1975.

LA HISTORIA EN SUS RELA-
CIONES CON LA LITERATURA

He considerado hasta aquí la Historia como una ciencia cultural, con métodos propios y cuya expresión era la de la lengua didáctica, o sea un uso expositivo establecido con el propósito de la claridad y de la precisión, y también objetivo y neutro. Pero esto no fue siempre así, y en los orígenes de las lenguas vernáculas la Historia se consideró como un género literario al que se aplicaron las normas de la prosa artística. Desde Alfonso X, el gran creador de la prosa castellana de los orígenes de la literatura vernácula, hasta los cronistas de los Reyes Católicos se cultiva esta historia tal como se encuentra estudiado en las obras de Benito Sánchez Alonso, tanto desde el punto de vista de la historiografía [31], como desde el bibliográfico [32]. Por otro lado, hemos de ver qué obras de naturaleza poética o partes de ellas se incorporaron como noticia a las Historias o Crónicas. La Historia, siguiendo esta pauta literaria, fue uno de los elementos más activos que condujo hacia la progresiva afirmación del concepto político de España como comunidad política, cuyo proceso en la Edad Media es necesario conocer para situar adecuadamente los principios ideológicos que sostuvieron el reino de los visigodos, el Islam y la mozarabía españoles, y el esfuerzo secular de la Reconquista que, por su larga duración y las situaciones tan distintas de las propias de los otros reinos europeos, fue un factor de novedades culturales que persistieron hasta el mismo fin de la Edad Media [33]. Así, la po-

---

[31] Benito SÁNCHEZ ALONSO, *Historia de la historiografía española*, I (hasta la publicación de la Crónica de Ocampo...-1543), Madrid, CSIC, 1947, 2.ª edición.

[32] Benito SÁNCHEZ ALONSO, *Fuentes de la historia española e hispanoamericana*, Madrid, CSIC, 1952, 3.ª edición, 3 tomos. Desde 1953, el *Índice Histórico Español* viene publicando una bibliografía comentada de las materias históricas (Barcelona, 1953...).

[33] Sobre esta cuestión y su bibliografía, véase el libro de José Antonio MARAVALL, *El concepto de España en la Edad Media*, Madrid, Instituto de Estudios Políticos, 1964, 2.ª edición.

lítica que animó este esfuerzo colectivo se convirtió, en ocasiones, en el motivo activador de la obra literaria. En esto, la litetura actuó ejerciendo la eficacia de su poder de propaganda, y en algunos casos ayudó a la creación y al sostén de la buena o mala fama de los que gobernaron el país [34].

Ocurre también que a veces el argumento de la obra literaria se basó en la vida y los hechos de un hombre de relieve en una época, que así pasa a ser considerado como personaje literario; entonces conviene esclarecer hasta qué punto el personaje de la obra literaria mantiene o modifica la verdad del hombre de la época, y con ello determinar el grado de su autenticidad histórica, valor siempre relativo en la literatura.

LEYENDA Y OBRA LITERARIA

En el ámbito de la literatura oral, y situada en las fronteras entre el mito y la historia, la leyenda ofrece un dominio peculiar que requiere un método propio de estudio [35]. La leyenda constituye una tercera condición, de índole diferente a la verdad de la historia y a la fantasía de la ficción; por eso resulta de interés común lo mismo a los investigadores de la Historia que a los de la Literatura, en participación también con el Folklore. Junto a los motivos legendarios de condición universal, que constituyen

---

[34] En este sentido, Julio Rodríguez Puértolas interpreta el *Poema del Cid* como un «poema propagandístico», rebelde frente al feudalismo como sistema, en «*Poema de Mío Cid*»: *nueva épica y nueva propaganda* [1976], en *Literatura, historia, alienación*, Barcelona, Labor, 1976, págs. 21-38. Otro es el caso del romancero del Rey don Pedro, según estudia William J. Entwistle, *The «Romancero del rey don Pedro» in Ayala and the «Cuarta Crónica General»*, «Modern Language Review», XXVI, 1931, págs. 306-326; Diego Catalán se refiere a una «guerra civil romancística» en tiempos de don Pedro, de la que salieron favorecidos los romances contrarios al Rey; véase *Los jaboneros derrotan a don Juan de Lacerda (1357)* [1952], en *Siete siglos de romancero (Historia y poesía)*, Madrid, Gredos, 1969, páginas 57-81; la cita en pág. 81.

[35] Véase sobre este asunto la *Antología de leyendas de la literatura universal*, estudio preliminar, selección y notas de Vicente García de Diego, Madrid, Labor, 1953, en dos volúmenes.

temas generales de las literaturas, se desarrollan otros, de carácter local, y a veces se cruzan ambas especies. La leyenda puede ser de muy diversa condición: mágica, religiosa, etc. Y sus efectos recaen a veces sobre los hombres que jugaron un papel decisivo en la vida social y política de una época, sobre todo si lograron amplia resonancia en una comunidad. Así tenemos que del período visigodo quedó abundante memoria de carácter legendario en torno al Rey don Rodrigo, que fue, a su vez, asunto de la literatura. La reconquista, las luchas entre los cristianos, en especial la formación del reino de Castilla, y luego la fama de algunos reyes, como lo de la crueldad de Pedro, por eso llamado «el Cruel», obtuvieron un trato de esta naturaleza. Las condiciones de la vida en la frontera, a su vez, fueron motivo para una peculiar obra poética de orden legendario que obtuvo muy diversa repercusión en la literatura [36].

En este sentido hay que referir también el uso de los resortes legendarios dentro de la concepción religiosa de la Edad Media. Esto se encuentra, sobre todo, en el caso de la literatura que enaltece las tradiciones religiosas locales, cultos de santos, reliquias, etc., y en relación con el prestigio de los monasterios e iglesias; todo ello tuvo en la literatura un medio eficiente para que el pueblo mantuviese su devoción por dichos lugares, y que así éstos asegurasen sus medios económicos y la importancia que pudieran tener en una región y en el conjunto de la Iglesia de España [37].

La literatura, por tanto, puede recibir un caudal de asuntos procedentes de la historia, más o menos documentada, y también de la leyenda, a veces concurrente y de imposible separación. En el período medieval los límites entre una u otra no quedaban señalados con precisión, y la realidad acontecida y la ficción colectiva de la leyenda o la invención del autor no se distinguían, ni había tampoco intención de que así fuese. La separación que es propia de la crítica histórica moderna no se

---

[36] Se hallará una relación de la bibliografía sobre leyendas en H. Serís, *Bibliografía de la literatura española*, obra citada, págs. 356-379 y 860-868.
[37] Véase sobre esto nuestro estudio de la épica, págs. 336-337 y 364-365.

corresponde con el criterio medieval; la versión histórica (de los hechos acontecidos) y la legendaria (de hechos recibidos por la tradición imaginada) podían formar un mismo cuerpo ante la consideración del cronista de la Edad Media, y más si se trataba con ello de servir a una política real, señorial o eclesiástica; por otra parte, también la tradición sostenida por las clases iletradas del pueblo podía intervenir en este cruce entre historia y leyenda en un grado que trataré más adelante.

CARACTERIZACIONES DE LOS
ESPAÑOLES Y SU LITERATURA

Los estudios de carácter histórico y su función en el ámbito cultural revierten en la literatura cuando se trata de establecer el modo de ser y obrar de los españoles. De este orden son los estudios de Ramón Menéndez Pidal sobre *Los españoles en la historia y en la literatura* [38]. Los dos ensayos del libro pretenden trazar una caracterización del modo de ser español. El primero tiene como subtítulo: «Los españoles en la historia. Cimas y depresiones de su vida política»; en él, Menéndez Pidal busca en el pasado caracteres de la gente hispana que estima ser raíz de nuestra compleja y a veces contradictoria historia. No establece, sin embargo, un sentido determinista para los mismos, sino que los considera «aptitudes y hábitos históricos que pueden y habrán de variar con el cambio de sus fundamentos» [39]. Estos caracteres se documentan también en el hombre medieval, aunque el juicio del autor enfile, en este libro, más bien la España moderna, en particular en los últimos capítulos, que aparecen traspasados por las preocupaciones acerca de la trá-

---

[38] Ramón MENÉNDEZ PIDAL, *Los españoles en la historia y en la literatura. Dos ensayos*, Buenos Aires, Espasa-Calpe, 1951. [El primer ensayo es de 1947; también en *España y su historia*, I, Madrid, Minotauro, 1957, páginas 13-130. El segundo de 1949; íd., II, págs. 611-667.] Para el estudio de las ideas básicas de Menéndez Pidal: José Antonio MARAVALL, *Menéndez Pidal y la historia del pensamiento*, Madrid, Arión, 1960.

[39] Obra citada, pág. 10.

gica historia del siglo actual. La «costumbre de España» aparece patente durante el Medievo en la conciencia de los que, dentro de ella o desde fuera, se refieren a las formas de vida, hábitos e ideas de los que nacieron en su ámbito [40].

Más limitado a un punto de vista literario es el otro estudio que, con el título de «Caracteres primordiales de la literatura española con referencias a las otras literaturas hispánicas», emprendió Menéndez Pidal. La perdurabilidad de estos caracteres a través de los tiempos resulta ser precisamente uno de los rasgos básicos de la misma (denominado por él «tradicionalismo») [41], y por eso la literatura medieval se halla en los fundamentos de esta tradición que así se enlaza con el mundo moderno, y esta conjunción de tradición y modernidad es una de sus notas distintivas. Las cualidades de la literatura española referidas por Menéndez Pidal son: sobriedad, un arte para todos, austeridad ética y estética, caracteres contradictorios. La apreciación más notable y reiterada de Menéndez Pidal radica sobre todo en su tesis de «los frutos tardíos». En la literatura de España se traspasaron los límites entre la Edad Media y el Renacimiento sin que se produjese una renovación demasiado radical: «Tal ruptura en España nunca fue tan completa como en otros países, y ciertos viejos géneros literarios pudieron reflorecer después, dando frutos que, precisamente por su tardía madurez, tuvieron mejor sazón y fueron apreciados, como venidos en época más adelantada que la que en otros países los había producido» [42].

Tres notas de la literatura española, realismo, popularidad y localismo o exaltación de los valores nacionales, ejercieron fuerte atracción en algunos críticos, de manera que las estimaron como definidoras de la misma, y ajustaban a ellas su valoración poética. Lo que fue en su origen el afán romántico por alzar las literaturas modernas frente a las clásicas, persistió

---

[40] J. A. MARAVALL, *El concepto de España en la Edad Media*, obra citada, págs. 475-517.

[41] Sobre este carácter tiene un estudio: *Tradicionalidad en la literatura española*, que puede leerse en el mencionado *España y su historia*, I, páginas 685-721.

[42] *Los españoles en la historia y en la literatura*, obra citada, pág. 225.

como norma en algunos críticos, como Cejador: «Lo nacional es lo único y grande en cada pueblo... vale más un cantar enteramente popular que el mejor poema erudito, si no es popular a la vez... Ninguna nación atesora más obras de esta laya que España»[43].

Por su parte, otros críticos tratan de armonizar los caracteres opuestos, y así D. Alonso[44] defendió la participación de nuestra literatura en las notas de tendencia contraria (antirrealismo, selección y universalidad), y lo propio de España resulta ser entonces una síntesis de elementos contrapuestos: «Este eterno dualismo dramático del alma española será también ley de unidad de su literatura. Y es probablemente también esa tremenda dualidad lo que da su encanto agrio, extraño y virginal a la cultura española, y es ella —la dualidad misma y no ninguno de los elementos contrapuestos que la forman, considerados por separado— lo que es peculiarmente español»[45]. Y esto resulta también válido para la literatura de la Edad Media.

Buscando la interpretación de la cultura española, O. H. Green[46], en una extensa revisión de la literatura desde el *Cid* a Calderón, fija su atención en las ideas sobre la caballería y el amor, que encuentra dominantes desde los orígenes de la literatura hasta el barroco. La tradición medieval del *Sic et non* (el *sí* y el *no* conjuntos, la contradicción vivida, el esfuerzo por juntar lo contrario) informa los principios de la caballería (guerra como virtud). El amor cortés, con la complejidad que entraña (amor puro que cultiva el deseo carnal), permaneció en la literatura española, desde los orígenes del género y, presente en

---

[43] Julio Cejador y Frauca, *Historia de la lengua y literatura castellana*, Madrid, Tipografía de la «Revista de Archivos, Bibliotecas y Museos», I, 1915, pág. XIII.

[44] Dámaso Alonso, *Escila y Caribdis de la Literatura Española* [1927], en *OC*, edición citada, V, 1978, págs. 243-258.

[45] Obra citada, pág. 258.

[46] Otis H. Green, *España y la tradición occidental (El espíritu castellano en la literatura desde «El Cid» hasta Calderón)* [1963-6], Madrid, Gredos, 1969, en cuatro tomos.

el siglo xv, penetró en los siglos de Oro, junto con la modalidad del amor platónico, mezclándose con ella en una escala de matices difícil de apreciar. Esta exposición se complementa con un examen de los testimonios de varios temas: la Creación, la Naturaleza y el destino del hombre, la razón, la voluntad, y la fortuna y el hado, en los que su autor encuentra que pertenecen al campo de la cultura occidental, sin que le parezca a Green necesario valerse de los influjos de otros campos para esclarecer la obra española.

En esto no se encuentran conformes otros autores, pues para ellos la originalidad española sería precisamente la capacidad que mostró la literatura española para incorporar al sentido creador de sus escritores procedimientos que pertenecen a las literaturas orientales, árabe y judía. Sobre estos puntos de vista se tratará en diversos lugares de este libro, en particular cuando se estudien los filones que proceden de la Antigüedad, de la Europa medieval, del Islam y de los judíos.

LOS LIBROS DE CASTRO Y SÁNCHEZ-ALBORNOZ SOBRE EL SENTIDO HISTÓRICO DE LA VIDA ESPAÑOLA

La preocupación por dar a la Historia un sentido expositivo que sobrepase tanto la obra que es sólo de condición científica y ámbito limitado, como el compendio generalizador, exclusivamente noticiero, promovió diversos intentos por alcanzar un nuevo género de obras con inquietudes críticas de orden complejo. Así ocurrió en el siglo xviii, en el que J. P. Forner (1756-1797), temeroso de las consecuencias de la intención estética presente en las obras históricas anteriores y en las de su tiempo, escribió: «Pero como en este *todo* [se refiere al cuerpo de la Historia entonces logrado] debe residir un alma, un espíritu, un móvil que anime todas sus partes, y que sea como el centro o punto de apoyo que sostenga todo su mecanismo; al señalar este espíritu, móvil, punto, centro (o como quiera llamarse) procedieron con tal incertidumbre y perplejidad, que apenas han sabido decirnos cuál es el fin de la historia»[47]. La filosofía romántica aplicada a la historia quiso caracterizar las naciones identificándolas con los pueblos y sus creaciones culturales. En la mención de las historias de la literatura hubo ocasión de referirse a esto. Menéndez Pelayo, aun siendo fundamentalmente un historiador de la literatura, escribió con amplitud sobre la ciencia española y los heterodoxos por cuanto le convenía esta base cultural para apoyar su interpretación de España como nación católica en lo esencial. También los escritores del 98 que tocaron cuestiones referentes al modo de ser de la nación, realizaron estas exploraciones intelectuales en las que se relacionaban los hechos con su «espíritu». Ganivet, por ejemplo, en su *Idearium español* expone lo siguiente, que es como la clave del desigual libro: «...lo esencial en la Historia es el ligamen de los hechos con el espíritu del país donde han tenido lugar: sólo a este precio se puede escribir una historia verdadera, lógica y útil»[48].

La dificultad se encuentra en que estos propósitos se han de apoyar en interpretaciones condicionadas, y en parte electivas, de hechos que se estiman fundamentales desde una determinada perspectiva y valoración; y la aplicación de este propósito a la Edad Media tropieza con la dificultad de que se conservan pocos documentos, y los que quedan, se refieren casi siempre a hechos concretos, y su validez para una apreciación general es fácilmente controvertible. Contando con lo que la filosofía de la historia haya establecido en sus fronteras y en relación con la misma se han escrito algunas obras que pretenden una revisión de la historia de España. No se trata de aumentar los datos reunidos, sino de ordenarlos de manera que, del conjunto de la exposición, resulte un juicio sobre el sentido del vivir, del pensar y del quehacer de los españoles en el ámbito geográfico sobre

---

[47] La cita procede de *Obras*, de Juan Pablo FORNER, recogidas y ordenadas por L. VILLANUEVA, Madrid, 1844, págs. 52-53.

[48] Ángel GANIVET, *Idearium español y el porvenir de España*, Madrid, Espasa-Calpe, 1962, pág. 76; el ensayo está fechado en Helsingfors, 1896.

el que vivieron. Así se han escrito dos libros que formulan una interpretación de conjunto de la vida histórica de España; son las obras de Américo Castro, *La realidad histórica de España* [49], y de Claudio Sánchez-Albornoz, *España, un enigma histórico* [50]. En la exposición de su contenido los dos autores acompañan numerosas citas, y, de entre ellas, son muchas las que se refieren a la Edad Media. Ambas obras han obtenido una gran difusión y se han traducido a otras lenguas; por este motivo, las cuestiones que plantean han salido del campo de la erudición histórica y se discuten en círculos más amplios. Se pretende establecer también la repercusión que las cuestiones expuestas hayan obtenido en la situación actual, y por eso los asuntos de la Edad Media recobran su interés para el hombre de hoy.

Además, si dedico especial atención a ambas obras, es porque han constituido el episodio más importante de la crítica histórica de mediados de este siglo. Su repercusión ha sido fundamental en la valoración de la cultura española, que se ha situado así en una tensión polémica de gran envergadura, establecida en la forma literaria del ensayo, que Unamuno y Ortega y Gasset

---

[49] Américo CASTRO, *La realidad histórica de España*, México, Porrúa, 1954. Es una nueva versión, renovada y ampliada, de *España en su historia*, Buenos Aires, Losada, 1948. Propiamente esta edición de 1954 es la que aparece completa, en la medida que lo puede ser una obra de esta naturaleza; 2.ª edición renovada, México, Porrúa, 1962 [su «contenido es o enteramente nuevo o aparece ordenado y matizado en nueva forma» página XI de la misma]; 3.ª edición, reimpresión de la parcial de 1962, con un nuevo prólogo, 1966 (por la que cito), hasta la 6.ª edición, 1975. La edición de 1962 es la primera parte de lo que habría de ser el conjunto de la obra; de la de 1954 hay traducciones: inglesa, Princeton, University Press, 1954; italiana, Florencia, Sansoni, 1955, 2.ª edición, 1970; alemana, Colonia, 1956; francesa, París, 1963. Puede verse una exposición de las ideas de Castro, comentada sobre diversos aspectos de su obra, en *Estudios sobre la obra de Américo Castro*, por Andrés AMORÓS y otros, Madrid, Taurus, 1971.

[50] Claudio SÁNCHEZ-ALBORNOZ, *España, un enigma histórico*, Buenos Aires, Ed. Sudamericana, 1956; hay edición inglesa, Madrid, Fundación Universitaria Española, 1976. Puede completarse con la obra del mismo Sánchez-Albornoz, *Del ayer de España*, Madrid, Editorial Obras Selectas, 1973, con la bibliografía del historiador (págs. 25-45).

habían convertido en género dedicado preferentemente a la exploración del ser de España en la primera mitad del siglo.

Ambas obras (la de Castro y la de Sánchez-Albornoz) se han escrito contando sólo con una selección de datos y citas, pues no son propiamente *historias* de España, establecidas con un criterio cronológico en la sucesión de los hechos, aunque se refieran al conjunto de la «historia» del país. Dada la gran extensión de esta historia, sólo puede mencionarse en ellas la parte que cada autor estima como decisiva. La gran variedad de la vida española en la larga Edad Media proporcionó riquísimo material a los dos autores: la extensa galería de hombres y mujeres, cada uno con su acusada, y aun a veces insólita, personalidad, las relaciones de los reinos hispánicos con el mundo árabe y el europeo, la presencia de los judíos, las obras de escritores y poetas de todo orden, etc. Una dificultad con que se enfrentaron fue que, siendo ambas obras síntesis cuyos fundamentos proceden de la interpretación de datos escogidos, en muchos casos los análisis para establecer el carácter de los hechos se han verificado en el curso del desarrollo de cada obra, pudiéndose, en cierto modo, independizar estas piezas con valor propio. Ambos libros han sido escritos en la madurez creadora de sus autores (Castro nació en 1885, y Sánchez-Albornoz en 1893). La disposición de las obras procede, en parte, de que son el esfuerzo de profesores que dedicaron su vida a la enseñanza, y están escritas con la claridad y altura de la lección universitaria, profundamente meditada a través de años, contando con la experiencia del ensayo literario precedente. Las dos son, al mismo tiempo, obras apasionadas, escritas no ya con la afición, sino con el dolor del asunto en el alma de los autores; el texto, en ocasiones, parece hallarse aún en grado de fusión, y un noble lirismo (inesperado en obras de esta naturaleza) alterna con una expresión combatiente. La obra de Sánchez-Albornoz apareció como la manifestación cumplida de su concepto de España, establecido y articulado en parte por lo que tiene de réplica y comentario al libro anterior de Castro. Ambos libros son un testimonio vivo de cuán aguda es en nuestro tiempo la inquietud por una legítima concepción de España; en último término, la creación de los dos libros y lo que tienen de polémica exposición, es un episodio más de esa misma vida histórica que interpretan; y el solo hecho de que se hayan planteado y escrito de la forma en que han aparecido, un signo más del espíritu de la España que tratan de comprender, y cuyo sentido quieren desvelar.

Ambas son obras que buscan establecer una valoración cultural de conjunto, y se han comparado a las de Huizinga, para el período final de la Edad Media, y a la de Burckhardt, para el Renacimiento; Castro utilizó, junto con su formación filológica, la exploración filosófica (de matiz existencial) y antropológica [51]. En la armazón expositiva de ambas obras cuenta en particular la literatura del Medievo, hasta el punto de que en algunas ocasiones es parte decisiva [52]. Sánchez-Albornoz, con todo, cree conveniente avisar que esto puede resultar un peligro para la recta observación de los hechos, y reprocha a Castro: «en su obra parte del error de no prestar atención a lo que *hicieron* los españoles, sino a lo que *escribieron*» [53]. No obstante, Sánchez-Albornoz, a su vez, también dedica un número muy crecido de páginas al examen de las obras literarias, y dice que tiene que asomarse a la entraña de la creación literaria, pues «lo literario es una expresión vivaz del espíritu de cada pueblo y una fuerza

[51] Para reconocer las afinidades de Castro con otros pensadores de la época que se relacionan con su concepción histórica, véase Eugenio ASENSIO, *Américo Castro historiador: reflexiones sobre la realidad histórica de España*, «Modern Language Notes», LXXXI, 1966, págs. 595-637; Albert A. SICROFF, *Américo Castro and his critics: Eugenio Asensio*, «Hispanic Review», XL, 1972, págs. 2-30, y Eugenio ASENSIO, *En torno a Américo Castro. Polémica con Albert A. Sicroff*, «Hispanic Review», XL, 1972, págs. 365-385.

[52] Así, en una reciente interpretación, Manuel CRIADO DE VAL ha escrito el siguiente juicio que señala la presencia del medievalismo hasta nuestros mismos días; la Edad Media, según este crítico, es «un mundo que puede renacer en cualquier momento, sobre todo en pueblos como España, que nunca ha dejado de ser medieval en su fondo más íntimo» (*De la Edad Media al Siglo de Oro*, Madrid, Publicaciones Españolas, 1965, pág. 9).

[53] C. SÁNCHEZ-ALBORNOZ, *España, un enigma histórico*, obra citada, I, pág. 104; en las sucesivas notas de este capítulo, la mención de obra citada de este autor envía a este libro.

no despreciable en la cristalización de la vida histórica del mismo» [54]; en consecuencia, su intención ha sido descubrir «las relaciones genéticas que hayan podido enlazar la herencia temperamental de los españoles y sus creaciones literarias» [55]. Y si esto le ocurre al historiador Sánchez-Albornoz, en el caso de Castro la preferencia por el uso de los testimonios literarios procede de su formación universitaria y de los trabajos realizados como investigador y crítico de la literatura. Sin embargo, no hay que pensar que Castro desviase el curso de su desarrollo intelectual hacia el año 1938 y se pasara a un dominio diferente. Su labor crítica anterior sobre la literatura fue explorando distintos aspectos de los autores y de los textos más significativos, preparando así el esfuerzo de síntesis y disciplina que condujo a la obra que comento, que por su gran amplitud ha quedado inacabada al morir su autor en 1972. El resultado fue que, tanto en el libro de Castro como en el de Sánchez-Albornoz, se ventilaron y discutieron muchas cuestiones que de cerca o de lejos tocan a la literatura (en particular, la medieval), y esto se hizo desde fuera de la misma.

Ambos autores afirman la necesidad de considerar la historia en relación con la *vida;* este término proyecta el orden de la exposición hacia una concepción cultural de orden vitalista, de evidentes raíces en la obra de Unamuno. Castro escribió, en una justificación de su método, que hacia el siglo X «comienzan a alborear ciertas uniformidades de conciencia colectiva, preferencias por ciertas actividades y despego hacia otras...»; «...se van perfilando las que llamo *moradas de vida*» [56]. Y en obra más reciente perfila así estos términos instrumentales de su concepción histórica: «La vida historiable consiste en un curso o proceso interior, dentro del cual las motivaciones exteriores adquieren forma y realidad; es decir, se convierten en hechos y acontecimientos dotados de sentido. Estos últimos dibujan la pecu-

---

[54] Ídem, I, pág. 377.
[55] Ídem, I, pág. 381.
[56] Américo CASTRO, *Dos ensayos*, I, *Descripción, narración, historiografía*. II, *Discrepancias y mal entender*, México, Porrúa, 1956, pág. 30.

liar fisonomía de un pueblo, y hacen patente el «dentro» de su vida, nunca igual al de otras comunidades humanas. Mas este «dentro» no es una realidad estática y acabada, análoga a la sustancia clásica; es una realidad dinámica, análoga a una función [...]. Pero el término «dentro» es ambiguo: puede designar *el hecho de* vivir ante un cierto horizonte de posibilidades y de obstáculos (íntimos y exteriores), y entonces lo llamaré *morada de la vida;* o puede referirse *al modo como* los hombres manejan su vida dentro de esta morada, toman conciencia de existir en ella, y entonces lo llamo *vividura.* Esta sería el modo «vivencial», el aspecto consciente del funcionar subconsciente de la «morada» [57].

Y Sánchez-Albornoz, abundando en el mismo concepto básico de esta relación, pero sin utilizar una terminología específica, escribe lo siguiente, subrayándolo entre admiraciones: «¡Vida y cultura! He ahí la trabazón fecunda de las dinámicas proyecciones del pasado» [58]. Partiendo de esta conjunción, la literatura les proporciona, tanto a Castro como a Sánchez-Albornoz, un rico filón de testimonios en los cuales la conjunción de vida y cultura se halla además potenciada por la exposición poética; y esto lo encuentran, en particular, en la época medieval, y así ambos libros gravitan sobre este período. Sánchez-Albornoz lo especifica así: «Considero a la historia política del Medievo peninsular cantera viva de sugestiones luminosas para juzgar de los procesos de que fueron surgiendo España y los españoles» [59].

En 1948 apareció la primera versión del libro de Castro, cuyo título es *España en su historia,* y como subtítulo: *Cristianos, moros y judíos.* Fue un libro que suscitó «magnética seducción» y que en 1954 se publicó otra vez con el nuevo título de *La realidad histórica de España.* Sánchez-Albornoz entendió que Castro había sido «el más sutil, el más audaz, el más ingenioso, el más original y el último de cuantos se han asomado a los horizontes del pasado de España...» [60], pero discordando en muchos puntos

---

[57] A. Castro, *La realidad histórica de España,* edición 1962, págs. 109-110.
[58] C. Sánchez-Albornoz, obra citada, I, pág. 39.
[59] Ídem, I, pág. 13.
[60] Ídem, I, págs. 18-19.

de la doctrina expuesta en las mencionadas obras, escribió el libro *España, un enigma histórico*, publicado en 1956, otra empresa de envergadura con la misma intención de interpretar la discutida realidad de la vida española. «No hay un arquetipo definido y definitivo de lo hispánico» [61], repite otra vez, consciente de la dificultad de su empresa, frente al cuadro trazado por Castro. Sánchez-Albornoz admite en principio que la idea de Castro puede ser fértil con la condición de que la indisolubilidad entre la vida y la cultura sea tenida en cuenta, y en este aspecto opina que Castro dio primacía a la vida por seguir la concepción vitalista de la historia y la filosofía existencial [62]; Castro negó esta etiqueta filosófica [63], y defendió su teoría (ya indicada) de la «morada de la vida» [64]. Sánchez-Albornoz, por su parte, revisando con ecléctica disposición de ánimo los diversos métodos de la historia, busca en su obra «la exactitud de la doctrina» [65]. La muerte de Castro acabó con la polémica personal entre los dos escritores, aunque los puntos de vista de ambos siguen discutiéndose en punto a la aplicación fructuosa de ambas concepciones. De todas maneras, el resultado beneficioso de este enfrentamiento ha sido que las cuestiones relativas a la Edad Media se han aireado y no en dominios estrictamente eruditos, sino como piezas de una argumentación más amplia, en tono de ensayo literario de gran altura intelectual. Además, a las cuestiones que aparecerán en otros capítulos, en este lugar, como punto de partida, indicaré tan sólo la concepción inicial de la historia de la Edad Media en lo que afecta a sus repercusiones literarias.

---

[61] Ídem, I, pág. 132.

[62] En especial, ídem, I, pág. 41.

[63] A. Castro, *Dos ensayos*, obra citada, pág. 58.

[64] A. Castro, *La realidad histórica de España*, edición 1954, pág. 7; aparece en el comienzo de la formulación de su obra y no le abandonaría de por vida.

[65] C. Sánchez-Albornoz, obra citada, I, pág. 19; y lo escribe para indicar que él quiere que su libro no sea ni agudo ni afiligranado como echando en cara el estilo de Castro, pero su obra adopta la forma de un ensayo, escrito con gran dignidad literaria, y además prescinde de las notas a pie de página.

A juicio de Castro la historia de la España moderna comienza propiamente en el año 711 con la invasión musulmana; por lo tanto, considera que «no había aún españoles en la Hispania romana ni en la visigótica» [66], y que la «morada vital» del español se formó en el enfrentamiento con los árabes y en las consecuencias que esto tuvo: «Se produjo así —escribe— el hecho, sin paralelo en Europa, de existir en la Península tres maneras de gentes cuyo perfil personal y colectivo estaba trazado por su respectiva creencia: se era cristiano, moro o judío. Tan real y evidente fue esa larga y apretada situación, que el contacto con los otros países cristianos (muy fuerte desde el siglo XI) no hizo volver a los españoles a la disposición vital en que se hallaban los habitantes de la Península durante la época visigótica» [67]. E insiste en la tercera edición, con respecto a la forzosa convivencia de las tres condiciones: «...los futuros españoles se hicieron posibles como una ternaria combinación de cristianos, de moros y de judíos. La casta de los cristianos no hubiera subsistido sin el sostén y el impulso de las otras dos, y llegó un momento en que las tres se sintieron igualmente españolas» [68]. La obra de Castro requiere una contribución de las culturas árabe y hebrea de importante cuantía; y en este aspecto algunos conocedores de las mismas no aceptan los fáciles paralelos y transfusiones propuestos en ella. Hay rasgos que pueden ser comunes a la cultura de los cristianos, moros y judíos de España, y que se encuadran en el conjunto de cada una de ellas. Sin embargo, es indudable que la secular convivencia hubo de traer relaciones, y en el dominio literario esto se verá probado en determinadas circunstancias.

La tesis de que España, la España que enlaza con nuestro tiempo, comience con la invasión árabe, no es única en la historia de Europa. Esta interpretación se relaciona con la más general que desde 1928 expuso el historiador belga Henri Pirenne

---

[66] Así es como titula el capítulo V de la última versión (1962) de su citada obra (págs. 144-174).

[67] A. CASTRO, *La realidad histórica de España*, edición 1954, pág. 12.

[68] Ídem, edición 1962, pág. XX.

en sus obras, particularmente en la de _Mahomet et Charlemagne;_ según él, el fin de la Europa antigua se sitúa en el siglo VII con ocasión de la expansión árabe que rodeó el Mediterráneo [69]. Sánchez-Albornoz, por su parte, refuta la interpretación de Castro de que el ser de España comenzase en época tan tardía, y escribe al comienzo de su obra: «las tradiciones históricas han conservado entre nosotros vida muy dilatada y han perdurado muy vivaces los remotos caracteres de nuestros abuelos de hace dos mil años» [70]. Y esto ocurrió porque: «Si las simbiosis sucesivas [entre el pueblo español y los que a él llegaron] fundían estilos de vida y esencias culturales, las repetidas antibiosis afirmaban y prolongaban muchos rasgos de la disposición funcional de los hispanos primitivos y de las proyecciones de su primigenia estructura cultural» [71]. Y desde su punto de vista se enfrenta con la tesis de Castro: cuando la invasión árabe «Hispania volvió a ser lo que había sido siempre: una encrucijada de culturas y estilos de vida [...] Castro prescinde por ello con error de todos los miles de años que preceden a la hora crucial de la invasión árabe...» [72]. Pero la trascendencia de la época medieval aparece señalada con un énfasis análogo al de Castro: «Considero a la Reconquista clave de la historia de España» [73]. Y en otra parte escribe: «Los ocho siglos de contacto pugnaz o pacífico de cristianos, musulmanes y judíos acentuaron muchas de las viejas maneras de estar en la vida de los españoles primitivos, labradas en el correr del tiempo, modificaron no pocas y crearon algunas nuevas» [74]. Y Sánchez-Albornoz, apreciando desde su punto de vista de historiador la trascendencia de nuestra historia en la vida de Europa, escribe: «Desempeñamos papel

---

[69] La tesis de PIRENNE y sus aplicaciones han suscitado grandes polémicas de las que se hallará un resumen en _The Pirenne Thesis. Analyses, Criticism and Revision,_ publicado con una introducción por Alfred F. HAVIGHUST, Boston, 1958. Véase la nota 24 de este mismo capítulo.

[70] C. SÁNCHEZ-ALBORNOZ, obra citada, I, pág. 15.

[71] Ídem, I, pág. 15.

[72] Ídem, I, pág. 102.

[73] Ídem, II, pág. 9.

[74] Ídem, I, pág. 113.

decisivo en el cuajar de la Edad Media. Época de hondas transformaciones en la organización política y social y en las sendas de la vida del espíritu, España hizo posible tales cambios actuando de vanguardia y de maestra de Europa» [75].

En un reciente libro J. L. Gómez-Martínez ha coincidido con el sentido de las apreciaciones que yo había expuesto en anteriores ediciones de este libro: «Las obras de Castro y Sánchez-Albornoz son complementarias. Tan magnas y dispares interpretaciones del pueblo español no pueden ser separadas» [76]. Y lo que resulta fundamental para nuestro propósito es la gran función que en la polémica realiza la literatura medieval.

CASTILLA COMO NÚCLEO
FORMADOR DE ESPAÑA

La observación del proceso de la historia de la España medieval muestra que Castilla actuó dirigiendo su corriente política hacia lo que al fin sería la nación española. La cuestión aparece tratada por Menéndez Pidal y Maravall en los estudios señalados, y tiene un aspecto que obtuvo repercusión directa en la literatura. En la relación entre España y Castilla, este reino era uno de los del conjunto peninsular, como se desprende de esta cita de Alfonso X: «Tornarnos hemos a nuestro cuento de la historia de los nuestros Reyes de Castilla y de León; y ó [donde] nos acaeciere en la historia, diremos ý [allí] de los Reyes de Portugal, como hicimos y haremos de los Reyes de Aragón y de Navarra, por ó nos acaeciere que las sus razones vengan. Ca [pues] esta nuestra historia de las Españas, general, la llevamos nos de todos los reinos de ellas» [77].

---

[75] Ídem, I, pág. 16.

[76] José Luis Gómez-Martínez, *Américo Castro y el origen de los españoles: Historia de una polémica*, Madrid, Gredos, 1975, pág. 203; en este libro se hallará amplia noticia de la polémica y la bibliografía correspondiente.

[77] *Crónica general*, edición citada, II, 653.

Pero al lado de esta opinión de la España general, de raíces godas, se formula otra en la que Castilla juega un papel preponderante, sobre todo en la Reconquista, que es la empresa política más necesaria para volver a la unidad española; así ocurre en la poesía de Cancionero. Fray Diego de Valencia se refiere a Juan II, poco después de nacer, y trata de lo que le espera:

> sea luengos tiempos gran rey en Castilla
> de todos los moros, ardid vencedor [78].

Si bien esto se verifica contando con la pluralidad de los Reyes hispánicos, esta función de Castilla se concibe como más eficiente para la unidad de fondo; en *Los doce triunfos de los doce apóstoles*, Juan de Padilla glorifica a Castilla, unida a León, siguiendo los pasos de Juan de Mena, y puede así establecer una culminación poética que asegura la vuelta a la unidad [79].

El tópico de una Castilla promotora de la nación española se desarrolla en un marco literario, y se trata de una aplicación de la literatura al servicio de la política de un reino determinado. Los estudios actuales sobre la historia medieval tienden a señalar un gran número de factores extracastellanos (y de ellos también literarios), que han intervenido en la constitución de la moderna nación española [80].

---

[78] *Cancionero de Baena*, edición de José María AZÁCETA, II, Madrid, CSIC, 1966, pág. 438.

[79] Joaquín GIMENO CASALDUERO, *Castilla en los «Doce triunfos» del Cartujano* [1971], en *Estructura y diseño en la Literatura castellana medieval*, Madrid, Porrúa, 1975, págs. 235-259.

[80] Véase el estudio de José Antonio MARAVALL, *El concepto de España en la Edad Media*, Madrid, Instituto de Estudios Políticos, 1964, 2.ª edición.

Capítulo IV

LA LITERATURA VERNÁCULA MEDIEVAL
Y LAS LITERATURAS LATINAS ANTIGUA Y MEDIEVAL

LA UNIDAD EUROPEA

Es imposible señalar una fecha para los orígenes de la literatura medieval española; la de 1042 para la primera jarcha fechable sería un punto de partida muy temprano, atribuible a las peculiares condiciones del Medievo hispánico. Entre el siglo XI y el XII comienzan a manifestarse las noticias de la iniciación de una literatura vernácula que afianza cada vez más sus logros. La diversidad que crea la presencia de las culturas cristiana, árabe y judía, debida a la posición fronteriza de España, ofrece unos caracteres propios a las literaturas nacientes de los reinos peninsulares; en otras partes de Europa intervinieron factores distintos. Sin embargo, aun contando con estas peculiaridades, que recogería sobre todo la literatura folklórica, se impone la idea de que para que comiencen a existir las literaturas vernáculas, éstas necesitan establecer relaciones y una cierta compenetración con un fondo común europeo [1], que María Rosa Lida caracteriza en estos términos: «Ni que decir se tiene que en la Edad Media no todos los hombres pensaban, sentían

---

[1] Un planteamiento general referente al mundo románico medieval de los orígenes, en Maurice Delbouille, *Tradition latine et naissance des littératures romanes*, en GRLMA, I, 1972, págs. 3-56; la cita en la pág. 5.

y querían de igual modo, pero la cultura del Occidente europeo durante la Edad Media era notablemente más uniforme que la de nuestros días, porque se reducía a un sector mucho más exiguo de la sociedad, porque su volumen de erudición era mucho más limitado y porque estaba moldeada en un grado apenas concebible hoy por una Iglesia uniforme...»[2]. Esta dependencia general de la literatura de la Edad Media española con la Europa de la época resulta básica, y en relación con ella han de estudiarse las cuestiones referentes a los contactos e influjos, también la peculiar relación con las otras, árabe y hebrea, teniendo en cuenta además que algunas de estas cuestiones tocan también a otras literaturas de Europa. Las obras literarias de la Edad Media aparecieron con unos caracteres generales que se pueden considerar comunes en la Europa de la tradición cultural germanorrománica, en la que España se halló integrada, contando siempre con sus rasgos peculiares. Y el proceso de nuestra literatura acontece con el desarrollo de los textos escritos, en relación, a su vez, con los medios técnicos para establecer la escritura sobre el papel y en los códices. Esta situación es la que se encuentra en los comienzos del desarrollo de las literaturas vernáculas y dura hasta que la invención de la imprenta y su difusión aseguran una manera diferente de reproducción textual, con un ritmo más intenso; H. J. Chaytor ha definido y planteado la extensión del período atendiendo a estos factores[3].

Para comprender el origen de esta situación general de las literaturas vernáculas de Europa (en particular de las románicas, que son las que se emparejan con nuestro estudio), hay que tratar primero la raíz general de este hecho: la Antigüedad, que es un patrimonio común, y su persistencia renovada a través de la literatura latina medieval. Paul Zumthor declara al prin-

---

[2] María Rosa Lida, *Nuevas notas para la interpretación del «Libro de Buen Amor»* [1959], en *Juan Ruiz [...] y estudios críticos*, obra citada, página 243.

[3] H. J. Chaytor, *From Script to Print (An Introduction to Medieval Vernacular Literature)* [1945], Londres, Sidwick and Jackson, 1966.

cipio de su *Poética* esto que vale también aquí: «Intento más, y con más insistencia, captar una continuidad, que establecer una sucesión de acontecimientos: en vez de fuentes, buscar grandes tendencias que conviene apartar (sin cortarlas del todo) de su circunstancialidad episódica»[4].

IMITACIÓN Y ORIGINALIDAD EN
LA LITERATURA VERNÁCULA

La apreciación del grado de «originalidad» y la del que se sitúa en su opuesto, el grado de «imitación», resultan siempre problemáticas, y varían según el criterio de las épocas. Para nuestros propósitos, hay que advertir que esta cuestión cambia radicalmente con los efectos del Romanticismo en la crítica. Antes de esta época se entendió que una relación de grado determinado entre una obra «nueva» y las precedentes que se consideraban de primer rango, era virtud creadora; se admitía una guía magistral, y los «antiguos» actuaban como una pauta más o menos lejana. Esto debe contar también como contraste, pues otras veces la conciencia de alejarse o cambiar de modelo es otro factor activo. La Edad Media acepta en general este punto de vista, y las literaturas vernáculas emergen del folklore hacia su propia teoría creadora contando con que existe a su alrededor una activa y floreciente literatura latina, cuyas fuentes y raíces llegaban hasta la antigüedad[5]. ¿Hasta qué grado, pues, la literatura vernácula se arrimó a la latina en madura sazón, con un prestigio firme, una tradición que aseguraba la continuidad y la renovación a través de los grupos históricos y una

---

[4] Paul Zumthor, *Essai de Poétique médiévale*, París, Seuil, 1972, pág. 8.
[5] El planteamiento más amplio del asunto se halla en el libro de Ernst R. Curtius, *Literatura europea y Edad Media latina* [1948; 2.ª reimpresión de la edición primera española de 1955], Madrid, Fondo de Cultura Económica, 1976. María Rosa Lida de Malkiel publicó una extensa reseña de este libro («Romance Philology», V, 1951-52, págs. 99-131), y sus comentarios y adiciones se incorporaron a la edición española.

lengua disciplinada por la enseñanza? [6]. Una diferencia fundamental es que numerosas manifestaciones de la literatura vernácula, las más directamente relacionadas con los públicos amplios, de carácter popular, eran orales, y poseían su propia
tradición que había creado también géneros históricos, mientras
que la literatura latina persistía mediante la escritura. Sin
embargo, no hay que entender ambas manifestaciones como
incomunicables, sino, al contrario, se trata de ver sus aproxi-
maciones. Y el resultado manifiesto es que lo dominante es el
efecto que conduce a una literatura vernácula escrita; como
señala Chaytor, el proceso es irreversible hacia la literatura
escrita, aun manteniéndose paralelamente la pujanza de las
formas orales. Hay que contar, además, con que ambas literaturas, la de lengua vernácula y la latina, se escribieron por
autores que pudieron valerse de la una (vernácula) o de la
otra (latina), y pudieron ser oídas o leídas por diferentes públicos. Pero ¿qué impide suponer que a veces el mismo autor
pudo escribir en latín o en romance, o que algunas gentes del
público gustasen de ambas literaturas a un tiempo? Es cierto
que cada una de ellas tuvo su propia circunstancia, tanto de
creación como de difusión, pero cabe pensar que, por razón de
ser ambas coetáneas, pudieron haberse cruzado y sobrepuesto
en la experiencia literaria de los receptores, e incluso ser obra
de un mismo autor; aun contando con el influjo que la literatura española haya percibido del fondo de una tradición autóctona y de otras raíces diferentes de la latina (árabe y hebrea),

---

6 Resulta fundamental, por tanto, el conocimiento de la obra literaria
en latín de este período: véase la orientación bibliográfica de Luis VÁZQUEZ
DE PARGA titulada *Latín medieval*, «Revista de Archivos, Bibliotecas y Museos», LVI, 1950, págs. 59-89; del mismo, *Literatura latina medieval*, «Revista de la Universidad de Oviedo», X, 1948, págs. 5-23. Y también Manuel
DÍAZ Y DÍAZ, *El latín medieval español*, en *Actas del Primer Congreso Español de Estudios Clásicos*, Madrid, 1958, págs. 559-579; del mismo, *Index
Scriptorum Latinorum Medii Aevi Hispanorum*, I, Salamanca, 1958; II,
1959; y Juan BASTARDAS Y PARERA, *El latín medieval*, en *ELH*, I, págs. 251-290.
Importante, tanto por los textos como por las notas, es la antología de
Henry SPITZMULLER, *Poésie latine chrétienne du Moyen Âge*, París, Desclée
de Brouwer, 1971.

es indudable que participa de este fondo occidental, de origen antiguo y amparado en gran parte por el sentido universal de la Iglesia, que hizo del latín un instrumento unificador de potencia difusora incomparablemente superior a cualquier otro en variedad de asuntos y en extensión.

De esto puede esperarse algún efecto sobre la creación de la obra en lengua romance; es legítimo pensar que pudo aplicarse a esta literatura vernácula una «técnica» análoga a la que en el caso de la latina daba como resultado una obra cuyas características genéricas eran previsibles hasta cierto punto en líneas generales. Al referirme a una «técnica» quiero dar a entender el esfuerzo ordenador de la creación en toda su complejidad, desde que el autor concibe la obra hasta que la manifiesta en el texto; y esto se refiere a la disposición del asunto, la elección de los procedimientos más adecuados y persuasivos para cada caso, de acuerdo con una experiencia conocida, tanto de las piezas de expresión, figuras, tópicos, especies de verso o de prosa, etc.

La literatura latina ofrecía unos grupos genéricos establecidos a través de una poética que había interpretado sucesivamente los géneros básicos de la épica, la lírica y la dramática, y también el uso de una retórica en trance de sucesivas adaptaciones; esta grande y constante lección pasó del latín a la lengua vernácula a medida que ésta iba afirmando, obra tras obra, su condición literaria, cada vez más hacedera, aunque fuese en el caso de una experiencia sin entronque directo e inmediato con las formas latinas. Esto acontece en las diversas lenguas vernáculas de Europa que crean una literatura, y en cada una de manera acorde con su condición cultural. E. Auerbach[7] indica para la Península que no sólo fue el latín la lengua literaria, sino también el árabe y el hebreo; y señala también la escasa fuerza inicial del latín hasta que lo robusteció el influjo francés.

---

[7] Erich Auerbach, *Lenguaje literario y público en la baja latinidad y en la Edad Media* [1958], Barcelona, Seix Barral, 1969; importante para la función del público en su parte IV, «El público occidental y su lenguaje»; la parte española se trata brevemente en las págs. 317-321.

Pero aun contando con factores que comparativamente pudieran resultar de menor efectividad, éstos no invalidan la existencia de un fondo antiguo que actúa en forma cada vez más operante a medida que la literatura vernácula se desarrolla en las formas escritas y recibe los influjos de Provenza, Francia e Italia, que a su vez recogieron ese mismo fondo de la Antigüedad en grado diverso.

Por tanto, no hay que entender que lo procedente de la Antigüedad y de su continuidad en la literatura latina medieval sea «imitación», y considerar como «original» lo demás. La complejidad de los elementos integrantes de la creación medieval permite considerar que el latín y el depósito o inventario cultural que su cultivo mantenía vigente, fueron origen de una renovación constante para la literatura, puesto que en el uso de esta lengua hubo siempre una disposición o aptitud para que renaciese o reviviese todo cuanto se refería al cultivo literario; y lo mismo ocurría con los más diversos aspectos de la cultura, en particular los ideales políticos del Imperio romano, convenientemente adaptados y vertidos a las condiciones medievales, así como cuanto tocaba a las manifestaciones de la vida, de orden intelectual sobre todo.

Hay que contar con el término de «Renacimiento»[8] que comprende dos acepciones: el «Renacimiento» como un movimiento determinado temporalmente, que ocurre como consecuencia de una intensificación de estos factores y que va acompañado de una abundante creación literaria; y el «renacimiento» como constante histórica que indica la disposición inicial (o potencial) de esta revivificación presente en cualquier escritor que cultive el latín y perciba su ejemplaridad; desde esta experiencia, en el

[8] Amplia información y bibliografía en Paul RENUCCI, *L'aventure de L'Humanisme européen au Moyen-Âge (IV-XIV siècle)*, París, Les Belles Lettres, 1953. Los estudios de Giuseppe TOFFANIN, *Il secolo senza Roma*, *Storia dell'Umanesimo* y *La fine del Logos*, están traducidos al español bajo el título *Historia del Humanismo desde el siglo XIII hasta nuestros días*, Buenos Aires, Nova, 1953. La obra clásica sobre el asunto es la de Charles H. HASKINS, *The Renaissance of Twelfth Century* [1927], New York, World Publishing, 1964.

caso de los autores que se valen conjuntamente de la lengua culta y de la vernácula, se pasa con facilidad al intento de que la lengua romance participe también de propósitos análogos. El caso de esta «imitación», de orden positivo y efectos creadores, se verifica en las diferentes hablas románicas, y está favorecida además por la fuerza que supone volver a los orígenes de cada lengua, aunque sólo sea de una manera intuitiva y a pesar de las diferencias establecidas por la evolución, que ya había ocasionado sistemas lingüísticos diversos. Tal condición es uno de los fenómenos definitorios de la cultura del Occidente europeo en la Edad Media, y en España hay que admitirla también, aun reconociendo que existieron otras fuentes culturales que pudieran coincidir y reunirse con ella.

EFECTOS DE LA RELACIÓN ENTRE LATÍN Y LENGUA ROMANCE: HUMANISMO Y ESTÉTICA MEDIEVALES

La relación entre la literatura latina (antigua y medieval) y la romance se ha de buscar sobre todo en autores que, por sus actividades en la sociedad medieval, usaron el latín como lengua culta, fundamentalmente eclesiástica, y al mismo tiempo cultivaron la literatura vernácula. Estos autores se hallan situados en una sociedad que asegura progresivamente con más fuerza la lengua vernácula como propia de relaciones que cada vez son más amplias. Desde los siglos XI al XV ocurre un fenómeno de desarrollo inverso: mientras el latín se reduce a grupos cada vez más limitados, las lenguas vernáculas van extendiendo la *literatura* a la historia, la ciencia, el derecho, etc.; y, naturalmente, a la literatura poética, que es cada vez más exigente en propósitos creadores. Este doble proceso está acompañado de mutuas relaciones, pues, contando con esta reducción en el uso de la lengua latina y el aumento de la vernácula para la literatura, en la Edad Media existe el implícito reconocimiento de que el latín es, por su naturaleza, lengua artística, y si se quiere que la lengua vernácula resulte cada vez más apropiada para la creación literaria, en grados de mayor exigencia artística, hay que acomodar su empleo a unas normas (formuladas o no) que la distingan del uso coloquial. Por otra parte, la literatura vernácula que se apoya en una tradición folklórica (la línea tradicional y los hipotéticos cantos épicos iniciales), asegura también una poética propia que el público reconoce como literaria. Este cauce de las poéticas vernáculas puede llegar a ser paralelo, pero el prestigio está de parte de las que se fundamentan en el fondo latino, cuyo valor de disciplina adecuada para crear una lengua literaria vernácula, acaba por reconocerse explícita o implícitamente.

La relación entre el latín y la lengua vernácula se estableció de muchas maneras y a través de variadas gentes: así sirvieron para este fin los maestros de toda clase, de escuela o universidad, y cuantos hubieron de aprender el latín valiéndose del romance para luego leer los libros latinos, etc.

En el proceso de la literatura medieval la crítica se vale de términos que proceden de una misma disposición del pensamiento, sobre todo en funciones creadoras: los de «clerecía»[9] y de «humanismo»[10]; el primero está testimoniado en fecha más temprana y es común a toda Europa, y el segundo es más tardío e irradia de Italia. Ambos términos, usados a veces indiscriminadamente por la crítica, tienen como base la relación con el latín y representan la condición del «sabio», del que tiene la voluntad y la ciencia del conocimiento. El clérigo acompaña el origen de las literaturas vernáculas desde el punto de vista cro-

---

[9] Puede verse en el Du Cange, _Glossarium Mediae et Infimae Latinitatis_ [1883-1887], Graz, Akademische Druck, 1954, págs. 367-371, s. v. _clerici_ y otros compuestos de _clerus;_ aparece en castellano en los primeros poemas de la cuaderna vía.

[10] Según Ottavio di Camillo, _El humanismo castellano del siglo XV_, Valencia, F. Torres, 1976, «la palabra 'humanista' [...] apareció en España poco antes de mediado el siglo XVI, es decir, unos cincuenta años después de que fue inventada en la jerga de las Universidades italianas» (pág. 294). Amancio Labandeira Fernández estudia la presencia del _Trésor_ de Latini en Pero Rodríguez de Lena, en _Un cronista español del siglo XV entre la ciencia de B. Latini y la nobleza de Suero de Quiñones_, «Revista de Archivos, Bibliotecas y Museos», LXXIX, 1976, págs. 73-95.

nológico; su acción es universal y su relación con la Iglesia es dominante (de ahí la significación básica de 'hombre de iglesia' derivada de *clerus* o conjunto de sacerdotes) y con la acepción de miembro del clero; de este sentido genérico pasó en el latín medieval a la significación de conocedor de una ciencia (Derecho, Medicina, etc.) y a la de hombre sabio, en general. Más adelante (capítulo XI) me ocuparé de la transcendencia en la literatura vernácula de las actividades del clérigo. Entre lo que supuso la clerecía en el desarrollo de la cultura literaria de la Europa medieval y la constitución del promotor del humanismo literario, se encuentra la figura del letrado u «hombre de saber», que, como ha mostrado J. A. Maravall, llegó a formar un estamento o clase profesional en esta época de desarrollo de la literatura vernácula. Los letrados consiguieron tal importancia, que el Canciller Ayala los menciona como una clase más entre la Iglesia, la nobleza y el pueblo:

> Y sean con el rey al consejo llegados,
> prelados, caballeros, doctores y letrados
> buenos hombres de villas, que hay muchos honrados...
>
> (*Rimado de Palacio*, est. 287)

Estos letrados fueron hombres de leyes en cuanto a su profesión, pero también conocedores de otros aspectos del saber y aficionados a la literatura por medio de la retórica, cuya disciplina necesitaban para ejercer; de ahí que ayudasen a los señores y reyes con sus consejos, en la cancillería y en la diplomacia, además de la justicia. Por esta diversidad de actividades, dice Maravall que «tipológicamente su figura se distancia tanto del sabio tradicional como de la del retórico humanista» [11]. No hay apenas estudios que establezcan la función de estos letrados que no son propiamente ni clérigos en el sentido antiguo ni humanistas en el moderno, aunque participan de determinadas

---

[11] Véase José Antonio MARAVALL, *Los «hombres de saber» o letrados y la formación de su conciencia estamental*, en *Estudios de historia del pensamiento español* [1953], obra citada, I, págs. 345-380; la cita en la página 367.

intenciones de uno y otro. Así, por ejemplo, C. Smith examina la personalidad de un presunto autor del *Poema del Cid* como la de «un hombre muy culto, no en teología ni cánones al estilo de París, pero sí en leyes, en historia, en literatura latina clásica y medieval y en literatura francesa contemporánea» [12]. Este clérigo en sentido extenso, y letrado en el término que propone Maravall, sería un coordinador de gran precio entre la literatura vernácula local, del orden que fuese, y la literatura europea general.

La derivación progresiva hacia el «humanista» de los siglos últimos de la Edad Media se logró mediante la disciplina espiritual establecida por los *studia humanitatis,* que despertaron la curiosidad y después la pasión por el acercamiento a los antiguos, como indicaré en la última parte de este libro. Del latín *utilitario* del clérigo y del letrado se pasa al latín *poético,* con una derivación constante hacia la lengua vernácula cultivada. El humanista asegura un concepto filológico y establece un latín *poético.* El clérigo asegura un concepto del mundo general, de signo sobre todo eclesiástico, mientras que el humanista realza la función del hombre, su dignidad como criatura, y cultiva la inteligencia a través del arte para buscar un concepto del mundo a su medida. Los dos términos requieren un contexto preciso, y se han visto perturbados por la acepción general de «mester de clerecía» como un grupo poético determinado, y por la mención del Humanismo como la de cualquier relación con el mundo antiguo.

En la variada función que, en cuanto a la literatura, la clerecía y el humanismo medieval cumplieron, lo que más nos importa fue la relación, establecida de distintas maneras, entre el latín y el romance dentro del llamado «sentido de imitación» artística. El latín, lengua que tenía un desarrollo artificioso de la expresión, sirvió de ejemplo magistral, y el escritor romance se confió a su maestría buscando un criterio para ennoblecer la obra. Hay que tener en cuenta que la maestría que el autor

---

[12] Colin Smith, *El Derecho, el tema del «Poema de Mio Cid» y profesión de su autor,* en *Estudios Cidianos,* Madrid, Cupsa, 1977, pág. 82.

de la literatura vernácula buscaba en la latina, estaba condicionada al carácter y grupo genérico de la obra que pretendía realizar; como consecuencia del desarrollo propio de las literaturas vernáculas pocas veces se dio una relación inmediata, salvo en los casos de la traducción de una obra (y aun así, se requería un ajuste). De ahí que si el «autor» era juglar, podía aprovechar esta maestría para renovar el arte de sus obras; si el autor era culto, hombre de la Iglesia o de Corte, enlazaba con sus fines de enseñanza, ejercicio profesional o de lucimiento social. Sólo la maduración del criterio cada vez más acusadamente filológico del humanista hizo que esta imitación fuese progresivamente consciente y con una función decisiva, como ocurre en el siglo xv con el caso de Juan de Mena[13]. Por otra parte hay que contar también con la otra maestría de las lenguas provenzal, francesa e italiana que poseían ya una literatura sólida en la cual había existido una concurrencia análoga con la literatura latina; de ahí que las relaciones con estas otras literaturas viniesen a coincidir con procedimientos que tenían una base común latina, de manera que a veces se aprecian efectos que son cruces y paralelismos con la fuente general de origen.

La forma más inmediata de este influjo pudo venir con la traducción, en el esfuerzo por igualar el grado expresivo del lenguaje romance con el latín; los *trasladadores* realizaron su labor con una viva conciencia de su cometido, en los distintos grados que suponía el diverso carácter de las obras que vertían al castellano, entre las cuales la Biblia ocupa el primer lugar; y el ejemplo de la *Vulgata* con respecto de los textos anteriores sería decisivo; y a su lado hay que contar con las obras de la gentilidad y con todas aquellas que la literatura latina medieval fue añadiendo a través de los renovados cauces genéricos[14].

---

[13] Véase el estudio de Jacques Le Goff, *Los intelectuales de la Edad Media* [1957], Buenos Aires, Universidad, 1965.

[14] Margherita Morreale, *Apuntes para la historia de la traducción en la Edad Media*, «Revista de Literatura», V, 1959, págs. 3-10.

Los autores «intelectuales» de la Edad Media elaboraron diversos sistemas para la comprensión del Arte [15]. Si bien sus fundamentos procedían de esta tradición a que vengo refiriéndome (Biblia, los pensadores antiguos, los manuales de la «técnica» artística y las obras de los Santos Padres griegos y latinos, sobre todo en su función mediadora), los resultados fueron diferentes, y la Estética medieval ofrece un rico cuadro de sistemas y métodos para la comprensión de los fines de la obra de arte. Las obras literarias de la Edad Media (sobre todo, las de los autores que se hallan en la corriente de este sentido clerical dentro del cual surge el humanismo) han de ser entendidas, por tanto, en relación con estos propósitos. La literatura es una pieza más del conjunto de la Estética medieval, y la profunda cohesión que hubo en la Edad Media entre las diversas Artes, la sitúa en el orden de esta unidad, cualquiera que sea la naturaleza de las exposiciones ideológicas establecidas.

ESCUELAS Y UNIVERSIDADES

La concurrencia a las escuelas y las universidades favoreció la formación de los escritores. En el caso del período medieval, aun contando con la variedad de sus manifestaciones, las instituciones de esta naturaleza aparecen en el ámbito de la cultura religiosa, conservadora a su manera de la tradición antigua. Por lo común las escuelas estaban relacionadas con un monasterio o una catedral. Con un fin más específico se crea el estudio general, institución que establece los estudios superiores como organización que otorga títulos, en tanto que la Universidad es la corporación formada por profesores y alumnos; ambas modalidades se reúnen en el término *Universidad*, que pasa a ser el dominante en los fines de la Edad Media [16]. El fundamento

---

[15] Para conocer las cuestiones de la Estética medieval, véase Edgar de BRUYNE, *Estudios de estética medieval* [1946], traducción española, Madrid, Gredos, 1958, 3 vols., y el manual del mismo autor *L'Esthétique du Moyen Âge*, Louvain, Institut Supérieur de Philosophie, 1947.

[16] Tratado clásico de la materia es el libro de Hastings RASHDALL, *The Universities of Europe in the middle Ages*, Oxford, 1895, 3 tomos (hay edi-

de las enseñanzas estaba en la antigua organización de los saberes en las artes liberales, compuestas por dos grupos: el *trivium* (la Gramática, la Retórica y la Dialéctica) y el *quadrivium* (la Aritmética, la Música, la Geometría y la Astronomía)[17]. Del conjunto de las Artes liberales, en lo que concierne a su aplicación a la Literatura, hay que referirse sobre todo a las artes del trivio (o *triviales*), cuyo desarrollo acabaría por constituir lo que hoy llamamos «Letras», en tanto que las artes del *quadrivium* fueron el origen o cauce de la Ciencia moderna. La precavida legislación de Alfonso X dio normas para estas actividades, y clasificó los estudios de dos maneras: «Estudio General, en que hay maestros de las Artes, así como de Gramática y de Lógica y de Retórica; y de Aritmética y de Geometría y de Música y de Astronomía; y otrosí en que hay maestros de Decretos y señores de Leyes. Y este estudio debe ser establecido por mandato de Papa o Emperador o de Rey. La segunda manera es la que dicen Estudio Particular, que quiere tanto decir como cuando algún maestro amuestra en alguna villa apartadamente a pocos escolares. Y tal como éste puede mandar hacer Prelado o Concejo de algún lugar»[18].

Como un ejemplo de lo que pudo ser el contenido de una de estas enseñanzas, vale el estudio general que se menciona en un fragmento de la *General historia* en que su autor nos cuenta la educación y enseñanzas recibidas por Júpiter; domina en

---

ciones posteriores, como la de Oxford, Oxford University Press, 1936); en forma más resumida: Stephen D'IRSAY, *Histoire des Universités françaises et étrangères*, París, Picard, 1933, págs. 1-222, I, «Edad Media». Sobre las Universidades españolas: Cándido M. AJO G. Y SAINZ DE ZÚÑIGA, *Historia de las Universidades Hispánicas*, I, «Medievo y Renacimiento», Ávila, CSIC, 1958. Los diversos estudios de Alberto JIMÉNEZ están reunidos en *Historia de la Universidad española*, Madrid, Alianza Editorial, 1971. Un resumen general en Jacques VERGER, *Les Universités au Moyen Âge*, Paris, Presses Universitaires de France, 1973.

[17] En términos generales, véase Cesare SEGRE, *Arti liberali*, en *La forma e la tradizione didactiche* del GRLMA, VI, I, págs. 116-131; documentación bibliográfica en VI, 2, págs. 168-201.

[18] ALFONSO EL SABIO, *Siete Partidas*, Partida II, Título 31, Ley 1.ª, tomo II, Madrid, 1807, pág. 340.

este trozo el anacronismo tan común en las obras medievales,
que, cuando va referido a las figuras mitológicas, se complica
con la interpretación evemérica (de la que se hablará más adelante). Dice así esta parte del capítulo: «Júpiter [...] estudió y
aprendió ý [=allí] tanto, que supo muy bien todo el *trivio* y
todo el *cuadruvio*, que son las siete artes a que llaman liberales [...]. Y van ordenadas entre sí por sus naturas de esta
guisa: la primera es la Gramática, la segunda Dialéctica, la tercera Retórica, la cuarta Aritmética, la quinta Música, la sesena
Geometría, la setena Astronomía. Y las tres primeras de estas
siete artes son el trivio, que quiere decir tanto como tres vías
o carreras que muestran al hombre ir a una cosa, y esta es
saberse razonar cumplidamente [...]. La Gramática, que dijimos
que era primera, enseña hacer las letras, y ayunta de ellas las
palabras cada una como conviene, y hace de ellas razón, y por
eso le dijeron Gramática, que quiere decir tanto como saber
de letras [...]. La Dialéctica es arte para saber conocer si hay
verdad o mentira en la razón que la Gramática compuso, y
saber departir la una de la otra. Mas porque esto no se puede
hacer menos de dos, el uno que demande y el otro que responda,
pusiéronle nombre Dialéctica, que muestra tanto como razonamiento de dos por hallarse la verdad cumplidamente. La Retórica otrosí es arte para afermosar la razón y mostrarla en tal
manera, que la haga tener por verdadera y por cierta a los que
la oyeron, de guisa que sea creída. Y por ende hubo nombre
Retórica, que quiere mostrar tanto como razonamiento hecho
por palabras apuestas y hermosas y bien ordenadas. Donde
estas tres artes que dijimos, a que llaman trivio, muestran al
hombre decir conveniente, verdadera y apuesta, cualquiera que
sea la razón; y hacen al hombre estos tres saberes bien razo-
nado, y viene el hombre por ellas mejor a entender las otras
cuatro carreras a que llaman cuadruvio» [19].

Este cuadro se puede completar con otra cita que muestra la
actividad de las escuelas menores; pertenece a Gonzalo de Ber-

---

[19] ALFONSO X EL SABIO, *General Estoria*, edición citada, I, pág. 193.

ceo, de cuya obra *Los Milagros de Nuestra Señora* es un fragmento:

> Tenié en esa villa, ca ['pues'] era menester
> Un clérigo escuela de cantar y leer.
> Tenié muchos criados a letras aprender,
> Hijos de buenos hombres, que querién más valer [20].

El clérigo se valía de su ciencia para educar *(criar)* los hijos de los «hombres buenos» del lugar, para que de este modo acrecentasen su valía personal. Esta formación educadora tiene que resultar decisiva en los últimos siglos de la Edad Media [21], a medida que el caballero, en el trance de convertirse en hombre de Corte, estima que la obra literaria puede resultar para él un medio de «más valer» en la vida social, pues las letras se aprecian como signo de nobleza.

El conocimiento de la relación entre la enseñanza y sus efectos sobre el escritor es difícil porque faltan los testimonios para documentar una información precisa. Sin embargo, sucede que el influjo de la Antigüedad y de la cultura clerical aparece con más facilidad en los autores que, en los años de su formación, han concurrido a las escuelas y las universidades o han tenido relación frecuente con sus maestros o con los que allí habían llevado a cabo sus estudios profesionales. A medida que progresa la Edad Media, las cortes señoriales forman también hogares de cultura donde la Literatura constituye una actividad predominante en la vida social.

---

[20] Gonzalo de BERCEO, *Los Milagros de Nuestra Señora*, Londres, Tamesis, 1967, I, ed. de Brian DUTTON, milagro de «El judiezno», pág. 125.

[21] Sobre los procedimientos de la educación, véase María A. GALINO, *Historia de la Educación*, I, *Edades Antigua y Media*, Madrid, Gredos, 1959. El trabajo en los escritorios y escuelas medievales de carácter monástico se describe en la obra de Fray Justo PÉREZ DE URBEL, *El monasterio en la vida española de la Edad Media*, Barcelona, Labor, 1942. Véase también el libro de G. PARÉ, A. BRUNET y P. TREMBLAY, *La Renaissance du XII siècle. Les écoles et l'enseignement*, París-Ottawa, J. Vrin-Institut d'Études Médiévales, 1933.

LAS BIBLIOTECAS MEDIEVALES

El conocimiento que un autor tiene de la Literatura que le ha precedido y de la que lo rodea, es un factor importante en su formación y en la orientación de sus gustos poéticos; cada autor oyó o leyó diversos libros, cuya especie y número conviene saber, si es posible. Si se conserva o conoce la biblioteca del escritor, contamos con un dato importante: la extensión y calidad de las obras que reunió. Y, por otra parte, sabemos así el ámbito de difusión de los libros.

Algunos autores constituyen la base de las enseñanzas en las escuelas monacales, catedralicias, estudios y universidades [22]. En ellas hubo bibliotecas y también escritorios donde se copiaban los manuscritos. El escritorio fue un lugar de activa comunicación literaria, en el que los libros en lengua romance iban abriéndose espacio por entre los latinos. Hacia el fin de la Edad Media se sabe más de las bibliotecas de los escritores; así ocurre con las del Marqués de Santillana, el Conde de Haro, Luis de Acuña [23], etc. En sus Catálogos encontramos las obras

---

[22] Un tratado de información general es el de James W. THOMPSON, *The medieval Library* [1939], New York, Haffner, 1957, con un suplemento de Blanche E. BOYER. Anticuado, aunque útil todavía, es el artículo de J. TAILHAN, *Les bibliothèques espagnoles du haut Moyen Âge*, en los *Nouveaux Mélanges d'Archéologie, d'Histoire et de Littérature sur le Moyen Âge*, IV, París, 1877, págs. 217-346; véase la información de Pedro BOHIGAS BALAGUER, *Notas sobre la utilización de las bibliotecas al fin de la Edad Media*, «Homenaje a Guillermo Guastavino», Madrid, Asociación Nacional de Bibliotecarios, Archiveros y Arqueólogos», 1974, págs. 21-36.

[23] Resulta fundamental la obra de Mario SCHIFF, *La Bibliothèque du Marquis de Santillane*, París, Bib. de l'École des Hautes Études, 1905; *Los libros del Marqués de Santillana*, Catálogo de la Exposición «La Biblioteca del Marqués de Santillana», Madrid, Biblioteca Nacional, 1977, con bibliografía sobre la biblioteca, págs. 46-47. Antonio PAZ Y MELIA estudió la *Biblioteca fundada por el Conde de Haro en 1455*, en la «Revista de Archivos, Bibliotecas y Museos», su trabajo apareció esparcido en los tomos I, 1897; IV, 1900; VI y VII, 1902; XIX, 1908; y XX, 1909; Nicolás LÓPEZ MARTÍNEZ, *La Biblioteca de don Luis de Acuña en 1496*, «Hispania», XX, 1960, páginas 81-110.

que, a través de lecturas, sirvieron para el influjo de la latinidad, los libros de los escritores en lengua latina y, también, los abundantes florilegios medievales, de tan importante función. También se conoce por este medio un índice de la difusión de las otras literaturas europeas, provenzal, francesa e italiana entre los escritores de España. Tan importante es saber lo que un autor haya podido recibir de sus predecesores, como lo que de ese autor trasciende a los demás. En ambos sentidos, estas listas son una fuente de información que hay que utilizar con tiento, previas comprobaciones; pero, al fin y al cabo, son un dato inapreciable para la difusión de los autores y la formación de las oleadas de la moda literaria, señaladas por la abundancia de ejemplares y el grado de intensidad de los influjos.

CONSIDERACIÓN DE LOS ANTI-
GUOS EN LA EDAD MEDIA: AUTORI-
DAD, EVEMERISMO Y ANACRONISMO

Curtius escribió con gran razón: «La Edad Media tenía su propio concepto de la Antigüedad»[24], y este concepto no hay que forzarlo con el criterio que luego crearían los filólogos, a partir de la disciplina humanística. Por otra parte, el concepto de la Antigüedad que actuó sobre la literatura vernácula varió según el tiempo, el espacio y la educación del escritor[25]. En

---

[24] E. R. CURTIUS, *Literatura europea y Edad Media latina*, obra citada, págs. 815-816.

[25] Véase Henry O. TAYLOR, *The Classical Heritage of Middle Ages*, Londres, Taylor, 1911, 3.ª edic. Abundante información general en el libro de Gilbert HIGHET, *La tradición clásica. Influencias griegas y romanas en la literatura occidental* [1949], México, Fondo de Cultura Económica, 1954, 2 tomos; interesantes observaciones sobre esta obra en la reseña de María Rosa LIDA DE MALKIEL, *La tradición clásica en España* [1951], en el libro del mismo título, póstumo, de la autora, Barcelona, Ariel, 1975, que recoge varios estudios relativos al mismo asunto; el propósito de María Rosa Lida es ampliar la parte relativa a España en cuanto a sus relaciones con la Antigüedad, poco tratada por Taylor y por Curtius. Aunque con pocas referencias a España, puede verse la situación actual del tema en la serie de lecciones del King's College de Cambridge, *Classical Influences on European*

general, no se buscaba en los antiguos la sola perfección artística ni, por lo tanto, una ejemplaridad que tocase a los aspectos formales, sino que se quería que por el prestigio de la fama, vinculada a una tradición, se desprendiese un magisterio o lección aprovechable para el hombre del siglo. Aún en el período final de la Edad Media, en que el reconocimiento de los valores formales de la Antigüedad se estaba asegurando con el afianzamiento del Humanismo filológico, un autor, tan _moderno_ por otros conceptos, como Fernán Pérez de Guzmán, repudia, sin embargo, las fábulas de los antiguos que no tienen una intención definida de dejar «algo entre las manos», esto es, una enseñanza:

> Aquestas obras baldías
> parecen al que soñando
> halla oro, y despertando
> siente sus manos vacías.
> Asaz emplea sus días
> en oficio infructuoso
> quien _sólo en hablar hermoso_
> muestra sus filosofías [26].

Era necesario, pues, que del «hablar hermoso» se desprendiese una lección de provecho y consolación moral, que cons-

---

Culture A.D. 500-1500, publicadas por B. R. BOLGAR, Cambridge, University Press, 1971. El mismo BOLGAR había publicado _The classical heritage and its beneficiaries_, Cambridge, University Press, 1954. También el manual universitario de L. D. REYNOLDS y N. G. WILSON, _Scribes and Scholars. A Guide to the transmission of Greek and Latin Literature_, Oxford, University Press, 1974, 2.ª edición.

[26] _Loores de los claros varones de España_, edición de R. FOULCHÉ-DEL-BOSC, publicada en el _Cancionero castellano del siglo XV_, composición número 308, I, pág. 712. La modernidad del poeta se halla en la nueva concepción del hombre que se desprende de las _Generaciones y semblanzas;_ véase también la composición núm. 290 del mismo _Cancionero_, «Decir de loores a Leonor de los Paños» (I, pág. 686), comentada por Manuel GARCÍA BLANCO, _Un Narciso medieval_, Granada, Vientos del Sur, 1945. Para la autoría de la pieza, atribuida en el _Cancionero de Estúñiga_ a Macías, véase Nicasio SALVADOR MIGUEL, _La poesía cancioneril: El «Cancionero de Estúñiga»_, Madrid, Alhambra, 1977, págs. 178-183.

tituyera una «filosofía» (según la acepción de la época, o sea sabiduría); la enseñanza podía ser también una noticia o información de carácter histórico, en la medida en que un dato de esta especie confirmase lo que se escribía en la obra.

a) *La autoridad.*—Esto era posible gracias a la firmeza del concepto de autoridad que solía implicarse en la cita de los antiguos. La fórmula de *Magister dixit* representa una aportación positiva para la obra, pues se prefiere el apoyo de la cita (que significa la tradición y, en el caso conveniente, la erudición del que la conoce y la menciona en la fuente) a la propia reflexión que pudiera haber sido original. La autoridad se asegura con la cita (el *exemplum)* o, a veces, basta la mención del autor antiguo *(sententia).* Un ejemplo de este uso aparece en el siguiente fragmento de fray Íñigo de Mendoza en que se dirige al Rey Fernando de Castilla y Aragón sobre la necesidad de la discreción en el gobierno:

> Cuanto más alto se empina
> la cumbre de estado grande,
> tanto más y más aína
> es necesario doctrina
> con que rija y con que mande;
> que si no mintió Platón,
> y verdad dijo Boecio,
> será próspera nación,
> la que rige discreción;
> al contrario, la que el necio;
> lo mismo dijo Vejecio [27].

---

[27] Fray Íñigo de Mendoza, *Cancionero*, Madrid, Espasa-Calpe, 1968, páginas 299-300; la cita pertenece al «Sermón trovado a [...] don Fernando [...] sobre el yugo y coyundas [...]». A veces se trataba de meras enumeraciones, como por ejemplo en esta mención de Francisco Imperial:

> Homero, Horacio, Virgilio y Dante,
> y con ellos calle Ovidio D'Amante...
> *(Cancionero de Baena,* «Decir a Estrella Diana», comp. núm. 231).

Después de enunciar en los cinco primeros versos el principio político, cita a través de los seis últimos tres autoridades para confirmar su aserto. Las autoridades se clasificaban por categorías, y la más elevada era la que procedía de la Biblia y sus comentaristas y exégetas; después se admitía la de los gentiles, en los que se situaba la *filosofía*. Una opinión de lo que representaban estos antiguos es la que ofrece Alfonso de Cartagena: «Los hermosos tratados de los elocuentes oradores antiguos, los cuales, aunque no alcanzaron verdadera lumbre de fe, hubieron centella luciente de la razón natural; la cual siguiendo como guiadora, dijeron muchas cosas notables en sustancia y compuestas en muy dulce estilo» [28].

La razón natural aparece en este caso por debajo de la fe, y en estos antiguos la «sustancia» se considera expresada en el «dulce estilo» reuniendo así ciencia y hermosura.

De una manera u otra, la autoridad es la base de un conocimiento que se transmite y ordena, y que se aplica en cada caso como confirmación a través de la verdad revelada por Dios o asegurada por la razón de los antiguos.

b) *El evemerismo.*—La mitología de los gentiles antiguos, expuesta en forma doctrinal o a través de referencias ocasionales, pudo haber sido un obstáculo para el escritor cristiano, en los primeros siglos por la cercanía de las creencias paganas y su persistencia, y después por cuanto representaba un fondo de leyendas cuyo sentido moral pudiera rechazarse. Sin embargo, esto se salvó atribuyéndoles un sentido diferente del original, a través de una interpretación que se conoció con el nombre de *everismo*. Un autor griego, Evémero [29] (alrededor del 300

---

[28] Alfonso de Cartagena, Prohemio de la traducción del *De senectute* de Cicerón [1422], Sevilla, J. Pegnicer y Magno Erbst, 1501.

[29] En latín Euhemerus; véase información y bibliografía en Jean Seznec, *The survival of the Pagan Gods* [*La Survivance des dieux antiques*, 1940], New York, Panteon Books, 1953; si bien la obra se refiere a la tradición mitológica y a su lugar en el humanismo y el arte del Renacimiento, se ocupa de la persistencia del concepto en la Edad Media (págs. 11-20 y otros lugares).

a. J. C.), había dicho que los dioses antiguos eran el recuerdo que quedaba de hombres reales que habían realizado grandes hechos en beneficio de los suyos, y a los que sus descendientes habían glorificado convirtiéndolos en dioses. Aunque la obra en que este autor exponía sus opiniones se perdió, y también su traducción latina, son abundantes las referencias a la misma, y Cicerón y Plutarco la rechazaron por impía y absurda. La deificación de los héroes como dioses fue admitida en algunos casos y, a través de la obra de San Agustín y de San Isidoro, pasó a los autores medievales como una idea común que despojaba a la mitología de cualquier trascendencia de orden religioso; y esto permitió que la fabulación mitológica, tan intrincada y sugeridora, se interpretase en un sentido de enseñanza moral. Un testimonio de esta interpretación nos lo ofrece el Rey Alfonso X: «Deos decimos otrosí en latín por los dioses de los gentiles, que ni son dioses ni lo fueron, mas que hallamos que fueron hombres buenos, poderosos y más sabios que los otros al su tiempo» [30]. No obstante, no faltaron autores que declararon razones contrarias a la difusión de los libros de los gentiles, sobre todo mitológicos, por lo que dijo San Isidoro de que servían de excitación para mentes libidinosas. El conocimiento de los dioses y otras criaturas de ficción de la Mitología antigua fue creciendo cada vez más; y, sobrepasando esta interpretación y a su amparo, se fue abriendo camino su incorporación a la poesía por su aprovechamiento alegórico y, finalmente, como recurso poético con un sentido de belleza propia.

c) *El anacronismo.*—La otra característica que los autores medievales dieron a la «materia» literaria de la antigüedad, fue que la interpretaron como si correspondiese a hechos ocurridos en un medio semejante al de sus tiempos contemporáneos; no hubo esfuerzo intelectual por separar la noticia antigua de la circunstancia del oyente o lector de la obra, situado en la Edad Media, y comprender que pertenecía a un género de vida distinto. Por eso ocurrió que los datos que procedían de la lite-

---

[30] Alfonso X el Sabio, *General Estoria*, edición citada, I, págs. 409-606.

ratura de los antiguos se usaron como información o para su aprovechamiento argumental; a lo más por su sentido decorativo, válido para alegorías, y no por un valor poético radical. El entendimiento de la literatura antigua era, pues, fundamentalmente anacrónico, y así todo venía a quedar evocado en un mismo plano histórico de presente, sin profundidad temporal. En términos generales puede decirse que una labor de inteligencia histórica, para que el sentido del pasado de la Antigüedad quedase restablecido como algo diferente de los tiempos modernos, fue una progresión lenta hasta que al fin se convirtió en nota distintiva de un nuevo período. Pero esto tampoco impidió en algún caso que la herencia de la antigüedad fuese interpretada como un signo poético total. El anacronismo actuó así como un hábito mental que confunde y unifica la perspectiva histórica, pero que en compensación permite una reanimación más viva del pasado en función del presente; de este modo un gran número de figuras y situaciones del pasado penetra en los libros medievales: Alejandro, en el poema clerical que se le dedicó, aparece acompañado de los doce Pares y recibe la orden de la caballería; Aristóteles se comporta como un doctor medieval, y enseña a su discípulo las Artes triviales y cuadriviales, etcétera.

AUTORES ANTIGUOS PREFERIDOS
DE LOS ESCRITORES MEDIEVALES

Del conjunto de los autores antiguos, algunos se sitúan en un primer rango [31], tanto por la abundancia de la mención de sus nombres, como porque puede comprobarse el influjo de sus obras de un modo evidente; son en este sentido los «favoritos» [31]

---

[31] No sería exacto referirnos a los «clásicos» de la Edad Media. El término «clásico» (lat. «classicus») se incorporó en fecha tardía a la terminología literaria, procedente del lenguaje social; lo emplea Aulo Gelio (_classis_ >_classicus_ 'ciudadanos de primera clase'); por analogía, 'el escritor modelo que sirve de guía en la adopción de un criterio gramatical de corrección lingüística'. Es tardío también en español, pues COROMINAS (_Diccionario crítico etimológico_, edición citada, I, pág. 817, s.v. _clase_) lo anota por vez primera en _La Dorotea_ de Lope, 1632.

que se manifiestan como los preferidos en la Edad Media. En primer término se colocan Ovidio y Virgilio, seguidos de un grupo más numeroso entre los que se hallan Séneca, Horacio, Esopo, Terencio, Plauto, etc.

La cita de los autores antiguos y los efectos de sus obras en la literatura medieval dependían en gran parte del grupo genérico a que pertenecían y del público a que iban destinadas. Lo más frecuente era que se considerase a estos autores como filósofos más que como poetas; la difusión de las *Sumas,* a las que me refiero en el próximo párrafo, contribuyó a este efecto [32].

Una difusión de esta naturaleza ocurrió sobre todo con los autores griegos, más alejados por la dificultad de su lengua original y ya desmenuzados por los escritores latinos. Así pasó con Homero, Platón, Aristóteles, Esopo y Sócrates [33]. Homero [34]

---

[32] Una exploración de estas versiones se halla en Bertold Louis Ullman, *Classical Authors in mediaeval Florilegia*, «Classical Philology», en varios artículos desde XXIII, 1928, a XXVII, 1932.

[33] Puede verse una información general en el estudio de José Antonio Maravall, *La estimación de Sócrates y de los sabios clásicos en la Edad Media española* [1957], en *Estudios de historia del pensamiento español. Edad Media,* edición citada, págs. 275-343. Se encuentran datos sobre Aristóteles en Peter E. Russell y A. R. D. Padgen, *Nueva luz sobre una versión española cuatrocentista de la Ética a Nicómaco...,* «Homenaje a Guillermo Guastavini, obra citada, págs. 125-146.

[34] Agapito Rey y Antonio García Solalinde, *Ensayo de una bibliografía de las leyendas troyanas en la literatura española,* Bloomington, Indiana University, 1942; añádase la *Historia troyana,* edición de Kelvin Parker, Santiago, CSIC, 1975; y Evaristo Correa Calderón, *Reminiscencias homéricas en el «Poema de Fernán González»,* «Homenaje a Menéndez Pidal», IV, 1953, págs. 359-389. Sobre el tema de Ulises, y su interpretación en la Edad Media como ejemplo de prudencia, paciencia y fortaleza, puede consultarse el libro de información general de William B. Stanford, *The Ulysses theme,* New York, Barnes y Nohle, 1968, 2.ª edición. La obra de Guido delle Colonne se ha publicado en edición crítica por Nathaniel E. Griffin, Guido de Columnis, *Historia Destructionis Troiae,* Cambridge, Mass., The Mediaeval Academy of America, 1936; Benoît de Sainte-Maure, *Le Roman de Troie,* edición de L. Constans, París, Didot, 1904-1912, en seis volúmenes. Existe buena información de carácter general en la obra de Charles Vellay, *Les légendes du cycle troyan,* Mónaco, 1957, 2 tomos. Sobre versiones: Alfred

obtuvo la consideración de «gran sabio varón», entendido en todas las artes, y la historia y la epopeya de Troya se fundieron en una «materia troyana» que corrió sobre todo en la versión de la *Historia Troyana*, atribuida a Dares y Dictis, extendida después por las obras de Benoît de Sainte-Maure y de Guido delle Colonne. Platón[35] fue tenido por filósofo de dulce expresión, asceta dominador de las pasiones, adivinador de virtudes cristianas; en cuanto a su función filosófica (y el correspondiente eco cultural), Platón y Aristóteles suelen presentarse, sobre todo desde la formulación de Ficino, como una pendulación de la Filosofía (y con ella de la cultura occidental) en que el *divino* Platón representa la tendencia ideal que reúne sabiduría con humanidad frente al *físico* Aristóteles, que apoya la tendencia naturalista; la cuestión es más compleja, sobre todo en cuanto al ritmo del conocimiento de ambos filósofos. Boecio representó una fuente inicial resumida para ambos en latín, y la Escuela de Chartres amplió su conocimiento. Aristóteles[36] penetró en el siglo XII por una vía directa desde el griego, y por la vía indirecta, a través de las filosofías árabe y judía, en la que los españoles intervinieron activamente. Junto a su función filosófica, Aristóteles tuvo fama literaria de gran disputador, maestro en el adiestramiento de la razón, pero de débil voluntad con las mujeres. Bajo el nombre de Esopo[37] se reunió una extensa materia fabulística.

MOREL-FATIO, *Les deux «Omero» castillans*, «Romania», XXV, 1896, páginas 111-120 (recogido después en *Études sur l'Espagne*, 4.ª serie, París, Champion, 1925, págs. 88-103); sobre la influencia de Dares y Dictis en la literatura medieval europea: Nathaniel E. GRIFFIN, *Dares and Dictys: an introduction to modern versions of the story of Troy*, Baltimore, J. H. Furst, 1907.

[35] Sobre Platón y su interpretación y conocimiento en la Edad Media, véase Eugenio GARIN, *Studi sul Platonismo medievale*, Florencia, Le Monnier, 1958.

[36] La cuestión es muy compleja, y se hallará información en los mencionados estudios de Edgar de BRUYNE, *Estudios de estética medieval* (por las repercusiones literarias), y en las bibliografías sobre la Filosofía de la Edad Media.

[37] George C. KEIDEL, *A Manual of Aesopic Fable* [1896], New York, Burt

Al referirnos a la literatura latina antigua, hay que contar con que entre ella y la vernácula española se encuentra la latina medieval, y que ésta ha actuado como filtro y orientación del posible influjo, preseleccionando a los autores de acuerdo con criterios que encontramos, en parte, en la literatura vernácula de sentido culto. De esta manera ocurrió que el prestigio de Virgilio creció sobre todo en los siglos VIII, IX y X, seguido después por el de Ovidio, que se desarrolla, en forma cada vez más pujante, a partir del siglo X, época del desarrollo de la poesía de los trovadores. A fines del siglo XI se había vencido el recelo que pudiera haber existido hacia Ovidio, sobre todo por razones de moralidad, y la interpretación alegórica se aplica intensamente a las *Metamorfosis* en numerosos episodios de la obra, resultando ser así uno de los libros más difundidos en la tardía Edad Media.

A Virgilio [38] se le consideró como autor magistral, sobre todo por gramáticos y retóricos, y sus obras sirvieron como modelo en la más común teoría medieval de los estilos, según después indicaré. Otros comentaristas quisieron hallar en sus obras anuncios de la venida de Cristo (Égloga IV); el pueblo, por su parte, creó un Virgilio sabio, conocedor de la magia y descifrador de oscuros misterios; su prestigio se ligó, por la *Divina Comedia*, con el de Dante. La *Eneida* obtuvo la consideración de un relato de aventuras, en el que los viajes y hazañas del héroe resultaron

---

Franklin, 1972 (1.er fascículo; bibliografía general) (orígenes-1500); del mismo, con respecto a España, *Notes on Aesopic literature in Spain and Portugal during the Middle Ages*, «Zeitschrift für Romanische Philologie», XXV, 1901, págs. 720-730.

[38] Información general en la obra de Domenico COMPARETTI, *Virgilio nel Medio Evo*, edición de Giorgio PASQUALI, Florencia, La Nuova Italia, 1937-1941, 2 tomos. Considerando que Dido debe a Virgilio su fama literaria, puede leerse (con referencias generales a todas las épocas), María Rosa LIDA, *Dido y su defensa en la literatura española*, «Nueva Revista de Filología Hispánica», IV, 1942, págs. 209-252 y 312-382. Aunque el autor lo estudia en relación con Cervantes, hay algunos datos en Rudolph SCHEVILL, *Virgil's Aeneid (Persiles y Sigismunda, III. Studies in Cervantes)*, New Haven, «Conneticut Academy of Arts and Sciences. Transactions», 1908, páginas 475-548.

provechosos para los autores de los libros de caballerías; la parte de los amores (sobre todo el episodio de Dido y Eneas) sugirió rasgos sicológicos y situaciones para los relatos de las obras de ficción sentimental de fines de la Edad Media. El Marqués de Santillana escribió a su hijo don Pedro González de Mendoza que él había hecho pasar la *Eneida* a la lengua vulgar, y que con esta obra había tomado deleite. Hernán Núñez de Toledo, en sus comentarios a las *Trescientas* de Juan de Mena, señaló en fecha temprana (1499) la relación de este autor con Virgilio, que se encuentra también en otras obras. Virgilio, considerado como caballero, aparece también en el Romancero. En la transición al Renacimiento se encuentra la versión que Juan del Encina realizó de las *Bucólicas*, donde persisten abundantes rasgos de la interpretación del Virgilio medieval [39].

Ovidio [40] resultó el otro gran favorito de los autores medievales: sus obras fueron fuente muy abundante de argumentos, y lo más conocido de los relatos mitológicos de la Antigüedad procede de sus libros. Las *Metamorfosis* han de ser consideradas como una monumental enciclopedia que sirvió de guía informativa sobre los mitos de la gentilidad. En este libro los mitos se hallan expuestos en forma que pueden consi-

---

[39] La traducción es una paráfrasis en la que Encina dio énfasis al sentido dramático del diálogo; y aunque el libre modo de tratar la obra antigua es de sentido medieval, la delicada sensibilidad con que está interpretado el contenido poético es indicio de una nueva consideración de los antiguos, ya de orden renacentista. Por una parte reconoce que será forzado algunas veces «de impropiar las palabras, y acrecentar o menguar según hiciere a mi caso...». Pero, por otra parte, escribe: «mas en cuanto yo pudiere y mi saber alcanzare, siempre procuraré seguir la letra...» (Folio XXXI vuelto de la edición facsímil *Cancionero de Juan del Encina* [1496], Madrid, Real Academia Española, 1928).

[40] Salvatore BATTAGLIA, *La tradizione di Ovidio nel Medioevo* [1959], en *La coscienza letteraria del Medioevo*, Nápoles, Liguori, 1965, págs. 23-50; para España véase Rudolph SCHEVILL, *Ovid and the Renaissance in Spain*, «Publications in Modern Philology», IV, Universidad de California, 1913, páginas 1-268 (reproducido en New York, Hildesheim, 1971); como indica el título, el propósito fundamental de este estudio se refiere al influjo que Ovidio tuvo en los Siglos de Oro, y sólo dedica a la Edad Media la parte I (págs. 6-86).

derarse relatos legendarios; y sobre todo representó una formulación unificada del contenido de la mitología, cuya variedad
era muy grande, con versiones a veces diferentes y contradic-
torias. La mitología quedó establecida en versiones definitivas,
y así su obra se difundió no sólo en los argumentos enteros,
sino en diversas piezas de expresión, reconocidas por todos.
De esta manera resultó más sencilla su adaptación al espíritu
medieval, y fue más fácil lograr una interpretación «moral» de
las mismas. Se llamó a esta obra el Ovidio mayor o Biblia de
los gentiles y sus refundiciones pusieron en circulación una
«materia ovidiana» muy sabida. En España Alfonso X utilizó la
epístola VII de las *Heroidas* como fuente histórica de la *Crónica
General* [41]; hay reminiscencias en el *Poema de Alexandre*, y, a
través de paráfrasis, en Juan Ruiz. Otra causa de su difusión
fue que estableció para los autores medievales los principios de
un esquema sicológico del «amor-pasión» que, coincidiendo con
el lirismo cortés, sirvió a los poetas del arte cancioneril y a los
autores de libros sentimentales. Esta parte de su influjo procede
de las obras *Ars amatoria* y *Heroidas;* el *Arte de amar* [42] inspiró
las manifestaciones del amor en la Edad Media, pues en Ovidio,
según Juan Ruiz, se hallan «muchas buenas maneras para enamorado»; y las *Heroidas* [43], o cartas de amor de ilustres deses-
peradas, sirvieron para formular el esquema sicológico de la
mujer enamorada. Ovidio ofrecía así un cuadro de situaciones
amorosas y un juego sicológico para los personajes de los libros
sentimentales. Los poetas cancioneriles de los siglos XIV y XV

---

[41] R. Schevill comenta y publica esta relación en el trabajo mencionado en la nota anterior, págs. 251-262.

[42] Véase el capítulo sobre la inspiración ovidiana en el libro de Félix
Lecoy, *Recherches sur le «Libro de Buen Amor»* [1938], Richmond, Gregg
International, 1974, págs. 289-327; y las indicaciones sobre Ovidio en María
Rosa Lida, *Juan Ruiz* [...] *y estudios críticos*, obra citada, índice.

[43] Véase la traducción española de Ovidio, *Heroidas*, México, Imprenta
Universitaria, 1950; el prólogo introductorio, con el título de *Las «Heroidas»
de Ovidio y su huella en las letras españolas*, de Antonio Alatorre, contiene referencias sobre la fortuna de este libro de Ovidio en la Edad
Media (págs. 28-34), y sobre su influencia (págs. 47-58).

lo citan con frecuencia, e incluso su fama legendaria[44] llega hasta el Romancero. Horacio[45] aparece con menos intensidad, pues sus rasgos estilísticos resultan más difíciles de recoger, si bien sus libros de teoría poética también se conocieron.

Dentro del campo de los influjos latinos hay que mencionar a un autor hispanorromano, Séneca[46], cuyo conocimiento y función fueron muy importantes en la Europa medieval. La doctrina de Séneca, considerándola obra de un filósofo muy sabio, se apreció como inmediata al Cristianismo, y llegó a creerse que tuvo relación directa con los cristianos: Alfonso X refiere la amistad y correspondencia entre San Pablo y Séneca. Esta doctrina, constituida por consejos sobre la conducta del hombre y sus relaciones, dentro de la norma de un estoicismo en el que se confunde el «beneficio» con la caridad, pasó a los libros como la más completa exposición de la vida espiritual de un antiguo que podía imitarse. En el siglo xv fue traducido, y su influjo y fama dejan huella abundante. Cualquiera que sea la postura que se adopte frente a la discutida hispanidad de Séneca, del minucioso estudio de Blüher se deduce que este autor estuvo siempre en una primera línea entre los españoles, y que su influencia fue importante entre los escritores del período medieval; Mena lo llama «nuestro Séneca», y con esto subraya su con-

---

[44] Fausto GHISALBERTI, *Mediaeval Biographies of Ovid*, «Journal of the Wartburg and Courtauld Institutes», IX, 1946, págs. 10-59.

[45] Angelo MONTEVERDI, *Orazio nel Medio Evo*, «Studi medievali», IX, 1936, págs. 162-180. De poco interés para la Edad Media española es el *Horacio en España* de Marcelino MENÉNDEZ PELAYO (tomos XLVII-XLIX de las *OC*). Algo sobre este tema apunta María Rosa LIDA en *Horacio en la literatura mundial* [1940], en *La tradición clásica en España*, obra citada, páginas 253-267, comentario de *Orazio nella letteratura mondiale*, Roma, Istituto di Studi Romani, 1936, con escasos datos sobre España.

[46] Karl A. BLÜHER, *Seneca in Spanien*, Munich, Francke Verlag, 1969; estudia la parte medieval en las págs. 11-175; negó importancia al influjo A. CASTRO, que defiende que el senequismo no dio origen en España a ninguna manifestación original (*La realidad histórica de España*, obra citada, pág. 550); C. SÁNCHEZ-ALBORNOZ cree en la función de este influjo, al caracterizar lo hispánico de los hispanorromanos (*España, un enigma histórico*, obra citada, I, págs. 12-130), y lo extiende a otros autores: Lucano, Marcial, Prudencio, etc.

dición de hispanorromano y al mismo tiempo un género de doctrina que los españoles de la época sintieron como propia [47].

Las obras de Plauto y Terencio representaron un modelo de comedia antigua que pudieron conocer los autores cultos del teatro medieval [48].

Independientemente de la obra que escribieron como autores religiosos, fue importante por lo que tuvo de cauce y de adaptación la función mediadora de los Padres de la Iglesia (Orígenes, Clemente, San Jerónimo, San Agustín, etc.), colocados en la transición entre el mundo antiguo y el naciente medieval, que está fuera de la consideración de este libro. San Isidoro será mencionado más adelante como el autor hispanovisigodo que mejor representa este grupo en nuestro dominio cultural.

LAS «SUMAS» Y SU FUNCIÓN
EN LA LITERATURA MEDIEVAL

En muchas ocasiones no existe una relación directa entre la obra procedente de la literatura antigua y los escritores medievales. Los cauces de comunicación reúnen a veces el fondo antiguo y la obra sucesiva de los escritores cristianos constituyendo unos libros peculiares del período medieval: son las *Summae* o colecciones de fragmentos procedentes del desmenuzamiento de otras obras en máximas, dichos, consejos, avisos, etc., llamadas también *Flores, Florestas,* etc. En estas colecciones se mezclan obras profanas y obras religiosas, referentes unas a la vida del mundo presente o secular, y otras, que preparan la salvación en el mundo futuro, después de la muerte. Las citas reuni-

---

[47] Puede hallarse más información sobre estas influencias entre los autores mencionados, y otros más, y los autores romances, en los párrafos correspondientes de las *Bibliografías* de H. SERÍS, I, págs. 39-40 y 676-680; y de J. SIMÓN DÍAZ, I, págs. 562-564 y 589-593.

[48] Raymond L. GRISMER, *The influence of Plautus in Spain before Lope de Vega*, New York, Hispanic Institute, 1944; Edwin J. WEBBER, *The literary reputation of Terence and Plautus in medieval and pre-renaissance Spain*, «Hispanic Review», XXIV, 1956, págs. 191-206.

das poseen autoridad magistral, y se juntan en estas obras antiguos y modernos (esto es, medievales), religiosos y profanos, en
el común servicio de la ilustración del hombre. Así ocurre que
Salomón, Job e Isaías se mencionan junto a Sócrates, Séneca
y Catón; los antiguos cristianos San Agustín y San Jerónimo
alternan con los modernos tratadistas medievales, como Albertano de Brescia, por ejemplo. De esta manera, estas *Sumas,* aun
contando con el fondo religioso que contienen, valen también
como tratados de una doctrina que perfila cada vez más sus
límites humanos. Esta doctrina moral, apoyada por autoridades
de gentiles (ignorantes de la trascendencia del alma cristiana),
a veces con noticias de pensadores árabes (de otra religión),
constituye un fondo que puede trasvasarse a otras obras, y
difunde un sentido *humanístico* aún confuso, pero que es de
gran provecho para la literatura vernácula en su período inicial,
en que la corriente sentenciosa se abre camino en la prosa
y en el verso. Esto ocurre con las *Sumas* que adoptan los títulos
generales de *Moralium Dogma Philosophorum* y *Libri senten-
tiarum* u otros parecidos, amasijo casi siempre revuelto de fragmentos de filósofos antiguos y medievales, a veces sin atribución
de autor, muy corrientes en las escuelas y universidades para
aprender y ejercitarse en el latín, y obtener al mismo tiempo
una formación espiritual a la medida de la época. Tales exposiciones, fragmentos o resúmenes de tratados doctrinales adoptan la forma de sentencias, aforismos, proverbios y adagios, y
son breves enunciados objetivos, con sentido completo en cada
pieza y con tendencias estilísticas hacia la expresión apretada
y densa. Lo más frecuente fue que los seleccionadores escogiesen
los trozos de autores antiguos que quedaban más cerca del pensamiento cristiano (los estoicos, y, sobre todo, Séneca)[49]. Estas

---

[49] Como, por ejemplo, el *Liber de vita et moribus philosophorum,*
escrito por Walter Burleigh (Gualterius Burlaeus, muerto en 1343), edición
de H. Kunst, Stuttgart, 1886. Menciona entre otros a Cicerón, Virgilio, Horacio, Ovidio, Séneca, Catón, Quintiliano, etc. Una exploración de estas
versiones se halla en B. L. Ullman, *Classical Authors in medieval Florilegia,* en los varios artículos mencionados en la nota 32 de este mismo
capítulo. Se discute si pudo haber relación directa con los textos de los

colecciones, entre las cuales figuran las sentencias en verso y en prosa atribuidas a Catón, tuvieron gran favor hasta fines de la Edad Media y aun penetran en el Renacimiento, como lo prueba la impresión de algunos libros con estos contenidos [50]. Los dísticos latinos que se colocaban bajo la autoría de Catón se tradujeron al castellano y se glosaron en varias ocasiones hasta el punto de popularizar el nombre del autor latino, ligado ya para siempre a esta intención, propia de la Edad Media, de enseñar en breves fórmulas. De esta manera encontramos que estas sentencias se reúnen con los *Proverbios* (en relación con la literatura religiosa) y con los refranes (forma popular) constituyendo una base inicial para la literatura vernácula, y una vía confusa pero de grandes efectos para llegar a la Antigüedad y a los pensadores medievales.

---

autores; para el siglo xv, en el caso de Clemente SÁNCHEZ DE VERCIAL, autor de *El libro de los exenplos por a.b.c.* John E. KELLER, en *The Question of primary Sources*, en *Classical, Mediaeval and Renaissance Studies in honor of Berthold L. Ullman*, II, Roma, Edizioni di Storia e Letteratura, 1964, págs. 285-292, cree que debe abrirse un mayor crédito a una posible consulta de los textos accesibles de los autores antiguos y, en consecuencia, a una relación más inmediata con los mismos.

[50] Antonio PÉREZ GÓMEZ, *Versiones castellanas del Pseudo Catón*, notas de la edición facsímil de *El Catón en latín y en romance* de Gonzalo GARCÍA DE SANTA MARÍA [1493-4], Valencia, «la fonte que mana y corre», 1954.

CAPÍTULO V

POÉTICA, RETÓRICA, TÓPICA Y TEMÁTICA MEDIEVALES

LA POÉTICA Y RETÓRICA ANTIGUAS Y MEDIEVALES

La teoría que había guiado la formulación y realización del arte literario en la Antigüedad pasó, convenientemente adaptada, a la época medieval; esto ocurrió al mismo tiempo que, a través de las copias manuscritas, perduraba la obra que se había escrito de acuerdo con dicha teoría. La Poética (en términos generales, señalando las bases de la constitución del hecho literario) y la Retórica (reuniendo en forma ordenada los formulismos expresivos caracterizadores de este hecho) constituyeron desde la época griega sistemas organizados de los recursos con que la lengua se perfeccionaba mediante el ejercicio de un arte que podía enseñarse y aprenderse para luego ser reconocido en la obra literaria; esta correspondencia entre teoría poética y realización de la obra representó el principio de la crítica literaria en Europa [1]. Las Poéticas, las Retóricas, las Artes de Poesía y los libros sobre la composición literaria cuyo fin era el cultivo artístico de la lengua latina, pasaron de la Antigüedad a la Edad Media, y fueron la base de las nuevas adaptaciones

---

[1] Planteamiento de conjunto sobre el campo románico en Paul ZUM-THOR, *Rhétorique et poétique latines et romanes*, en *GRLMA*, I, 1970, páginas 57-91; bibliografía en las págs. 658-659.

que sirvieron fundamentalmente para tres cometidos, encauzados por los «géneros» o corrientes retóricas de la Edad Media[2]: el *Ars poetriae*, el *Ars dictaminis* y el *Ars praedicandi*, o sea el arte de la poesía, el destinado a escribir las cartas, y el que toca a la predicación; respectivamente iban orientados a la composición literaria (sobre todo, en verso), a la labor de las Cancillerías y a cuanto podía comunicarse por cartas (pequeños tratados, etc.), y a la formación de los «oradores» para la comunidad cristiana, que recogía la tradición escrituraria judía. Según J. J. Murphy el proceso de cada modalidad se desarrolló a través de una serie de pasos: «identificación de la fuente de origen (Cicerón o Donato); adaptación inicial sin abandono de la fuente; después, establecimiento de la modalidad con conocimiento pero poco uso de la fuente; luego, apartamiento total de la fuente; más tarde, cruce entre los tratados análogos; seguida, por fin, de una reiterada repetición y decadencia»[3]. Cada arte estableció un sistema retórico, de carácter fundamentalmente preceptivo, que buscaba el alto grado de una elocuencia, signo de la dignidad formal y estética de la obra. Hay que subrayar, sobre todo, el valor educativo que tuvo esta disciplina artística de la lengua, y que sirvió, desde la enseñanza de las primeras letras, para preparar la formación del gusto en los hombres cultos de Europa sobre unos principios artísticos comunes, en particular en la Romanidad y, por tanto, en España. Escribe P. Zumthor: «La forma, bella y buena, del lenguaje, fundada en la retórica, ennoblece y exalta al hombre entero (orador y oyente) como si las relaciones a que daba lugar, ejercieran un efecto sobre el mismo contenido, cribando la significación y no dejando pasar sino la parte más digna de considerarse. Pese al efecto mecánico que su uso adopta en los escritores mediocres, la retórica se funda en la fuerza primordial de la palabra, que pretende poner

---

[2] En el campo medieval, véase James J. Murphy, *Rhetoric in the Middle Ages: a History of rhetorical Theory from Saint Augustine to the Renaissance*, Berkeley, University of California Press, 1974; del mismo, *Mediaeval Rhetoric: a select Bibliography*, Toronto, University Press, 1971.
[3] Ídem, *Rhetoric in the Middle Ages...*, págs. 362-363.

un orden en las cosas»[4]. Si esto fue así para la lengua común de la literatura medieval, el latín, resultó que cuando los hablantes de las lenguas vernáculas juzgaron que podía aplicarse a ellas un arte consciente, que las elevase en el mismo sentido que el latín, una análoga teoría literaria se aplicó con igual fin, realizando las convenientes adaptaciones. Esta intención se llevó a cabo en confluencia con los procedimientos artísticos que en las propias lenguas se habían creado para señalar el uso poético de las mismas, procedentes de los convencionalismos y fórmulas reconocidos por el público a través de una tradición. La aplicación de la teoría literaria de origen culto[5] fue creciendo a medida que los autores demostraron una más acusada conciencia de la creación poética, y fue una de las causas del enriquecimiento de la literatura medieval. Las obras de teoría literaria se encuentran en las bibliotecas de la España medieval, y su contenido fue conocido y tenido en cuenta por los escritores de obras literarias en lengua vernácula[6].

El proceso desde la Retórica antigua a las Artes medievales, establecido según indiqué antes, tuvo como punto de partida unas obras básicas; sobre todo destacan en relación con la Edad Media los tratados *De inventione* y *Topica* de Cicerón, y también el *De oratore*, de importancia en el fin del período. Estos libros recogían las ideas de Aristóteles sobre la oratoria en relación con la filosofía y la lógica, y formulaban los principios ciceronianos. La *Rhetorica ad Herennium*, atribuida a Cicerón, establece una teoría del estilo y una exposición amplia de los tropos.

---

[4] P. Zumthor, *Rhétorique et poétique...*, artículo citado, pág. 62.

[5] Véase Heinrich Lausberg, *Manual de retórica literaria* [1960], Madrid, Gredos, 1966, en tres volúmenes. Se trata de la exposición sistemática más completa sobre el asunto, si bien referida principalmente a la situación de la antigüedad; existe una versión reducida, útil para los estudiantes, *Elementos de retórica literaria* [1963], Madrid, Gredos, 1974. En cuanto al paso entre la retórica y la interpretación literaria, véase Wolfgang Babilas, *Tradition und Interpretation*, Munich, Max Hueber, 1961.

[6] Véase el libro de Charles Faulhaber, *Latin Rhetorical Theory in Thirteenth and Fourteenth Century Castile*, Berkeley, University of California Press, 1972; y el importante complemento del mismo autor, *Retóricas clásicas y medievales en bibliotecas castellanas*, «Ábaco», 4, 1973, págs. 151-300.

La *Institutio oratoria* de Quintiliano traza una imagen del orador completo, su educación y el uso de la retórica para sus fines. El *Ars poetica* de Horacio y el *Ars minor* y el *Ars maior* de Elio Donato completan el cuadro antiguo de las fuentes básicas. Desde San Agustín hasta el año 1050 existe un período de adaptación, seguido por el gran desarrollo de la retórica medieval, cuyo límite establece J. J. Murphy en 1416, cuando se descubre por parte de Poggio Bracciolini (o Florentinus) un ejemplar, con un texto más satisfactorio, de la *Institutio oratoria* de Quintiliano, y otro tanto ocurre con un manuscrito ciceroniano, que, entre otras obras retóricas, contenía un texto completo del tratado *De oratore*, descubrimiento realizado por Gerardo Landriani.

Estos libros estaban destinados originalmente al cultivo de la palabra hablada, u oratoria, y Alonso de Cartagena, autor de la primera traducción castellana del *De inventione* (Libro I), hacia 1422, identificó al orador antiguo con lo que más se le parecía en su tiempo; después de reconocer que, en principio, la función de la Retórica «consiste en dar doctrinas especiales para escribir o hablar o trasmudar u ordenar las palabras», señala que «se ocupa en enseñar cómo deben persuadir y atraer a los jueces en los pleitos y otras contiendas y a las otras personas, en otros hechos, cuando acaecen», y acaba diciendo que «el oficio que entre nos tienen los juristas que llamamos abogados, ése era principalmente el de los retóricos antiguos» [7]. Cartagena registra en este caso la función profesional de los letrados, señalada en el capítulo anterior, que en la última época de la Edad Media aplican sus conocimientos retóricos tanto en su ejercicio como juristas cuanto para afirmar la obra literaria en cualquiera de sus aspectos.

La Poética y la Retórica se entendieron de manera complementaria, junto a la Gramática, y se reunían con el fin de establecer los comentarios sobre los autores latinos, conservando

---

[7] Alfonso de CARTAGENA, *La Rethórica de M. Tullio Cicerón*, edición de Rosalba MASCAGNA, Nápoles, Università di Napoli, 1969, págs. 32-33.

así el valor pedagógico de los antiguos[8]. En España San Isidoro compiló el sentido de estos libros en breves fórmulas, muy útiles en tiempos en que el saber se prefería en *Sumas*. Por haber florecido en la época en que la lengua vulgar comienza a adquirir el carácter literario, hay que señalar la función que en este dominio realizó el Renacimiento francés de los siglos XI al XIII[9]. En estos siglos la vida política de los Reinos españoles fue muy movida, tanto en guerras interiores como en la lucha secular contra los árabes, pero no dejó por eso de llegar la influencia de la clase clerical europea, con sus efectos, sobre la literatura. Por eso son importantes las obras de índole retórica de Godofredo de Vinsauf, Hugo de San Víctor, Juan de Salisbury, Vicente de Beauvais, Brunetto Latini, Mateo de Vendôme, Eberardo el alemán, Juan de Garlande, Alano de Lille, Buoncompagno de Bolonia, Guido Faba y otros[10]. Estos autores rehicieron las viejas teorías y prácticas de la Retórica y les dieron una forma más acorde con el gusto de los tiempos[11] y con los fines concretos que he indicado, resultando con ello un beneficio para la literatura contemporánea. Así, por citar un ejemplo, la «descripción» de las retóricas antiguas resulta en extremo realzada en las nuevas hasta convertirse en uno de sus elementos fundamentales. La literatura medieval corrobora con numerosos ejemplos esta preferencia de la retórica, expuesta en teoría en las Artes, y los casos de descripción abundan en las literaturas europeas

---

[8] Información fundamental en Charles S. BALDWIN, *Medieval Rhetoric and Poetic (to 1400)* [1928], Gloucester, Mass., Peter Smith, 1959.

[9] Ya me referí en el capítulo anterior a la importancia pedagógica de este Renacimiento; véase también la obra de J. DE GHELLINCK, *L'Essor de la Littérature Latine au XIIe siècle* [1946], Bruselas-Brujas, 1954. Hay datos abundantes en el libro de P. RENUCCI, *L'aventure de l'Humanisme européen au Moyen Âge*, antes citado.

[10] Resulta básica la obra de Edmond FARAL, *Les Arts poétiques du XIIe et du XIIIe siècle* [1923], París, H. Champion, 1962.

[11] Ernst GALLO, *The Poetria nova and its sources in early rhetorical Doctrine*, The Hague-Paris, Mouton, 1971, estudiando la organización de esta Poética, establece la relación entre la obra de Godofredo de Vinsauf y sus fuentes antiguas, así como también publica el texto latino con versión inglesa.

y, como era de esperar, en la española [12]. Otro tanto ocurre con la alegoría [13], que de ser un procedimiento accesorio en la Retórica antigua, se convierte en una de las modalidades básicas de la expresión del pensamiento en Europa, y así se encuentra en la literatura española. La comparación ha sido objeto de un estudio especial de K. Whinnom [14] en relación con el uso que de ella hicieron los poetas religiosos de fines de la Edad Media, y a través del mismo llega a la conclusión siguiente: «Tal vez ningún predicador mendicante se salve del todo de alguna formación retórica, pero sí se puede afirmar que, cuando utiliza recursos retóricos, su propósito no es nunca puramente estético», y señala la finalidad de este uso: «Las emociones que trata de despertar la predicación franciscana son la ternura, el espanto, el amor, la compasión, la alegría, y estas emociones triunfan sobre el decoro» [15]. De esta manera, pues, los distintos elementos retóricos refuerzan determinados sentidos de la creación poética, adaptando sus diversas modalidades a la intención del poeta y del género, y también de la ocasión [16].

El hecho fue que estos libros de la teoría y práctica poéticas valieron para la educación literaria de la sociedad en la que vivían autores y lectores de las obras escritas con arte en las literaturas vernáculas de Occidente; tales tratados, en último

---

[12] Quise mostrar el efecto de estos esquemas en la estructura literaria de una obra en mi artículo *La retórica en las «Generaciones y semblanzas» de Fernán Pérez de Guzmán,* «Revista de Filología Española», XXX, 1946, págs. 329-330, en especial en cuanto a la *descriptio;* Carlos CLAVERÍA, *Notas sobre la caracterización de la personalidad en «Generaciones y semblanzas»,* «Anales de la Universidad de Murcia», X, 1951-2, págs. 481-526, cree que la clave está en los sistemas medievales de virtudes.

[13] Véase más adelante la bibliografía del estudio de la alegoría, páginas 217-220.

[14] Keith WHINNOM, *El origen de las comparaciones religiosas del Siglo de Oro: Mendoza, Montesinos y Román,* «Revista de Filología Española», XLVI, 1963, págs. 263-285. La cita, en la pág. 281.

[15] Ídem, pág. 284.

[16] Véase, para el período final de la Edad Media, Karl KOHUT, *Las teorías literarias en España y Portugal durante los siglos XV y XVI,* Madrid, CSIC, 1973.

término, no fueron sino la sistematización de los principios y de las técnicas artísticas presentes en las obras de las nuevas literaturas. No hay que olvidar que el *trivium* se componía de retórica, gramática y dialéctica. La sucesiva ampliación del mismo con el estudio de la Poética, la filosofía en el sentido moral y el conocimiento de la historia como ejemplo de vida, fue creando los *studia humanitatis;* la disciplina de las Humanidades que se desarrolla en el límite de la Edad Media y del Renacimiento se apoya, al menos inicialmente, en esta teoría literaria; la conciencia cada vez más acusada de la misma y su refinamiento, y el descubrimiento de los antiguos tratados es una de las causas por las que desde la clerecía se pasa al Humanismo, dentro del cual estas Humanidades literarias encuentran un cauce.

Desde el siglo XIII la literatura latina escrita según las formas y géneros de la Edad Media fue perdiendo fuerza creadora, en tanto crecían los estudios de las Humanidades en los círculos cultos europeos; así se mantuvo y aun aumentó el conocimiento de esta teoría literaria que resultaba ser, en cierto modo, común a ambas situaciones. La enseñanza del latín y el desarrollo de la literatura medieval y su comentario sobre la base de esta teoría literaria, resultaron un factor integrador de primer orden y de una gran eficacia. E. Faral, autor de libros fundamentales sobre este asunto, escribió: «por débiles que resulten en el aspecto de la teoría, estas doctrinas tienen una importancia histórica incuestionable. No han sido elucubraciones estériles. Los escritores las han utilizado, y cuando se conozcan mejor las repercusiones que han tenido estas teorías sobre las obras, la historia literaria habrá logrado un apreciable avance. Se tendrá uno de los resortes más importantes de la creación artística: el oficio al lado del genio —este oficio que en la Edad Media ha tenido como en ningún otro tiempo una tan gran importancia»[17].

---

[17] E. FARAL, *Les Arts poétiques du XIIe et du XIIIe siècle*, obra citada, pág. XVI.

LA TEORÍA DE LA POESÍA NUEVA
EN LAS LENGUAS VERNÁCULAS

Al lado de este desarrollo de una conciencia del arte literario medieval, procedente de los antiguos y de su renovación por los escritores latinos de la época, existió también la formulación de una teoría del arte nuevo, tocante sobre todo a la poesía provenzal y a la que se derivaba de su expansión europea. Las diferencias entre ambos sistemas se establecieron considerando que esta poesía era de índole «nueva» en relación con la antigua; esto constituía la aplicación del principio crítico del encuentro entre los antiguos y los modernos, uno de los conceptos más eficientes para el «progreso» de la literatura europea. El planteamiento fue sobre todo eficaz para asegurar la idea de que un autor moderno (que en este caso era el que se valía de la lengua vernácula ennoblecida por el arte) podía lograr una obra que compitiera con la antigua, y aun llegase a vencerla en el favor del público. El propósito de tales tratados era declarar los principios del arte tanto para los autores como para el público, que de esta manera disponía de una formulación de los objetivos poéticos. Así lo declaraba Juan del Encina, al fin de la Edad Media, en su *Arte de la poesía castellana*: «acordé de hacer un Arte de poesía castellana por donde se pueda mejor sentir lo bien o mal trovado; y para enseñar a trovar en nuestra lengua, si enseñar se puede» [18]. El Marqués de Santillana, después de haber manifestado las alabanzas de los autores antiguos, escribe: «Mas dejemos ya las historias antiguas por allegarnos más cerca de los nuestros tiempos» [19]; y a continua-

---

[18] Prólogo al Príncipe don Juan, folio II de la edición facsímil del *Cancionero de Juan del Encina*, 1496, edición citada.

[19] En la carta que sirvió de *Prohemio* a un manuscrito que con sus obras envió el Marqués al condestable don Pedro de Portugal. Puede verse lo que le dedica Rafael LAPESA en *La obra literaria del Marqués de Santillana*, Madrid, Ínsula, 1957, págs. 247-255. Fue editada en varias ocasiones, y anotada; así en las *Obras de Santillana*, edición de José AMADOR DE LOS

ción trata de los que según esta percepción histórica se presentan como «nuevos» (o sea de los provenzales, franceses, italianos y españoles).

En efecto, la poesía nueva se caracteriza por exponer una teoría literaria que le es propia, y esto se plantea inicialmente con la aparición de la literatura provenzal en el marco de la Europa occidental en los siglos XII y XIII. Más adelante me he de referir a esta literatura como a una de las que se relacionan sustancialmente con la española, y después trataré de la poesía que sigue esta línea en España. Aquí toca indicar sólo la base retórica de la misma, en cuanto que por ello se prestigiaba la obra poética; en efecto, Dante, en su *De vulgari eloquentia*, cuando indica las tres variedades de habla (francés, italiano y provenzal), de la última dice que «quod vulgares eloquentes in ea primitus poetati sunt tanquam in perfectiori dulciorique loquela, ut puta Petrus de Alvernia et alii antiquiores doctores» [20]; esto es, los vulgares elocuentes (que aplicaron la elocuencia a la lengua vernácula) escribieron en ella (la provenzal) considerándola como lengua más perfecta (perfección del arte) y más dulce, como ocurrió con Peire d'Alvernha (hacia 1149-1168) y otros antiguos doctores (esto es, un trovador se considera como doctor porque escribe con ciencia, retórica en este caso). La opinión de Dante muestra este prestigio de la Retórica, concebida como una *eloquentia* o arte de la palabra que se aplicaba a la lengua vulgar de Provenza, convertida así en poética. La rela-

---

Ríos, Madrid, Rodríguez, 1852; en el Apéndice III de la *Historia de las Ideas Estéticas en España* de Marcelino MENÉNDEZ PELAYO, tomo I de las *OC*; Luigi SORRENTO lo hizo en la «Revue Hispanique», LV, 1922, páginas 1-49, edición crítica por la que citaré (la mención en la pág. 27). Los términos que usan estos autores medievales para referirse a las diferentes piezas y concepciones de la retórica (y de la versificación implicada con ella), muchas veces en alusiones hechas de pasada, resultan confusos, y sujetos a diversa y controvertida explicación; no existe una codificación unitaria. Véase también Francis FERRIE, *Aspiraciones del humanismo español del siglo XV: Revalorización del Prohemio e Carta de Santillana*, «Revista de Filología Española», LVII, 1974-5, págs. 195-209.

[20] Dante ALIGHIERI, *Tutte le Opere*, edición de Fredi CHIAPELLI, Milán, U. Mursia, 1965, tratado *De vulgari eloquentia*, I, X, pág. 664.

ción que pudiera existir entre esta poética y retórica provenzales se plantea así en L. M. Paterson: «Al considerar la *eloquentia* de los trovadores, es imposible ignorar el más amplio contexto de la *eloquentia* medieval en general [...]. No hay duda que existe alguna influencia, directa o indirecta, sobre los trovadores desde la Retórica de las escuelas medievales [...]. Pero los mismos trovadores son un punto de partida, y no una servil imitación de las ideas y métodos escolásticos que pudieran haber recogido» [21]. La cuestión, muy debatida, se presenta como una confluencia del saber retórico medieval y su aplicación a una poesía que resulta «nueva»; como dice M. de Riquer, estos poetas «por lo que se refiere a su estilo y a su técnica artística, se hallan estrechamente vinculados a la formación que recibieron en las escuelas medievales, cuyas artes poéticas estudiaron y luego llevaron a la práctica en su creación literaria» [22].

Esta corriente de poética y retórica viene a parar sustancialmente en lo que llamaremos «lírica cancioneril». Santillana, que es el que establece la primera poética medieval en España, entiende que el origen de esta poesía se radica en Provenza: «Extendiéronse, creo, de aquellas tierras y comarcas de los lemosines estas Artes a los gálicos y a esta postrimera y occidental parte que es la nuestra España, donde asaz prudente y hermosamente se han usado» [23]. El prólogo del *Cancionero de Baena* representa

---

[21] Véase el estudio de esta «elocuencia» y de las clases poéticas que crea, en Linda M. Paterson, *Troubadours and Eloquence*, Oxford, Clarendon, 1975. La cita, en págs. 5-6. Una exposición general sobre la teoría de la lírica medieval como forma y en cuanto a su inspiración y valor didáctico *(poesia ars, poesia exemplum, poesia gratia)*, se encuentra en el capítulo IV del estudio de Wolf-Dieter Lange, *El fraile trovador. Zeit, Leben und Werk des Diego de Valencia de León (1350?-1412?)*, Frankfurt, Vittorio Klostermann, 1971.

[22] Véase el prólogo de Martín de Riquer, *Los trovadores. Historia literaria y textos*, I, Barcelona, Planeta, 1975, en especial págs. 70-77, con referencias bibliográficas a las obras de Dimitri Scheludko y Bezzola, que se mencionan más adelante (la cita, en la pág. 77).

[23] Marqués de Santillana, *Prohemio*, edición citada de L. Sorrento, página 30.

una de estas exposiciones de teoría literaria que comento en el estudio de la lírica cancioneril.

La *Divina Comedia* de Dante fue una de las obras que más pronto irradió la concepción de una teoría poética renovadora, sobre todo a través de los comentarios de Benvenuto d'Imola; partiendo del nuevo significado de *Comedia,* fue creándose una interpretación poética para esta obra, cuya grandeza e importancia pronto se reconocieron. De ella se beneficiaron las obras que le siguieron en las varias literaturas vernáculas.

Estas teorías no supusieron un rompimiento radical con las normas antiguas y del latín medieval; muchas veces se aprovechan y matizan unos mismos conceptos, que se adaptan a las nuevas condiciones. Se trata más bien de libertad de interpretación, apoyada en la evidente realidad de la nueva poesía; a veces estos esfuerzos teóricos hubieron de enfrentarse con los intérpretes de un humanismo más severo, más filológico en la interpretación de la teoría y de la obra de los antiguos. De todas maneras queda patente el esfuerzo de los teóricos que abrieron estas vías y defendieron la literatura vernácula; los posteriores planteamientos de los Renacimientos europeos pudieron contar con estas experiencias en su base.

LOS TÓPICOS DE LA EDAD MEDIA

La consideración de las relaciones entre la literatura antigua y la medieval se ha visto también favorecida por el estudio sistemático de los tópicos (o *topica,* conjunto de ellos), que se han llamado en algunos tratados «lugares comunes» y «lugares oratorios». Conocidos y reiterados a través de la práctica del arte literario desde la Antigüedad hasta el Romanticismo, se usaron siempre (lo mismo que la mención de las autoridades y sus citas, y de los ejemplos) para elevar el tono poético de la obra. E. R. Curtius [24] verificó su estudio dándoles el valor poético

---

[24] Véase E. R. CURTIUS, *Literatura europea y Edad Media latina,* obra citada, en especial cap. V «Topica», págs. 122-159. Véase también G. SIMON, *Untersuchungen zur Topik der Widmungsbriefe mittelalterlicher Geschichts-*

que les era propio y señalando su persistencia y evolución dentro del cuerpo general de la literatura europea, con su base en la antigüedad. Los tópicos son de una gran variedad; a veces proceden de una obra poética, y son expresiones que por algún motivo se independizan y cobran valor por sí mismas para integrarse en otras obras. Curtius busca sobre todo los casos en que halla una repetición sistemática de una base elemental o pieza de expresión; entonces señala el perfil ideal de su contenido, que se mantiene persistentemente en diversos autores. Así reconoce y aísla el tópico que representa una enunciación expresiva de lo que ha sido esta pieza o base dentro del curso de la fluencia literaria de la obra en la que se encuentra formando parte del todo creado. Sólo el investigador de la literatura puede aislar el tópico a través de la perspectiva histórica conociendo la cadena de reiteraciones a que pertenece. El tópico es parte de la integridad de la obra, y sólo es reconocible en el caso de que se haya establecido antes y después en otras obras la continuidad de su uso.

El tópico se encuentra en estado activo en un determinado período histórico. Cada uso del mismo representa una reiteración y, a la vez, una aplicación diferente que depende en cada caso de un nuevo contexto. El estudioso de los tópicos ha de considerar ambos aspectos. Cuando un escritor medieval usa un tópico, se reúne, las más de las veces sin saberlo, con la tradición de los antiguos. No existió propiamente una codificación sistematizada de los tópicos [25], pero pudieron llegar al escritor

---

schreiber bis zum Ende des 12. Jahrhunderts, «Archiv für Diplomatik», 1958, 4, 52-119; 1959/60, 5/6, 73-153.

[25] Recogeré aquí una breve mención de los más importantes y reiterados: así el de las armas y las letras (que muestra que el cortesano no es una novedad cultural del Renacimiento, sino un nuevo aspecto de una vieja tradición, abundantemente documentada en el Medievo); el de la *donna angelicata* (básico para la lírica italiana, y después para la europea, que exalta la idealización de la mujer); el del *locus amoenus* (o paisaje de primavera); la *descriptio*, que puede ser muy diversa (descripción de cosas y animales, personas, belleza femenina, países, etc.); la *laudatio*, de igual variedad (alabanza de naciones, ciudades, personas, etc.); la oposición *puer-*

de muchas maneras: por las enseñanzas de las Poéticas, Retóricas y Artes poéticas, en los ejercicios de la escuela, a través de *Florilegios* y *Sumas*, por los comentarios de textos latinos, etcétera. El tópico pudo haberse asegurado como resultado del proceso de una selección establecida por cualquier razón del oficio literario: por el uso reiterado de un consejo, desprenderse de un grupo de obras por la reiteración de una parte, quedar como la fórmula expresiva de una situación, más a mano para el escritor y con más prestigio que la invención libre de la misma, etc.

El tópico puede ser de contenido o argumento, o ser de expresión o fórmula determinada. En gran parte proceden de la Antigüedad y a veces se crearon en la transmisión de su herencia. Quintiliano trató de los *loci communes* en el arte de la composición literaria, y de estos se aprovecharon los teóricos del arte medieval. Otros tópicos no aparecen como tales hasta épocas tardías. En su estudio el investigador tiene que recoger la aparición de su uso en los escritores y establecer el desarrollo que tuvieron como tales piezas de expresión, y qué significación se les confió y cómo la mantuvieron, y su paso del latín a las lenguas vernáculas. Hay que tener también en cuenta que las nuevas literaturas los siguen utilizando adaptándolos a sus intenciones, reformándolos y creando otros nuevos. No hay que creer tampoco que los tópicos resulten siempre expresiones neutras de emotividad, desprovistas de fuerza creadora; una adecuada valoración literaria de su función ha de verificarse teniendo en cuenta el contexto en que, en cada caso, el tópico fue usado, tanto en relación con el escritor que lo utiliza, como

---

senex (o armonía entre el ardor de la juventud y la prudencia de la vejez, con sus variantes del joven prudente y del viejo audaz); la aplicación de este último para establecer el contraste entre jóvenes y viejos, con las modalidades de la «rebelión de la juventud» contra los viejos; las fórmulas de expresión humorística del mundo al revés; los *impossibilia* (o cosas imposibles por la contradicción que llevan aneja); la dedicatoria con la afectada modestia del autor; el motivo del *Ubi sunt?*, que se da tanto en el verso como en la prosa; la *invitatio* (invitación al amor); el *vituperium* (o invectiva), etc.

en lo que se refiere a la obra de la que forma parte irremplazable en cuanto quedó inserto en la expresión poética de la misma [26]. El gran uso de un tópico no hace que pierda su prestigio, sino que lo convierte en un signo de época.

En el punto extremo de esta organización se encuentran los formulismos que se crean dentro de grupos genéricos precisos (épica medieval, romancero, lírica cancioneril, historia, etc.), y que constituyen una situación en que tales expresiones están dentro de un lenguaje establecido; son las piezas más condicionadas del grupo, y sirven como indicio de los estilos respectivos de conjunto [27].

REFRANES Y PROVERBIOS

Junto al tópico sitúo la mención de los refranes y los proverbios en cuanto que también fueron piezas que se incorporaron a la expresión literaria en determinadas condiciones. Su procedencia es distinta, pues mientras la del refrán es folklórica, la del proverbio se origina en la literatura clerical, sobre todo en relación con el espíritu moralizador que anima los proverbios bíblicos. Actúan como una fórmula de pocas palabras, cuya sentenciosidad aprueba o confirma lo que se está diciendo en el contexto literario. Ambos aparecen desde bien pronto en la literatura medieval, sobre todo en la castellana que se relaciona con la griega u oriental. E. O'Kane distingue entre re-

---

[26] Véanse algunas observaciones sobre la metodología de su valoración en el artículo de Dámaso ALONSO, *Berceo y los «topoi»*, en *OC*, edición citada, II, págs. 321-333; Ramón MENÉNDEZ PIDAL, *Fórmulas épicas en el «Poema del Cid»* [1951], publicado en *En torno al «Poema del Cid»*, Barcelona, Edhasa, 1963, págs. 95-105; J. F. GATTI, *El «ubi sunt» en la prosa medieval castellana*, «Filología», VIII, 1962, págs. 105-121, que menciona también la extensa bibliografía que tuvo la versión poética.

[27] Así ocurre, para citar un caso muy claro, con el uso de las expresiones dobladas o binomios léxicos que aparecen en los autores de la épica heroica y de la narrativa clerical; puede verse la ordenación que propone C. SMITH, *Realidad y retórica: el binomio en el estilo épico*, en *Estudios cidianos*, obra citada, págs. 161-217.

franes y proverbios: «La máxima erudita evoca el tono grave de la meditación libresca; el dicho popular capta la nota de frescura inherente en la observación espontánea del pueblo. El propio español de la Edad Media sentía hondamente esta diferencia...»[28]. El valor absoluto de la comunicación establecida por el refrán podía convertirse en una breve pieza lírica[29], de la misma manera que el proverbio podía constituir por sí una poesía de tono sentencioso, en relación sobre todo con el desmenuzamiento didáctico de las *Sumas*[30]. Por eso, añade O'Kane, «el término romance *proverbio* [se usa en la lengua] para la sabiduría sentenciosa, y se decide por *refrán* para designar el dicho popular. El refrán puede describirse como un proverbio de origen desconocido, generalmente popular y frecuentemente de forma pintoresca, estructuralmente completo en sí mismo e independiente de su contexto. Emparentada con él está la frase proverbial, que sólo difiere del refrán en que, siendo gramaticalmente incompleta, depende para alcanzar plena significación de su contexto»[31]. La conciencia literaria de estas piezas de expresión llegó a constituir colecciones de ellas, si bien la importancia de su función literaria radica en su uso dentro de la obra en prosa o en verso (como en el *Cifar*, el *Libro de Buen Amor* y sobre todo en la *Reprobación* o *Corbacho* del Arcipreste de Talavera); este uso quedó tan arraigado que tales menciones fueron en los tiempos posteriores una característica propia de la litera-

---

[28] Eleanor S. O'KANE, *Refranes y frases proverbiales españolas de la Edad Media*, Madrid, Real Academia Española, 1959, págs. 14-15. Véase también W. METTMANN, *Spruchweisheit und Spruchdichtung in der spanischen und katalanischen Literatur des Mittelalters*, «Zeitschrift für Romanische Philologie», LXXVI, 1960, págs. 94-117.

[29] Margit FRENK ALATORRE, *Refranes cantados y cantares proverbializados*, «Nueva Revista de Filología Hispánica», XV, 1961, págs. 155-168.

[30] Como ocurrió con los *Proverbios* del Marqués de SANTILLANA, con su glosa de Pedro DÍAZ DE TOLEDO (Sevilla, 1494), Valencia, «la fonte que mana y corre», 1965.

[31] E. S. O'KANE, *Refranes y frases proverbiales...*, obra citada, páginas 14-15.

tura española y valió como argumento para subrayar el sentido popular de la misma [32].

ESTUDIOS TEMÁTICOS SO-
BRE LITERATURA MEDIEVAL

En los casos vistos hasta aquí, las piezas literarias estudiadas (tópicos, fórmulas, refranes, proverbios) poseían una constitución poética propia. En otros casos el aislamiento de los temas es resultado de la erudición y crítica literarias, sin que exista un motivo intrínseco en la misma obra. Por eso el criterio de tales estudios exploratorios resulta casi siempre arbitrario, y su aprovechamiento es propio de la historia literaria para fijar coincidencias, contrastes y diferencias; se establece con las concepciones de fondo, las situaciones literarias, aspectos del tratamiento de los elementos de la Naturaleza, la condición de los personajes, etc. La Edad Media ha ofrecido un abundante repertorio de estos estudios, que van desde los generales hasta los más específicos [33]. Su valor depende de que los datos en juego

[32] Giovanni Maria BERTINI, *Aspetti culturali del «refrán»*, «Homenaje a Dámaso Alonso», I, Madrid, Gredos, 1960, págs. 247-262.

[33] Véase una relación de estos estudios en H. SERÍS, *Bibliografía de la literatura española*, obra citada, I, págs. 32-37; y J. SIMON, *BLH*, I, páginas 433-461, y el *Manual* y sus complementos. A continuación añado algunos estudios recientes: *amor*: C. S. LEWIS, *La alegoría del amor. Estudio sobre la tradición medieval* [1953], Buenos Aires, Eudeba, 1969; *bestiarios*: sobre este importante asunto tiene anunciado un estudio Alan D. DEYERMOND, *Traces of the Bestiary in Medieval Spanish Literature*, Londres; *caza*: Marcelle THIÉBAUX, *The Stage of Love*, Ithaca, Cornell University Press, 1974 (la caza en la narrativa, como imagen de amor y uso alegórico en las literaturas francesa, inglesa y alemana), y Juan URÍA RÍU, *La caza de la montería en León y Castilla en la Edad Media*, «Clavileño», IV, 35, 1955, páginas 1-14; *cuerpo*: Dinko CVITANOVIC, y otros, *La idea del cuerpo en las letras españolas*, Bahía Blanca, Universidad, 1973 (referente a la *Disputa*, *Disciplina clericalis* y Juan Ruiz en la parte medieval); *deseo*: F. C. GARDINER, *The Pilgrimage of Desire. A Study of Theme and Genre in medieval Literature*, Leiden, Brill, 1971; *destino*: Ricardo ARIAS Y ARIAS, *El concepto del destino en la literatura medieval española*, Madrid, Ínsula, 1970; *fábula platónica*: Peter DRONKE, *Fabula: explorations into uses of myth in medieval Platonism*,

se hayan tratado de la manera conveniente, sobre todo en relación con los contextos de las obras a que pertenecen y su grupo genérico, así como en cuanto a la fidelidad de los datos implicados y el número de los mismos, según los casos.

Leiden, Brill, 1974; *fortuna:* Juan de Dios Mendoza Neguillo, *Fortuna y Providencia en la literatura castellana del siglo XV*, Madrid, Real Academia Española, 1973; *Jerusalén:* María Rosa Lida de Malkiel, *Jerusalén. El tema literario de su cerco y destrucción por los romanos*, Buenos Aires, Universidad, 1972; *locus amoenus:* Dagmar Toss, *Studien zum «locus amoenus» im Mittelalter*, Viena, Braumüller, 1972 (en las artes poéticas, en la literatura medieval latina y en la vernácula, en especial en cuanto a Lorris y Meung); *mar:* Alberto Navarro González, *El mar en la literatura medieval castellana*, La Laguna, Universidad, 1962; *mundo del hombre:* Francisco Rico, *El pequeño mundo del hombre. Varia fortuna de una idea en las letras españolas*, Madrid, Castalia, 1970; *naturaleza:* George Economu, *The Goddes Natura in Medieval Literature*, Cambridge, Mass., Harvard University Press, 1972 (sobre Boecio, los autores del Renacimiento francés y Chaucer); Emilio Orozco Díaz, *Sobre el sentimiento de la naturaleza en la poesía española medieval*, en *Paisaje y sentimiento de la naturaleza en la poesía española*, Madrid, E. del Centro, 1974, págs. 15-48; del mismo y en la misma obra: *Sobre el sentimiento de la naturaleza en el «Poema del Cid»*, págs. 49-61; del mismo y en la misma obra: *El huerto de Melibea (Para el estudio del tema del jardín en la poesía del siglo XV)*, págs. 63-76; *número:* Henk de Vries, *Materia mirabile*, Groningen, V.R.B., 1972 (sobre el Cartujano con exploraciones del tema en el *Cid, Laberinto* y *Vita Christi* de Montesino); *Orfeo:* John B. Friedman, *Orpheus in the Middle Ages*, Cambridge, Mass., Harvard University Press, 1970; *tiempo:* Juan María Lope Blanch, *La determinación popular del tiempo durante la Edad Media*, «Anuario de Letras», I, 1961, págs. 33-73; *Los tres vivos y los tres muertos:* Margherita Morreale, *Un tema no documentado en España: el «Encuentro de los tres vivos y los tres muertos»*, «Boletín de la Real Academia de Buenas Letras de Barcelona», XXXV, 1973-1974, págs. 257-263.

Capítulo VI

ESTILÍSTICA Y MÉTRICA DE LA LITERATURA MEDIEVAL

LA ESTILÍSTICA MODERNA Y SU APLICACIÓN A LA LITERATURA MEDIEVAL

Desde comienzos de este siglo la Estilística se propone describir y caracterizar el estilo de las obras y, en un propósito más amplio y complejo, el de los autores, los grupos genéricos, las generaciones de escritores y aun los períodos y los estilos de época. A esta variedad de propósitos se une una diversidad de métodos; estos diferentes métodos en sus principios pretendían sobrepasar los límites del método histórico, el único aplicado hasta entonces a los estudios literarios. Por eso apareció como una modalidad renovadora, en parte en relación con las antiguas obras de la teoría literaria, a veces referida a las cuestiones sicológicas del proceso creador y su resultado, y otras subrayando determinados aspectos de la expresión poética en relación con el sistema lingüístico. Los métodos reunidos bajo el mismo nombre de Estilística son, pues, varios y, a veces, contradictorios, pues su enfoque parte del propósito que se propone el crítico de acuerdo con su concepto del estilo [1].

---

[1] Puede verse un planteamiento general de la Estilística establecido de una manera amplia, en conexión con la Poética y retóricas antiguas, y con las nuevas propuestas de una crítica estilística en José Luis MARTÍN, *Crítica estilística*, Madrid, Gredos, 1973.

La estilística española se nos ofrece con un objetivo definido en la breve obra de Amado Alonso [2], y como el planteamiento de un sistema en Dámaso Alonso [3], cuyo método voy a resumir brevemente. Dámaso Alonso insiste en primer lugar en que la Estilística sólo puede considerarse como una aproximación hacia lo que en un futuro puede ser una verdadera *Ciencia de la Literatura:* «Nótese que digo un "avance": sí, es un ensayo de técnicas y métodos; no es una ciencia» [4]. De ahí que se valga de expresiones con proyección hacia el futuro perfectible cuando menciona lo que pueden ser realidades de su aplicación; por esta razón escribe esto que puede valer como una definición: «Estilística sería la ciencia del estilo. Estilo es lo peculiar, lo diferencial de un habla. Estilística es, pues, la ciencia del habla, es decir, de la movilización momentánea y creativa de los depósitos idiomáticos. En dos aspectos: del habla corriente (estilística lingüística); del habla literaria (estilística literaria o ciencia de la literatura [...]. Entre esos dos campos [...] hay múltiples relaciones, y aun una zona común» [5]. La estilística resulta ser para D. Alonso «...esa búsqueda de un conocimiento científico de la materia literaria (o por lo menos de la delimitación de lo que en ella es cognoscible científicamente)» [6]. Y precisando con términos de índole matemática: «El verdadero objeto de la estilística sería, *a priori,* la investigación de las relaciones mutuas entre significado [contenido de comunicación de la obra] y significante [realización lingüística de la misma en un texto], mediante la investigación pormenorizada de las relaciones mutuas entre todos los elementos significantes y todos los elemen-

---

[2] Véase Amado Alonso, *Materia y forma en poesía*, Madrid, Gredos, 1965, 2.ª edición.

[3] Dámaso Alonso, *Poesía española*, Madrid, Gredos, 1971, 5.ª edición, en especial «Tercer conocimiento de la obra poética. Tareas y limitaciones de la Estilística», págs. 393-416, y «Lo imaginativo, lo efectivo, lo conceptual como objeto de la estilística», págs. 479-493.

[4] Ídem, pág. 401.

[5] Ídem, pág. 401.

[6] Ídem, pág. 402.

tos significados»[7]. Y apretando aún más la intención de exactitud añade: «Es el vínculo exacto, riguroso, cruelmente concreto, entre significante y significado —el signo, es decir, la forma literaria, la obra— el objeto único de la Estilística»[8].

Debemos al crítico H. Hatzfeld[9] un catálogo general de los resultados de la aplicación de la Estilística a las literaturas románicas (y, por tanto, a la española).

La Estilística, como ha probado Hatzfeld[10], puede aplicarse también al estudio de las obras de la Edad Media, y entonces el investigador ha de ejercer su función teniendo en cuenta, sobre todo, la diferencia del contorno cultural entre el autor de entonces y el lector actual de la obra, y la diferencia en el sistema lingüístico, y por eso ha de adaptar la intuición que guía los exámenes estilísticos, a la realidad objetiva de la obra; el propósito en este caso es interpretar lo que la obra de otro tiempo pudo haber sido, tanto en la creación del poeta medieval, como en el efecto o impresión producida en los oyentes o lectores de entonces. El estudioso tiene que trasladar el punto de vista de su apreciación hasta la situación primera en que apareció la obra, en la medida en que esto resulta posible; no se trata, sin embargo, de una reconstrucción histórica del contorno, sino de lo que de este penetra en la obra y la función que allí juega teniendo en cuenta el sistema lingüístico del caso. Todo esto tiene que resultar compatible con la ponderación que establezca el crítico literario, y aun el lector profano, de nuestro tiempo. Se trata, sobre todo, de contar con que estas obras fueron para el público medieval de una determinada naturaleza poética, con su categoría literaria, como las escritas según los criterios actuales lo son para el público de nuestros días, cada una en su cir-

---

[7] Ídem, pág. 405.

[8] Ídem, pág. 415.

[9] Helmut Hatzfeld, *Bibliografía crítica de la nueva estilística aplicada a las literaturas románicas*, Madrid, Gredos, 1955, que amplía los datos de la edición inglesa.

[10] Véase esta opinión de Helmut Hatzfeld, en *Esthetic Criticism Applied to Medieval Romance Literature*, «Romance Philology», I, 1947-8, páginas 305-327.

cunstancia. El carácter histórico de la literatura medieval es compatible con el ejercicio del método estilístico, que ha de aprovechar cuantos datos existen en relación con la obra, y en particular las formulaciones sobre la poética que acompañaron su creación. El crítico estilístico entonces tiene que sobrepasar el inventario de los análisis con iluminaciones de aspectos lingüísticos especialmente significativos, extraídos de cualquier elemento del lenguaje, aun de los que pudieran parecer más externos; así ocurre con T. Navarro, que ha caracterizado varias obras de la literatura medieval mediante el examen de la disposición de sus elementos fonológicos [11].

C. Gariano reunió un resumen de lo que podría extraerse de las teorías estilísticas medievales que fuese de interés para el propósito de una información general sobre el asunto; destaca en este sentido:

a) La invención *(ubi, quid, quale, qualiter, ad quid,* o sea dónde actúan los personajes, qué hacen en la obra, de qué especie es lo que hacen, de qué medios formales se vale y qué fin tiene la obra).

b) La composición (exordio, comienzo, medio y fin; o *in medias res,* en que la obra comienza por el medio del argumento, y a través del desarrollo el lector u oyente va conociendo la parte antecedente, que se enlaza con el relato en forma artística).

c) La corrección (evitando lo que pudiera ser inadecuado en cuanto a la expresión conveniente para el caso).

d) La originalidad (establecida sobre la presentación formal, no sobre la novedad del asunto).

e) La abreviación y la ampliación (tocantes al desarrollo que busca la brevedad, en un caso, y la extensión, en el otro, según convenga a la materia).

---

[11] Tomás NAVARRO, *Estudios de fonología española,* Syracuse, Syracuse University Press, 1946: «Fonología literaria». Análisis referentes al *Poema del Cid,* Berceo, Juan Ruiz, *Crónica General, Conde Lucanor* y *Corbacho.* Del *Cid* escribe: «la abundancia de *a* y *o* que por sí solas constituían más de la cuarta parte del total de los sonidos, pondría un sello grave y lleno en la lengua del Poema» (pág. 158; véanse en especial págs. 157-177).

f) Los ornatos (fácil o difícil, según la intensidad de recursos utilizados).

Por esta breve relación puede observarse que el escritor medieval poseía una amplia teoría de la creación literaria que guiaba la realización de la obra desde su misma concepción poética; esta teoría, como ya se dijo, podía estar declarada o el autor conocerla en sus principios; o bien podía seguirla a través de la experiencia poética que supone el cultivo de un grupo genérico. De cualquier forma que fuese, el condicionamiento retórico de la obra medieval es un elemento fundamental en la estilística que se aplique al examen de las obras de este período; dentro de sus márgenes corre lo que puede ser el estilo *personal* del escritor. De ahí, concluye Gariano, «la necesidad de aplicar un acertado sincretismo de tendencias en el enfoque estilístico de la literatura medieval española» [12].

No obstante las intenciones señaladas, los límites entre la Estilística y los otros dominios del estudio de la Literatura son difíciles de establecer. El elaborador de la estilística se confunde con el crítico y con el historiador de la literatura y de las artes, y las técnicas de su especialidad tienen como fin generalmente el estudio de una obra o de un autor, y son más difíciles de precisar cuando se aplican a grupos superiores, de género o de época.

AUTORÍA Y ANONIMIA EN LA CONSIDERACIÓN DE LA OBRA MEDIEVAL

Para los que sólo hayan leído y estudiado la literatura moderna (quiero decir la que parte del Romanticismo), la consideración de las obras medievales requiere un reajuste de los conceptos de autoría [13] y anonimia. Sobre todo, en el caso de

[12] Carmelo GARIANO, *El enfoque estilístico y estructural de las obras medievales*, Madrid, Alcalá, 1968; la obra trata del enfoque estilístico en las págs. 11-61; la parte de la estructura se aplica a los *Milagros* de Berceo (la cita, en pág. 60).

[13] Autoría significa el crédito que merece la atribución de la obra a un autor, y también la conciencia con que éste creó la obra considerándola

los estudios estilísticos, esta consideración tiene que ser más cuidadosa. Lo más común es que el estudio de la obra moderna se haga en relación con un texto que ofrece una versión óptima, y que el autor y los críticos consideran como el válido y representativo de la obra en cuestión. En el caso de la obra medieval, aun cuando se conozca con relativa seguridad el autor (a través muchas veces de atribuciones y noticias indirectas), siempre resulta difícil verificar si el o los textos conservados manifiestan el estado en que el autor dejó acabada la obra; de esto se trató en el capítulo II, y allí se dijo que lo más frecuente es que haya variantes entre los manuscritos o incunables, cuya cronología es aventurada, con retoques que pueden ser o no del autor; después, a veces, existen las modificaciones dialectales establecidas a través de copias, que complican mucho la cuestión por la imposibilidad de referirse a una lengua general literaria, etc. Así la autoría no aparece manifestada de una manera decisiva, pero esto no tiene que impedir los juicios y apreciaciones literarias del crítico; la labor filológica de la preparación de los textos para las ediciones no puede resolver el caso de una manera decisiva, pues la propuesta de un arquetipo es sólo una aproximación. Por otra parte, no es tampoco legítimo separar los elementos adheridos en este proceso que representa la conservación de un texto, y el crítico ha de contar también con ellos, puesto que muchas veces fueron resultado de una reintegración de la obra, consecuencia de la difusión entre el público. Si esto fue así, no pueden separarse del conjunto, pues se integraron en la misma obra cuya realidad textual puede aparecer matizada dentro de unos determinados límites.

La obra literaria escrita por el autor (con las limitaciones a la autoría que son inherentes al período medieval) es diferente de la obra literaria de carácter folklórico; esta diferencia procede de la distinta manera de conservación y de las dificultades de la fijación del texto que, como tal base de la comunicación poética, es análoga en ambas clases de obras. El texto,

---

como propia y manifestándolo así cuando escribe el texto y a través de noticias.

como tal, produce sus efectos sobre el oyente lo mismo en un caso que en otro, y aun ocurre que algunas veces no puede saberse a qué vía de las dos pertenece. Pero por lo demás se acusan determinadas diferencias que apuntaré, sobre todo a efectos estilísticos. La obra folklórica sólo se recoge de viva voz en su plenitud comunicativa, y, por tanto, esto sólo cabe hoy hacerlo en el lugar determinado donde perdure; las obras de raíz folklórica que pudieran haber existido en la Edad Media sólo alcanzamos a conocerlas por el testimonio de su escritura, y esto ha requerido un acomodo convencional, tanto en la selección como en el hecho de que en este proceso se han podido acercar a la poesía de autor. Una de las características de la obra folklórica es que entra en el proceso de conservación propio de la anonimia por cuanto que en ella no se alcanza a conocer quién haya sido su autor. Menéndez Pidal [14] trató a fondo el asunto por cuanto se le presentó como esencial para el estudio de los comienzos de la literatura de la Edad Media; así plantea esta cuestión diciendo que: *a)* la obra es siempre creación de un autor, pues no hay otra forma de llegar a la realidad de la obra literaria; la canción o el cuento folklóricos comenzaron en alguna ocasión dentro de una comunidad determinada, pero el autor dejó la obra anónima por propia voluntad y porque las demás obras análogas lo eran. Nada se saca con conocer el nombre del autor, y éste, por su parte, deja la obra en la comunidad a que pertenece para que la tenga y mantenga como propia. Para esto es necesario que la comunidad posea un fondo folklórico del orden que corresponde a un sentido de intención literaria (canciones y relatos fabulosos, en los que la palabra oral sirve como medio de difusión, unida al ritmo de la música); teniendo en cuenta esto, estas manifestaciones folklóricas adquieren la condición de *obra* de acuerdo con unas condiciones que Menéndez Pidal estima así; *b)* esta obra existe sólo en los textos orales que ponen de manifiesto los conocedores del fondo folklórico, que así se constituye en *tradición; c)* de ahí que la

---

[14] Ramón MENÉNDEZ PIDAL, *La primitiva lírica europea*, «Revista de Filología Española», XLIII, 1960, pág. 311.

obra resulte fluida a través de estos textos en los que la concordancia es mucho menos ajustada que en el caso de la obra escrita o de autor; el texto vive a través de las variantes; *d)* en consecuencia, son muchos los que participan en la tradición: la comunidad que la sostiene, los intérpretes de la obra y el autor primero; resulta, por lo tanto, obra de *arte colectivo; e)* un autor puede escribir siguiendo el gusto de la colectividad que tiene por suya y de esta manera se incorpora a una *tradición popular;* si la comunidad abarca el ámbito de una organización política completa, entonces adquiere la condición de *nacional; f)* si se consideran los fenómenos sociales de la moda, resulta que este fondo folklórico tradicional se ve poco afectado por los afanes de novedad y cambio, pues es sobre todo conservador, que es lo contrario que ocurre con la autoría, mucho más propensa a la recepción de las modas. Esta concepción es básica para el entendimiento de la crítica histórica de Menéndez Pidal, en especial para el caso de las obras que poseen algún enlace con el folklore, a veces en su origen; así ocurre con los grupos genéricos de la lírica primitiva, la épica medieval en sus manifestaciones iniciales y el Romancero.

Autoría y anonimia no pueden estimarse como radicalmente opuestas, sobre todo en el estudio de las épocas de orígenes; las vías del folklore y de la literatura escrita pueden cruzarse y complementarse en relación con la creación poética, pues es indudable que el autor —el poeta, en el sentido etimológico— se halla siempre en el punto de partida, y el que no se conozca su nombre, no supone admitir, sin más averiguaciones, el vago concepto de una poesía «brotada del alma de todo un pueblo», tan propio de los románticos. En el comienzo de la génesis de la obra, ha de existir siempre un autor, alguien con poder de creación, que dentro de un gusto literario colectivo sostenido por el público, en un ambiente predeterminado por múltiples circunstancias, dé cuerpo de expresión poética a la obra. No importa que, tratándose de la manera anónima, luego en el proceso de la tradición, vengan otros que reformen y varíen la obra, la adapten a otros gustos siguiendo el cambio de públicos. No se trata en estos casos sólo de la aparición de las variantes que son propias de una transmisión oral, sino de algo más: participaciones creadoras, aparecidas en la difusión de la obra, que se hacen entendiendo que la obra es de y para todos. El autor de una obra perteneciente a la corriente de la anonimia no declara su nombre, pues sabe que eso poco importa, y esta misma anonimia pertenece a la conciencia de creación, que todos entienden y cuya condición poética aprecian en razón de una maestría que reconocen en la obra, si ésta se encuentra efectivamente lograda. La obra entonces está dotada de un doble movimiento creador: del autor a la comunidad, y de ésta a aquél. Y ambos, autor y comunidad, se sienten identificados en un grado mucho más próximo que en el caso de la obra escrita por un autor, que tiende más a atenerse a un orden de valores personales. En tales casos, el estudio del estilo cambia de fin, y puesto que el autor se anula a sí mismo, la observación ha de establecerse en la corriente del grupo correspondiente de obras.

En la literatura de nuestro tiempo esta peculiar intensidad de relación sólo puede apreciarse en la «literatura» folklórica, que estudia el Folklore. Aplicada su consideración a la obra medieval, Menéndez Pidal extendió la validez de estas diferencias hasta constituir dos maneras de concebir la obra, que en forma elemental y despojada de matices radicó en lo que él llamó voluntades de autor y de anonimia, y que le condujo hasta hacer de las mismas el fundamento de dos artes distintas; y así escribió lo siguiente, que puede entenderse de manera general: «El arte individualista, el de la canción cortés, por ejemplo, es obra de un poeta que con *voluntad de autor,* quiere situarse aparte de sus predecesores, de sus contemporáneos y de sus sucesores, siente el orgullo de su nombre, y exige al juglar fidelidad en la repetición; mientras que el arte tradicional es obra de un primer poeta popular y de sucesivos refundidores que, con *voluntad de anonimia,* quieren hacer obra para todos y de todos, trabajan sin la menor pretensión personal de renombre, por generosa devoción a la obra que despierta interés en la colectividad y trabajan en inextricable colaboración con el juglar que repite libremente y en absorbente intimidad con los gustos de su público» [15].

Hay que sumar también las dificultades, ya mencionadas, de la conservación de la obra literaria en la Edad Media; la escritura de la misma sólo se verificó sobre la base de determinadas condiciones y, por otra parte, la actuación profesional de los juglares fue fundamental. La tradición tenía a su favor el que entonces se establecía la memorización de los textos de una manera mucho más intensa y amplia que en los períodos siguientes. Por tanto, el paso de la autoría a esta anonimia de raíces folklóricas pudo ser fácil, y, al revés, la apreciación ocasional de las obras anónimas pudo proceder de movimientos de la moda y crear estilos convencionales de imitación popular, de gran fuerza dentro de la literatura escrita.

LOS ESTILOS ESTÉTICOS

Otro dominio de la estilística se extiende por el campo de la proyección del fenómeno literario en un sentido estético, y así H. Hatzfeld propone el establecimiento de tres estilos de época, tomados de la historia del arte románico, gótico y *flamboyant* (que traduzco por flamígero). El estilo románico, de origen cluniacense, es de carácter precortés, produce obras accesibles al pueblo, pero de fundamento noble, como son los poemas hagiográficos y las canciones de gesta. El estilo gótico es elegante y alegre, gusta de las ficciones poéticas, con tendencias simbolistas combinadas con la tradición latina prehumanística, como ocurre con la *Divina Comedia*. El estilo flamígero representa un barroco del goticismo, y combina la exterioridad solemne con la apreciación realista, y sobre esta dualidad logra la expresión extrema de la parodia; el *Libro de Buen Amor* representa una obra característica. Esta estilística artística ofrece así un dominio en el que la crítica establece paralelos estéticos, cuya base

---

[15] Ramón MENÉNDEZ PIDAL, *La «Chanson de Roland» y el neotradicionalismo (Orígenes de la épica románica)*, Madrid, Espasa-Calpe, 1959, pág. 55.

evidente es que el hombre de cada época vivió conjuntamente las diversas manifestaciones artísticas, pero cuya ejemplificación crítica resulta difícil y discutible. Por otra parte, los críticos de la literatura española aplicaron este criterio sobre todo al período final de la Edad Media, como indico en su lugar [16].

EL RITMO LITERARIO
DE LA OBRA MEDIEVAL

a) *El verso.*—Para la literatura vernácula resultó decisiva la existencia de un signo que diferenciase el uso de la lengua que ella implicaba, del uso común y general. Y este fue desde sus orígenes la noción de una medida establecida en el curso del sintagma en relación con el ritmo «poético» implícito. Ateniéndose a lo que había sido la literatura latina [17], aparecieron el verso y la prosa literarios, ambos diferentes del curso errabundo y fugitivo del habla común, utilizada en el coloquio entre interlocutores presentes; esta concordancia entre verso y prosa con fines literarios, opuestos ambos al uso común, y todo dentro de una misma lengua, estableció un proceso de conciencia poética, de orden formal y condición rítmica, básico en las nuevas literaturas. Su posible dependencia de las formas folklóricas de la canción está en relación con el paralelismo que se observa en el proceso de las nuevas literaturas europeas del Medievo, para el caso del aprovechamiento de esta otra corriente oral.

El verso resultó el procedimiento más eficaz y distintivo; la medida se estableció por una relativa igualdad entre los espacios en que se dividía la secuencia del sintagma literario [18]. La base

---

[16] Helmut HATZFELD, *Le style collectif et le style individuel*, en *GRLMA*, I, 1970, págs. 92-106.

[17] Para los problemas del verso inicial románico véase Ulrich MOLK, *Vers latin et vers roman*, en *GRLMA*, I, 1970, págs. 476-482 (texto en alemán).

[18] Para el estudio del verso, la obra general de Tomás NAVARRO TOMÁS, *Métrica española*, Madrid, Guadarrama, 1972, 3.ª edición. Una exposición del asunto para alumnos universitarios se halla en Rudolf BAEHR, *Manual de versificación española* [1962], trad. y adaptación de Klaus WAGNER y Fran-

de la medida fue la sílaba, y de ahí que en su forma más acabada los versos aparezcan con una medida fija o combinación de ellas; para poner de manifiesto el límite del verso, se usó la rima o acuerdo parcial o total de sonidos en el fin del mismo. La palabra deriva de *versus-us*, 'hilera o surco', que se aplica a la línea de la escritura que va de un margen a otro de la página y que se prosigue en otra siguiente, paralela; el verso literario recoge este sentido, y lo refiere a un segmento de la línea, de una extensión intencionada, dentro del cual se establece un ritmo consistente en una determinada sucesión de sílabas con realce tónico de verso, situadas entre otras que no lo tienen. Las lenguas románicas no distinguieron las cantidades prosódicas de la métrica del latín culto, sino que aplicaron una medida común entre todas las sílabas marcando los acentos de intensidad de verso, basados casi siempre en los acentos de palabra, pero sin que existiese obligada correspondencia entre unos y otros. La función de estos acentos de intensidad fue en algunos casos muy importante llegando a sobreponerse al criterio de igualdad de medida o convirtiendo la igualdad en una oscilación aproximada. Las diferentes maneras de combinar las rimas fueron otro factor de la versificación, estableciéndose la estrofa como unidad superior y compleja en el curso del poema.

Tomás Navarro recoge como básicos tres grandes grupos de criterios en la versificación medieval: el de la juglaría, el de la clerecía y el de la «Gaya Ciencia». En el desarrollo de este libro he repartido la mención de las cuestiones relativas a la versifi-

---

cisco López Estrada, Madrid, Gredos, 1970. Alfredo Carballo Picazo, *Métrica española*, Madrid, Instituto de Estudios Madrileños, 1956, presenta una bibliografía sobre la métrica, clasificada por siglos. Véase también Dorothy C. Clarke, *Una bibliografía de versificación española*, Berkeley, University of California Press, 1937; a la que se añade la publicada por la misma autora en *A Chronological Sketch of Castilian Versification...*, Berkeley, University of California, «Publications in Modern Philology», 34, 1952, págs. 279-381, con una útil lista de términos de la métrica; de la misma D. C. Clarke, *Morphology of fifteenth Century Castilian Verse*, Pittsburg, Pa., Duquesne University Press, 1964, buena exposición del asunto y bibliografía.

cación en los lugares en que estudio la constitución de estas diversas modalidades, y así en varios sitios trato de: *a)* la teoría del verso fluctuante de la juglaría; *b)* el triunfo del octo-sílabo, base del romance y de numerosas modalidades líricas; *c)* la teoría del cómputo silábico; *d)* la diversidad de la poesía cancioneril, con sus metros y estrofas estrictamente condicio-nados; *e)* el establecimiento del verso de arte mayor; *f)* el verso lírico popular.

En cuanto a la base rítmica del cómputo silábico, T. Navarro cuenta sólo con dos pies métricos, ajustados mediante anacrusis (o sea que desecha en el verso las sílabas que preceden al primer acento); estos pies son el troqueo (óo) y el dáctilo (óoo), reunien-do en ellos la secuencia del sintagma, sin distinguir la entidad de las palabras. Así ocurre en el siguiente modelo:

	Romerica, romerica
anacrusis de 2 sílabas	o o) ó o , ò o ó o
	calledes, no digas tal
anacrusis de 1 sílaba	o) ó o ò o o ó[o]
	que eres el diablo sin duda
sin anacrusis	ó o o ó o o ó o
	que me vienes a tentar...
anacrusis de 2 sílabas	o o) ó o ò o ó[o]

Por otra parte ha habido un replanteamiento de las cuestio-nes métricas desde el lado de los estudios árabes. Los trabajos de E. García Gómez [19] sobre Ben Quzmán y las muguasajas revier-ten en la métrica española, pues el sistema de estos peculiares versos árabes se sitúa en paralelo con los españoles, sobre todo con formas de la lírica popular; García Gómez propone partir de unas bases, pronunciables, anapéstica *(tatatan,* ooó) y yám-bica *(tatan,* oó). Tomando en dos series de base anapéstica una y yámbica la otra, sobre la base del dodecasílabo (límite en este

---

[19] Emilio García Gómez, *Todo Ben Quzmān,* Madrid, Gredos, 1972, 3 vols. (véase mi reseña informativa, con un resumen del libro, en «Revista de Filología Española», LV, 1972, págs. 323-333), y del mismo, *Métrica de la moaxaja y métrica española,* Madrid, Al-Andalus, 1975.

sistema de la integridad del verso español), y quitándole por delante una sílaba, García Gómez va obteniendo las diversas especies de versos hasta el bisílabo; con ambas series, escribe: «he [...] ajustado y justificado toda la variedad de ritmos castellanos que catalogan Cejador y T. Navarro» [20].

Un ejemplo de la diferencia entre ambos cómputos puede establecerse en estos versos:

a) Base yámbica, según García Gómez, y trocaica, según T. Navarro:

> sus curvados dedos al mover ligeros

G.G. o) o ó o ó o ò o ó o ó [o]

T.N. ò o ó o ó o ò o ó o ó o

b) Base anapéstica, según uno, y dactílica, según otro:

> libre la frente que el casco rehúsa

G.G. o) o o ó o o ó o o ó [o]

T.N. o o o) ó o o ó o o ó o

Otro presupuesto es el de O. Macrí [21], que formula la teoría del cómputo sobre una concepción sintagmática del verso (o hemistiquio), extrayendo de ellos los acentos rítmicos. Esto se aplica al verso de arte mayor, como se indicará más adelante.

En forma correlativa, rimas y estrofas [22], constituyendo unidades rítmicas de conjunto, establecen modalidades abiertas y cerradas de versificación según se trate de poemas narrativos en los que se requiere un desarrollo continuo (cantares de gesta, poemas clericales, didácticos, romances, arte mayor, etc.) o de

---

[20] Ídem, *Todo Ben Quzmān*, III, pág. 58.

[21] Oreste Macrí, *Ensayo de métrica sintagmática*, Madrid, Gredos, 1969, con ejemplos del *Libro de Buen Amor* y *Laberinto de Mena;* un intento de aplicación de la métrica generativa de Halle-Keyer al arte mayor se encuentra en Jacques Roubaud, *Mètre et vers*, «Poétique», 7, 1971, págs. 366-387.

[22] Además de los libros citados para la versificación, véase Tomás Navarro Tomás, *Repertorio de estrofas españolas*, New York, Las Américas, 1968. Desde el punto de vista de la estrofa como unidad rítmica: Rafael de Balbín, *Sistema de rítmica castellana*, Madrid, Gredos, 1962.

obras con límites más precisos (arte cancioneril, lírica popular, etcétera). Los problemas que plantea esta versificación tienen que resolverse dentro de la unidad genérica a que pertenezca la obra y con ayuda de los recursos de la filología, sobre todo en el caso de textos deteriorados por la transmisión, pues en el estudio del verso esto se acusa más claramente. Lo que dicen los tratados medievales del Arte poético es poco, y muchas veces confuso por tenerse que interpretar. Sólo en un aspecto se encuentra información de primera mano: sobre las rimas, para ayudar al poeta en el arte de la composición y ofrecerle las terminaciones adecuadas para el verso. Así ocurre con el *Libro de los Consonantes*, más conocido con el título de *La Gaya Ciencia*, reunido por Pero Guillén de Segovia (1413 - después de 1474)[23]. Este Rimario se inspiró probablemente en el *Torcimany* de Luis de Averçó; en su tiempo fue obra que supuso un esfuerzo por avanzar en la técnica del verso castellano, inspirada en los tratados semejantes de Provenza, y hoy representa un inapreciable documento filológico.

b) *La prosa literaria.*—Cuando la versificación se ha establecido como manifestación de un propósito literario en las literaturas vernáculas de la Edad Media, se buscan los medios de aplicar a la prosa una «medida» que la distinga también del discurso común. En castellano la prosa literaria[24] aparece más tarde que el verso, y su extensión y progreso resultan más lentos y presentan menos variaciones. La palabra *prosa*[25] procede del

---

[23] Pero Guillén de Segovia, *La Gaya Ciencia*, transcripción de Oiva J. Tuulio y estudio de José María Casas Homs, Madrid, CSIC, 1962, 2 tomos.

[24] Desde un punto de vista románico véase Wolf-Dieter Stempel, *Die Anfänge der romanischen Prosa im XIII. Jahrhundert*, en GRLMA, I, páginas 585-601; bibliografía en la pág. 695. Para el planteamiento general de la cuestión véase mi libro informativo *La prosa medieval (orígenes-siglo XIV)*, Madrid, La Muralla, 1974. También conviene tener en cuenta las que Carlos Vossler estudia como «formas híbridas de prosa y poesía en el mundo románico», en *Formas poéticas de los pueblos románicos*, edición de Andreas Bauer, Buenos Aires, Losada, 1960.

[25] Véase J. Corominas, *Diccionario crítico etimológico*, edición citada, III, pág. 896, s.v. *prosa*.

adjetivo *prorsus, -a, -um* o *prosus, -a, -um* 'que va hacia adelante en línea recta', aplicado a *oratio:* así *oratio prosa* era el discurso recto, continuado. De ahí que la prosa resultase menos caracterizada que el verso en relación con el uso común del lenguaje; sin embargo, aunque parezca que prosa literaria y uso común, coloquial, del habla sean análogos, la prosa establece el propósito de distribuir el desarrollo del texto en partes relativamente equilibradas, apoyándose en un juego armónico de entonación y pausas, mientras que en el uso común de la lengua los interlocutores sólo buscan el entendimiento apoyándose en el contexto que les sirve como fondo del discurso y en el que toman sentido las interrupciones y distorsiones de la línea del habla, casi siempre incompleta desde el punto de vista del lenguaje lógico. La prosa literaria, por el contrario, establece una línea continua, con un sentido de unidad a través de partes armónicas, elaboradas por medio de una lengua que usa recursos artísticos. A la libertad de un lenguaje común ocasional, que se pierde después de su uso, se opone el discurso ordenado de la prosa literaria, que se establece para persuadir en el discurso o en el sermón, y que perdura y se reitera por medio de la escritura.

Sin embargo, hay que tener también en cuenta que *prosa* tuvo en el latín medieval y en el castellano de esta misma época la significación de secuencia, 'prosa o verso que se dice en ciertas misas después del gradual', texto religioso propio para ser cantado; y de ahí pasó a composición poética del género religioso, en lengua vulgar, por el estilo de las obras de Berceo y aun a 'poema en verso'. Esta significación perduró hasta el siglo xv, pues se encuentra aún en Fray Íñigo de Mendoza en tiempo de los Reyes Católicos. El uso general de prosa literaria se afirmó con el humanismo renacentista, y Nebrija recoge la acepción moderna (y la antigua).

De entre los varios procedimientos que se usaron para distinguir la prosa literaria vernácula, hay uno que se relaciona con una disposición de la prosa latina desarrollada en los siglos xii y xiii y procedente de prácticas antiguas, denominada *cursus;* el *cursus* establece el ritmo en la composición de la prosa reforzando el equilibrio de los miembros oracionales con el uso de cadencias al fin de los mismos. Se reconocían tres clases de cadencias:

cursus planus	:	*víncla perfrégit*
cursus tardus	:	*víncla perfrégerat*
cursus velox	:	*vínculum frègerámus* [26]

La figura retórica *similiter cadens* igualaba la forma casual con que terminaban los miembros de la frase, y la *similiter desinens*, la terminación verbal; el uso de ambas figuras daba a la prosa un marcado ritmo. Otra tendencia se manifiesta por el *isocolon*, que pretende establecer una extensión semejante en el orden de dos o más miembros de la frase y una disposición análoga en sus componentes; la anáfora y la epífora sirven para subrayar el comienzo o el fin de los miembros respectivamente.

Una intención semejante de armonía pudo pasar a las lenguas vernáculas, utilizando disposiciones análogas, a las que la rima ayudaba para marcar esta intención de lograr una prosa artística. Esto se encuentra sobre todo en textos en donde el sentido oratorio favorecía esta disposición; así ocurre en una versión, realizada por el Arcipreste de Talavera, de San Ildefonso, *De la Virginidat de Nuestra Señora:* «No desampare a la madre | la apostura de virginidád | ni embargue a la Virgen | el parto maternál. ‖ El nacimiento del Hijo | no corrompió | la cerradura virginál; | y la madre no perdió | la su virgen castidád» [27]. Las rimas asonantes -ó y -á destacan el sentido rítmico del párrafo, que va acompañado de una disposición determinada. En efecto, la tendencia al isocolon (que, como puede observarse, se establece sobre unidades menores de la entonación) ofreció una

---

[26] Véase Ch. S. BALDWIN, *Medieval Rhetoric and Poetic*, obra citada, págs. 223-227, de donde proceden los ejemplos. El libro de Cristóbal CUEVAS GARCÍA, *La prosa métrica. Teoría. Fray Bernardino de Laredo*, Granada, Universidad, 1972, si bien se refiere a este autor, da noticias sobre la teoría de la prosa métrica de una manera general.

[27] José MADOZ, *San Ildefonso de Toledo a través de la pluma del Arcipreste de Talavera*, Madrid, CSIC, 1943, pág. 114.

coincidencia con la constitución silábica de algunas modalidades del verso, y así pueden identificarse espacios de sintagma que pertenecen a la prosa y que valen lo mismo para el verso. En el trozo anterior de prosa se pueden segregar los siguientes espacios de sintagma que poseen una entidad rítmica semejante a los versos que indico (según la terminología de T. Navarro):

1)	*la apostura de virginidad*	Decasílabo dactílico
2)	*la cerradura virginal*	Eneasílabo trocaico
3)	*No desampare a la madre*	Octosílabo mixto a
4)	*El nacimiento del Hijo*	» »
5)	*y la madre no perdió*	Octosílabo trocaico
6)	*la su virgen castidad*	» »
7)	*el parto maternal*	Heptasílabo trocaico
8)	*ni embargue a la Virgen*	Hexasílabo dactílico
9)	*no corrompió*	Pentasílabo dactílico

Si bien la coincidencia pudiera ser a veces fortuita, es evidente que el trozo está articulado como para lograr miembros de una extensión relativamente análoga entre 5 y 10, con predominio de 8 sílabas:

$$10 \text{ sílabas} - 1 - (1)$$
$$9 \quad » \quad - 1 - (2)$$
$$8 \quad » \quad - 4 - (3, 4, 5 \text{ y } 6)$$
$$7 \quad » \quad - 1 - (7)$$
$$6 \quad » \quad - 1 - (8)$$
$$5 \quad » \quad - 1 - (9)$$

Un ejemplo más de los libros originales del mismo Martínez de Toledo nos muestra un caso de *similiter desinens:* «¡Oh siempre jamás, | *quien* en ti pens*áse*[1], | *quien* te entendi*ése*[2], | *quien* bien te consider*áse*[1], | *quien* te bien llor*áse*[1] | *quien* te conoci*ése*[2], | *quien* no te olvid*áse*[1], | *quien* escrito en el corazón te tuvi*ése*[2], | *quien* tu vigilia bien ayun*áse*[1], | el tal mal hacer | sería imposible!»[28]. La serie marcada con el índice[1] reitera la

---

[28] Alfonso Martínez de Toledo, *Arcipreste de Talavera o Corbacho*, ed. de Joaquín González Muela, Madrid, Castalia, 1970, pág. 118.

terminación verbal *-áse*, y la marcada con el [2] la *-áse;* la anáfora *quien* ofrece, en principio de miembro, un medio para intercalar la identificación y el equilibrio del conjunto. La medida de los miembros ofrece este resultado:

1)	*quien escrito en el corazón te tuviese*	Dodecasílabo anómalo
2)	*quien tu vigilia bien ayunase*	Decasílabo trocaico
3)	*quien bien te considerase*	Octosílabo mixto a)
4)	*Oh siempre jamás*	Hexasílabo dactílico
5)	*quien en ti pensase*	Hexasílabo trocaico
6)	*quien te bien llorase*	Hexasílabo dactílico
7)	*quien te conociese*	Hexasílabo trocaico
8)	*quien no te olvidase*	» »
9)	*sería imposible*	Hexasílabo dactílico
10)	*el tal mal hacer*	» »
11)	*quien te entendiese*	Pentasílabo trocaico

El resultado de la medida es el siguiente:

12 sílabas	— 1 —	(1)
10 »	— 1 —	(2)
8 »	— 1 —	(3)
6 »	— 7 —	(4, 5, 6, 7, 8, 9, 10)
5 »	— 1 —	(11)

Es, pues, evidente que el eje está en el hexasílabo en este caso. En autores como don Juan Manuel, puede el uso hacerse más sutil, como en el ejemplo siguiente en que el equilibrio se logra por una análoga disposición morfosintáctica y la repetición final de *sabe*: «El que *sábe*, | sabe que no *sábe;* | | el que no *sábe*, | cuida que *sábe*»[29]. O bien el mismo autor puede acercarse a un formulismo distributivo de los miembros semejante al del refrán: «No es de buen seso qui[en] méngua | su honra por crecer la ajéna»[30].

---

[29] Juan MANUEL, *El Conde Lucanor*, edición de José Manuel BLECUA, Madrid, Castalia, 1969, 2.ª parte, pág. 269.

[30] Ídem, 3.ª parte, pág. 275.

El empleo de los procedimientos retóricos que favorecen el equilibrio y el ritmo de orden morfológico y la distribución ordenada de elementos lingüísticos, valieron para señalar esta condición métrica de la prosa de naturaleza artística. El establecimiento de módulos generales expresivos, adaptados a los varios fines de esta forma (historia, libros de ficción, exposiciones moralizadoras, etc.), completó esta conciencia de una realización artística específica para la prosa literaria.

LA TEORÍA DE LOS TRES ESTILOS, ESTABLECIDA EN LA POÉTICA MEDIEVAL

Si bien la Estilística es una clase de estudios desarrollada en nuestro siglo, la Edad Media conoció también una teoría del «estilo» que tuvo gran importancia en la conciencia del arte literario medieval. La etimología del término castellano «estilo» es la palabra latina *stilus,* cuyo uso más general fue con la significación de 'punzón', en especial el que se destinaba para escribir sobre las tablillas de cera [31]; en su empleo en las escuelas retóricas llegó a ser sinónimo de *scriptio, scriptura; stilus exercitatus* era el ejercicio escrito, de donde 'manera peculiar de escribir', por un proceso de metonimia. El término retórico más en uso para designar los diferentes modos de escribir (en cuanto que cada modo pudo representar una determinada combinación artística de elementos lingüísticos) fue *genus* ('género'), y Cicerón reconoce que el buen orador (el elocuente) es el que sabe expresarse con sencillez refiriéndose a cosas poco importantes, que lo hace de manera templada en lo referente a las cosas de importancia media, y con gravedad, si a las grandes; la adecuación del asunto distingue los tres géneros [32]. Las tres maneras tienen usos distintos, y también se relacionan con los fines del orador:

---

[31] Véase A. ERNOUT y A. MEILLET, *Dictionnaire étymologique de langue latine,* París, Klincksieck, 1967, s.v. *stilus.*

[32] «Is erit igitur eloquens [...] qui poterit parva sumisse, modica temperate, magna graviter dicere». (CICERÓN, *Orator, 29,* 101.)

cuando expone las pruebas, debe mostrarse preciso, cuando quiere deleitar a los oyentes, se ha de manifestar templado, y vehemente a la hora de conmover[33]. La *Retórica a Herenio* recoge también las tres maneras fundamentales llamándolas grave, media y atenuada o leve, según la clase de palabras y la construcción usadas: para la grave se utilizan las palabras elevadas y la construcción ornada; para la media se usan palabras menos altas, pero que no sean ínfimas o vulgares, y para la manera leve valen expresiones de uso común. Desde los antiguos pasó a los Padres de la Iglesia, y San Agustín recoge esta concepción en los: *genus submissum* o *tenue* (propio para enseñar), *genus temperatum* (propio para entretener), y *genus grande* (propio para conmover), combinando cada modalidad con un propósito[34].

San Isidoro establece tres clases de elocución: humilde, media y grandilocuente con propósito semejante, siendo esta última propia para cuando se «trata de llevar a Dios los espíritus apartados»[35]. Y de manera parecida, en los autores carolingios.

Asegurada de esta manera una división en tres especies de elocución, la partición se pasó a la Poética, y a las obras de los autores del Renacimiento medieval francés[36]. Así, Juan de Garlande (hacia 1180 - después de 1252) en su *Poetria*, reconoce los tres *styli*, empleando el término en esta significación concreta;

---

[33] «Sed quot office oratoris, tot sunt genera dicendi, subtile in probando, modicum in delectando, vehemens in flectendo, in quo uno vis omnis oratoris est». (CICERÓN, *Orator*, 21, 69.)

[34] Para el planteamiento del estudio en el mundo latino, puede verse George KENNEDY, *The Art of Rhetoric in the Roman World 300 B.C.-A.D. 300;* Princeton, University Press, 1972.

[35] ISIDORO DE SEVILLA, *Etimologías*, Madrid, Biblioteca de Autores Cristianos, 1951, pág. 53, Cap. XVII, 1-3.

[36] Uno de ellos, Godofredo de Vinsauf (comienzos del siglo XIII) indica a este propósito: «Sunt igitur tres styli, humilis, mediocris, grandiloquus [...] Quando enim de generalibus [*grandibus?*] personis vel rebus tractatur, tunc est stylus grandiloquus; quando de humilibus, humilis; quando de mediocribus, mediocris». Y pone el ejemplo de Virgilio en las *Bucólicas, Geórgicas y Eneida* (E. FARAL, *Les Arts poétiques*, obra citada, *Documentum*, II, 145, págs. 312 y 87).

y este autor inventó la llamada rueda de Virgilio en la que los estilos, siguiendo una distinción iniciada por la escuela carolingia, se diversificaron en tres tipos de hombres: pastor, agricultor y guerrero, atribuyéndoles el contorno de vidas que les era propio (tipo literario procedente de las *Bucólicas, Geórgicas y Eneida*, animal, objeto, medio y árbol):

LOS TRES ESTILOS EN LA RUEDA DE VIRGILIO

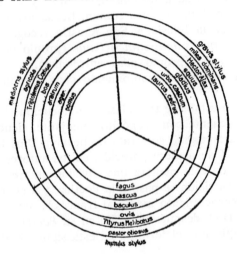

La «rueda de Virgilio» de Juan de Garlande, según FARAL, *Les Arts poétiques*, pág. 87. El texto que la ilustra dice: «Item sunt tres styli secundum status hominum: pastorali vitae convenit stylus humilis; agricolis mediocris, gravis gravibus personis quae praesunt pastoribus et agricolis».

Este esquema de distribución de los estilos pasó a la poética vernácula, y el Marqués de Santillana lo aplicó a la literatura que él conocía, llamándolo «grados» del escribir; y así dice que se acostumbran a usar «estos tres grados, es a saber: sublime, mediocre e ínfimo. Sublime se podría decir por aquellos que las sus obras escribieron en lengua griega y latina, digo metrificando. Mediocre usaron aquellos que en vulgar escribie ron, así como Guido Guinicelli, boloñés, y Arnaldo Daniel, provenzal... [y un poco más adelante menciona a Dante, Petrarca y Boccaccio]; ínfimos son aquellos que sin ningún orden, regla ni cuento hacen estos romances y cantares, de que las gentes de baja y servil condición se alegran» [37]. De este modo la diferencia se traslada al uso de las lenguas, y las literaturas vernáculas de carácter noble, como la provenzal y la italiana, y detrás de ambas las que se ampararon en su prestigio (como las españolas), ocupan el grado medio al que vimos que correspondía la teoría de la poesía nueva; de ahí la afirmación de Santillana de que se hayan usado «asaz prudente y hermosamente» [38].

Los primeros usos en castellano en que aparece la palabra «estilo» no coinciden con esta significación de la Poética, sino con otro uso de la misma en el sentido de 'práctica, ejercicio y sobre todo costumbre' [39]. Con Mena y Nebrija [40] el uso poético de estilo se asegura. Mena, que conoce el significado de 'ejercicio', escribe en la declaración proemial de la *Coronación* del Marqués de Santillana: «Sepan los que lo ignoran que por alguno de tres estilos [*stilos*, aparece en el incunable] escriben los poetas; es a saber: por estilo de tragedia, sátiro *(sic)* y cómico. Tragedia es la escritura que habla de altos hechos y por bravo y soberbio y alto estilo [menciona en él a Homero, Virgilio, Lucano y Estacio]... Sátira es el segundo estilo de escribir, la naturaleza de la cual escritura y oficio suyo es reprehender los vicios [y cita a Horacio y Juvenal]. El tercer estilo es comedia,

---

[37] L. Sorrento, *Il Proemio del Marchese di Santillana*, edición citada, págs. 28-29.

[38] Ídem, pág. 30.

[39] La causa fue la homonimia del derivado de *stillus* con el significado de 'costumbre, práctica, ejercicio' derivado de *stilare*, término del latín medieval con el sentido de 'Obtinere, in ussu esse, usurpari' (Du Cange, *Glossarium mediae et infimae latinitatis*, edición citada, pág. 598). La palabra *estilo* entra en castellano con esta significación en el Marqués de Santillana y en otros varios autores, y en obras tan leídas como el *Amadís*, en el que *estilo* y *oficio* se emparejan. Sobre estos usos véase R. Lapesa, *La obra literaria del Marqués de Santillana*, obra citada, pág. 112, nota 35.

[40] J. Corominas, *Diccionario crítico etimológico...*, edición citada, **II**, pág. 431, s.v. *estilo*. Nebrija define: «estilo de decir: caracter dicendi».

el cual trata de cosas bajas y pequeñas, por bajo y humilde estilo... [y el ejemplo es Terencio]»[41]. Esta clasificación no presupone un género determinado, y sólo se refiere al comienzo y fin de la misma: respectivamente alto y desgraciado en la tragedia, y triste y afortunado en la comedia, mientras que la sátira sirve para la represión de los vicios; y esto se interpretaba con flexibilidad, hasta el punto de que Mena declara que la *Coronación* (panegírico del Marqués) es obra de comedia y sátira.

Vemos, pues, que la idea poética de la gradación de los estilos pasó a la literatura vernácula a través de varias interpretaciones. La condición propia del asunto y el determinismo de los personajes se complica con la diversidad de las lenguas en uso, cada uno con su prestigio. El contraste entre el latín como lengua modélica y el romance como lengua que se esfuerza en serlo aparece, por ejemplo, en unas líneas que preceden a un *Libro de los consonantes*, de Pero Guillén de Segovia, parte acaso de un Tratado de Poética, donde se lee: «aunque de esta gaya ciencia haya habido muchos y prudentes autores, parece que todos aquellos que de ella hablaron la pusieron en el latín y en estilo tan elevado, que pocos de los lectores pueden sacar verdaderas sentencias de sus dichos, quise yo [...] escribir algo de ellos en romance, so estilo bajo y humilde...»[42]. Y los consonantes de la obra convienen con la poesía cancioneril, y no con la otra obra «sin ningún orden regla ni cuento», falta de disciplina poética a que se refiere el Marqués de Santillana.

Por tanto, en la interpretación de estas menciones, hay que considerar por una parte las teorías de origen en los tratados del latín antiguo, y por otra, su interpretación en las Poéticas medievales y la adaptación en la conciencia literaria de los primeros «críticos» que observan las obras en lenguas vernáculas. En estos casos, las literaturas antiguas ocupan el más alto lugar, el provenzal, el francés en ocasiones y otras el italiano el

---

41   Juan de MENA, *La Coronación* [¿Toulouse, 1489?], Valencia, «la fonte que mana y corre», 1964, fol. I y v.; como ejercicio, en el *Laberinto*, estrofa 147.

42   P. GUILLÉN DE SEGOVIA, *La Gaya Ciencia*, edición citada, I, pág. 43.

segundo, y los esfuerzos por la creación en la lengua castellana, el tercero; todos los puntos de vista se pueden cruzar en el autor, y con esto se da lugar a una matización inicial de la creación poética que ofrece esta predeterminación expresiva dentro de uno de estos estilos generales.

LA CONCIENCIA DEL ESTILO
EN UN AUTOR MEDIEVAL

Un escritor de linaje real, Juan Manuel (1282-1349), nos dejó el testimonio de lo que representa el esfuerzo del autor en la creación literaria, y las exigencias que lleva consigo la obra resultante en cuanto a su perduración. Lo que manifiesta Juan Manuel se encuentra en el punto extremo de la autoría, tal como habría de ser la obra en lengua vernácula de sentido elevado. El hijo del Infante don Manuel, sobrino de Alfonso X y nieto de Fernando III, el conquistador de Sevilla, defiende su vocación por las letras, que estima compatible con el ejercicio de las armas que es propio del linaje que representa, aunque sabe que con ello se aparta de la opinión general de que cada clase haga lo que le corresponde: el caballero, guerrear y el letrado, escribir. Juan Manuel, que requiere para sí esta condición de caballero-letrado, no posee como el Rey sabio una escuela en la corte que le ayude en la composición y en la redacción de su obra y le asegure una fiel perduración textual. No obstante, el sentido de la dignidad que guía sus actos se revela también en el caso de la obra literaria que él redacta y, sobre todo, en el cuidado que pone en la conservación de la obra escrita. Juan Manuel quiere perdurar en su entereza en cuanto él es un escritor de linaje, sin que copistas aviesos pudieran desfigurar la obra escrita por un gran señor: permanecer después de la muerte con los rasgos que se tuvo en vida, es una actitud en que la fama está implicada. Juan Manuel quiso que los rasgos de sus escritos permaneciesen, como los de la fisonomía en una estatua yacente encargada a un maestro hábil: «y recelando yo, don Juan, que, por razón que no se podrá excusar, que los libros que yo he hecho, no se hayan de trasladar ['copiar'] muchas veces, y porque yo he visto que en el trasladar acaece muchas veces [...], que en trasladando el libro pondrá una razón por otra, en guisa que muda toda la intención y toda la suma [...], hice hacer este volumen»[43], y lo dejó en el convento de Santo Domingo de la villa de Peñafiel para que a él acudiesen los que quisieran conocer el texto más legítimo de sus obras. Ni este inapreciable códice ni el enterramiento de don Juan han perdurado, pero el criterio expuesto por Juan Manuel es el del autor culto que se ha esforzado por lograr una obra de calidad artística en el proceso de una elaboración poética. Juan Manuel no es un autor que descuelle por sus fuentes; su cuidado estaba más en elaborar el artificio que se manifiesta en el arte del estilo, que en la elección de los autores que podían valerle para sus libros. Apenas cita a escritores ni antiguos ni cristianos cuyos nombres pudieran haber realzado su obra. Y esto representa en él una característica importante en tiempos en que era común confiar en las autoridades citadas. Y aun no teme declararse «lego»: «yo que so lego, que nunca aprendí ni leí ciencia alguna», dice en el prólogo del *Libro del Caballero y del Escudero*. Las expresiones de Juan Ruiz resultan análogas; y estas declaraciones de humildad científica pueden interpretarse como el tópico de la benevolencia, declarado por contraste con las obras que se escriben en latín, que se estiman en más que las romances, de manera parecida al ajuglaramiento de Berceo y a su declaración de no saber escribir en latín. De su obra dice que la «hizo por intención que se aprovechasen de lo que él diría las gentes que no fuesen muy letrados ni muy sabidores. Y, por ende, hizo todos los sus libros en romance, y esto es señal cierto que los hizo para los legos y de no muy gran saber, como lo él es» (Prólogo del *Lucanor*)[44]. Pero esta humildad condicionada por el tópico no impide la conciencia artística con que realiza las obras, y esta es, precisamente, su importancia desde el punto de vista de la conciencia del estilo. Escri-

---

[43] Juan MANUEL, *Obras de...*, edición de José María CASTRO Y CALVO y Martín de RIQUER, Barcelona, CSIC, 1955, págs. 4-5.

[44] Ídem, *El Conde Lucanor*, edición citada, págs. 48-49.

bir en la lengua vernácula no es ya el esfuerzo que se considera logrado con expresarse claramente según pida lo que se quiera comunicar. Del lenguaje «utilitario» de la obra dirigida por Alfonso X se pasa a la obra artística de Juan Manuel en una transición que supone el uso del castellano como una lengua en la que el autor ya puede lograr una escritura literaria.

Favorece esta situación el hecho de que Juan Manuel declare que hay varias maneras de escribir; así conoce las dos formas básicas: la breve, y la de desarrollo amplio, y sabe sus ventajas, pero teme los inconvenientes de cada una de ellas, aunque su preferencia esté por la breve. Su intención es que el libro resulte propio para todos, posea el arte adecuado y que no sea equívoco. Esta conciencia tiene su plena expresión en el curso del *Libro de los Estados;* Julio, el consejero, habla con el Infante, y en el curso de la conversación surge la cuestión de cómo es más conveniente que se exprese: «... y ahora decidme vuestra voluntad: ¿cómo queréis que os hable en todas estas cosas? Ca [pues] si decís que os responda a cada cosa cumplidamente, he muy gran recelo de dos cosas: la una, que os enojaréis de tan luenga escritura, y la otra, que me tendréis por muy hablador; y si decís que os responda abreviadamente, he recelo que habré a hablar tan oscuro que por aventura será grave de entender» [45]. La respuesta del Infante es una difícil solución: lo mejor sería en tal caso «que lo dijéseis *declaradamente,* que fuese en las *menos palabras* que vos pudiéseis» [46]. Claridad y concisión son, pues, las normas del estilo recomendadas en la obra por los personajes y hemos de suponer que el autor participa de la misma opinión; aunque estas normas son muy generales, y en cierto modo neutras, su realización obliga a un esfuerzo por lograr un equilibrio que es la base del criterio estilístico. Si ha de haber algún desequilibrio en los dos fines, el Infante, que recibe la lección, pues de enseñar se trata, dice que prefiere la expresión que se alargue en provecho de la inte-

---

[45] Ídem, *Libro de los Estados*, edición de Robert B. Tate y Ian Richard Macpherson, Oxford, Clarendon Press, 1974, cap. LXIII, pág. 117.
[46] Ídem, pág. 118.

ligencia del sentido: «más de consentir y más provechoso para el que ha de aprender es en ser la escritura más luenga y declarada, que no abreviada y oscura»[47]. Pero este criterio de claridad no conviene por igual a todos los gustos y depende de la condición del lector que puede actuar sobre el criterio del autor: «don Jaime, señor de Jérica [...] me dijo que querría que los mis libros hablasen más *oscuro*, y me rogó que si algún libro hiciese, que no fuese tan *declarado*. Y soy cierto que esto me dijo porque él es tan sutil y tan de buen entendimiento, y tiene por mengua de sabiduría hablar en las cosas muy llana y declaradamente»[48]. Esta intención obliga a que Juan Manuel establezca un criterio diferente en el estilo: la lengua no domina al autor, sino que éste puede matizar intenciones diferentes en la realización de la obra. La noción de oscuridad no ha de interpretarse como favorecedora de un ocultamiento del sentido, sino más bien como una apretada comunicación del mismo. Tal sutileza tiene también sus ventajas; cuando compara las dos maneras del *Lucanor*, dice que el aprovechamiento de la segunda, o sea, la apretada, «es muy mayor para quien lo estudiare y lo entendiere, ca [pues] en el otro hay cincuenta ejemplos, y en este hay ciento»[49]. Estas partes del *Lucanor* tienen interés por ser un intento de prosa sutil, ya en manos de un hábil escritor; y con todo no dejan de enredársele a veces las expresiones como aquella: «La razón es razón de razón»[50], que tanto complacería al buen amigo de Jérica.

La conciencia del estilo, en este caso de Juan Manuel, va unida al cuidado de la perduración textual, pues la lengua escrita debe mantener tanto el sentido como la organización interna de la contextura lingüística según decide que sea el autor, sin que nadie ajeno a él pueda tocar la obra, una vez terminada.

---

[47] Ídem, pág. 118.
[48] Ídem, *El Conde Lucanor*, edición citada, pág. 263; en este caso habla el propio escritor, pues es un prólogo en forma de razonamiento, dirigido a don Jaime, señor de Jérica.
[49] Ídem, pág. 273; en el prologuillo de la tercera parte.
[50] Ídem, pág. 276.

Capítulo VII

DEL TEXTO A LA AGRUPACIÓN GENÉRICA

LAS OBRAS Y SU AGRUPACIÓN

La ciencia de la literatura, tal como he venido considerándola, se concentra en el estudio de la obra literaria como hecho único e irrepetible en cuanto a la creación de la misma. Los cuidados y avisos que se han señalado en torno de los textos tenían como fin asegurar la mejor idoneidad de la obra según su especie; la obra representa el signo total y complejo por el que se establece la comunicación literaria entre el receptor de la obra (oyente o lector) y el autor en cuanto poeta (o creador sobre el lenguaje general de la obra en concreto). De ahí la dificultad que en la misma base presentan las obras conservadas por más de un texto, con variantes que, sin embargo, no cambian su identidad. Esta necesaria agrupación de textos de una misma obra representa el primer conflicto que plantea el factor histórico en la consideración de la obra, que hay que resolver caso por caso mediante lo que se dijo en el capítulo sobre la conservación de los textos: geografía, cronología y dialectología lingüísticas entran en juego, y la paleografía ofrece unas soluciones científicas.

Pero más allá de esta problemática, que depende del azar de los textos conservados, la ciencia de la literatura tiene que adoptar un criterio para agrupar las obras entre las que se pueda establecer algún orden de relación. El estudio de cada obra como una entidad cerrada y única a la que se aplican los adecuados instrumentos de la crítica estilística, retórica (y cuantos métodos de trabajo se conozcan) para definir y establecer su peculiaridad única, permite constituir la consideración más completa de la misma. Pero con esto no acaba su estudio: la obra es, en efecto, un hecho percibido por el receptor como unidad absoluta según una estructura intocable; pero ello no obsta para afirmar al mismo tiempo que los factores temporales contaron, cuentan y contarán en la realización de la obra literaria: por una parte, actúan en el proceso de su creación, en el autor, que es un sujeto histórico, y por otra, en el receptor, coetáneo del autor (pero previendo públicos futuros), y todos están sujetos a la temporalidad. Del autor a la obra y de la obra al receptor, existe la actuación de unos factores diacrónicos que no se pueden apartar de ella, si no se quiere falsear o eliminar un orden de consideraciones que siempre acompañan a la obra desde su origen hasta su perduración. El carácter de los diversos estudios inclina a veces a tener en cuenta con preferencia la sincronía (o sea dejando de lado los factores temporales) o la diacronía (o sea apoyándose en ellos). Lo más común es que se opere con la pancronía (o sea reuniendo y matizando ambas consideraciones) para así abarcar mejor la peculiar totalidad del hecho literario.

Contando con esta pancronía articulada, el establecimiento de los grupos que puedan constituirse con las obras literarias, resulta la otra vía para proseguir en el estudio de la esencia de la literatura. Sería imposible una consideración continua de las obras sueltas, independientes unas de otras, en una sucesión del orden que fuese; se impone el grupo que, de una manera general, aparece desde los primeros libros en que se plantea una teoría o una apreciación de la Literatura. Tratando la cuestión de una manera general en relación con los estudios comparatistas, P. van Tieghem ha escrito: «Los géneros no sólo son necesarios en sus relaciones con el ingenio de cada escritor; ofrecen también la mejor clasificación natural de las creaciones literarias. Lejos de haber sido inventados por los pedantes, expresan las necesidades primeras y las aptitudes esenciales del espíritu»[1]. Los más recientes teóricos de la literatura dedican al género sendos capítulos en sus obras; así en su manual Wellek y Warren formulan esta concepción equilibrada: «El género representa, por así decir, una suma de artificios estéticos a disposición del escritor y ya inteligibles para el lector»[2]. Y el de Aguiar e Silva[3], donde se indica que es uno de los problemas más arduos de la estética literaria, y que ofrece diversas soluciones en su historia.

La reunión de las obras en grupos se hace sobre todo según dos criterios básicos: juntándolas por razón de las características intrínsecas de las obras, u ordenándolas cronológicamente. En el primer caso los grupos son descriptivos, y en el segundo, históricos; por lo general, los tratados reúnen ambos criterios, puesto que así se expone mejor el desarrollo de la entidad del grupo. En algunas ocasiones el grupo destaca de una manera convencional determinadas características de las obras, y aun se vale de datos externos, si es necesario, pero ello no invalida esta concepción, como se pretendió en una crítica rigurosa. Lo que ocurre es que el estudio del grupo no puede sustituir el conocimiento de la obra; si no se ha leído el *Libro de Buen Amor*, el estudio de las literaturas de la cuaderna vía no puede suplir esta experiencia; pero, a la inversa, con la lectura aislada de esta obra no nos es posible hacernos una idea de su condición poética ni del lugar e importancia de la misma en la literatura española; y esto sucede mucho más en el caso de la literatura medieval, en que el tiempo transcurrido entre la aparición de las obras y el de su lectura actual actúa como un factor perturbador en la percepción de la obra literaria. El estudio de

---

[1] Paul van Tieghem, *La Littérature comparée*, París, Colin, 1931, pág. 73. Véase Hans R. Jauss, *Theorie der Gattungen und Literatur des Mittelalters*, en *GRLMA*, I. Esta parte del *Grundriss* expone una teoría general del género en la Edad Media (págs. 107-138), traducida en parte en el artículo *Littérature médiévale et théorie des genres*, «Poétique», 1, 1970, págs. 79-101.

[2] R. Wellek y A. Warren, *Teoría literaria* [1948], Madrid, Gredos, 1953, pág. 412; dedica al género el capítulo XVII, págs. 394-416.

[3] V. M. de Aguiar e Silva, *Teoría de la literatura* [1968], Madrid, Gredos, 1972; dedica al género el capítulo IV, págs. 159-179.

los grupos de obras permite una orientación en los conjuntos formulados, en relación con los cuales la experiencia de la recepción de la obra se enriquece y orienta en la forma debida. Desde este capítulo en adelante atenderé a legitimar dicha agrupación de las obras literarias reuniéndolas de la manera más acomodada a su naturaleza.

LOS GRUPOS DESCRIPTIVOS

Una dificultad que ha acompañado el planteamiento del grupo literario ha sido la terminología; mantendré en principio la denominación de grupo por resultar la más adecuada para lo que aquí voy diciendo, e iré dando entrada a otros términos según lo requiera el caso. Conviene, en primer lugar, distinguir entre el grupo descriptivo y el histórico.

Lo que desde este punto de vista consideramos como género descriptivo, apareció en las Poéticas y Retóricas para reunir las obras según determinadas características comunes en ellas; así ocurrió con los *genera*, a los que me referí antes para fundamentar la teoría medieval de los estilos. La partición en tres grados de la expresión literaria supuso una primera calificación, cuya interpretación fue en la Edad Media muy diversa como se vio; su origen se debió a la consideración fundamental de la oratoria, y los tres *genera* aristotélicos: *genus iudiciale, genus deliberativum* y *genus demostrativum*, son de esta naturaleza [4].

La Poética aportó otra concepción de gran fortuna, que se refería al conjunto de la obra literaria; en cierto modo la Retórica quedaba más ligada a la oratoria teniendo en cuenta que su fin era persuadir al oyente, pero su técnica se aplicó también a las obras literarias de condición poética (metáfora, alegoría, descripción, alabanzas, ficción de personas, etc.). Bajo el prestigio de Aristóteles el fin de la Poética es una *mimesis* o imitación artística mediante la cual se logra el deleite del público,

---

4 Véase H. Lausberg, *Manual de retórica literaria*, obra citada, I, páginas 106-117.

que se complace en verificar su identificación con la realidad existente o con la realidad inventada por el poeta [5].

Según sean las características de esta imitación, aparecen los grados de la mimesis; de ellos hay dos fundamentales:

a) El drama, que es el grado máximo de la mimesis en tanto que los personajes reproducen una realidad mediante una imitación directa, de viva voz, de las palabras y gestos de las acciones representadas. El público asiste como espectador colectivo, y en la escena se recrea la acción mediante la representación del hecho, y se acude a la narración cuando se han de referir las partes que hayan ocurrido fuera de la escena.

b) La épica, en la que actúa un narrador que cuenta al receptor de la obra el relato asumiendo esta función de manera impersonal o impuesto de su función relatora; en el curso del relato los personajes, cuando lo cree conveniente, asumen su propio papel y hablan por sí mismos unos con otros.

c) El tercer grado resulta accesorio: la lírica es la denominación colectiva de las manifestaciones que no tienen la entidad artística de los grados anteriores, ni en extensión ni en complejidad; parte a veces de ellos, se refiere, otras, a la vida del autor, y a cuanto ofrece algún interés para el público por expresar una experiencia humana.

Los tres grados de la mimesis constituyeron la más amplia y general denominación de los géneros dramático, épico y lírico, cuyo conocimiento entró en la Edad Media a través de las versiones y resonancias de la obra aristotélica, acondicionándose a las modalidades literarias existentes. La concepción de los tres géneros mencionados se encuentra representada en los *genus dramaticum, genus narrativum* y *genus mixtum,* procedente sobre todo de Diomedes. Sin embargo, el conocimiento directo de las obras de Aristóteles no se difundió hasta el siglo XVI y, por tanto, en la Edad Media la aplicación de estos géneros se ha de realizar de una manera condicionada.

Esto perturbó en cierto modo el estudio de la literatura medieval, porque el neoaristotelismo que se impuso (al menos hasta

[5] Ídem, II, págs. 443-510.

el Romanticismo en la apreciación crítica, y hasta nuestros días en muchos tratados elementales de preceptiva) no convenía de una manera estricta con los principios que habían valido para la formación de los grupos medievales; si se pretende establecer un orden genérico en las obras literarias de acuerdo con criterios rígidos, los grupos resultantes no poseen la legitimidad necesaria, y de ahí la fuerte reacción existente frente al concepto desorbitado de género. Un caso de este planteamiento predominante del género aparece en F. Brunetière (1849-1906), crítico que manifiesta la culminación del positivismo metodológico del siglo XIX, aplicado al estudio, ordenación y valoración de la literatura [6]. B. Croce (1886-1952) fue el más polémico exponente de la oposición al criterio de que en los estudios literarios los géneros sean los patrones dominantes a los que se sujete la crítica de las obras, defendiendo el que cada obra es una e indivisible [7]; no obstante las diversas opiniones contrarias, hay que señalar que estos grupos genéricos, debidamente establecidos, pueden ser instrumentos útiles para el estudio de determinados aspectos de la Literatura.

Los cuadros procedentes del examen y ordenación de datos de carácter inductivo, constituidos después de las obras, pueden ofrecer grupos descriptivos que sirven para este propósito de ordenación. Con todo, la separación del factor temporal no puede establecerse radicalmente, como veremos ahora al tratar de la formación de los grupos históricos. La consideración estrictamente sincrónica de los grupos literarios no ha sido frecuente, pero el uso indiscriminado y ametódico del concepto de grupo (en particular, el de 'género'), sobre todo en el caso de las preceptivas normativas, sí ha levantado serias reservas. Y ocurrió que en bastantes casos tales preceptivas han sido la base para la calificación y clasificación de las historias de la literatura.

---

[6] Ferdinand BRUNETIÈRE, *L'évolution des genres dans l'histoire de la littérature*, París, Hachette, 1890.

[7] Benedetto CROCE, *La Poesía. Introducción a la crítica e historia de la poesía y de la literatura* [1935], trad. española de la 5.ª ital., Buenos Aires, Emecé, 1954, págs. 180-181. Venía abundando en esto desde la formulación de su *Estética* [1902], Madrid, Beltrán, 1912.

En el siglo XVIII, y con más vigor desde el Romanticismo, se hizo más intensa la aplicación del criterio histórico en el estudio de la Literatura. Esto ocurrió, como acabo de decir, a través de una adaptación de los cuadros formados por las Poéticas, que se reordenaron en esta orientación. Desde un principio se echó de ver que los grupos que pueden formarse teniendo en cuenta su desarrollo histórico están limitados en el tiempo, y que la validez de su efectividad poética sólo perdura en tanto que el autor y el público mantienen en cada obra la vigencia creadora de las respectivas combinaciones de elementos caracterizadores. Por otra parte, consideradas las obras en esta fluencia, se manifiesta al observador que cada una de ellas trae consigo una reiteración y una novedad con respecto a las precedentes, y que a su vez cada una condiciona, en cierto modo, la aparición de las siguientes. El juego posible entre los factores reiteradores y los innovadores actúa siempre en el desarrollo del grupo mientras está vigente, y el grupo se constituye por aproximación convencional de las características confluyentes de tradición y novedad que actúan a un tiempo. El grupo así condicionado históricamente se manifiesta a través del autor y del público. En el autor la conciencia de escribir dentro de un grupo determinado le ofrece una vía para orientar la creación relacionándola con las formas preexistentes de la misma especie; en el público, le sirve para la posesión de un criterio que reconozca el carácter e intención de la obra. La labor del investigador de la literatura consiste en establecer los condicionamientos propios de cada grupo deduciéndolos de un análisis de las características de las obras, y de cuantas declaraciones y testimonios existan sobre él. De esta manera se constituye un cuadro regulador en el que se van situando las obras que coinciden en estas características, y que resultan por eso más comparables entre sí que con otras distintas. La participación positiva vale tanto como la negativa (+, sí, opuesto a un —, no), y la red de condiciones ha de ser la sufi-

ciente como para establecer una agrupación congruente, limitada tan sólo a los fines propuestos. El orden de estudios del
grupo queda siempre conscientemente limitado en relación con
otras consideraciones de la Ciencia literaria. La ayuda de normas declaradas en Poéticas y los otros testimonios que se usan
para la constitución del grupo, han de interpretarse en la manera
debida; estos conceptos literarios han actuado sobre el autor (y
luego sobre el crítico y el público), pero no han sido más
que una parte de la teoría literaria en juego.

En estas cuestiones, el problema más difícil de resolver consiste en establecer la extensión de los grupos y, sobre todo, el
proceso de su renovación interna y de la aparición de otros
nuevos obtenidos por la disconformidad (desviación, conversión
en afirmativas de condiciones que eran negativas, o al revés)
de las características de los existentes, hasta un punto a partir
del cual haya que considerar la existencia de otro grupo. Por
otra parte, los diferentes grupos no se ofrecen aislados ni sucesivos, sino concurriendo en un mismo período, y así resulta
posible la contaminación de las características; la coexistencia
de varios de ellos en un mismo período debe establecerse
cuidadosamente, pues la concurrencia se verifica en una situación diferente para cada grupo: unos pueden estar en sus inicios, otros en la madurez, y otros en proceso de contaminación
y disolución hacia la formación de otros distintos. En cierto
modo, la calificación de «clásico» ha intervenido para designar
de esta manera las obras que mejor reúnen las condiciones más
singulares de cada grupo y que se consideraron como modélicas,
tanto por haber servido como ejemplo de creación al autor,
cuanto por haber valido de base comparativa al receptor en
cada caso, de guía normativa, si así lo exigía el criterio aplicado.

Por el contrario, resulta también legítima la consideración
opuesta: la existencia de grupos mixtos, alejados del esquema
precedente, fuera de una normativa «clásica», a veces poco o
nada reconocidos en los cuadros habituales como tales grupos
en sí, y que, sin embargo, reúnen obras de un valor logrado.
A veces, la lucha del autor con el género es un episodio sustan-

tivo en el proceso de la creación, de positivos efectos poéticos. El género, pues, no se ha de entender sólo como un resultado del estudio o crítica de las obras, sino que se halla en el origen mismo de ellas.

Hay que tener asimismo en cuenta que la situación de una obra en el conjunto continuo de un grupo no condiciona la valía de su realización poética; si se dice que el grupo «evoluciona», con ello se da a entender la necesaria abstracción conceptual con que se va considerando su constitución, y no va esto referido a las obras que lo componen. Sin embargo, cabe notar también que, si las obras se pliegan a las condiciones establecidas para el grupo, fijadas por algunas obras «clásicas», su fuerza y brillo poéticos disminuyen y pueden llegar a convertirse en obras reiterativas según un formulismo acreditado, a veces de éxito entre un público que guste de tales repeticiones combinatorias; en estos casos el concepto de grupo es sumamente útil en la ciencia de la literatura, y enlaza con presupuestos de la sociología de la literatura, cuyo sistema de valoraciones es de orden diferente del estético.

La reunión de las obras en grupos no es siempre tarea fácil; en algunos casos la homogeneidad del grupo es poco apretada y sí discutible; a menudo, la concurrencia de varios de ellos complica el problema. No siempre hay criterios en los que coincidan los estudiosos. Y, sobre todo, existen obras cuya situación está sujeta a debate y se resisten a un encaje único, pues pueden situarse en varios grupos. Sin embargo, el reconocimiento de estas dificultades no debe ser motivo para desistir de la posible agrupación de las obras literarias. La terminología aplicada en distintas épocas (a veces contradictoria entre sí) añade otro elemento de confusión; la proliferación del uso del término «género» para denominar cualquier grupo (sea de pocas o muchas obras), es acaso la cuestión más compleja. La «normalización» del grupo requiere un gran cuidado, y que el concepto resultante se utilice siempre con precaución y atendiendo al convencionalismo del acuerdo correspondiente.

APLICACIÓN A LA LITERATURA MEDIEVAL
VERNÁCULA DE UNA TEORÍA DE LOS GRU-
POS: EL FONDO FOLKLÓRICO INICIAL

En el estudio de la literatura medieval en las lenguas vernáculas, se tropieza con un grave problema: las primeras obras
que se conservan no son las que iniciaron el grupo correspondiente. Las conservadas son obras que presuponen otras anteriores, o a veces ni siquiera son eso, sino noticias indirectas de
dichas obras, mencionadas en crónicas, documentos, etc. La
aparición de estas obras primeras está sujeta a discusión: para
algunos, quedan relativamente cerca de la conocida, por medio
del enlace con otras obras de las literaturas cultas en latín
medieval, árabe o hebreo; y para otros suponen la elaboración
de un fondo folklórico general. Ya consideraremos los distintos
casos según los grupos, que en este sentido ofrecen un cauce
para plantear este asunto de los comienzos de la literatura en
lengua vulgar.

Las manifestaciones folklóricas que se basan en una comunicación lingüística, acompañada de la música (desde la más
elemental que subraye el desarrollo rítmico de la pieza con gol-
pes cadenciosos o modulaciones de tono hasta la que se acom-
pañe de la música más refinada), constituyen una «literatura folklórica» que es preciso relacionar con la «literatura poética»;
antes se planteó una cuestión que hay que recordar aquí: el caso
de la poesía de autor y el de la anónima, orientada la primera
hacia la conservación escrita, y hacia la oral la segunda, con las
correspondientes implicaciones. La ciencia literaria, dije, considera sólo el texto poético comunicable; es cierto que por Literatura se ha entendido casi siempre la poesía de autor y escrita
pero esto no es una norma absoluta, y la anónima y oral e
también literatura, aunque sea en algunos casos Folklore. En la
circunstancias de los orígenes medievales esta relación debe pe
seguirse con todo cuidado, considerando que la «literatura fo
klórica» constituye otro sistema que la «literatura escrita», per

que ambas pueden coincidir y beneficiarse mutuamente; y todo esto en un grado muy diferente a como ocurrió en tiempos posteriores. Y desde luego, en forma apenas comparable con lo que pasa en la actualidad en que el folklore se encuentra muy deteriorado, y la literatura de autor sólo en casos muy determinados penetra en la literatura folklórica. La capacidad retentiva del público medieval favorecía la memorización propia de la obra folklórica; la permanencia de las poblaciones en los mismos lugares aseguraba su continuidad; la tradición como fondo folklórico es, pues, un principio que hay que considerar como activo. En España, en el contenido de este complejo fondo, se han de añadir las manifestaciones prerromanas que se continúan y acrecientan en el período del Imperio romano. Así, refiriéndose a los posibles precedentes de una primitiva lírica femenina, general en el folklore, Menéndez Pidal escribe que estas piezas «... dependen sin duda de una tradición latina, pero no de la de Ovidio y Catulo, sino de la tradición latina oral, la que, por ejemplo, en el siglo v aprovechaba San Agustín en sus metros para combatir a los Donatistas, o la que en el siglo vi era condenada en sus torpes cantos de danza por el Concilio Tercero de Toledo. Esta tradición es probable que tuviese algún contacto con la tradición literaria clásica, pero muy lejano e impreciso». Los cantos de amor virginal pudieran ser una cristianización de los cantos profanos de la mujer, como los de las «puellae Gaditanae» [8]. Y también hay que contar con las manifestaciones postromanas, venidas con las poblaciones germánicas (a partir del año 409, vándalos, suevos, alanos y otros penetran y se desparraman por la Península Ibérica) y con las poblaciones árabes (a partir del año 711, árabes, sirios, berberiscos y otros más); y las relaciones posibles en los puertos peninsulares con gentes de Oriente, como bizantinos, así como las poblaciones hebreas que se afincaron entre la variedad de la gente hispánica.

Lo que de este fondo complejísimo y de exploración casi imposible por la escasez de documentación, pudo pasar a la

---

[8] R. Menéndez Pidal, *La primitiva lírica europea*, artículo citado, página 299.

«literatura poética» será siempre una incógnita. De todas maneras, en los comienzos de las literaturas vernáculas las obras aparecen, en lo que nos es conocido, encauzadas en estos grupos dentro de los cuales hallamos los primeros cuadros comunes de una conciencia literaria poética, o sea que busca la creación en un grado mucho más intenso y radical que en la obra folklórica. En el caso de la literatura española se observa que el trasiego entre la población autóctona y los pueblos extraños, sus relaciones y fusiones sucesivas, hicieron que el fondo folklórico se enriqueciese y fuese muy activo. Junto y en torno de la literatura europea de fondo antiguo, mantenida y asegurada en el latín, este fondo folklórico se comportó como un fermento de gran actividad, que pudo influir en afectar a los autores españoles y que, de una manera más general, actuó como un factor en la constitución de determinados grupos literarios. Un elemento tenía a su favor: el hecho de que la literatura folklórica se valiera de la lengua vulgar desde mucho antes de que se formulasen en ella los propósitos de la creación de una literatura poética, consciente de la finalidad de una escritura.

LOS GRUPOS ESTABLECIDOS
POR LA POÉTICA MEDIEVAL

La Poética medieval, recogiendo e interpretando las normas de la Antigüedad culta, estableció diversas agrupaciones de las obras literarias, de algunas de las cuales ya se trató antes [9]; las indicaciones de San Isidoro, Juan de Garlande y otros señalan tres maneras distintas de elocución y de estilo que suponen ya en principio una agrupación posible de las obras literarias. La adaptación a las lenguas vernáculas, tal como se señaló en el *Prohemio* del Marqués de Santillana, continúa este propósito al querer establecer un orden en la nueva situación vernácula.

Juan de Garlande, en su *Poetria* (probablemente anterior a mediados del siglo XIII), llevó a cabo la clasificación de grupos

---

[9] Véase E. de BRUYNE, *Estudios de estética medieval*, obra citada, II, páginas 9-56.

de obras más organizada de las que existen en estos tratados
de poética medieval latina [10]. Una parte de su obra es «una
summa de los géneros literarios» [11], que se establece de acuerdo
con los siguientes criterios de agrupación:

1) Desde el punto de vista de la forma:
   a) prosa: científico-didáctica, histórico-narrativa, epistolar y «rítmica»;
   b) *metrum:* poesía métrica.

2) Desde el punto de vista de la presencia del autor en la obra, según Diomedes:
   a) género dramático;
   b) género narrativo;
   c) género mixto.

3) Desde el punto de vista de la verdad del relato o de la historia contada:
   a) relato oratorio;
   b) relato propiamente dicho: historia *(res gesta)*, fábula *(res ficta)* y *argumentum (res ficta quae tamen fieri potuit)*, según San Isidoro.

4) Desde el punto de vista de los sentimientos expresados en el relato:
   a) con ocasión de bodas, duelos, fiestas, etc.;
   b) «invectivas», sátira, reprehensiones, etc.;
   c) lo trágico (comienza bien y acaba mal; compuesto en estilo grave);
   d) lo cómico (comienza mal y acaba bien);
   e) lo elegíaco.

Esto demuestra ya un criterio maduro aplicado a la literatura conocida, que establece una ordenación en grupos que resultó satisfactoria para el autor. Ya me referí en particular a los grupos más específicos que se van constituyendo, relacionándose entre sí y disgregándose en el caso de la literatura

---

[10] Ídem, págs. 24-29, a quien sigo en la exposición.
[11] Ídem, pág. 25.

española que aquí examino. H. R. Jauss escribe: «Los géneros literarios no existen aisladamente; constituyen las diferentes funciones del sistema literario de la época, con el cual ponen en relación la obra individual»[12]. Los esfuerzos por realizar estas agrupaciones han sido uno de los objetivos de los más recientes estudios de poética medieval; así en el de P. Zumthor[13], que cierra la primera parte de su libro con la organización jerárquica de las obras medievales, y dedica a sus clases y géneros una parte del mismo.

Siempre hay que contar, de todas maneras, con que el enfoque genérico de la literatura es sumamente problemático. Como dice F. Lázaro: «Me atrevería a afirmar algo quizá escandaloso, y es la escasa fecundidad que, a efectos críticos, ha tenido algo tan permanentemente traído y llevado por los siglos como son los géneros literarios. La suma de especulaciones sobre este problema y la innegable agudeza y profundidad de muchas de ellas, apenas han tenido efectos operativos...»[14]. Reconociendo esta dificultad y, explorados los grupos que haya establecido la Poética medieval, queda el caso de su utilización en los estudios literarios. Por regla general, las historias de la literatura medieval en el siglo XIX recogieron esta terminología de los tratados de preceptiva literaria de índole pedagógica, que aún después del Romanticismo mantuvieron una situación heredada sobre todo de los planteamientos renacentistas. El molde genérico de la literatura griega y de la romana se aplicó sin considerar la complejidad de la literatura medieval; la formación de los grupos idóneos para este período ha sido —y sigue siendo— un esfuerzo de los críticos, que así cooperan a la renovación del

---

[12] H. R. JAUSS, *Theorie der Gattungen...*, artículo citado, pág. 136.

[13] Paul ZUMTHOR, *Essai de poétique médiévale*, París, 1972, págs. 157-185; véase la reseña que escribí de este libro en los «Anales de Estudios Medievales» de próxima publicación.

[14] Véase el resumen que ofrece Fernando LÁZARO CARRETER, *Sobre el género literario*, en *Estudios de Poética*, Madrid, Taurus, 1976, de la exposición de Boris Tomasevskij sobre el género (págs. 116-118); la cita, en la pág. 114. La teoría de este y otros formalistas se encuentra en Víctor ERLICH, *El formalismo ruso* [1955], Barcelona, Seix Barral, 1974.

medievalismo. Esta intención anima las páginas sucesivas de nuestro libro, y culmina en el capítulo último, donde se ofrece un cuadro histórico-descriptivo de los grupos decisivos de la literatura medieval española.

CapÍtulo VIII

LA RELIGIOSIDAD MEDIEVAL Y SU RELACIÓN CON LA LITERATURA ROMANCE

En un examen general de la literatura de la Edad Media se observa en seguida el número e importancia de los elementos que proceden de la Iglesia. Desde Roma la Iglesia cuenta con la más eficaz organización de instituciones, servida por la actividad de hombres y mujeres, ordenados en una jerarquía. Los eclesiásticos eran, por principio, los mejor preparados para llegar a ser autores literarios; no es, pues, de extrañar que las literaturas medievales de Europa presenten un acentuado sentido y rasgos religiosos en sus obras. La literatura vernácula fue desde sus orígenes un medio más para que la Iglesia ejerciese su función de predicación y en general de ilustración de los fieles. Por eso, en el dominio que era de su competencia, fueron hombres de la Iglesia los que orientaron la literatura en lengua vulgar desde la palabra de la oratoria de predicación hacia la redacción de los tratados escritos; y de esta manera crearon un medio eficaz para la difusión de la doctrina cristiana, y de cuanto de piedad y devoción la acompañaban como manifestaciones de la vida espiritual del pueblo, aunque fuesen de condición elemental. De ahí que se encuentre un tono común en las varias literaturas vernáculas, cuya raíz se halla en la Iglesia de condición católica, esto es, universal y romana al mismo tiempo [1]. La Teología era así la ciencia suma, y las Letras y las Ciencias estaban a su servicio, como materias cuya trascendencia última era la honra y conocimiento de la obra de Dios y el cumplimiento de sus mandamientos, y cuyos propósitos cercanos eran el aumento del culto en las iglesias y monasterios, y de sus santos patronos. La literatura medieval española conviene con esta condición general; y, lo mismo que la de las otras partes, se refiere sobre todo a los primeros grados del perfeccionamiento espiritual, pero también a veces se encuentra un complejo entramado en relación con las religiones árabe y judía, cuando hubo ocasión de conocerlas. Las especulaciones más elevadas de la vida espiritual religiosa tuvieron su cauce en el latín, lengua más segura para la expresión de los temas de la dogmática, ascética y mística [2]. Para su desarrollo en la lengua vulgar quedaban las modalidades que, desde un punto de vista intelectual, fueron las más modestas y elementales.

---

[1] Para noticias sobre este campo véase el *Diccionario de Historia Eclesiástica de España*, Madrid, CSIC, 1927-1975, en cuatro volúmenes, dirigido por Quintín ALDEA, Tomás MARÍN y José VIVES; otra obra colectiva es la *Historia de la Espiritualidad*, Barcelona, Juan Flors, 1969; en su tomo I contiene información sobre las espiritualidades popular y culta de la Iglesia y sus órdenes religiosas de este período. En el dominio románico véase la información general de Edith BRAYER, *Catalogue des textes liturgiques et des petits genres religieux*, en *La littérature religieuse*, GRLMA, VI-I, págs. 1-21; bibliografía, VI, 2, 1970, págs. 19-53. Un excelente muestrario de la poesía cristiana medieval en latín se encontrará en H. SPITZMULLER, *Poésie latine chrétienne du Moyen Âge. III-XV siècles*, París, Desclée de Brouwer, 1971.

[2] Un resumen de la mística medieval española, en sus tres modalidades —musulmana, judía y cristiana— se encuentra en Ángel L. CILVETI, *Introducción a la mística española*, Madrid, Cátedra, 1974, págs. 69-129. Sobre las relaciones con el pensamiento árabe véase Cristóbal CUEVAS GARCÍA, *El pensamiento del Islam. Contenido e historia. Influencia en la mística española*, Madrid, Istmo, 1972, que se refiere a algunos aspectos de literatura medieval. Aunque no se refiera a cuestiones literarias, véase Ciriaco MORÓN ARROYO, *La mística española. Antecedentes y Edad Media*, Madrid, Alcalá, 1971.

E. Brayer[3] clasifica en dos grupos esta numerosa literatura: el primero procede de una evolución de los textos litúrgicos que, desde la traducción, a través de las paráfrasis, viene a dar en versiones literarias; y en este grupo incluye los poemas y fórmulas litúrgicas, *Credo, Pater noster,* fórmulas de confesión y salmos, himnos y cantos bíblicos. El grupo segundo procede del libre desarrollo de las oraciones, alabanzas y canciones piadosas que llegan a ser verdaderas obras literarias; estas obras contienen elementos narrativos procedentes de episodios de la vida de la Virgen y de Cristo y escenas de la Pasión y la Resurrección; y las clasifica en: oraciones a Dios y Jesucristo, *Ave Jesus,* oraciones a los Santos, *epîtres farcies,* oraciones a la Virgen, *Ave Maria,* loores a la Virgen y canciones piadosas, gozos y dolores de la Virgen, dolores de Cristo y poemas de carácter narrativo. De este orden literario son las oraciones que aparecen en el curso del *Poema del Cid,* en Berceo y en el Arcipreste de Hita[4].

Los grandes tratados sobre la vida espiritual estaban escritos en latín, y en esta lengua se hallaba el orden uniforme de la disciplina que seguían las almas dedicadas al servicio de Dios. Para el adoctrinamiento de los fieles en general, de los que vivían en y por el mundo, la Iglesia se valió pronto de las lenguas vulgares, desde que el pueblo común dejó de entender el latín. De ahí que el primer paso conocido hacia el levantamiento de la lengua vulgar fue obra de la Iglesia, cuando autorizó a explicar la doctrina de Cristo en la lengua que usaba el pueblo, tal como se acordó en el canon 17 del Sínodo de Tours (813), en el que se ordena que cada obispo tenga una buena colección de homilías y que las traduzca *in rusticam romanam linguam aut theosticam*[5]. Desde entonces en adelante, este acuerdo, exten-

---

[3] E. BRAYER, *Catalogue des textes liturgiques...,* artículo citado, pág. 5.

[4] Véase Joaquín GIMENO CASALDUERO, *Sobre la «oración narrativa» medieval: estructura, origen y supervivencia,* en *Estructura y diseño en la literatura medieval,* obra citada, págs. 11-29.

[5] Charles-Joseph HÉFÉLÉ, *Histoire des Conciles,* París, Le Clere, 1870, V, pág. 187. Para el conocimiento de la Iglesia española en el siglo XIII en cuanto a la organización clerical, véase Peter LINEHAN, *La Iglesia española*

dido por la Cristiandad, correspondiente a una práctica cada vez más común, produjo sus efectos literarios en todas partes; y así ocurrió que la primera manifestación completa de la lengua romance hispánica fue una oración [6], y las palabras sueltas que sirvieron de ayuda para traducir un texto del latín eclesiástico.

Otro impulso manifiesto de la literatura vernácula se dio con ocasión del IV Concilio de Letrán, en 1215, en que se recomendó una renovación de la actividad de la Iglesia sobre el pueblo cristiano, que obtuvo también una notable repercusión literaria. Si se tiene, pues, presente este adoctrinamiento constante que los hombres de la Iglesia realizaron con el pueblo, podemos contar con que las verdades fundamentales de la Iglesia, su liturgia, y cuanto resulte de su intervención en la vida del siglo, formaron un patrimonio espiritual que fue común a los hombres de la Edad Media, y que en muy diversas situaciones pudo hallarse en el contenido de comunicación de la obra literaria y en las formas de su expresión.

LA BIBLIA EN LA EDAD MEDIA

El libro por excelencia fue en la Edad Media la Biblia; los textos de la Biblia, sus paráfrasis y comentarios sobrepasaron el número de las obras profanas, y en torno de ella se reunieron las más diversas modalidades literarias; representó siempre la suprema autoridad citable [7]. El estudio de la Biblia supuso, pues,

---

y el Papado en el siglo XIII, [1971], Salamanca, Universidad Pontificia, 1975. Para una noticia de los beatos y santos españoles de los siglos XIV y XV, véase el mencionado *Diccionario de Historia Eclesiástica de España*, II, en especial pág. 1076.

[6] Esta oración se encuentra en el texto de unas Glosas Emilianenses, publicadas con otros textos por Ramón MENÉNDEZ PIDAL en sus *Orígenes del Español*, obra citada, pág. 8. Véase el leve pero matizado comentario de Dámaso ALONSO, *El primer vagido de nuestra lengua*, en *OC*, II, páginas 11-13; y Emilio ALARCOS LLORACH, *Milenario de la lengua española*, Oviedo, Pub. de la Caja de Ahorros de Asturias, 1978.

[7] Véase una información general relativa al campo románico en Guy de POERCK y Rika van DEYCK, *La Bible et l'activité traductrice dans les pays*

el mayor esfuerzo intelectual que pudo darse en la Edad Media alrededor de un libro con el propósito de que su texto fuera lo más fiel posible a un arquetipo establecido: San Jerónimo fue el que lo fijó en latín en la Biblia llamada *Vulgata*, destinada a ser el texto general de la Iglesia católica y el utilizado a través de la liturgia. Aun contando con el propósito de que la *Vulgata* se conservase fiel al arquetipo, en sus copias aparecieron lecciones divergentes a través del proceso de la escritura. En torno de la Biblia aparece la primera conciencia de una filología destinada a mantener con la mayor fidelidad el texto del libro de Dios.

Por otro lado, en algunas partes los textos anteriores a San Jerónimo crearon familias de versiones paralelas a la *Vulgata*. Como dice de Poerck, hubo tres actitudes al respecto: la defensa de estas versiones arcaizantes para así afirmar la independencia frente a Roma (esto fue lo que se hizo en España, Irlanda, y en los siglos XII y XIII en Provenza); la penetración de lecciones extrañas en la *Vulgata* (como en Italia); y la corrección que vigila el texto para mejorarlo (que es el caso de Francia). España, pues, se inscribe en el primer grupo, y así fue como en los tiempos visigodos hubo en la península una gran escuela de paleografía sagrada, cuya herencia recogió y mantuvo la liturgia mozárabe. Después, las corrientes culturales acercaron la Iglesia española a la francesa en tiempos de Alfonso VI, y por influjo de Cluny se extendieron los textos de procedencia francesa, correspondientes al criterio correctivo de la *Vulgata*.

La traducción de la Biblia en España se establece sobre esta corriente latina, y también sobre la corriente que procede del hebreo; el título de *Biblia romanceada* abarca las dos y se reúne con romanceamientos indirectos del francés[8]. La labor de los

---

romans avant 1300, en *La littérature religieuse*, GRLMA, VI, 1, 1968, páginas 21-48; y Jean ROBERT SMEETS, *Les traductions, adaptations et paraphrases de la Bible en vers*, en la obra citada, págs. 49-57; y la respectiva documentación bibliográfica en VI, 2, 1970, págs. 54-80 y 81-97.

[8] El punto de partida del estudio: Samuel BERGER, *Les Bibles castillanes*, «Romania», XXVIII, 1899, págs. 360-408 y 508-567. Véase la bibliografía de orientación, clasificada por asuntos, de Margherita MORREALE, *Apuntes*

traductores fue muy compleja, tal como indica M. Morreale: «Nuestros romanceadores medievales no trabajaban con criterios constantes, ni con excesivo escrúpulo teológico, y quizá ni siquiera con clara conciencia de las raíces bíblicas de la liturgia» [9]. No escapan estos traductores del anacronismo general en la literatura: «Las exigencias de la lengua vernácula se combinan con el deseo de acercar la materia sagrada al habla y a la vida de los que ignoraban el latín» [10]; en el siglo XV esta tendencia se compensa con un mayor cultismo, conforme a las corrientes de la época.

Téngase en cuenta, además, que el estilo bíblico pudo transferirse a las lenguas literarias vernáculas a través sobre todo de los escritores clericales; así ocurre, por ejemplo, con el uso de los sinónimos y las repeticiones aproximadas, de fórmulas procedentes de lecturas y comentarios bíblicos, sobre todo si éstos se encuentran en las misas y oraciones, etc. Estas manifestaciones podían llegar hasta las obras más diversas, y eran un testimonio de la ayuda que recibieron las literaturas vernáculas del conocimiento de la Biblia.

Por otra parte, la Biblia se convirtió en materia historial, sobre todo con la *Historia scholastica* de Pedro Coméstor [11], y obtuvo una importante difusión en la época de orígenes entre los autores clericales, Alfonso el Sabio y Sancho IV [12]. De la

---

bibliográficos para la iniciación al estudio de las traducciones bíblicas medievales en castellano, «Sefarad», XX, 1960, págs. 66-109; de la misma autora, *Vernacular Scriptures in Spain,* en *The Cambridge History of the Bible. II, The West from the Fathers to Reformation,* Cambridge [1969], 1976, págs. 465-491, y bibliografía, págs. 533-535. Como material lingüístico, véase H. SERÍS, *Bibliografía de la lingüística española,* obra citada, páginas 257-275.

[9] Margherita MORREALE, *El Canon de la misa en lengua vernácula y la Biblia romanceada del siglo XIII,* «Hispania Sacra», XV, 1962, pág. 3.

[10] Ídem, pág. 5.

[11] Véase el eco en España de Coméstor en Francisco RICO, *Alfonso el Sabio y la «General estoria»,* Barcelona, Ariel, 1972, págs. 47-48.

[12] Francis GORMLY, *The use of the Bible in representative works of Medieval Spanish Literature. 1250-1300,* Washington, The Catholic University, 1962, estudia el tema en los mencionados años.

Biblia proceden también piezas literarias intercaladas en las
obras profanas, como son las profecías [13]. La transfusión y difusión fueron, pues, muy extensas, y con ellas, una gran corriente
de vocabulario. Toda esta materia de contenido y su expresión
se incorporaron a las literaturas vernáculas conservando la dignidad de su origen; y así se desarrollaba una obra de sentido
religioso y de instrucción moral, que podía confluir con las corrientes análogas procedentes de versiones de la antigüedad
profana. Así fue como Alfonso X hizo abundante uso de la Biblia, sobre todo en la *General Historia*, tal como diré en el estudio de la prosa castellana.

La corriente hebrea tuvo gran fuerza en Castilla; lo testimonian varios manuscritos escurialenses [14]; y, sobre todo, la Gran
Biblia de Alba (1422-1433) fue el monumento de esta corriente [15],
dentro de la cual hay que situar también algunos libros de
oración [16].

EL ARTE MEDIEVAL, COMO ILUSTRA-
CIÓN EN EL COMBATE DE LA VIDA

Hay que considerar, pues, la condición del arte del Medievo
desde el punto de vista de su trascendencia religiosa. Como
señaló Leo Spitzer [17], el arte medieval es como una inmensa *ilustración:* quiere exteriorizar y representar de manera perceptible

---

[13] Véase Joaquín GIMENO CASALDUERO, *La profecía medieval en la literatura castellana...*, en *Estructura y diseño en la literatura castellana medieval*, obra citada, págs. 86-89.

[14] Véase la bibliografía en M. MORREALE, *Apuntes bibliográficos...*, artículo citado, págs. 86-89.

[15] *Biblia (Antiguo Testamento) traducida del hebreo al castellano por
Rabbí Mosé de Guadalfajara...*, edición de Antonio PAZ Y MELIA, Madrid,
Imprenta Artística, 1920-1922.

[16] Margherita MORREALE, *Libros de oración y traducciones bíblicas de
los judíos españoles*, «Boletín de la Real Academia de Buenas Letras de
Barcelona», XXIX, 1961-2, págs. 239-250; se refiere a un ritual judío de fines
del siglo xv.

[17] Tomo estas indicaciones de Leo SPITZER, *L'amour lointain et les
sens de la poésie des trobadours*, University of Chapel Hill, 1944, en especial pág. 72.

lo que acontece en el alma del hombre. Y para ello, el escritor, valiéndose del habla común, accesible a cualquier hombre, pretende exponer la significación de esta espiritualidad religiosa; a fin de lograrlo, parte de la condición humana, pues Dios mismo hizo la más notable de las *manifestaciones* cuando se hizo hombre para salvar a todos los hombres. Juglares y trovadores moralizantes, autores de fábulas, sermoneadores, escritores de todas clases, iluminadores de textos, etc., todos se valen libremente del mundo conocido (naturaleza, historia, vida cotidiana, etc.) para ilustrar con él esta espiritualidad que ha de ser un ejercicio para la salvación del alma. El Universo entero, obra de Dios mismo en último término, es la materia con la que los artistas expresan las manifestaciones de la vida interior, y trabajan esta «materia universal» con la fe paciente del artesano que es creyente. La labor sobre la materia del arte —sea piedra, madera, lienzo, lengua o música o reuniones armoniosas de las mismas— es *manual* (esto es, representa esfuerzo, que en el caso de la literatura, es cultivo del uso lingüístico, creación de un artificio que alcanza en su forma más alta la condición de poesía), y esto puede ser, al mismo tiempo, oración (intención de ayudarse en el camino de la salvación).

El arte, concebido de esta manera, fluía con la doctrina de la Iglesia, y la *ilustraba*. En muchas ocasiones, sobre todo para el hombre de mundo, el arte podía resultar un medio mejor para conocer los caminos de la salvación, que la misma exposición doctrinal, a secas; Juan Ruiz parece reconocer esto al decir en su *Libro de Buen Amor* refiriéndose a la eficacia de la literatura en los públicos:

> Y porque mejor de todos sea escuchado
> hablarvos he por trovas y cuento rimado;
> es un decir hermoso y saber sin pecado,
> razón más placentera, hablar más apostado.
>
> (Est. 15)

En este sentido se habían manifestado en particular los teólogos, ascetas y místicos, que seguían una orientación afectiva en la exposición de la doctrina de la Iglesia; partiendo sobre todo de San Bernardo y San Buenaventura, a través de los franciscanos, esta corriente se va extendiendo en forma cada vez más pujante durante la Edad Media, y a su fin será uno de los elementos renovadores de la época. La vida del hombre, en cuanto que el pecado es el oponente de su salvación, se considera como el curso de un combate que dura hasta la muerte. Y el Arte forma parte de la ayuda que recibe el hombre desde la arquitectura de las iglesias, las esculturas, pinturas, música y, lo que aquí nos interesa, desde la literatura.

SIMBOLISMO Y ALEGORÍA EN
LA LITERATURA MEDIEVAL

En un estudio de la literatura medieval, hay que contar en primer término con la función del simbolismo [18]. El origen de la palabra *símbolo* se halla en la literatura religiosa desde el siglo IV, y fue al principio un signo de reconocimiento o forma sencilla con que los cristianos se identificaban entre ellos. En los primeros siglos del Cristianismo, al comienzo de la Edad Media [19], la literatura de significación religiosa obtuvo el cultivo más importante (en cuanto a las obras de las que quedó noticia) por ser la que representaba el sentido cultural de la época; las manifestaciones de una literatura profana fueron escasas, y las de carácter folklórico no llegaban al documento. Desde el siglo IV al siglo X, antes de que hubiese una literatura poética en lengua vernácula, la literatura religiosa estableció una línea continua de obras que, con diversos contenidos, reunían tradición y experiencia en la unidad de la palabra. La tradición escrita —la Biblia, sus comentarios y exégesis, los dogmas y la teología, y

---

[18] Véase Tzvetan Todorov, *Théories du symbole*, París, Seuil, 1977; estudia el planteamiento del símbolo en la Edad Media con su desarrollo hasta Freud.

[19] Véase Johan Chydenius, *La théorie du symbolisme médiéval* [1960], «Poétique», núm. 23, 1975, págs. 322-341, establecida sobre San Agustín (sobre todo en el *De doctrina christiana*), y también Santo Tomás.

cuanto se situaba a su servicio— se consideraba la expresión de la experiencia humana. Esta experiencia se adquiría mediante la interpretación y reconocimiento de los signos: signo era lo que, además de la impresión que nos causa en los sentidos, nos hace conocer algo más. San Agustín reconoce varias categorías de signos: los naturales, y los intencionales, que son de condición animal (por ejemplo, el arrullo del palomo), humana, y divina, a través de los escritores de la Biblia; llama símbolos a los humanos y divinos. Y de entre ellos la palabra es el medio más adecuado para servir como símbolo a través del cual se percibe la realidad del mundo, visible e invisible, presente, pasado y futuro, y su transcendencia divina. Esta interpretación enlaza con la literatura simbólica de la antigüedad (Pitágoras, Platón y Plotino), y va estableciendo una red de símbolos tipificados que acaba por encerrar una concepción del universo: desde lo más inmediato (piedras, flores, animales, etc.) alcanza lo más lejano (planetas y signos del cielo, etc.), relacionando el macrocosmos con el microcosmos mediante una interpretación metafísica de carácter esotérico. El ejercicio intelectual de la numeración adopta esta transcendencia: 3 (Trinidad, los Magos); 4 (puntos cardinales, brazos de la Cruz); 12 (los apóstoles, los profetas, los signos del zodíaco), etc. El simbolismo, asegurado sobre todo en la literatura religiosa, obtuvo una vigorosa proyección en la literatura profana, y se convirtió en una forma del pensamiento medieval. Como dice H. F. Dunbar: «El simbolismo, consciente o no, siempre fundamental en el pensamiento, llegó a ser en la Edad Media tanto el medio natural de pensamiento y de expresión, como un instrumento conscientemente desarrollado para penetrar, de la mejor manera, en el misterio de la realidad»[20].

Junto al simbolismo aparece la alegoría, en ocasiones con los límites confundidos y aun como análogos. La alegoría[21] se en-

---

[20] Helen F. DUNBAR, *Symbolism in medieval thought and its consummation in the «Divine Comedy»* [1929], New York, Russell and Russell, 1961, pág. 24.

[21] Sobre la alegoría en general véase E. de BRUYNE, *Estudios de estética medieval*, obra citada, II, págs. 316-384; sobre la variedad y extensión de su uso en el campo románico, ver Hans Robert JAUSS, *Entstehung und*

cuentra definida y con sus funciones declaradas en la Retórica de la antigüedad; en los tratados medievales se halla mencionada de diversas maneras; en su origen fue una figura retórica por la cual el orador daba una segunda significación a las palabras, diciendo algo y dejando con ello entender un contenido mucho más complejo e importante. El uso de la alegoría fue creciendo, favorecido por el pensamiento de raíz simbólica antes referido, y de esta forma se matizaron alegoría y símbolo con el uso de una alegoría simbólica y un símbolo alegórico. Sobre todo, la aplicación de estos procedimientos creó un orden de exposición y un hábito de pensamiento que alternó con el razonamiento dialéctico, y al que en ocasiones se prefería por su claridad de recepción. La función de la analogía fue muy amplia, y una de sus más importantes manifestaciones fue la *personificación*, en la que el hombre y su disposición y actividades son el elemento figurativo de la expresión; la facilidad de la abstracción personificada hizo que fuese un medio muy común de representar los movimientos del alma; los sentimientos se expresaron mediante figuras abstractas de condición humana, como si fueran personajes con voluntad propia de acción, y así se mostraban los combates interiores del alma, las dudas, la oposición de vicios y virtudes, las cualidades y atributos del hombre. Boecio [22], en su *Consolatio philosophiae*, y Pru-

---

Strukturwandel der allegorischen Dichtung, en GRLMA, VI, 1, págs. 146-224; documentación bibliográfica, VI, 2, págs. 203-280. Sobre la alegoría en España véase Chandler R. Post, *Mediaeval Spanish Allegory* [1915], Hildesheim-New York, G. Olms, 1971; David W. Foster, *Christian Allegory in early Hispanic Poetry*, Lexington, The University Press of Kentucky, 1970.

[22] Boecio (480-524) nació en Roma y la *Consolatio* trata de una personificación de la Filosofía, que consuela al autor en la cárcel; fue uno de los libros más leídos en la Edad Media. M. Menéndez Pelayo, en su *Bibliografía hispano-latina clásica*, edición citada de sus *OC*, I, págs. 274-353, refiere una larga lista de manuscritos y traducciones de Boecio; véase E. R. Curtius, *Literatura europea y Edad Media latina*, obra citada, página 155, que indica, además, otras personificaciones de esta clase. Sobre la interpretación medieval de Boecio, véase el libro de Arturo Graf, *Roma nella memoria e nelle imaginazioni del Medio Evo*, Turín, Loescher, 1882-1883, 2 volúmenes.

dencio[23], en su *Psychomachia,* fueron los modelos preferidos en esta corriente de expresión. El procedimiento alegórico, con toda la variedad de las analogías establecidas, valió tanto para los asuntos religiosos (sobre todo, de carácter moralizador), como para expresar cualquier situación de la vida secular y profana que requiriese una exposición de orden espiritual. La alegoría, a través de su uso reiterado, resultó comprensible para un público amplio, y en conjunción con el símbolo, aseguró la estructura unitaria del arte medieval (la iglesia levantada sobre la planta en cruz, la cúpula como cierre perfecto, etc.).

En relación con el símbolo y la alegoría, la *visión* representó una disposición literaria que permitió al autor un libre trato de la experiencia percibida en la realidad, y la creación de un sistema poético en el que puede combinar la realidad y la fantasía, y también establecer alegorías prolongadas; la forma de los sueños, las apariciones y los éxtasis, existentes en la antigüedad, entran en juego, y adoptan un gran número de formas, culminantes en la *Divina Comedia* de Dante y en la *Amorosa Visione* de Boccaccio, como se verá luego al tratar de la presencia de estos autores en España.

La visión se establece por medio de diversas especies de desarrollo: así están los *Triunfos* de amor, los *Infiernos* de enamorados, la *Cárcel* de amor, los *Testamentos* de amor, etc., modalidades de este sistema de formulación literaria. El Humanismo medieval dio variedad a estas alegorías utilizando también el rico material de la mitología. Los mismos nombres de los personajes dejan de ser designaciones y buscan denotar alguna significación: o con el lugar de donde proceden, el carácter, alguna pecularidad personal, etc.; de esta manera se apura la capacidad significativa de las palabras.

---

[23] Prudencio fue un hispanorromano del siglo IV, y su *Psychomachia* personifica y mueve vicios y virtudes en torno del alma. Véanse las consideraciones de F. LECOY en sus *Recherches sur le «Libro de Buen Amor»,* obra citada, págs. 172-176, en relación con los pecados capitales y las armas del cristiano.

Puede asegurarse, pues, que los procedimientos del simbolismo y la alegoría medievales contribuyeron a la disposición estructural de la obra de esta época; fueron a veces la armazón argumental de la misma, y otras, partes de ella que daban un sello característico al conjunto a que se aplicaban. En estas obras la significación no se detiene en la superficie de las palabras o de los hechos narrados, sino que los traspasa hacia una trascendencia o sentido más auténtico que la percepción inmediata de la narración. La realidad está más allá de la experiencia exterior. El autor incita con esto al lector u oyente para que reconozca el término final, y este esfuerzo por penetrar en la velada significación constituye uno de los objetivos de la expresión de la literatura de la Edad Media. Inteligencia e imaginación van parejas en la construcción poética, y se mezclan y armonizan según el grado de la habilidad creadora del escritor; y el que pretende conocer la obra tiene que percibirla a un tiempo en su doble plano: el accesible por la significación inmediata, y el de fondo, identificado por medio del primero.

EXÉGESIS Y GLOSAS

La exégesis, establecida fundamentalmente en torno de los textos bíblicos para asegurar su recta interpretación, se aplicó también a la literatura profana, en conjunción con el aparato de comentarios y glosas, propio de la escolástica. La exégesis bíblica desarrolló una interpretación alegórica general y continua, pues la Biblia era una suma literaria en la que se encontraban todos los estilos y géneros. Según Ulrico de Estrasburgo, la Biblia es histórica, poética, didáctica, jurídica, científica, afectiva, profética y musical. Una primera interpretación general relaciona el Antiguo con el Nuevo Testamento, de manera que aquél es una prefiguración de éste (Eva es anuncio de la Virgen, y Adán, de Cristo, etc.). El procedimiento se aplicó a libros gentiles (Virgilio, especialmente; las Sibilas con los Profetas, etc.).

El uso de la exégesis se encuentra fundamentado en la doble interpretación que lleva consigo la alegoría y el símbolo; así, en cualquier texto se puede notar la significación directa y la figurada, entendida como letra y espíritu. Esta interpretación se puede matizar en tres órdenes: sentido literal, sentido moral y sentido alegórico, que se corresponderían con una penetración propia de los principiantes, el primero; de los que están en un grado medio, los segundos; y de los que están en lo más alto de su formación espiritual, los terceros. Y aun de manera más graduada, basándose en los métodos del comentario bíblico (historia, alegoría, tropología y anagogía), puede establecerse el siguiente cuadro, procedente de De Bruyne [24], que reúne y esquematiza los varios sistemas análogos:

I. Sentido literal o literario=sugerido por las *palabras*.

  a) propio:

    1) histórico: sentido inmediato de las palabras y de las proposiciones.

    2) según la etiología: proposiciones que se justifican alegando sus razones.

    3) según la analogía: proposiciones referidas a otras de tal manera que aparezca la unidad de pensamiento en una obra.

  b) figurado: las *palabras* tienen otro sentido que el propio.

    1) típico: representando lo individual a lo universal.

    2) parabólico o alegórico (en sentido profano)

    3) moral (en sentido profano, como en las Fábulas).

II. Sentido espiritual o alegórico (en sentido lato), oculto, en la Biblia, bajo el sentido literal.

    1) alegórico (en sentido estricto) o típico (en el sentido teológico habitual): el Antiguo Testamento prefigura el Nuevo, y la naturaleza visible representa el mundo sobrenatural.

    2) trópico o tropológico o moral: la realidad visible representa una realidad moral superior.

    3) anagógico: la realidad visible representa las celestes de la otra vida.

---

[24] E. de Bruyne, *Estudios de estética medieval*, obra citada, II, pág. 327.

La exégesis bíblica resulta ser así el cuerpo de comentarios más grandioso y persistente en sus efectos durante la Edad Media. En él se reunieron los más denodados trabajos de los intérpretes de las letras sagradas. El texto bíblico poseía un sentido literal intocable y que había de conservarse con el mayor rigor filológico por ser la palabra de Dios, pero el ejercicio de la exégesis bíblica (siguiendo la técnica que se señaló como desentrañadora del sentido alegórico de la literatura medieval, así como su potencia simbolizadora) mostraba a cada uno el aprovechamiento de esa Palabra en un sentido moral y místico. Realzar la significación e iluminar el sentido hondo de la palabra divina eran los fines de esta interpretación, y estos comentarios, que constituían una glosa[25], resultaban el complemento necesario del texto. Una técnica análoga, sólo que establecida en el dominio de la ciencia de las Leyes, se aplicó a algunos textos del Derecho romano. De esta manera la exégesis de un texto representaba para el escritor medieval el más completo ejercicio intelectual que podía ponerse en práctica. Claro es que el texto había de poseer por sí mismo una capacidad trascendente suficiente para que el método pudiera aplicarse, y el comentarista, la habilidad suficiente para lograrlo. Contando con esto, la Naturaleza entera podía ser objeto de este esfuerzo por percibir la trascendencia final de los seres; San Pablo había escrito: «Cuanto existe de invisible desde la creación del mundo, se manifiesta a través de sus obras» (la Creación del Mundo y, por tanto, la Naturaleza)[26]. Así pues, si la verdad de Dios era única y universal, todo cuanto el hombre podía imaginar de

---

[25] La palabra aparece por vez primera en el *Libro de Buen Amor*, 927, b, como nombre de la alcahueta, en un sentido humorístico, por personificación de la mujer que quiere llegar a las cosas más ocultas; el Marqués de Santillana escribe: «en griego dicen *scolia*, en que sumariamente se notan por vía de glosa las cosas que parecen difíciles»; Alonso de Palencia: «glosa de obra: *expositio, commentum, glossema*». Véase J. COROMINAS, *Diccionario crítico etimológico*, obra citada, II, pág. 732, s.v. *glosa*.

[26] SAN PABLO, *Epístola a los Romanos*, I, 20; el texto de la *Vulgata* dice: «Invisibilia enim ipsius, a creatura mundi, per ea quae facta sunt, intellecta, conspiciuntur».

fábulas y ficciones podía servir para el comentario de esta verdad, para su *ilustración*, como se dijo antes. H. H. Glunz[27] ha llegado al extremo de afirmar que la literatura medieval puede explicarse como una inmensa exégesis de la Biblia, el texto más importante de todos. En otra parte escribe Spitzer para manifestar la gran importancia de esta disposición del pensamiento: «Así como el mundo siempre nuevo y en eterna renovación es, sin embargo, la glosa del texto escrito un día por Dios en la Biblia, así también el libro humano, copia del divino, ha de ser mudable en su interpretación: la glosa del lector pertenece también al texto de la obra poética, igual que la vida terrestre de las criaturas todas pertenece al mundo creado por Dios. El texto original contiene todos los posibles sentidos e interpretaciones posteriores: contar con esos sentidos e interpretaciones significa comprender la ambigüedad polimórfica del mundo y su ubérrima fuerza vital en perpetuo y gozoso despliegue»[28]. También, por otra parte, el enorme valor que los escritores otorgan a la letra como representación de la verdad puede referirse a esta técnica de la exégesis (como cuando el autor del *Libro de Alexandre* escribe: «en escrito yaz esto, es cosa verdadera», est. 2161).

Esta exégesis se aplicó también a las literaturas vernáculas, sobre todo cuando los textos se escribieron contando con la técnica de su uso, dentro de un propósito culto y que participaba de la trascendencia de la palabra[29]. Las declaraciones

---

[27] Hans H. GLUNZ, *Die Literarästhetik des europäischen Mittelalters: Wolfram, Rosenroman, Chaucer, Dante*, Bochum-Langendreer, H. Pöpping-haus, 1937.

[28] Leo SPITZER, *En torno al arte del Arcipreste de Hita* [1934], en el libro *Lingüística e historia literaria*, Madrid, Gredos, 1955, pág. 123.

[29] Los actuales investigadores de la literatura medieval se esfuerzan por penetrar en esta intención moralizadora, aun en casos en que ésta aparece muy oculta, como ocurre en Thomas R. HART, «*El Conde Arnaldos*» *and the Medieval Scriptural Tradition*, «Modern Language Notes», LXXII, 1957, págs. 281-285, en que el romance se explica en un sentido religioso: un hombre ha aceptado la invitación de Cristo para asociarse a su Iglesia, y de este modo se ha salvado. Rafael LAPESA acusa la importancia de la moralización en el *Laberinto* de Mena en *El elemento moral en el «Laberinto»*

de Juan de Mena en los comentarios de su *Coronación* indican que el texto está «leído [esto es, comentado] por tres sesos [*sensum*, 'sentido'] en los lugares que conviene» [30]; en estos lugares (con más o menos precisión) aparece una *ficción*, seguida de una *historia* y *verdad*, y se concluye con una *aplicación* y *moralidad*. A veces el comentario se encuentra expresado en la extensión de una glosa y de tal manera unido al texto, que ambos constituyen una unidad literaria. En estos casos la obra se compone de un texto básico, seguido de la glosa o desarrollo de su sentido poético. Por medio del ejercicio de la glosa el poeta pierde el orgullo de la invención, y se convierte en un glosador o recreador dentro del cauce del espíritu del texto, que así es común al autor y al glosador. La libre versión de los poemas clericales y aun la adopción de los modelos italianos y franceses en la lengua romance de España se verificó a veces fundiendo la propia personalidad del poeta con la del modelo vertido, de acuerdo con una técnica en la que pudo aprovecharse la experiencia de la glosa. Por tanto, la alternancia *texto-glosa* (que puso, por ejemplo, de manifiesto Juan Ruiz en su *Libro de Buen amor*, est. 1631) y sus efectos resultan fundamentales para el entendimiento de muchos aspectos de la literatura medieval. Una fórmula como ésta, originaria probablemente de una escuela, y atribuida a Agustín de Dacia (siglo XIII), discípulo de Santo Tomás, puede valer como índice resumido de esta especie de comentarios:

> *Littera gesta docet; quid credas, allegoria;*
> *Moralis, quid agas; quo tendas, anagogia.*

Los humanistas del último siglo de la Edad Media se aprovecharon de esta técnica; también se aplicó a la disciplina de la edición de los autores latinos, y de ellos pasó a los escritores en la lengua romance ennoblecida de la misma época, sobre todo

---

de Mena: su influjo en la disposición de la obra, «Hispanic Review», XXVII, 1959, págs. 257-266.

[30] Juan de MENA, *La Coronación*, [¿Toulouse, 1489?], edición facsímil de Antonio PÉREZ GÓMEZ, Valencia, «la fonte que mana y corre», 1964, folio aij.

a Juan de Mena. De esta manera los incunables ayudaron a la difusión de la obra literaria, y con ello la extendieron entre públicos más amplios. Aplicado el ejercicio de las glosas a las obras en lengua vernácula, se establecía un trato igualador con las obras de la Antigüedad y con las obras religiosas, del que aquéllas salieron beneficiadas.

CARÁCTER MORALIZADOR DE LA LITERATURA MEDIEVAL

De esta universal condición religiosa de la literatura latina medieval y de su tratamiento, procede una de sus más importantes características, que se acusa también en las literaturas vernáculas, sobre todo a medida que amplían sus asuntos por el lado culto: y es su sentido moralizador. En efecto, las obras de esta corriente se destinan al *aviso*, y sirven para aconsejar al hombre a que busque el Bien y huya del Mal (o sea, el *castigo*, según la acepción de esta palabra castellana en un sentido medieval). El hombre que está dentro de la Iglesia sabe que su vida es más segura (según expresión de Santa Teresa) en lo que toca al negocio de la salvación eterna, que la del que vive en el mundo, expuesto a sus peligros, principalmente si se olvida de su condición de cristiano. Por eso la función de la literatura había de ser avisar al hombre del mundo en toda circunstancia. Esta finalidad se sobreponía a las demás, y el Marqués de Santillana amonesta al escritor para que no se aparte de este fin:

> Inquiere con gran cuidado
> la Cïencia,
> con estudio y diligencia
> reposado;
> no codicies ser letrado
> por loor,
> mas sciente reprehensor
> del pecado [31].

---

[31] Íñigo LÓPEZ DE MENDOZA, Marqués de Santillana, *Los proverbios con su glosa* [Sevilla, 1494], edición facsímil de Antonio PÉREZ GÓMEZ, Valencia,

La ciencia había de servir para la edificación y la instrucción como ejercicio de caridad y prudencia; y el «letrado por loor» (o sea que buscaba la sabiduría por sí misma, la fama y honra o el provecho) quedaba menospreciado según este criterio, que hizo crisis a fines de la Edad Media, como se dirá al referir el proceso del humanismo. Para este fin moralizador los predicadores dijeron los sermones y se escribieron los tratados morales que quedan propiamente dentro de la literatura religiosa; y también al lado de estas obras, en una gradación a veces imposible de fijar, comienza el campo de la literatura profana que sostiene un mismo criterio moralizador. Y aún más allá, entre las que pertenecen a la literatura laica, si se encuentran en el campo culto (cortesano, sobre todo) pocas obras escapan, de cerca o de lejos, a la intención de dejar alguna enseñanza en el ánimo del oyente o lector. Voy a enunciar algunas de estas manifestaciones, las más claramente determinadas, y de una manera general, pues más adelante me ocuparé de ellas en cuanto que constituyan grupos genéricos determinados.

a) *Moralizaciones de los libros de la Antigüedad.*—La literatura española recoge el fruto de una secular moralización que desde el siglo VI actuaba sobre la tradición gentil antigua. Desde los primeros siglos de la Edad Media esta tradición fue cristianizada de diversas maneras, de modo que, interpretada en un sentido alegórico, resultó ser un elemento fundamental del arte clerical. Los libros de los antiguos podían también glosarse, verterse y parafrasearse, y en este ejercicio quedaban cristianizados, sobre todo si se aplicaban con un fin moralizador. La justificación de su uso procedía principalmente de San Agustín, que, con una mención del Éxodo («spoliare Aegyptios», III, 22; XII, 35-36), explicó el aprovechamiento de la obra de los gentiles en el

---

«la fonte que mana y corre», 1965, folio d. En efecto, la glosa, después de rechazar a los que aprenden por vanidad, «curiosidad ventosa» y codicia, aprueba a los que «aprenden por edificar y aprovechar los prójimos, y el fin de aquestos es caridad; otros aprenden porque sean edificados e instruidos, y el fin de aquestos es prudencia» (fol. d vuelto).

ejemplo de los judíos, que se llevaron al salir de Egipto riquezas de este reino para adornar las ceremonias de su religión. Algunos moralistas, de criterio estrecho, vieron en este uso un peligro por difundir de ese modo las fábulas de la Antigüedad gentil, y este asunto se ha replanteado en diversas ocasiones. La literatura medieval española recoge esta situación general, y dentro de la misma se caracteriza sobre todo por su afición a Séneca, creando el sentido de un estoicismo cristiano o cristianismo estoico, según fuera el punto de vista que se considerase.

La clase del género literario a que se aplica dio muchas veces el carácter de este tono moralizador, declarado en los lugares en que esto podía resultar más conveniente. La misma Historia nace bajo este signo, pues Alfonso X, después de señalar que los libros de su *General Historia* se escribieron contando las bondades y malicias de los hombres, lo justifica diciendo que esto fue «porque de los hechos de los buenos tomasen los hombres ejemplos para hacer bien, y de los malos, que recibiesen castigo [amonestación] por se saber guardar de lo no hacer» [32].

b) *Versiones a lo divino.*—El espíritu de moralización tiene una de sus manifestaciones más características en la interpretación a lo divino de las obras profanas. B. W. Wardropper, en el más amplio estudio que hay del asunto, ha propuesto designar con el término «contrafactum» a una obra cuya naturaleza define así: «es una obra literaria (a veces una novela o un drama, pero generalmente un poema lírico de corta extensión) cuyo sentido profano ha sido sustituido por otro sagrado. Se trata, pues, de la refundición de un texto» [33]. En esta clase de obras el poeta atrae al pueblo con el señuelo de la canción popular o del entretenimiento que existe en el libro o poema que le sirve de base, y convierte la obra profana en otra en que el sentido moralizador o el religioso quedan declarados mediante un ligero

---

[32] ALFONSO EL SABIO, *General Estoria*, obra citada, I parte, prólogo, pág. 3.

[33] Bruce W. WARDROPPER, *Historia de la poesía lírica a lo divino en la Cristiandad occidental*, Madrid, Revista de Occidente, 1958, pág. 6.

retoque del texto, que, no obstante, permite emparejarlo con el primero, de índole profana. De esta manera, la vuelta a lo divino quiere establecer una conciliación entre los moralistas que rechazan la literatura profana por pecaminosa, y los que permiten su difusión por considerarla indiferente. Las versiones a lo divino son propias de la religiosidad que pacta con el mundo y quiere valerse de los propios entendimientos profanos para encaminar el alma hacia la salvación por vías más afectivas que intelectuales. Escribe Wardropper: «En términos generales se puede decir que el ascetismo y el misticismo literarios resultan de una decisión de desarraigar del alma todo pensamiento mundano; en cambio, la divinización literaria es obra de los que absorben y subliman el mundo en sus escritos religiosos»[34]. Las modalidades de esta poesía son tardías en Castilla, y salvo el episodio, diversamente interpretado, de la Cantiga de Berceo: «Eya, velar...», y de una posible maya de Alfonso X, el comienzo de esta moda se encuentra en Álvarez Gato[35] y en Gómez Manrique[36]; luego, a fines de la Edad Media, el procedimiento se hizo común, sobre todo en el caso de la versión de los villancicos, que más adelante, en los siglos de Oro, y después por la fama de estas vueltas, habrían de quedar sólo en su significación religiosa, con referencia a la Navidad[37].

c) *Parodias religiosas.*—Otra manifestación posible es el cambio de significación en sentido contrario: el uso de la expresión religiosa, aplicado a la poesía profana. En una acepción

[34]   Ídem, págs. 54-55.

[35]   Álvarez Gato hizo triunfar este género de versiones; véase el libro de Francisco MÁRQUEZ VILLANUEVA, *Investigaciones sobre Juan Álvarez Gato*, Madrid, Real Academia Española, 1974, pág. 251, 2.ª edición.

[36]   La *Representación del nacimiento* de Gómez MANRIQUE contiene una canción de cuna de esta especie.

[37]   Un estudio sobre el villancico desde la Edad Media hasta el siglo XVI, en M. P. St. AMOUR, *A Study of the 'Villancico' up to Lope de Vega (Its Evolution from Profane to Sacred Themes, and specifically to the Christmas Carol)*, Washington, The Catholic University, 1940.

amplia se denomina parodia[38] esta utilización de un conjunto expresivo para un fin que se considere inferior al propósito con que fue concebido; en este caso se pasa del dominio religioso al profano. La manifestación literaria de la parodia religiosa fue propia de los goliardos, que vertían en un sentido profano las expresiones del culto y oraciones de la Iglesia, como puede verse en este sencillo ejemplo:

—Introibo ad altare Dei.
—Ad Deum qui laetificat
  juventutem meam.

—Introibo ad altare Bacchi.
—Ad eum qui laetificat cor
  hominis.

La literatura goliardesca[39] se escribió en latín, y ha de entenderse que fue obra de autores de gran formación cultural y que requería además lectores ya entrenados, de condición religiosa, seguros de su ortodoxia, para quienes las audaces expresiones eran sólo ocasión de entretenimiento, y ejercicio del ingenio; esto no se tenía como burla del texto original, sino como muestra de la habilidad literaria del autor. Por otra parte, hay que contar con el clérigo *vagante*, que dejó los estudios sin acabar o abandonó la disciplina religiosa, y también el estudiante, para completar la consideración de esta poesía que, al menos en las apariencias, rompe con el prestigio eclesiástico[40]. Esta litera-

---

[38] En general, véase Paul LEHMAN, *Die Parodie in Mittelalter* [1922], Stuttgart, A. Hierseman, 1963, 2.ª edición.

[39] Véase Ricardo GARCÍA VILLOSLADA, *La poesía rítmica de los goliardos*, Madrid, Fundación Universitaria Española, 1975, que trae un muestrario parodístico en traducción española, con una pieza de Fray Gil de Zamora (págs. 202-209); Luis Antonio de VILLENA, *Dados, amor y clérigos. El mundo de los goliardos en la Edad Media Europea*, Madrid, Cupsa, 1978. Textos goliardescos con su traducción figuran en Ricardo ARIAS Y ARIAS, *La poesía de los goliardos*, Madrid, Gredos, 1970, págs. 279-285. Sobre el manuscrito de Ripoll, la pieza española más importante, Therese LATZKE, *Die Carmina erotica der Ripollsammlung*, «Mittellateinisches Jahrbuch», X, 1975, págs. 138-201 (reseña de José Luis MORALEJO, *Notas al texto de los «Carmina erotica Rivipullensia»*, «Studi Medievali», XVI, 1975, págs. 877-886); y del mismo J. L. MORALEJO, *El Cancionero erótico de Ripoll en el marco de la lírica mediolatina*, «Prohemio», IV, 1973, págs. 107-141.

[40] Véase la exposición de F. LECOY, *Recherches sur le «Libro de Buen Amor»*, obra citada, en particular págs. 213-229; y para la literatura del

tura pudo pasar del latín a las nuevas lenguas, sobre todo en el caso de los escritores que conocían ambos dominios, el religioso y el profano, y que estaban en condiciones de trasladar este uso a la literatura vernácula; así hay algunas manifestaciones, como la del Arcipreste de Hita (est. 372-387), que en un trozo de su *Libro de Buen Amor* explica el proceso de una conquista amorosa con expresiones de las *Horas de Nuestra Señora* [41]. En la lírica amorosa del siglo XV abundan estos ejemplos: así encontramos, entre otras obras, la *Misa de Amores* de Juan de Dueñas, y la *Misa de Amor* de Suero de Ribera [42].

OTROS ASPECTOS DEL INFLUJO LITE-
RARIO DE LA RELIGIOSIDAD MEDIEVAL

De entre los numerosos motivos de la literatura religiosa, hay tres que conviene poner de relieve por su gran difusión en las obras vernáculas: el de la Virgen María, el de las vidas de Santos, y el de Santiago y su camino de peregrinación.

a) *La Virgen María.*—La Virgen se menciona a menudo en la literatura medieval romance; el incremento de su culto y devoción aconteció al mismo tiempo que las nuevas literaturas

---

siglo XV, en especial págs. 220-223. Y M. R. LIDA DE MALKIEL, *Nuevas notas sobre el «Libro de Buen Amor»*, en los *Estudios de Literatura española y comparada*, obra citada, pág. 36, nota 30.

[41] Las estrofas del *Libro de Buen Amor* han sido comentadas por Otis H. GREEN, *On Juan Ruiz's parody of the canonical hours* [1958], en *The Literary Mind of Medieval and Rennaissance Spain*, Lexington, Kentucky, Studies in Romance Languages, I, págs. 22-39.

[42] Los textos, relativamente breves, de *La misa de amor* de SUERO DE RIBERA, en el *Cancionero castellano del siglo XV*, edición citada de Foulché-Delbosc, II, págs. 189-190, composición núm. 425. El texto de la otra fue publicado por Jules PICCUS, *La Misa de Amores de Juan de Dueñas*, «Nueva Revista de Filología Hispánica», XIV, 1960, págs. 322-325 (y anotado en la misma revista por Antonio ALATORRE, págs. 325-328). Véase (con mención de otras parodias) Nicasio SALVADOR MIGUEL, *La poesía cancioneril; el «Cancionero de Stúñiga»*, obra citada, págs. 303-306.

iban creciendo y asegurándose, de manera que su exaltación poética fue un aspecto más de la religiosidad de los últimos siglos de la Edad Media. Su figura como Madre de Dios y mediadora entre Él y los pecadores se ha considerado también como uno de los factores que más impulsaron el creciente acatamiento e idealización de la mujer; en este sentido la lírica provenzal favoreció una consideración de la mujer que motivó el arte de la cortesía [43], y en la sucesión de la épica aparece un trato más humano de la mujer en contraste con la violencia de los combates; es evidente que existe un progreso en la formulación de un amor de índole espiritual, que los italianos llevaron a su más alto grado en su exposición poética.

Las leyendas de los milagros de la Virgen [44] en favor de la doliente y pecadora humanidad se coleccionaron en libros como el *Speculum historiale*, de Vicente de Beauvais (hacia 1200-1264). Estos códices tuvieron una gran difusión por Europa, y fueron traducidos, refundidos y aumentados en las lenguas románicas. Las obras marianas de Berceo y de Alfonso X son la más importante representación en España de estas manifestaciones literarias.

b) *Las vidas de Santos.*—La hagiografía fue una materia argumental abundante en la literatura medieval europea [45]. De

---

[43] Eduard WECHSSLER, *Das Kulturproblem des Minnesangs*, Hall, Niemeyer, 1909, insistió en la teoría de que el culto de la Virgen intervino en la formulación del amor trovadoresco; sobre la presencia de la Virgen en la lírica cortés medieval, véase Alicia C. de FERRARESI, *De amor y poesía en la España medieval: prólogo a Juan Ruiz*, México, El Colegio de México, 1976, págs. 119-155. Para la épica, véase Adolphe J. DICKMAN, *Le rôle du surnaturel dans les chansons de geste*, París, Champion, 1926.

[44] Estudio general en Alfred MUSSAFIA, *Studien zu den mittelalterlichen Marienlegenden*, Viena, Gerold, 1887-1898; una relación de la presencia de la Virgen en milagros y ejemplos, en J. E. KELLER, *Motif-Index of Mediaeval Spanish Exemple*, obra citada, págs. 60-62. Véase el resumen de la tesis doctoral de Joaquín BENITO DE LUCAS, *El tema mariano en la poesía castellana de la Edad Media*, Madrid, Facultad de Filosofía y Letras, 1971; del mismo, *Poesía mariana medieval* (antología), Madrid, Taurus, 1968.

[45] Hippolyte DELEHAYE, *The Legends of the Saints: an Introduction to Hagiography* [1907], Nôtre Dame, Nôtre Dame University Press, 1961;

ella proceden sobre todo las Vidas de Santos y mártires que se encuentran en las obras de Berceo, la *Vida de Santa María Egipciaca*, las Vidas de Santos de Bernardo de Brihuega, en tiempos de Alfonso X, la de San Ildefonso, del Beneficiado de Úbeda, las de San Isidoro y San Ildefonso, de Martínez de Toledo, etc. La vida del Santo o mártir representaba un ejemplo de dedicación cristiana a la virtud y al sacrificio, recogiendo aspectos milagrosos e insólitos de su biografía; e, incluso, hay leyendas de Santos que se cruzan con personajes, como ocurre con la de San Eustaquio cuya vida se configura en el caballero Cifar.

c) *Santiago y las peregrinaciones.*—La religiosidad española tuvo en el Medievo su expresión más peculiar en la devoción al Apóstol Santiago [46]. «Santiago —su acción secular, sus irradiaciones variadísimas— es uno de los pilares de la historia española [...] Santiago fue un reflejo de la guerra santa musulmana, y un apoyo para la guerra santa que hubieron de oponerle los cristianos, con lo cual el Apóstol evangélico se convertía en el maestre nato de las órdenes militares...», afirma Castro en su libro [47].

El culto del Apóstol fue un motivo de afirmación política en la España de los tiempos difíciles de la Reconquista, pues bajo su advocación lucharon los cristianos españoles con afanes de Cruzada contra la guerra santa de los árabes. Y la Iglesia de Santiago en Compostela fue el hito final del camino francés por el que los peregrinos de Europa iban a venerar al Apóstol. Por esta vía entraron en España diversas influencias de carácter literario.

S. C. Aston, *The Saint in Medieval Literature*, «Modern Language Review», LXV, 1970, págs. 25-42.

[46] Información general en Luis Vázquez de Parga, José María Lacarra y Juan Uría Ríu, *Las peregrinaciones a Santiago de Compostela*, Madrid, CSIC, 1948-1949, 3 tomos. Trata también del asunto extensamente A. Castro, *La realidad histórica de España*, ed. 1962, capítulos IX y X, págs. 326-406. Véase José Salvador y Conde, *El libro de la peregrinación a Santiago de Compostela*, Madrid, Guadarrama, 1971.

[47] A. Castro, *La realidad histórica de España*, obra citada, edición 1962, páginas 352-353.

Capítulo IX

RELACIONES ENTRE LA LITERATURA ESPAÑOLA
Y EL MODERNO MUNDO MEDIEVAL

LAS NUEVAS SITUACIONES

Después de tratar sobre la función de la Antigüedad y de la
Iglesia en la literatura medieval española, hay que seguir examinando el efecto de las situaciones culturales siguientes, en particular desde que se testimonian las obras literarias que corresponden a las nuevas condiciones aparecidas en la vida colectiva
y que afectan a los autores y al público de oyentes o lectores;
contando con la tradición de la Antigüedad adaptada a los nuevos tiempos y con la función de la Iglesia, que es de primer
orden en cuanto a la continuidad y transformación del fondo
cultural, estas nuevas situaciones acaban por confluir en los
distintos lugares de Europa en el cultivo literario de las lenguas
vernáculas. Por lo que respecta a la nomenclatura de la periodización histórica, el desarrollo de la literatura hispánica que nos
toca estudiar en este libro corresponde a la «Baja Edad Media».
En este período los diversos reinos de la Cristiandad hispánica
mantienen relaciones con Roma y los otros reinos cristianos
de Europa, sobre todo con los más próximos, en los cuales se
están desarrollando también las propias literaturas vernáculas.
Estos reinos hispánicos, sobre todo el de Castilla, prosiguen la

guerra de reconquista frente a los árabes, al tiempo que están en tratos con ellos como consecuencia de una ya secular convivencia de vecindad sobre las tierras de España. Según la organización económica de la época, y al igual que en otros países, las comunidades de judíos forman parte de las ciudades; y algunos de ellos (cualificados unos por sus conocimientos y habilidad para las cuestiones de la hacienda real y de los grandes señores, y otros por su ciencia en la Medicina) se encuentran al servicio de la casa real y de los señoríos. Como consecuencia del ritmo histórico, las relaciones entre los españoles y las otras gentes de Europa fueron creciendo por motivos de orden político y económico; al mismo tiempo, existía una relación entre las gentes de las diversas «leyes» de la Península (cristianos, moros y judíos) que estableció una estrecha red de comunicaciones de todo tipo, tanto entre los que permanecían en su propia «ley», como entre los que habían pasado de la una a la otra, de grado o por fuerza, y que constituían unos excelentes mediadores.

Las obras literarias aparecen en este marco político, económico y social, y a él pertenecen los autores y en él se constituyen los públicos. La situación del autor y la condición del público se han de establecer con precisión y con cuidado para así interpretar adecuadamente la intención del autor según los propósitos de la obra. Los datos sobre los que se basan los juicios son, por fuerza, parciales, pues hubo obras que se perdieron y no sabemos qué contendrían o sólo tenemos noticias indirectas de ellas; por otra parte, hay que ser cauto en cuanto a resaltar posibles originalidades, pues además de la parcialidad de los datos, conviene contar con lo que ocurrió (o pudo haber ocurrido) en otros lugares más o menos lejanos. Además, los factores concomitantes en la cultura medieval son muchos, y pudo existir una situación paralela de la que resultasen obras con gran analogía, que fácilmente se encabalgaban y reunían dentro de cauces comunes en los que es muy aventurado señalar el precedente.

Con objeto de disponer de los datos adecuados para el estudio de la literatura española en relación con los paralelos, influencias y contrastes, conviene repasar los grupos de población, venidos de fuera o formados dentro, las instituciones, las vías de relación y todo cuanto pudo ser un medio para matizar o encauzar la creación literaria.

LOS PUEBLOS GERMÁNICOS

Los godos [1] es el nombre colectivo con que se reconoció el grupo de pueblos germánicos que irrumpió en la península desde el año 409; el grupo visigodo acabó imponiéndose a los vándalos, alanos y suevos, y desde el III Concilio de Toledo (589) el reino visigodo dejó de ser arriano y se declaró católico. El linaje de los godos fue sello de nobleza en la España medieval, y su organización política tenía, según Menéndez Pidal, algunas características de gran importancia para la iniciación de la literatura vernácula. Por de pronto, las lenguas germánicas habladas por los godos se relacionaron con las incipientes lenguas vernáculas de los descendientes de los hispanorromanos [2]. La literatura de la clase goda, dominante políticamente, y de las grandes familias locales tuvo un doble desarrollo: por la parte del latín a la que me referiré al final de este apartado; y por la parte de las tradiciones germanas que los nuevos pueblos habían traído consigo.

En cuanto a la segunda, Menéndez Pidal apoya sin reservas el origen germano de la poesía épica medieval [3]. Desde los tes-

---

[1] Noticias históricas en el manual universitario de E. A. THOMPSON, *Los godos en España* [1969], Madrid, Alianza Editorial, 1971.

[2] Ernst GAMILLSCHEG, *Historia lingüística de los visigodos*, «Revista de Filología Española», XIX, 1932, págs. 117-150, 229-260. Y Wilhelm REINHARD, *El elemento germánico en la lengua española*, en la misma revista, XXX, 1946, págs. 295-309. Una importante fuente del latín rústico visigodo se ha encontrado en unas pizarras, estudiadas por Manuel GÓMEZ-MORENO, *Documentación goda en pizarra*, «Boletín de la Real Academia Española», XXXIV, 1954, págs. 25-58.

[3] Véase el artículo de Ramón MENÉNDEZ PIDAL, *Los godos y el origen de la epopeya española*, en *Los Godos y la Epopeya española*, Madrid, Espasa-Calpe, 1956, págs. 9-57. Sobre las leyendas germanas en la poesía heroica occidental, véanse los *Estudios épicos medievales*, escritos por Erich von RICHTHOFEN, Madrid, Gredos, 1954, seguidos de los *Nuevos estudios épicos*

timonios de Jordanes (siglo VI) hasta los de Alfonso X en el siglo XIII, a través de los siglos existió una manera de conservar la memoria de los hechos históricos que Menéndez Pidal llama «historia épica de la colectividad»; estima que esta historia ha corrido paralela a la «historia cronística de los doctos», los cuales escribieron su obra siguiendo la tradición culta de los escritores latinos. Los germanos llegados a España trajeron consigo usos y costumbres que mantendrían como signo distintivo; los pueblos sometidos los imitaron al mismo tiempo que, por su parte, los dominadores hacían suyos los cauces de la literatura latina, en una doble corriente de difusión. Entre sus aficiones estaba la de conservar estos cantos históricos de sus antepasados, y aun después de venidos a las tierras hispánicas, los fueron acrecentando con los relatos de las hazañas de los nuevos héroes. El hecho de que las historias latinas apenas nos hayan dejado noticia de estos cantos, no significa que no los hubiera, sino que no los consideraron fuente para la historia cronística; Menéndez Pidal buscó, pues, cuidadosamente los indicios de su existencia en otras partes. La posición de Menéndez Pidal es tajante en favor de la continuidad entre la literatura de los visigodos y los españoles posteriores en este dominio. Por de pronto, se debe a estos godos la leyenda más importante sobre «la pérdida de España», hecho clave de la Edad Media, pues modificó las condiciones de la vida política en la península, y la determinó por varios siglos.

Sobrepasado el período crítico del derrumbamiento de la monarquía visigoda, los cristianos que en el Norte resistieron la acometida militar de los árabes, continuaron con las características propias de los godos, empobrecidas con respecto al origen por causa del proceso de hispanización, y porque habían de adaptarse a las circunstancias que la nueva situación del país exigía.

---

medievales, Madrid, Gredos, 1970, y algunas partes de su obra *Tradicionalismo épico-novelesco*, Madrid, Planeta, 1972, con una extensa proyección del fondo germánico sobre la literatura española.

Desde el punto de vista del prestigio político, la «herencia goda» se mezcló con el propósito de conquistar otra vez lo que había sido el espacio geográfico de la monarquía visigoda[4]. La Reconquista aparecía así como una restauración de las condiciones de la «nación goda», a la que se atribuyó el origen de los linajes primeros, y por tanto, más preciados, y de la que se recordó la unidad que había llegado a constituir.

Una de las características mantenidas fue la persistencia y renovación de estos cantos, que entonces servían para afirmar el aliento heroico que necesitaba la población cristiana combatiente en las fronteras con el Islam; puede considerarse, según esta teoría, que la persistencia folklórica de los primitivos cantos germánicos fue el origen de la nueva épica medieval. Aunque desconocemos la literatura primitiva de los germanos, según esta teoría, su influjo pudo llegar por este medio hasta los comienzos de las obras románicas, y en particular en Castilla sirvió para encauzar el grupo de obras más importante del período de los orígenes: los cantos épicos, tal como se estudian después en el capítulo correspondiente a la épica medieval. La cuestión reside en establecer el grado de conservación de los caracteres primitivos de los cantos, de condición folklórica, traídos por los primeros germanos, y su relación con las obras épicas de las modernas literaturas.

Ya me referí antes, con motivo de la polémica entre Sánchez-Albornoz y Castro, a la diversidad de opiniones sobre si los germanos que constituyeron el reino visigodo en España llegaron a una integración con los pueblos hispánicos existentes en la Península a su llegada, y si hubo fusión entre ambos hasta el grado de poder considerarlos una nación. El primero, Sánchez-Albornoz, defiende la opinión de que los visigodos se incorporaron a la continuidad de la cultura hispánica a través de los even-

---

[4] J. A. MARAVALL, *El concepto de España en la Edad Media*, obra citada, cap. VII, págs. 299-337. Véase el artículo de Carlos CLAVERÍA, *Reflejos del «goticismo» español en la fraseología del Siglo de Oro*, «Homenaje a Dámaso Alonso», I, Madrid, Gredos, 1960, págs. 357-372, con referencia también a la Edad Media, en especial págs. 359-361.

tos históricos[5]; y Castro usó la fórmula de la «no hispanidad» de los visigodos para asegurar lo contrario[6]. Es indudable que cada situación cultural crea unas condiciones diferentes, y más si se la considera en contraste con otra, separada temporalmente; pero, por otra parte, hay corrientes generales que atraviesan las épocas históricas, integrándose en cada caso de manera diferente, de acuerdo con la interpretación del historiador. El problema, en cuyo planteamiento entran sobre todo factores de índole histórica, no recae, sin embargo, directamente en el dominio literario, y afecta a la interpretación política del período. En este aspecto, por lo que toca a la noticia que quedó en las épocas siguientes y que recogió la literatura, los visigodos contribuyeron a asegurar el concepto político de una nación española. Para esto, José Antonio Maravall asegura la necesidad de contar con los visigodos: «fueron los visigodos los que llevaron a realización plena esa intuición inicial, y que ellos son verdaderamente los creadores del concepto político de España...»[7].

La posible aportación literaria de los visigodos queda fuera de la consideración de este tratado, porque no hay textos de una literatura en lengua goda con entidad suficiente para considerarse como parte de la literatura española. Por otro lado, la literatura escrita en lengua latina, cultivada durante la monarquía visigoda, es un capítulo de la latina medieval que queda al margen de nuestra directa consideración[8]. El escritor más impor-

---

[5] En *España, un enigma histórico*, especialmente en el párrafo «Los godos y la retrogradación de la contextura vital de España», I, 130-140.

[6] Teoría expuesta en el artículo *El enfoque histórico y la no hispanidad de los visigodos*, «Nueva Revista de Filología Hispánica», III, 1949, páginas 217-263, e incorporada al mencionado libro *La realidad histórica de España*, ed. de 1962, cap. V: «No había aún españoles en la Hispania romana ni en la visigótica», págs. 144-174.

[7] J. A. Maravall, *El concepto de España en la Edad Media*, obra citada, pág. 404.

[8] Sobre la literatura visigoda se han publicado varias síntesis generales con referencias bibliográficas: una es la de Fray Justo Pérez de Urbel, en la *Historia de España*, dirigida por Ramón Menéndez Pidal, vol. III, Madrid, Espasa-Calpe, 1940, titulada *Las letras en la época visigoda* (páginas 379-431); otra es la de José Madoz, *Escritores de la época visigoda*,

tante fue San Isidoro (560-636), una de las figuras más definidoras de la cultura europea de su época[9]. Isidoro sitúa en Sevilla
una peculiar floración del espíritu de la Antigüedad, que representó una elevación cultural, favorecida por la sistematización
con que recogió el saber antiguo; en su obra se pueden encontrar las características determinantes de un Renacimiento, acontecido en el siglo VII, y del que quedó una herencia que con-
tribuiría a asegurar una base humanística en tiempos difíciles.
En las letras españolas[10] se le recordó como Santo y como
Sabio; Alfonso X tuvo presente el caudal de las Historias isidorianas. El Canciller Pedro López de Ayala traduce su obra, y
el Marqués de Santillana lo cita, entre otros muchos, como autoridad en el *Prohemio* al Condestable portugués. La alabanza de
España, titulada *De Laude Hispaniae*, en la *Historia Gothorum*,
obtuvo gran favor, y hallamos su influencia a través de las
letras medievales[11].

---

publicada en la *HGLH*, edición citada, I (págs. 114-140); publicó un breve
estudio de conjunto: Mario RUFFINI, *Le Origini Letterarie in Spagna*. I,
L'Epoca Visigotica, Turín, L'Aquila, 1951. En particular sobre las supervi-
vencias de creencias antiguas en el tiempo visigodo: Stephen MAC KENNA,
*Paganism and Pagan survivals in Spain up to the fall of the Visigothic
Kingdom*, Washington, The Catholic University of America, 1938; y José
MADOZ, *Ecos del saber antiguo en las letras de la España visigoda*, en
«Razón y Fe», CXXII, 1941, págs. 229-231

[9] Es importante y guiadora la obra de Jacques FONTAINE, *Isidore de
Séville et la culture classique dans l'Espagne wisigothique*, París, Études
augustiniennes, 1959, 2 tomos. Es de interés el prólogo de Santiago MONTERO
DÍAZ a la traducción española de L. CORTÉS Y GÓNGORA de las *Etimologías*
del Santo, Madrid, Biblioteca de Autores Cristianos, 1951; sobre las características literarias de su obra: Guido MANCINI GIANCARLO, *San Isidoro de
Sevilla. Aspectos literarios*, Bogotá, Instituto Caro y Cuervo, 1955.

[10] Véase Luis LÓPEZ SANTOS, *Isidoro en la literatura medieval castellana*,
en *Isidoriana* (Colección de estudios sobre Isidoro de Sevilla), León, Centro
de Estudios e Investigación «San Isidoro», 1961, págs. 401-443; y también
L. GARCÍA RIVES, *Estudio de las traducciones castellanas de las obras de
San Isidoro*, «Revista de Archivos, Bibliotecas y Museos», LVI, 1950, páginas 279-320.

[11] Por ejemplo, el muy bello elogio de la tierra española en el *Poema
de Fernán González*, estrofas 144-160. Los precedentes y formas antiguas

LOS PUEBLOS ISLÁMICOS

Las relaciones que se establecieron entre los cristianos y los árabes, desde 711 a 1492, sobre el suelo de la península, fueron muy diversas [12]. Iniciada la conquista de una manera fulminante por cuanto que las poblaciones locales, de ascendencia hispano-rromana, apenas se opusieron a su avance, los árabes las dominaron políticamente, sobre todo con la organización del Califato de Córdoba, período de culminación y el más característico de la cultura conjunta de los súbditos reunidos bajo su gobierno. Las sucesivas llegadas de contingentes militares árabes ocasionaron el proceso histórico del reino de los taifas, y desde el siglo XII el poder musulmán declina [13], pero prosigue manteniendo hasta el fin un prestigio peculiar, apoyado en el sentido de vida que está en función de la religión, o sea en la «ley». Los cristianos españoles les opusieron tenazmente su propia «ley» de vida y religión, y durante cerca de ocho siglos en que duró esta situación colectiva hubo tiempo y ocasión para que mu-

y medievales del tema se tratan en el libro de Concepción FERNÁNDEZ-CHICA-RRO DE DIOS, *Laudes Hispaniae (Alabanzas de España)*, Madrid, Aldus, 1948.

[12] Un libro de información general sobre el Islam es el de Félix M. PAREJA (en colaboración con Alessandro BAUSANI y Ludwig von HERTLING, con un apéndice de Elías TERÉS SÁDABA) titulado *Islamología*, Madrid, Razón y Fe, 1952-54, 2 tomos. También William M. WATT, *The influence of Islam in Medieval Europe*, Edimburgo, Col. Islamic Surveys, 1972. Sobre el Al-Andalus (o espacio hispánico del Islam), un manual universitario es el libro de Jan READ, *The Moors in Spain and Portugal*, Londres, Faber and Faber, 1974; estudios socioeconómicos, en Reyna PASTOR DE TOGNERI, *Del Islam al Cristianismo*, Barcelona, Barral, 1976; Pierre GUICHARD, *Al-Andalus. Estructura antropológica de una sociedad islámica en Occidente*, Barcelona, Barral, 1976. Algunas tesis radicales señalan que el influjo recibido de los invasores fue escaso, como ocurre en el polémico libro de Ignacio OLAGÜE, *Les arabes n'ont jamais envahi l'Espagne*, París, Flammarion, 1969.

[13] Sobre el período final del dominio político árabe en España, de gran interés porque en él son más patentes los rasgos arabizantes en nuestra literatura, véanse Miguel A. LADERO QUESADA, *Granada. Historia de un país islámico (1232-1571)*, Madrid, Gredos, 1969; y Rachel ARIE, *L'Espagne musulmane au temps des Nasrides*, París, Boccard, 1973.

sulmanes y cristianos se combatiesen, y también lo hubo para que, con motivo de las treguas, a veces largas, y en razón de la vecindad de las fronteras, se relacionasen entre sí y recibiesen los beneficios de la convivencia. Por otra parte, el encuentro entre los pueblos cristianos y el Islam es una cuestión que se ha de plantear en la historia de Europa, y en ella España jugó un papel importante en todos los sentidos: por su función de enlace entre Europa y el Islam, y por lo que su situación de vecindad inmediata con los árabes supuso para la cultura y la vida de los cristianos españoles. C. Vossler dio con acierto el título de «Ilustración medieval» o «Época de las luces» al período en que estas relaciones adquirieron mayor intensidad. Los reinos cristianos de la península fueron buena ocasión para esto, pues los bordes de sus fronteras tocaban la tierra de los musulmanes; España fue «el conducto trasmisor más rico y preferido. Las condiciones para esta labor eran aquí singularmente favorables: ricas bibliotecas, con textos árabes llenos de la vieja sabiduría de Oriente, grandes señores eclesiásticos y seglares que promovían la actividad traductora, muchos mozárabes con dos idiomas maternos, judíos políglotos y finalmente constantes ocasiones de ejercitarse en el papel de intérprete» [14]. Un volumen de R. Menéndez Pidal recoge varios estudios con este significativo título: *España, eslabón entre la cristiandad y el Islam* [15]. En términos generales puede decirse que esta comunicación tuvo un carácter científico: libros de matemáticas, astronomía, alquimia, geografía, etc. [16]. Los efectos de

---

[14] Carlos Vossler, *La ilustración medieval en España y su trascendencia europea*, publicado en *Estampas del mundo románico*, obra citada, páginas 131-148; la cita procede de las págs. 132-133; y *Trascendencia europea de la cultura española*, Madrid, Espasa-Calpe, 1962, págs. 89-151. Idem, *España y Europa (obra póstuma)*, Madrid, Instituto de Estudios Políticos, 1951, págs. 85-124, sobre «La Aufklärung medieval»; y págs. 125-144, sobre obras de arte medievales en relación con el mundo árabe.

[15] Madrid, Espasa-Calpe, 1956. Uno de los artículos que contiene es el de «España y la introducción de la ciencia árabe en Occidente», págs. 33-60.

[16] Ángel González Palencia, *Moros y cristianos en la España medieval*, Madrid, CSIC, 1945. Asimismo es de gran interés la colección de textos de Claudio Sánchez-Albornoz, *La España musulmana, según los autores isla-*

estas relaciones en la lengua española son evidentes en el aspecto del léxico [17], y más atenuados en otros. El esfuerzo por verter las obras en prosa del árabe a la lengua vernácula tuvo importantes consecuencias estilísticas para el desarrollo de la prosa española; el influjo de la lengua árabe, en función de adstrato lingüístico, impulsó determinadas posibilidades sintagmáticas, ya preexistentes en el período de esta relación, y la habilidad técnica de los traductores se esforzó por recibir este influjo como signo estilístico y, por tanto, intencional. La fuerza del mismo se percibe hasta fines del siglo XIII, y después la corriente latinizante lo apagó al favorecer para la expresión culta otras corrientes estilísticas de signo diverso [18].

En el conjunto de la literatura árabe, los autores de los reinos musulmanes de España ofrecen un peculiar carácter en relación con las características comunes que imponían los grupos genéricos de la literatura árabe. Interesa mencionar en particular la provincia árabe española dentro del conjunto mencionado [19]; y en ella una serie de cuestiones importantes, que han dado lugar a exploraciones de gran alcance.

---

mitas y cristianos medievales, Buenos Aires, El Ateneo, 1946, 2 tomos. Las costumbres de los musulmanes en cuanto a su influjo sobre los españoles cristianos se estudian, desde el punto de vista de A. CASTRO, en los capítulos VI y VII de la ed. de 1962 de su libro *La realidad histórica de España* (págs. 175-275). Sobre la interpretación de una peculiar persistencia de la espiritualidad medieval anticuada y la falta de aprovechamiento del caudal árabe y judío que transita por España, véase Vicente CANTARINO, *Entre monjes y musulmanes. El conflicto que fue España*, Madrid, Alhambra, 1978.

[17] Véase Eero K. NEUVONEN, *Los arabismos del español en el siglo XIII*, Helsinki, Akateeminen, Kirjakauppa, 1941, con bibliografía en las págs. 11-15.

[18] Álvaro GALMÉS DE FUENTES, *Influencias sintácticas y estilísticas del árabe en la prosa medieval castellana*, «Boletín de la Real Academia Española», XXV, 1955, págs. 213-275, 415-451; XXVI, 1956, págs. 65-131, 255-307; hay separata como libro, Madrid, 1956.

[19] Un planteamiento informativo general en cuanto al campo románico, en Juan VERNET GINÉS, *Relaciones entre la literatura árabe y románicas*, en *GRLMA*, I, 1970, págs. 206-215. En cuanto a la literatura de los árabes españoles véase Ángel GONZÁLEZ PALENCIA, *Historia de la literatura arábigo-española*, Barcelona, Labor, 1945. Del mismo, *El arabismo español y los*

I) Relaciones entre la espiritualidad árabe y la cristiana. Esta tesis ha sido defendida sobre todo por el maestro del arabismo español Asín Palacios: el pueblo árabe, reunido por Mahoma, profeta-rey del Islam, nómada en sus formas primeras de vida política, sirvió de trasmisor entre Oriente y Occidente a través de grandes distancias geográficas. Inflamados en su ardor guerrero por la doctrina de la guerra santa de Mahoma, los árabes tuvieron ocasión de conocer la vida de los anacoretas cristianos de Oriente, y aprendieron también el ansia de perfección espiritual que los guiaba. Los árabes islamizaron esta doctrina y así pudo llegar otra vez a los cristianos de Occidente. Las huellas del Islam cristianizado pueden aparecer en autores cabalmente ortodoxos, y las coincidencias de expresión, a veces turbadoras, son fruto de comunicaciones oscuras, lecturas, leyendas; estas relaciones, imposibles de precisar, corrieron a cargo de esta población volandera que se movía entre los cristianos y los árabes [20].

Un aspecto particular de estas relaciones lo constituye la trasmisión de las leyendas de ultratumba y su repercusión en la *Divina Comedia* [21].

---

estudios literarios, «Bulletin of Spanish Studies», XXIV, 1947, págs. 108-116. La revista «Al-Andalus» recoge los artículos, noticias y reseñas de libros de la investigación española sobre el mundo árabe; se han publicado sus *Índices*, desde 1933 a 1955, que comprenden los primeros veinte volúmenes, Madrid-Granada, 1962. Sobre la actividad de los arabistas españoles en el siglo pasado, véase Manuela MANZANARES DE CIRRE, *Arabistas españoles del siglo XIX*, Madrid, Instituto Hispano-Árabe de Cultura, 1972.

[20] Un estudio del contenido e historia del pensamiento musulmán y de las influencias islámicas en la mística española se halla en Cristóbal CUEVAS GARCÍA, *El pensamiento del Islam*, Madrid, Istmo, 1972, que recoge la bibliografía general y las obras de Miguel Asín Palacios.

[21] Miguel ASÍN PALACIOS, *La escatología musulmana en la «Divina Comedia»*, Madrid, CSIC, 1943, 2.ª edición. Esta edición va seguida de una «Historia y crítica de una polémica» (págs. 481-609) de gran interés porque recoge la bibliografía fundamental del asunto entre 1919, en que apareció la primera edición, y la fecha de la segunda. Véanse también: *La escala de Mahoma*, edición de José MUÑOZ SENDINO, Madrid, Afrodisio Aguado, 1949; E. CERULLI, *Il «Libro della Scala» e la questione delle fonti arabo-espagnole*

II)   El origen de la lírica europea. La lírica provenzal es la primera manifestación organizada de una nueva literatura europea de carácter culto. La novedad de su aparición ha sido objeto de varias explicaciones, y una de ellas es la llamada tesis árabe, que relaciona determinadas características de la poesía de Provenza con otros aspectos de la literatura árabe (difusión del zéjel por Provenza, Francia e Italia; e interpretación del juego del amor cortés a través de doctrinas árabes). Contando con la actividad viajera de los trovadores hacia España y Oriente (con motivo de las Cruzadas), esta tesis supone que la interpretación del amor según los poetas y filósofos árabes de tendencia «idealizadora» (como se menciona en el párrafo siguiente) y algunas de sus formas de expresión, pudieron pasar a la literatura provenzal, y desde ella difundirse por Europa[22]. Este planteamiento es objeto de grandes discusiones por la dificultad de la cronología y la falta de noticias sobre las obras en cuestión, pero el hallazgo de las jarchas (a que me referiré más adelante) ha puesto de nuevo en boga la tesis.

III)   Relación entre la idea de un amor «platónico» formulada por los árabes y la idea análoga de los autores occidentales. El estudio de la cultura árabe ha puesto de manifiesto que, junto a la poligamia propia de la religión de Mahoma, existió la idea de un amor de orden espiritual y contemplativo, que algunos han estimado comparable en sus manifestaciones al que aparece en la poesía de provenzales e italianos. Un autor de

della Divina Commedia, Ciudad del Vaticano, Biblioteca Apostolica Vaticana, 1949; Giorgio Levi Della Vida, *Nuova luce sulle fonti islamiche della Divina Commedia*, «Al-Andalus», XIV, 1949, págs. 377-407, y finalmente, una visión general del asunto en Enrico Cerulli, *Dante e l'Islam*, «Al-Andalus» XXI, 1956, págs. 229-253.

   22   Ramón Menéndez Pidal, *Poesía árabe y poesía europea*, Madrid, Espasa-Calpe, 1941, págs. 1-77; el mismo Menéndez Pidal reunió una valoración general de la lírica española y la repercusión del hallazgo de las jarchas en el artículo, ya citado, *La primitiva lírica europea. Estado actual del problema*, «Revista de Filología Española», XLIII, 1960, págs. 279-354. Véase una relación de los polémicos trabajos sobre el asunto en M. de Riquer, *Los trovadores*, obra citada en la nota 40 de este capítulo, I, páginas 22-23, nota 6.

Islam andaluz, Ben Házam de Córdoba (994-1063), escribió un tratado sobre el amor y los amantes, titulado *El collar de la paloma*[23], fascinante libro en el que se examinan las modalidades y el proceso del amor de una manera paralela a como lo había hecho Ovidio en su *Ars amatoria;* interpretando lo que se dice en este libro, se puede alcanzar una concepción semejante al tópico de la *donna angelicata,* tan importante en la literatura occidental europea de la Edad Media. La posible relación entre ambas concepciones es objeto de vivas polémicas. Por otra parte, tratándose de un asunto tan universal, siempre cabe pensar en una poligénesis, que después habría de facilitar las relaciones en las situaciones semejantes y, lo que importa en literatura, su expresión poética a través de los tiempos y entre clases sociales muy diferentes. Por otra parte, en un lugar como España donde los intermediarios bilingües abundaron, pueden preverse cadenas de relaciones, imposibles de demostrar, pero intuibles a través de un proceso como el que conduce a Márquez Villanueva a enlazar la doctrina de Ben Házam con la obra amorosa de Juan Ruiz: «La frontera entre lo culto y lo popular no está siempre tan perfilada como solía verla la crítica romántica. Un libro profundo y bello es como una piedra lanzada a un estanque, cuya onda y salpicadura no se sabe nunca, al cabo de un milenio, hasta dónde pudieron llegar. La impresión causada en un pequeño número de lectores puede irse filtrando, con el multiplicador de los años, hasta alcanzar el nivel de la más amplia vulgarización. Las ideas de moda en círculos selectos de Bagdad y Córdoba en el siglo x podían ser en el xiv tópicos viejos y patrimonio mostrenco de toda aquella gente mora y judía con quien tan bien se llevaba Juan Ruiz»[24].

---

[23] Ibn HAZM DE CÓRDOBA, *El collar de la paloma. Tratado sobre el amor y los amantes* [1952], edición con prólogo de José ORTEGA Y GASSET, introducción y traducción de Emilio GARCÍA GÓMEZ, Madrid, Alianza Editorial, 1971 (edición de bolsillo, con algunas supresiones de sumarios, apéndices e índices, y una nota adicional con bibliografía reciente).

[24] Francisco MÁRQUEZ VILLANUEVA, *El buen amor* [1965], en *Relecciones de literatura medieval,* Sevilla, Universidad, 1977, págs. 45-73; la cita, en págs. 71-72.

IV) Los cuentos. De entre las diversas manifestaciones de la literatura árabe, la de los cuentos, de grado menor si se la compara con las otras obras del pensamiento islámico, obtuvo un gran favor en España. Desde el siglo VIII hasta los fines de la Edad Media (y aun más allá) las grandes colecciones árabes se conocen y pasan al latín y a las lenguas vernáculas, se rompen y recomponen, y se imitan con buen éxito de público, como se verá en el estudio de la prosa de ficción [25].

V) La poesía épica. El posible influjo de una épica andaluza sobre los poemas castellanos fue defendido por J. Ribera en 1915, y recientemente lo ha replanteado desde otro punto de vista F. Marcos Marín, que postula la existencia de un tercer tipo de épica hispánica, en lengua árabe vulgar, diferente de la poesía heroica en el árabe clásico y de la germana; de esta especie serían las *archuzas* (o cantos historiales árabes), de las que traduce y estudia la de Ibn ʿAbd Rabbihi. Propugna también la relación A. Galmés examinando los elementos temáticos y la estructura externa de ambas épicas [26].

VI) La prosa rimada. Sobre todo por su posible relación con el *Libro de Buen Amor* y otras obras medievales de constitución semejante, cito un grupo de obras de la literatura árabe, el de la *maqāma* o *risāla*, poco conocido. Ambos nombres se

---

[25] La cuestión se plantea aquí en cuanto a la difusión de la «materia» cuentística de procedencia árabe; pueden verse los índices generales ya citados de Stith THOMPSON (general) y de John E. KELLER (campo español); la cuestión de la procedencia popular y sus problemas fue planteada metodológicamente por Alexander H. KRAPPE, *Medieval Literature and the Comparative method*, «Speculum», X, 1935, págs. 270-276. Véase Rameline E. MARSAN, *Itinéraire espagnol du conte médiéval (VIII-XV siècles)*, París, Klincksieck, 1974.

[26] Julián RIBERA, en *Discursos leídos ante la Real Academia de la Historia*, Madrid, 1915: «Huellas que aparecen en los primitivos historiadores musulmanes de la Península de una poesía épica romanceada que debió florecer en Andalucía en los siglos IX y X». Francisco MARCOS MARÍN, *Épica narrativa árabe y épica hispánica (Elementos árabes en los orígenes de la épica hispánica)*, Madrid, Gredos, 1971. Álvaro GALMÉS DE FUENTES, *Épica árabe y épica castellana*, Barcelona, Ariel, 1978.

usaron para «designar cualquier ejercicio retórico, en prosa rimada, con intercalación o no de versos, inspirado por cualquier motivo»[27]. La composición de estas obras aparece «arropada hasta la asfixia por todas las galas del lenguaje, de la erudición y la pedantería». Están situadas «a medio camino entre prosa y verso, que acabó por echar a perder la noble prosa clásica límpida y precisa, sin conseguir jamás, ni aun de lejos, la belleza deslumbrante de ritmo y expresión de la *casida*»[27]. Este grupo genérico se cultivó en la España árabe desde la primera mitad del siglo XI hasta mediados del XV.

Circunstancias favorables a las relaciones entre moros y cristianos en España.—Las cuestiones planteadas en párrafos anteriores se vieron favorecidas por una serie de circunstancias que dieron en España un peculiar carácter a la vida colectiva[28]. En el cuadro de la sociedad medieval, la Iglesia, las Cortes reales, la nobleza e hidalguía caballeresca tuvieron una conciencia de clase que las adscribía al mundo europeo; no obstante, el mundo árabe inmediato fue una atracción en muchos sentidos: en el cultural sobre todo, y también como irradiación de una moda que podía conducir a una imitación de costumbres. Pero, junto a estos grupos, hubo otras clases sociales, más numerosas y de mayor actividad, constituidas por los oficiales y obreros de las artesanías de las ciudades, campesinos y villanos que convivieron con los que, por algún motivo, habían permanecido, más o menos tiempo, junto a los árabes: mozárabes, mudéjares, esclavos, moros renegados, etc. Hubo en el trato cotidiano muchas ocasiones para que toda esta gente variopinta en su condi-

---

[27] Fernando de la Granja Santamaría, *Maqāmas y risālas andaluzas. Traducciones y estudios*, Madrid, Instituto hispano-árabe de cultura, 1976, págs. XIV y XI respectivamente; la edición ofrece la traducción de varias piezas de esta clase constituyendo así la primera antología de este grupo de obras.

[28] Aun cuando más bien trata el asunto de una manera general, refiriéndose a datos culturales, resulta informativo el artículo de A. González Palencia, *Huellas islámicas en el carácter español* [1939], en el mencionado libro *Moros y cristianos...* (págs. 61-99).

ción cultural se relacionase con los grupos políticos directores y pudiese así actuar como intermediaria entre el mundo árabe y el cristiano. También hay que contar con los mismos árabes de Al-Andalus, de condición peculiar dentro del extenso Islam, a su vez receptores de las corrientes procedentes de Oriente; y aun esto se hizo más efectivo cuando quedaron núcleos de población árabe bajo el dominio cristiano: así ocurría en las ciudades, villas y aldeas de la frontera que iba desplazándose hacia el sur; los ocupantes de las tierras nuevamente conquistadas solían residir en los pueblos que iban dejando los moros, y parte de éstos quedaban bajo el dominio cristiano. Todo esto dio lugar a un influjo de gran extensión, y efectivo sobre numerosas técnicas y artes, que quedó fuera del ámbito de la cultura eclesiástica y de la cortesana. Y aun gente de la Iglesia y de Corte se hallaba en tolerante relación con los árabes y sus intermediarios, como ocurre con Juan Manuel y los Arciprestes de Hita y de Talavera cuando, con intención artística, recogen episodios de la vida común del pueblo castellano en que hay ocasión de referirse a situaciones de esta clase. Y también hay que contar con que las mujeres hidalgas, y aun de la clase noble, se servían de las moras en el hogar. Los caballeros cristianos no desdeñaron el amor de las moras, pues consideraron la belleza como un poder universal que igualaba a las criaturas, y así se acercaban a moras (y judías) con tal de que fuesen hermosas. En resumen, esta situación compleja [29] (y aun a veces

---

[29] La simpatía de Juan Manuel hacia el mundo árabe se refiere en el artículo de María Rosa LIDA DE MALKIEL, _Tres notas sobre don Juan Manuel_, «Romance Philology», IV, 1950-51, págs. 155-194; y también en Diego MARÍN, _El elemento oriental en don Juan Manuel: síntesis y revaluación_, «Comparative Literature», VII, 1955, págs. 1-14. En relación con sus diversos efectos literarios, véanse María Soledad CARRASCO URGOITI, _El moro de Granada en la literatura_, Madrid, Revista de Occidente, 1956, y el extenso comentario de María Rosa LIDA DE MALKIEL, _El moro en las letras castellanas_, «Hispanic Review», XXVIII, 1960, págs. 350-358. Sobre la frontera y la formación del tipo del moro de la novela, véase mi libro _El Abencerraje y la hermosa Jarifa_, Madrid, Revista de Archivos, Bibliotecas y Museos, 1957. También María Soledad CARRASCO URGOITI, _The Moorish Novel: «El Abencerraje» and Pérez de Hita_, Boston, Twayne, 1976.

contradictoria) hizo posible y fácil la relación entre la cultura
árabe y las formas de vida cristiana, creando un espíritu de
comprensión, tácito en muchas ocasiones, por el que pudo discurrir la influencia literaria. Esto no quiere decir que esté
ausente la actitud polémica, pues estaba en la base de la política cristiana la prosecución de la lucha hasta la reconstitución
de España; por otra parte, de esta situación procedían daños
y contrariedades, causadas por las guerras y sus consecuencias.
Así, hacia fines del siglo XIII, San Pedro Pascual (hacia 1227 y
muerto mártir en 1300) escribió, entre otros libros, una *Impugna-
ción de la secta de Mahoma*, con observaciones, recogidas en
su cautiverio, de las costumbres y religión de los moros, y de
sus peligros.

Estas relaciones crecieron en tiempo de los reyes nazaríes,
sobre todo en cuanto a la literatura. Además de las crónicas
históricas que narraron los hechos políticos y guerreros, sobre
todo en cuanto a la condición de fronterizo, el moro se convirtió
en el siglo XV en un personaje de la literatura cada vez mejor
caracterizado en atuendos y acciones, de importancia semejante
al cristiano, que había sido su antagonista en la historia. Considerado el moro como caballero, aparece en la poesía lírica y,
sobre todo, en el Romancero, y después, en el siglo XVI, es el
protagonista de unos relatos de índole novelesca, y también se
incorpora al teatro. Por esta vía española penetró en Europa
una fuerte corriente de orientalismo literario de sentido romántico; pero otra semejante podía venir del Oriente, y así ocurre
con las leyendas del Sultán Saladino, que en España adoptan una
modalidad propia según los principios de la vida peninsular [30].

El proceso de la dignificación del moro en la literatura de
ficción y en la de base histórica aconteció sobre una larga relación entre los reinos cristianos de España y los árabes españoles;
en las guerras entre unos y otros los historiadores señalan que
los árabes fueron tenidos por un enemigo con el que se tenían

---

[30] Véase Américo Castro, *Presencia del Sultán Saladino en las literaturas románicas* [1954], en *Semblanzas y estudios españoles*, Princeton,
University, 1956, págs. 17-43.

tratos según el derecho de la guerra y con la consideración correspondiente. K. R. Scholberg llega a la conclusión de que: «Los españoles de entonces se guiaron por principios de derecho internacional en sus tratos con ellos, firmaron tratados solemnes con los reyes musulmanes, canjearon con ellos embajadores y reconocieron derechos diplomáticos a sus emisarios» [31]. Los documentos de las cancillerías y los que consignan los tratos locales a través de la frontera muestran que existía una situación fluctuante entre la guerra y la paz de la tregua, alternada con escaramuzas fronterizas entre ambos bandos; el resultado era una anómala, aunque efectiva convivencia que venía durando siglos y que había creado un gran número de relaciones; las de carácter literario eran así una variedad de las mismas. J. de M. Carriazo comenta un documento de 1479 (o sea de los últimos tiempos del mermado poder árabe) como uno de los testimonios «más bellos de esa tolerancia recíproca que, contra toda presunción y con muchas y naturales excepciones, fue rasgo predominante de las relaciones entre cristianos y musulmanes en la Edad Media española. Sin ella no hubiera sido posible ese doble fenómeno, nuestro, del mozarabismo y del mudejarismo» [32].

Conviene, pues, estudiar ambos fenómenos del mozarabismo y del mudejarismo, característicos de la cultura española de los siglos medios en relación con la situación de otros países europeos.

---

[31] Kenneth R. Scholberg, *Relaciones diplomáticas en la literatura medieval castellana* [*entre los cristianos y los musulmanes de España*], «Nueva Revista de Filología Española», XII, 1958, págs. 357-368; la cita está en la pág. 368.

[32] Juan de Mata Carriazo, *Relaciones fronterizas entre Jaén y Granada el año 1479* [1955], en el libro *En la frontera de Granada*, tomo I del *Homenaje al profesor Carriazo*, Sevilla, Facultad de Filosofía y Letras, 1971, páginas 237-264 (la cita. en la pág. 245); en el mismo volumen hay otros estudios que se refieren a la vida de la frontera.

EL MOZARABISMO LITERARIO

Mozárabe deriva de una palabra árabe y significa 'el que se hace semejante a los árabes' [33]. Los mozárabes (cristianos que quedaron sometidos políticamente en el espacio de la península dominado por los árabes) fueron elementos activos en estas relaciones entre la cultura árabe y la población cristiana de la península. La época más importante de su actividad aconteció en los primeros siglos de la presencia musulmana en la península; después, en el período en que se desarrolló la literatura en la lengua vernácula, carecían de fuerza cultural para orientar la creación literaria.

En la historia de los dialectos iberorrománicos, se observa que el mozárabe fue el que había obtenido mayor extensión, durante los siglos VIII al XI, sobre el espacio geográfico de la Península Ibérica. Sin embargo, este dialecto no traspasó la Edad Media, pues, por razones políticas y sociales, sus rasgos peculiares fueron desapareciendo ante la expansión de los otros dialectos de los pueblos cristianos. El mozárabe, la lengua del pueblo hispanocristiano dominado políticamente, si bien en los dos primeros siglos tuvo gran importancia, en los siguientes fue reduciéndose a medida que los árabes coartaban y disolvían la vida cultural de los que se valían de él; la lengua mozárabe quedó cada vez más limitada al ámbito familiar, y sus hablantes cultos fueron perdiendo la relación con el latín y su literatura, sin apenas beneficiarse del desarrollo europeo, y sin que tampoco la lengua árabe que los rodeaba les prestase vuelos litera-

---

[33] Es clásica la obra de Francisco Javier SIMONET, *Historia de los mozárabes de España*, Madrid, Real Academia de la Historia, 1903. Sobre la lengua, véanse R. MENÉNDEZ PIDAL en los *Orígenes del español*, obra citada, III, párrafos 86-91, y Arnald STEIGER, *Zur Sprache der Mozaraber*, en «Sache, Ort und Wort»: *Festschrift Jakob Jud*, «Romanica Helvetica», XX, 1943, Zürich, págs. 624-723. Para el estudio de las poblaciones mozárabes: Isidoro DE LAS CAGIGAS, *Minorías étnico-religiosas de la Edad Media española. Los mozárabes*, I, Madrid, Instituto de Estudios Africanos, 1947; II, 1948. Manuel SANCHÍS GUARNER, *El mozárabe peninsular*, ELH, I, págs. 239-342.

rios. Por otra parte, la expansión de los Reinos que desde el Norte iban ensanchando su dominio, al ir librando a estos cristianos de su dependencia política con los árabes, hizo también que los mozárabes adoptasen fácilmente el habla de los vencedores. El dialecto mozárabe pierde su caracterización lingüística con la incorporación de la población, ya muy diversificada, que lo habla, a los Reinos cristianos, y de esta manera no alcanza el período de desarrollo y madurez romance de la literatura medieval. Con todo, la valoración de estas condiciones permite también establecer relaciones que pueden entenderse de manera distinta.

El influjo que pudiera verificar el fondo mozárabe ha sido ascendido a factor de primer orden en el proceso de la literatura castellana por la tesis de M. Criado de Val, en la que defiende que las poblaciones mozárabes (primero en los lugares en que permanecieron cuando se les impuso el dominio árabe, y después desde los que repoblaron en las emigraciones hacia el Norte) ejercieron una influencia decisiva en el español o castellano nuevo en el período de formación de la lengua literaria, radicado fundamentalmente en Toledo [34].

No obstante estas precarias condiciones para el desarrollo de la literatura, se produjo un curioso fenómeno de simbiosis lingüística que hizo que se conservasen algunas canciones de la lírica popular de los mozárabes, testimonio de una continuidad tradicional especialmente reforzada por la peculiaridad de la vida de estas poblaciones sometidas, según veremos en el estudio de la lírica popular de la Edad Media. Sin embargo, esta sobrevivencia de una literatura folklórica mozárabe no se extiende más que a las canciones líricas, y no afecta a otras manifestaciones literarias.

Por otra parte, si hay poca literatura documentada de los mozárabes, esto no impide que J. A. Maravall considere que este pueblo ha podido ejercer gran influencia sobre los otros españoles actuando en la forma que en la lingüística se atribuye

---

[34] M. Criado de Val, *Teoría de Castilla la Nueva*, Madrid, Gredos, 1969, especialmente págs. 128-132.

al «sustrato», esto es, que sus concepciones han podido rebrotar en épocas posteriores, dando sobre todo una tendencia profundamente conservadora a las manifestaciones culturales [35].

EL MUDEJARISMO LITERARIO

Fenómeno paralelo al mozarabismo fue el mudejarismo, que recoge las manifestaciones culturales de los árabes que fueron quedando sometidos a los cristianos en el proceso de la reconquista. Varias palabras coinciden en designar situaciones referentes a este sentido de las relaciones, que deben entenderse en contextos determinados, pues su significación ha variado con el tiempo y los acontecimientos históricos. *Mudéjar* fue la palabra (de etimología árabe, donde significa 'aquel a quien se ha permitido quedarse') que designó a los moriscos de Granada y Andalucía, y que perduró luego para designar esta situación general del musulmán sometido al cristianismo; es la que recoge la designación de las actividades culturales, en particular artísticas, de esta población, y suele usarse por su paralelo con mozárabe: y de ahí mudejarismo y mozarabismo. *Morisco* designó desde 'lo propio de los moros, la labor realizada por los moros' hasta «los convertidos de moros a la fe católica» (Covarrubias, en su *Tesoro*, 1611). *Aljamía* fue palabra de etimología árabe que servía a los moros para designar la lengua castellana o romance; el derivado *aljamiado* significó el moro que hablaba el romance y también el texto romance escrito con caracteres arábigos (y asimismo se extendió en algunos casos a los caracteres hebreos). Hay que contar, por tanto, con que pudo haber gentes trilingües, que podían relacionar la cultura de las tres lenguas. Todo esto demuestra la complejidad de situaciones que pudo darse en la Edad Media, voluntarias unas y otras involuntarias, con ocasión del trasiego de poblaciones, resultado de las guerras y del deslizamiento de la frontera.

---

[35] J. A. Maravall, *El concepto de España en la Edad Media*, obra citada, págs. 157-193.

La literatura aljamiada resultó de escaso aliento creador. Sus obras son más bien documentos sobre la situación cultural de los moros sometidos. Así se presenta como la literatura de un pueblo sin esperanza de redención política, y en sus obras se halla el testimonio de una resignación cuyo solo consuelo es narrar las leyendas y conservar creencias que degeneran en formas supersticiosas y mágicas.

Mudéjares (moros bajo la dominación de los cristianos) y moriscos (mudéjares cristianizados) escribieron en caracteres árabes por un religioso respeto hacia el alfabeto en que estaban escritos los libros sagrados; y también, porque les eran más conocidos que las letras latinas. Estos escritos (que se encuentran desde el siglo XIV hasta comienzos del XVI), eran poéticos y de ficción; el más importante fue el *Poema de Yúçuf* (del que se hablará más adelante); un Poema en alabanza de Mahoma; alguno procedente de fuentes occidentales, como la *Historia de los amores de Paris y Viana,* de una novela provenzal; y otro de fuentes árabes, como las *Leyendas moriscas,* y aun del tema de Alejandro [36].

No obstante esta pobreza en obras literarias, algunos autores señalan que el mudejarismo pudo ser una vía de intensa relación entre cristianos y árabes, sobre todo en el período final de la Edad Media, en el que el predominio cristiano era indudable y los árabes españoles quedaron alejados de las fuentes de la cultura musulmana. La función de la juglaría musulmana puede ser considerada en este grupo, y un arabista, Jaime Oliver Asín, se refiere a tales relaciones en estos términos: «...no se puede comprender nuestra literatura medieval si no se descubre

---

[36] Alois R. NYKL, *A Compendium of Aljamiado Literature (El Rrekontamiento del Rrey Ališandere —an aljamiado version of the Alexander legend—; the History and Classification of the Aljamiado Literature),* «Revue Hispanique», LXXVI, 1929, págs. 409-611. Álvaro GALMÉS DE FUENTES en la «Colección de Literatura española aljamiado-morisca» publica los libros de esta peculiar modalidad lingüística en nuestra historia literaria: así la *Historia de los amores de Paris y Viana,* Madrid, Gredos, 1970; y *El libro de las batallas. (Narraciones épico-caballerescas),* Madrid, Gredos, 1975, 2 volúmenes.

en ella un intenso mudejarismo, un reflejo muy vivo del contraste de lo cristiano con lo musulmán» [37]. Este sentido cultural
del mudejarismo alcanzó su exposición más debatida en la valoración literaria que A. Castro realizó de la obra de Juan Ruiz:
«Visto en adecuada perspectiva, el Arcipreste deja de parecer
cínico o hipócrita; su arte (porque arte es y no abstracta didáctica) consistió en dar sentido cristiano a formas literarias de
algunos ascetas islámicos, y es así paralelo al de las construc-
ciones mudéjares tan frecuentes en su tiempo» [38]. El estudio de
las actividades de los mudéjares resulta sobre todo de gran importancia desde el punto de vista económico y social, y en estudios de esta naturaleza la literatura es un elemento subsidiario.

INFLUENCIAS EUROPEAS: LA LITERATURA PROVENZAL

De entre las diversas literaturas en lengua vernácula de Europa, la provenzal fue la primera que alcanzó una producción de
obras, escritas por autores, y de acuerdo con una teoría literaria
propia, suficiente como para situarse en parangón con la literatura latina medieval [39]. El historiador de la literatura europea se
halla ante un grupo de poetas, cuyas obras presentan la cohesión suficiente para darles entidad de grupo con características
peculiares en la creación; y esto se encuentra logrado en un alto
grado de perfección poética, reconocida por otras literaturas vernáculas hasta el punto de considerar a la de Provenza como guía

---

[37] Jaime OLIVER ASÍN, *Historia y prehistoria del castellano «alaroza»*, «Boletín de la Real Academia Española», XXX, 1950, pág. 410.

[38] A. CASTRO, *La realidad histórica de España*, obra citada, edición 1954, página 338.

[39] Información general en Reto R. BEZZOLA, *Les origines et la formation de la Littérature courtoise en Occident (500-1200)*, I, París, Champion, 1958 (De la tradición imperial del fin de la Antigüedad al siglo XI); II, París, Champion, 1960 (La sociedad feudal y la transformación de la literatura de Corte); III, 1, París, Champion, 1963 (La sociedad cortés: Literatura de Corte y literatura cortés).

magistral. No es ocasión aquí de tratar de sus orígenes ni de la diversidad de sus manifestaciones, asunto de gran importancia en la nueva literatura europea por cuanto la provenzal es la primera de carácter aristocrático que rompe con el prestigio del latín como lengua de expresión poética de la clase culta [40]. Además, esta literatura apareció en un medio social determinado: la corte. M. de Riquer señala que los términos *curia* y *curtis* (<*cohors*) designan a veces y según las regiones «la residencia señorial, el palacio, el tribunal que ejerce la justicia y el personal adscrito establemente al señor feudal» [41]. El comportamiento de los que residían en esta corte se conocía con el nombre de *curialitas* o *cortezía* (<*cort*), a veces opuesto a *vilania* 'rusticidad'. El cultivo de la poesía es uno de los atributos de esta cortesía, y así resulta que esta literatura no está relacionada, al menos en forma decisiva, con la organización cultural de la Iglesia. Para la literatura española en castellano, la provenzal representó un magisterio cuyo ciclo de creación estaba terminado cuando comenzó a ejercer su influjo, y es el primer fundamento en el que se asegura la defensa de la poesía nueva, en un grado de valía menor que la obra antigua, pero superior a otras manifestaciones vernáculas, tal como se menciona en el testimonio del Marqués de Santillana. Su influjo en Castilla fue, pues, tardío e indirecto, a través de los juglares provenzales y de la lírica gallega [42]. Sin embargo, los principios poéticos y el convencionalismo de la lírica provenzal está en el fundamento de la poesía cancioneril castellana, como trataré luego. La aportación más importante de la poesía provenzal fue asegurar la especie del *amor cortés*, sobre el cual la lírica europea de la Edad Media habría de fun-

---

[40] Para el estudiante de lengua española es básica la extensa antología de *Los trovadores. Historia literaria y textos*, traducción y estudio por Martín de Riquer, Barcelona, Planeta, 1975, 3 volúmenes.

[41] M. de Riquer, *Los trovadores*, obra citada, I, pág. 85.

[42] Véase Carlos Alvar, *La poesía trovadoresca en España y Portugal*, Madrid, Cupsa, 1977, estudio sobre los trovadores en Navarra, Castilla, León y Portugal; se complementa con *Textos trovadorescos sobre España y Portugal*, Madrid, Cupsa, 1978, colección de textos, traducidos y comentados por el mismo.

damentar un importante número de poesías, distribuidas en determinados grupos genéricos. Más adelante hemos de ver de qué manera este amor cortés está presente como motivo de la poesía cancioneril castellana. De todas maneras, la expresión *amor cortés* es una invención moderna (parece que fue Gaston Paris el que la empleó por primera vez en 1883) y su uso se extendió generalmente entre los historiadores de la literatura para designar el *fin'amors* y *bon'amors* y otras denominaciones semejantes [43]. Este amor se desarrolla a través de un proceso en el cual se distinguen cuatro situaciones que, según una clasificación contenida en un poema de entre 1246 y 1265, son, siguiendo la versión de Martín de Riquer, las siguientes: «la de *fenhedor*, "tímido"; la de *pregador*, "suplicante"; la de *entendedor*, "enamorado tolerado", y la de *drutz*, "amante". En el primer escalón el enamorado, temeroso, no osa dirigirse a la dama; pero, si ella le da ánimos para que le exprese su pasión, pasa a la categoría de *pregador*. Si la dama le otorga dádivas o prendas de afecto *(cordon, centur'o gan)* o le da dinero *(son aver)*, asciende a la categoría de *entendedor*. Finalmente, si la dama lo acepta en el lecho *(el colg ab se sotz cobertor)*, se convierte en *drutz*» [44]. Sobre la condición real de este amor, hay muy diversas interpretaciones, que, si son generales, pueden rebatirse desde los casos concretos de algunos trovadores. La interpretación romántica pretendía que era un amor idealista y apasionado, teórico y de condición «platónica»; sin embargo, otros estudiosos han señalado que hay un evidente deseo carnal en el móvil del *fin'amors*, y que las expresiones amorosas tienen una significación directa; así el logro carnal pudiera haber sido efectivo, en algunos casos, en la forma atenuada del *concubitus sine actu;* y, en todo caso, aun sin ningún logro, y en cualquiera de sus grados, la especie de este amor podía haber sido carnal en última instancia. Como el amor era un ejercicio de la cortesía mencionada, la cuestión resulta muy compleja y dependiente

---

[43] Véase Jean FRAPPIER, *Amour courtois et Table Ronde*, Ginebra, Droz, 1973, págs. 33-41.

[44] M. de RIQUER, *Los trovadores*, obra citada, I, págs. 90-91.

de las circunstancias; la enorme expansión por Europa de esta
poesía puso de manifiesto un orden expresivo cuya significación
hay que acomodar a la situación social de cada país (los reinos
de España, en nuestro caso) y a los poetas que la cultivan.

EL ESPÍRITU EUROPEO DE
LA CABALLERÍA LITERARIA

De entre los diversos factores de influencia literaria que se
hallan presentes en las literaturas europeas es importante el
que impulsó la creación de los libros en los que los caballeros
actuaban como personajes en una obra de ficción, destinada a
la ejemplaridad y entretenimiento de la clase noble [45]. Estas obras
fueron numerosas y de difícil ordenación, y se han agrupado en
ciclos que reúnen personajes y argumentos: así aparecen el
«carolingio» [46] y el «bretón» [47], según que su «materia» proceda de

---

[45] Basado sobre las literaturas inglesa y francesa (en relación con la
palabra y concepto del *romance* inglés), véase el manual universitario de
John STEVENS, *Medieval Romance*, Londres, Hutchinson University Library,
1973. En un sentido más amplio, Carlos GARCÍA GUAL estudia las *Primeras
novelas europeas*, Madrid, Istmo, 1974, de origen antiguo y bretón, en una
panorámica general de interés como fondo para la situación española.
Puede verse, contando con la fecha de su redacción [1905], Marcelino ME-
NÉNDEZ PELAYO, *Orígenes de la novela*, edición de *OC*, citada.

[46] Véase la cuestión en Barton SHOLOD, *Charlemagne in Spain. The
cultural legacy of Roncesvalles*, Ginebra, Droz, 1966.

[47] Sobre el caso en España, William J. ENTWISTLE, *The Arthurian Le-
gende in the Literatures of Spanish Peninsula* [1925], Kraus Reprint, Mil-
wood, New York, 1975; también en traducción portuguesa de António
ALVARO DÓRIA, revisada por el autor, Lisboa, 1942. Véase el libro colectivo,
dirigido por Roger S. LOOMIS, *Arthurian Literature in the Middle Ages*,
Oxford, Clarendon, 1959 (la parte española, por María Rosa LIDA, está traducida: *La literatura artúrica en España y Portugal*, en *Estudios de Literatura Española y Comparada*, Buenos Aires, Eudeba, 1966, págs. 134-148).
Resumen universitario del asunto por el mismo LOOMIS, *The Development
of Arthurian Romance*, Londres, Hutchinson University Library, 1963. Sobre
la situación de la maraña textual de esta clase de libros véase Harvey L.
SHARRER, *A Critical Bibliography of Hispanic Arthurian Material*, I, Londres, Grant and Cutler, 1977, que contiene las referencias de los ciclos en
prosa en cuanto a textos manuscritos y ediciones antiguas y modernas;

libros franceses relativos a Carlomagno y su fama, o de libros relacionados con el espíritu de la aventuras del rey Artús y sus caballeros (por lo que también este grupo se llama «artúrico»). A estos ciclos se añade otro formado por la versión caballeresca de la épica y también por los relatos narrativos de la Antigüedad [48]. Esta agrupación responde, en cierto modo, a la clasificación de Jean Bodel (hacia fines del siglo XIII), establecida al comienzo de un poema, en la que dice, en traducción libre: «No son más que tres las materias para el entendedor: las de Francia, Bretaña y Roma, la grande. Y de las tres, ninguna se parece la una a la otra: los relatos de Bretaña son tan ligeros y gustosos; los de Roma, sabios y enseñan tanto; los de Francia, se pueden ver todos los días» [49]. Se trata de una de las primeras clasificaciones de la historia de la literatura moderna.

La «materia de Francia» contenida en los libros carolingios, resultó de la prosificación de la épica francesa, proceso que no fue decisivo en el caso de la épica española. A este ciclo pertenece la *Crónica de Turpín*, en latín, narración clerical en exaltación de Carlomagno, obra que está relacionada con la literatura creada en torno a los monasterios del camino de Santiago. Entre otros libros de este ciclo, el *Mainete*, relato referente a la juventud de Carlomagno, plantea complejas cuestiones de fuentes y de interpretación.

Del ciclo bretón (o «materia de Bretaña») la manifestación inicial de conjunto es la *Historia regum Britanniae*, de Godofredo de Monmouth (entre 1136 y 1138), en donde hallamos las situaciones y los personajes que han de formar la trama de estos relatos [50]. La probable difusión de estas leyendas bretonas en

---

y anuncia un tomo II con los estudios críticos y de investigación, y también en cuanto a textos perdidos y fantasmas.

[48] Guy RAYNAUD DE LAGE, *Les romans antiques et la répresentation de l'Antiquité*, «Le Moyen Âge», LXVII, págs. 247-291.

[49] Jean BODEL, *Chanson des Saxons* [o *des Saisnes*], laisse I, versos 6-11.

[50] Véase Edmond FARAL, *La légende arthurienne. Les plus anciens textes: I, Des origines à Geoffroy de Monmouth; II, Geoffroy de Monmouth, III, Documents*, París, 1929, 3 tomos. En traducción española puede leerse la obra de Chrétien de TROYES, *Lanzarote del Lago o el caballero de la ca-

España suele situarse en el reinado de Alfonso VIII (1158-1214) por su casamiento con doña Leonor, hermana de Enrique II de Inglaterra. Alfonso X utiliza la obra del obispo de Monmouth en su *General Historia*, y probablemente hubo libros de esta clase en lengua romance, en las cortes de Alfonso X y Sancho IV. El curso de esta influencia en España está desde el principio enredado con las refundiciones y compilaciones que sufrieron estas leyendas, de tal manera que constituyen una intrincada suma de aventuras llevadas a cabo por caballeros inquietos por la angustia de un amor de tormento en una geografía de fantasía y misterio. El desasosiego de los héroes de estos libros iba acorde con la punzante desazón espiritual que muestra la lírica cortés; y sus complicadas aventuras imaginarias formaron una red de leyendas de notable difusión, y que citan poetas y escritores a través de versiones cuyo orden es difícil de seguir por el número de copias retocadas y refundidas. No se sentían como libros de un Reino determinado, sino como lectura propia de una clase social de condición análoga en los varios lugares de Europa, que así distraía el ocio afirmando en este entretenimiento su sentido de la vida. Estos libros eran como espejos de príncipes y señores, y su influjo se realizaba también en el campo educativo en cuanto que se tenía como modelo al héroe de ficción [51]; y la religión aparecía en relación con el Santo Graal [52], a la vez que recogían personajes legendarios como Merlín [53]. Resultaron, por tanto, una materia común en la Europa medieval en que temas, motivos y tipos se reiteraron, y acabaron por agotar la capacidad creadora del grupo genérico. En la literatura española el *Amadís* es la culminación de este ciclo, y a la

rreta, edición de Carlos GARCÍA GUAL y Luis Alberto de CUENCA, Barcelona, Labor, 1976.

[51] Véase Madeleine P. COSMAN, *The Education of the Hero in Arthurian Romance*, Chapel Hill, University of North Carolina, 1965.

[52] Véase Jean MARX, *La légende arthurienne et le Graal*, París, Presses Universitaires de France, 1952; y Martín de RIQUER, *La leyenda del Graal y temas épicos medievales*, Madrid, Prensa Española, 1968.

[53] Paul ZUMTHOR, *Merlin, le prophète: un thème de la littérature polémique de l'historiographie et des romans* [1943], Ginebra, Slatkine Reprints, 1973.

vez origen de una continuidad de esta literatura más allá de la Edad Media, que obtiene una cumbre última en el *Quijote*. Volveré sobre este asunto al tratar de la prosa medieval de ficción.

LA LITERATURA ITALIANA

La influencia de la literatura italiana sobre la española se inicia y expande cuando la española se encuentra en un período relativamente avanzado de su desarrollo [54]; por otra parte, este influjo procede de la obra de autores conocidos, y penetró llevando consigo el prestigio de la obra culta en grado medio (junto con la literatura provenzal), tal como señalaron los primeros teorizadores de la literatura. Así el Marqués de Santillana considera que la obra de los italianos (con la provenzal) estaba en el estilo medio, entre el alto, de la antigüedad, y el bajo, o cantares populares. De los autores italianos, de acuerdo con la situación y los propósitos de los autores españoles, fueron unas obras señaladas las que ejercieron su influjo, y éste se estableció desde una determinada interpretación.

Así de Dante Alighieri (1265-1321) [55] no se recogió la «novedad» de la *Vita Nuova*, obra perteneciente a una naciente sensi-

---

[54] Véanse las obras generales de Bernardo SANVISENTI, *I primi influssi di Dante, del Petrarca e del Boccaccio sulla letteratura spagnuola*, Milán, Hoeph, 1902; y Arturo FARINELLI, *Italia e Spagna*, Turín, Fratelli Bocca, 1929, 2 tomos, sobre Petrarca, Boccaccio y el humanismo italo-hispánico de raíces medievales, entre otros temas. Con el mismo título, *Italia e Spagna*, se publicó en Florencia, Le Monnier, 1941, una colección de ensayos sobre las relaciones entre los dos países, del cual importa destacar el de Giovanni Maria BERTINI, *Contributo a un repertorio bibliografico italiano di Letteratura spagnuola (1890-1940)*. Una información bibliográfica general se encuentra en Joseph SIRACUSA y Joseph L. LAURENTI, *Relaciones literarias entre España e Italia*, Boston, G. K. Hall, 1972.

[55] Desde un punto de vista general, véase Werner P. FRIEDERICH, *Dante's Fame abroad 1350-1850*, Chapel Hill, University of North Carolina, 1950; la parte española, en págs. 13-55. Véase el ensayo breve de Agustín GONZÁLEZ DE AMEZÚA sobre *Fases y caracteres de la influencia de Dante en España*, publicado en *Opúsculos histórico-literarios*, I, Madrid, CSIC, 1951, páginas 87-127; José A. PASCUAL estudió y editó críticamente *La traducción de la «Divina Comedia» atribuida a don Enrique de Aragón* [parte del «Infier-

bilidad lírica, sino la *Divina Comedia*, difundida o por copias del texto italiano que hallamos en las bibliotecas, o por traducciones. Dante fue autor que mereció pronto comentarios que reunieron en torno de la *Comedia* un complejo aparato de notas de todo orden, destinadas a descifrar e interpretar la obra. Estos comentarios fueron fuente de información de carácter humanístico, y de manera análoga en las obras de Santillana y Mena aparece un tratamiento semejante. Dante resultó poco afortunado en cuanto a servir de modelo y fuente; unos pocos autores del *Cancionero de Baena*, con Imperial a la cabeza, lo tomaron como bandera de moda, y los grandes poetas del siglo XV no parece que recibiesen su influencia de manera directa, y mucho menos efectiva. Ya en el límite con el siglo XVI, Juan de Padilla y otros escritores moralizadores le dan una interpretación popular, adaptando la alegoría a la poesía de piedad y de devoción. La creación de Dante, sobre todo su *Comedia*, monumental en cuanto a su lograda estructura teológica, tan personal por otra parte, no fue adecuada como modelo de imitación, y los otros autores, Petrarca y Boccaccio, ofrecían fórmulas más accesibles a la influencia. Dante pasó a ser considerado como sabio filósofo, al que se atribuían dichos sentenciosos, y en particular se le tuvo como defensor de la fama conseguida mediante el esfuerzo logrado con el ejercicio de las virtudes, frente al prestigio del linaje, ilustre sólo por herencia.

Francesco Petrarca (1304-1374) [56] obtuvo pronto entre los escritores y el público culto de España la fama de varón sabio,

---

no»], Salamanca, Universidad, 1974, con especial atención al léxico. Véase también M. A. PEYTON, *Auzias March as transmisser of the Dante heritage in Spain*, «Italica», XXXIV, 1957, págs. 83-91.

[56] Véase la función de Petrarca en relación con la promoción del humanismo en Pierre de NOLHAC, *Pétrarque et l'humanisme*, París, Champion, 1965. Sobre Petrarca en España, los referidos estudios de Sanvisenti, y de Farinelli; véanse también, en aspectos parciales, Joseph VINCI, *The Petrarchan Source of J. Manrique's Sources*, «Italica», XLV, 1968, págs. 314-328; y Alan D. DEYERMOND, *The Petrarchan Sources of «La Celestina»* [1961], Westport, Conn., Greenwood Press, 1975, que reúne muchos datos sobre Petrarca en la Edad Media.

y su coronación le dio crédito de poeta consagrado como los antiguos: se le emparejó con Boecio y Séneca. Se le tuvo también por el gran moralista consolador de la humanidad en los casos adversos, defensor de la soledad, autor en cuyos libros se abre la vía del ascetismo religioso. La consideración de la melancolía del tiempo y de su paso inevitable para el hombre, a través de su obra obtuvo gran favor en la literatura europea, del que participó también España. Los logros lingüísticos de la lírica de Petrarca no habrían de triunfar de un modo definitivo hasta Boscán y Garcilaso, de tal manera que precisamente la obra de estos dos amigos viene a señalar para muchos críticos el paso de la Edad Media al Renacimiento con el triunfo de su moderna versión creadora de Petrarca. Los poetas castellanos de la Edad Media prefirieron otro sistema de verso, y la flexibilidad moderna del endecasílabo no se consiguió, a pesar de la conciencia que tuvo Imperial de este verso como propicio para recibir el influjo de Dante, y de los esfuerzos del Marqués de Santillana. Los primeros petrarquistas recogieron el contenido místico y espiritual del italiano, las visiones alegóricas de los *Triunfos* que sucedieron a las de Dante, y el aprovechamiento estilístico de ciertos procedimientos retóricos, como el uso de la oposición. Las letras españolas tienen en Ausias March [57] una peculiar versión de Petrarca; dentro de la relativa uniformidad del petrarquismo europeo, la voz del poeta Ausias March ha de renovar este influjo, y de tal manera que hasta se antepuso al propio Petrarca en la preferencia de algunos poetas del Renacimiento.

Giovanni Boccaccio [58] (1313-1375) resultó el autor menos favorecido en la parte más innovadora de su creación, las *novelas*,

---

[57] Véase Amédée Pagès, *Ausias March et ses prédécesseurs. Essai sur la poésie amoureuse et philosophique en Catalogne au XIV et XV siècles*, París, Champion, 1911.

[58] Además de los citados estudios de Sanvisenti y de Farinelli, véase Caroline B. Bourland, *Boccaccio and the «Decameron» in Castilian and Catalan Literature*, «Revue Hispanique», XII, 1905, págs. 1-232. Véanse varios estudios del número de «Filología Moderna», XV, 1975, núm. 55, dedicado a Boccaccio en España: en la literatura medieval catalana por Martín

pues la literatura española poseía un desarrollo de la narrativa de ficción en el cuento (o «ejemplo») que situó frente a Boccaccio al escritor Juan Manuel; mayor favor obtuvieron la *Fiammeta*, cabeza de la ficción sentimental, y los libros eruditos de carácter mitológico *(De genealogiis Deorum gentilium,* etc.).

LA LITERATURA FRANCESA

Si el influjo de la literatura provenzal queda limitado a un determinado período y a grupos genéricos precisos, la francesa, también vecina por la geografía, persiste durante la Edad Media, e influye en la española con mayor amplitud. Además, en este caso existe también la otra corriente del influjo, desde España a Francia [59], pues hubo leyendas épicas castellanas que influyeron en la literatura francesa y episodios de la historia de España que pasaron a la épica francesa (como el tan conocido de la *Chanson de Roland);* y aun esta corriente volvió hacia España, como es el caso del *Mainete* y quizá el de Bernardo del Carpio [60]. Además de la trascendencia europea de las escuelas latinas radicadas en Francia, sobre todo en el aspecto de la

---

de RIQUER (págs. 451-471); Boccaccio en España por Joaquín ARCE (páginas 473-489); relación de la *Fiammeta* con libros sentimentales, por Antonio LINAGE CONDE (págs. 541-561). Del mismo Joaquín ARCE FERNÁNDEZ, *Boccaccio nella letteratura castigliana: panorama generale e rassegna bibliografico-critica,* en *Il Boccaccio nelle culture e letterature nazionali,* Florencia, L. S. Olschki, 1978, págs. 63-105.

[59] Erich von RICHTHOFEN, *Leyenda e historia franco-hispanas,* en *Nuevos estudios épicos medievales,* Madrid, Gredos, págs. 9-109.

[60] Véase a este propósito R. MENÉNDEZ PIDAL, *Poesía juglaresca...,* edición citada, págs. 265-269. También es de interés *La épica medieval en España y en Francia,* publicado en el libro *En torno al Poema del Cid,* obra citada. Es importante el estudio de Martín de RIQUER, *Los cantares de gesta franceses (Sus problemas, su relación con España),* Madrid, Gredos, 1952. Información sobre si la *Chanson* influyó o no sobre el *Cid,* en Jules HORRENT, *El «Cantar de Mío Cid» frente a la tradición rolandiana* en *Historia y poesía en torno al Cantar del Cid,* Barcelona, Ariel, 1973, págs. 341-374. También Barton SHOLOD, *Charlemagne in Spain. The cultural legacy of Roncesvalles.* obra citada en la nota 46 de este capítulo.

teoría literaria, pueden encontrarse huellas del influjo francés en los poemas narrativos y dialogados de la clerecía. Los poemas y las leyendas poemáticas circularon no sólo entre los juglares, sino también entre los clérigos. En una nota de un códice de San Millán de la Cogolla, escrita a fines del siglo XI, se lee una mención de la «materia épica» de Roncesvalles (redactada en un latín con abundantes romanceamientos), que viene a representar un estado anterior al relato tal como se halla en la *Chanson de Roland* de Oxford; lo cual significa que este poema había corrido por Castilla en época temprana de su difusión[61]. Las peregrinaciones a Santiago y la venida de los monjes cluniacenses, así como las relaciones familiares de los reyes españoles fueron un excelente medio de comunicación. Por otra parte, la presencia de comerciantes franceses en las ciudades españolas ayudó a crear un ambiente favorable a estas influencias[62]. El Marqués de Santillana se muestra aún en cierto modo en equilibrio entre la maestría de los provenzales y la de los franceses, pero de los libros que cita en favor de estos últimos, pocos fueron los que dejaron efectiva huella en las letras españolas. Una obra francesa, el *Roman de la Rose*, fundamental para el Medievo de la nación vecina, halló escaso eco en España[63].

Por otra parte, según Ch. R. Post[64], los modelos franceses de la alegoría hicieron triunfar esta modalidad de poesía en España, y para este crítico la imitación e influencia francesa avivaron la afición por la alegoría que desde los orígenes hispanolatinos existía en las letras españolas, y abrieron cauces para su des-

---

[61] Dámaso ALONSO, *Hallazgo de la «Nota Emilianense» y La primitiva épica francesa a la luz de una «Nota Emilianense»* [1956], en *OC*, edición citada, II, págs. 225-319. El enlace con la épica europea lo trata, con referencias anteriores, Erich von RICHTHOFEN, *Problemas rolandinos, almerienses y cidianos* [1960], en *Tradicionalismo épico-novelesco*, Madrid, Planeta, 1972, págs. 11-22.

[62] Marcelin DEFOURNEAUX, *Les français en Espagne aux XIe et XIIe siècles*, París, Presses Universitaires de France, 1949.

[63] Frederick B. LUQUIENS, *The «Roman de la Rose» and medieval Castilian Literature*, «Romanische Forschungen», XX, 1907, págs. 284-320.

[64] Chandler R. POST, *Mediaeval Spanish Allegory* [1915], Hildesheim-New York, G. Olms, 1971.

arrollo. P. Le Gentil[65] insiste también en realzar la intensidad
de las relaciones entre las letras francesas y las españolas, en
particular en el dominio de la poesía lírica; según él, la lírica
peninsular sigue una evolución paralela a la francesa, y con el
fin de notar las relaciones que se establecen en este paralelismo
hace una gran exposición tanto de géneros como de temas, y
encuentra, en ambos, contactos continuados, favorecidos por la
comunidad de ideales literarios y por la vecindad y relaciones
entre los dos países.

---

[65] Pierre Le Gentil, *La poésie lyrique espagnole et portugaise à la fin
du Moyen Âge. Les thèmes et les genres*, I, Rennes, Plihon, 1949; II, *Les
formes*, II, ídem, 1953. (Véase la reseña de Eugenio Asensio, en «Revista
de Filología Española», XXXIV, 1950, págs. 286-304, al aparecer el tomo I).
Véase también William J. Entwistle, *La chanson populaire française en
Espagne*, «Bulletin Hispanique», LI, 1949, págs. 256-268.

Capítulo X

LA LÍRICA POPULAR Y TRADICIONAL EN LA EDAD MEDIA

FOLKLORE Y LITERATURA

La consideración de la literatura popular (fundamentalmente anónima y oral) ofrece para el historiador de una época mayores dificultades que la relativa a la de autor conocido y cuyos textos se conservan mediante la escritura. Para el estudio de la poesía popular el Folklore ofrece una técnica de trabajo distinta de la que se usa para la literatura escrita. La afición por conocer la literatura del pueblo tiene precedentes en épocas anteriores, pero hasta 1878 no hubo una entidad dedicada a su estudio: la «Folklore Society» inglesa. En España, país propicio para la difusión de esta clase de estudios, la ciencia del saber popular logró un pronto arraigo, y en 1881, gracias a los desvelos de Antonio Machado y Álvarez, se creó en Sevilla la «Sociedad folklórica andaluza», y pronto siguieron otras más. Los límites coincidentes entre las ciencias del Folklore y de la Literatura son varios: así ocurre que, de entre las numerosas actividades de que se ocupa, el Folklore recoge y estudia los refranes, cuentos, leyendas, canciones, bailes y festejos, en los cuales existe un «texto» que hay que considerar como una manifestación de la literatura oral. Y estas mismas obras se encuentran también en el dominio literario; esto ocurre con la lírica tradicional, ciertos aspectos de la épica primitiva, el romancero y el teatro de títeres, así como los cuentos, colecciones de refranes, etc.

De este variado conjunto en el que existe una coincidencia común entre Folklore y Literatura, toca ahora estudiar el caso de la canción del pueblo en la Edad Media, considerada como una manifestación de la poesía que denominaremos *popular* y *tradicional.* Hay que contar con que el Folklore es una ciencia que recoge sus datos de la situación actual, y dispone de un catálogo relativamente abundante de obras cuyas circunstancias temporales, cronológicas y sociales se conocen con relativa seguridad. Pero la cuestión cambia cuando se trata del estudio del Folklore en una época pasada, como ocurre en este caso con la medieval, de la que sólo se tienen noticias indirectas y difíciles de comprobar. Aun en el caso de que se alcance el testimonio escrito de algunos textos, conviene examinarlos con todo cuidado, pues hay que conocer el grado de tratamiento literario que puedan haber recibido al pasar a la escritura. Y también se ha de tener en cuenta que la lírica popular no admite en su historia el señalamiento de épocas precisas, pues las obras han podido existir antes y permanecer después de los testimonios recogidos; por tanto, querer encerrar un determinado número de obras en este período de la Edad Media será una aproximación arbitraria a una realidad fluyente. Y así, desde el punto de vista de la Literatura, el estudio sólo puede consistir en reconocer las circunstancias que hicieron posible el paso de la forma oral de esta poesía a la escritura que nos conserva los textos; y en esto hay que contar con factores de muy diversa índole, ajenos a la Literatura muchas veces, que hicieron posible que la poesía oral llegase a escribirse en un texto.

LA CONSIDERACIÓN DE
LA POESÍA POPULAR

Considerando las condiciones en que se da la lírica popular, ocurre que cada una de las manifestaciones de los dialectos resultantes de la evolución del latín vulgar pudo haber sido el medio de expresión de la misma. La relación entre lengua y literatura se hace en este caso tan estrecha, que cualquier manifestación del habla valió como fondo de la creación poética popular. El caso es común para los países de Europa, desde Portugal hasta Rusia, por sólo señalar los límites más amplios de la consideración[1]. El fenómeno de la existencia de la lírica popular no tiene límites en su planteamiento, y aparece en la vida de cualquier comunidad. Lo importante, pues, es encontrar los casos en que esta poesía se documenta, y entonces entra en una cierta relación con la poesía conservada por la escritura.

Téngase en cuenta, en principio, que, aun contando con la literatura escrita, la vía oral fue durante mucho tiempo la más usada para la conservación de obras dentro de una continuidad vigorosa. Y que no puede decirse sin pruebas que la obra oral haya de ser forzosamente popular; para alcanzar en la Edad Media una obra la condición de escrita, necesitaba atenerse a las normas propias de cada una de las especies literarias, establecidas dentro del marco artístico de una determinación social.

Por eso se necesita en primer lugar establecer el significado de 'popular' aplicado a una manifestación literaria, y esto requiere la delimitación de este concepto en el Folklore y en la Literatura. Por el lado del Folklore no hay duda de que su cometido es el estudio de las obras del pueblo o 'populares'. La ciencia de la Literatura, por su parte, no puede plantearse de manera tan tajante los límites de su espacio, pues no sólo se ocupa de las obras con autor y texto reconocidos, sino que trata de otras, de condición anónima, y que han obtenido una difusión a la que también se aplica el adjetivo de 'popular'. Por otra parte, ambas ciencias tuvieron un desarrollo cronológico distinto: el Folklore se ha asegurado como disciplina científica en el siglo XIX, mientras que hay aspectos de la teoría literaria de la Antigüedad y de la Edad Media que se pueden considerar ya con intención científica (Poéticas, Retóricas, Artes literarias, etc.).

---

[1] Véase el libro de C. M. Bowra, *Primitive Song*, New York, Mentor Book, 1963, que plantea el estudio de los más primitivos cantos basándose en las canciones de las comunidades primigenias de África, Asia, Australia y América.

Sin embargo, hay que señalar que en estos planteamientos teóricos apenas se trata de la poesía del pueblo. Hasta el Romanticismo no hubo una incorporación del concepto de poesía popular a los estudios de la teoría y crítica literarias; y esto se hizo estableciendo el principio, brillante pero confuso, del «pueblo como creador de la poesía». En algunos casos se dio la vuelta a la situación existente hasta entonces, y la poesía del pueblo pasó a considerarse superior a la culta, entre otros motivos porque se estimó que la poesía popular se había hallado más cerca de la Naturaleza que la culta, resultado ésta de un artificio. Apuntando a Montaigne, sobre la exaltación rousseauniana de la Naturaleza, a través de Vico, y afirmándose en el entusiasmo inglés por las baladas, la concepción romántica vino a formularse en la consideración del *Volkslied* de Herder, y en el pueblo creador de poesía, idea defendida por Guillermo Schlegel, los Grimm y Uhland.

El Folklore apareció al fin del Romanticismo para establecer un método científico en la consideración de estos principios y en su aplicación; se vio que el entusiasmo y ligereza de los historiadores y críticos de formación romántica no habían planteado las cuestiones con el necesario fundamento. La aplicación del concepto romántico de 'pueblo' y 'poesía popular' provocó una larga polémica [2]. Menéndez Pelayo, cuya formación romántica es evidente, pero que había conocido las cautelas del positivismo, escribió en 1895 estas precavidas palabras: «El rigor de la crítica en nuestros días tiene que ser cada vez más inexorable con ciertos fantasmas de poesía popular creados por figura retórica o por fantasía romántica o por síntesis prematura y

---

[2] Para el estudio de las bases ideológicas, el concepto y la teoría de la poesía popular, véase Margit FRENK ALATORRE, *Las jarchas mozárabes y los comienzos de la lírica románica*, México, El Colegio de México, 1975, en especial págs. 9-43. Un resumen de las tesis antirrománicas, en A. SÁNCHEZ ROMERALO, *El villancico...*, págs. 92-96 (véase n. 12 del presente cap.). La extensa labor de Margit FRENK ALATORRE, diseminada en artículos de revistas y homenajes, ha sido recogida en el volumen *Estudios sobre lírica antigua*, Madrid, Castalia, 1978.

ambiciosa»[3]. Esta posición podía conducir hasta la negación de la poesía popular si se exigía la prueba documental de su existencia o si se la comparaba con formas degradadas del Folklore. Pero esto no ocurrió así, y el propio Menéndez Pelayo fue descubriendo poco a poco la poesía popular en la literatura española[4], pero las citadas palabras son la expresión de la cautela necesaria con que se había de proceder para interpretar el verdadero sentido de la poesía popular, y más aún en el caso del período medieval, en donde tan escasa es la documentación.

LAS PALABRAS «PUEBLO» Y «POPULAR»

Para asegurar la base del asunto, hay que establecer con precisión los significados de *pueblo* y *popular*. La derivación del latín *populu(m)* ofrece la significación inicial, y a ella se refieren los lexicógrafos. Así, *pueblo* desde el *Poema del Cid* significa una reunión de gentes, más o menos numerosa, resultado de unas relaciones de convivencia total o parcial constituyendo una entidad colectiva, una 'población'. En el *Poema del Cid* se enfrenta la comunidad general del *pueblo de moros* con la *gente cristiana;* ambos, desde la perspectiva cultural del poeta, constituyen la totalidad del mundo, siendo en este caso la ley religiosa la determinante de una u otra entidad[5]. En otra parte

---

[3] Marcelino MENÉNDEZ PELAYO, *El drama histórico,* en *Estudios y Discursos de crítica histórica y literaria,* Santander, Aldus, 1942, ed. *OC,* VII, página 41.

[4] Véase Dámaso ALONSO, *Menéndez Pelayo, crítico literario (Las palinodias de don Marcelino)* [1956], en la edición *OC,* IV, 1975, págs. 53-65.

[5] Para una explicación de esta cadena de acepciones, véase J. COROMINAS, *Diccionario crítico etimológico,* obra citada, III, págs. 905-906; *popular,* como manifiesta su constitución fonética, es un cultismo que Corominas registra por vez primera en Alonso de Palencia (1490). La mención citada es:

Mientra que sea el pueblo de moros   e de la gente cristiana
el Poyo de mio Cid   asil dirán por carta.

(versos 901-2)

Cito en esta parte con la grafía antigua, según la edición crítica de Menéndez Pidal.

pueblo significa el grupo de personas reunido en un lugar; en este caso la concurrencia comprendería gente de todos los estados, nobles y gente llana, y el motivo de la reunión es hallarse ante la puerta de la iglesia esperando la salida del Rey [6]. En la lengua española la acepción de *pueblo* o *pueblos* como gente indeterminada (presente en el francés medieval *peuples*, y de él, en el inglés *people*), existente en la Edad Media, se fue atenuando grandemente [7]. Por el contrario, se intensificó la acepción derivada de poblar, de donde *población, poblamiento, puebla* y *pueblo* ('lugar poblado mayor que la aldea y menor que la ciudad'). Covarrubias explica así la palabra: «Pueblo: latina *populus*, el lugar y la gente de él» [8]. Es decir, que relaciona la gente con el lugar en que habitan para constituir la comunidad. Probablemente con el apoyo de la prestigiada fórmula *populus romanus*, pueblo pasó a significar 'nación', y se abrió la vía que conduce a la consideración de las peculiaridades de los grupos nacionales.

La derivación de pueblo hacia una clase determinada del conjunto social apunta en algunas ocasiones, sobre todo por la

---

[6]　afé Minaya Albar Fáñez　　do llega tan apuosto;
　　　fincó sos inojos　　ante tod el puoblo,
　　　a los piedes del rey Alfons　　cayó con gran duolo.
　　　　　　　　　　　　　　　　(versos 1317-9)

Esta acepción coincide con el sentido jurídico que otorga a la palabra Alfonso X: «Pueblo llaman el ayuntamiento de todos los hombres comunnalmente, de los mayores y de los medianos y de los menores, ca [pues] todos son menester y no se pueden excusar, porque se han de ayudar unos a otros porque puedan bien vivir y ser guardados y mantenidos» (*Partidas*, II, título X, ley 1).

[7] En Berceo aparece la expresión conjunta *los pueblos e las gentes* (*Milagros*, 755 [710] y 898 [853], en la ed. de B. DUTTON), y la mención no tiene connotación social, como se prueba en la siguiente cita:

　　　Los pueblos de la villa,　　páuperes et potentes,
　　　fazién grand alegría　　todos con instrumentos;
　　　　　　　　　　　　　　　(*Milagros*, 698)

[8] Sebastián de COVARRUBIAS, *Tesoro de la lengua castellana o española* (1611), Barcelona, S. A. Horta, 1943, pág. 886.

vía de la diferenciación del grupo más numeroso frente a una parte del mismo [9]. La mención más comúnmente citada del comienzo de la *Vida de Santo Domingo* de Berceo no es patente, pero señala una orientación que había de proseguir, basada en esta partición de la unidad del pueblo. La palabra que mejor abarcó el moderno concepto de clase social fue *estado*, como lo testimonia el *Libro de los Estados* de Juan Manuel, que, según dije, reconoce tres: el de defensores, oradores y labradores, de los que estos últimos serían los más representativos del estado común o llano, junto con el *oficial* (el que desempeña un oficio, trabajador, funcionario). En la Edad Media se requería un adjetivo limitador para que *pueblo* designase a las clases humildes, y éste era *pequeño* o *menudo* [10]. Por otra parte, la mención de

---

[9] Escribe Berceo:

> Amávanlo los pueblos   e las sus clerezías,
> amávanlo calonges   e todas las mongías.
> (*Milagros*, 580)

Donde la relación está entre la comunidad y la Iglesia de la misma. En la mención anterior del *Poema del Cid* puede considerarse al Rey en relación con el pueblo. Y en el conocido comienzo de la *Vida de Santo Domingo:*

> Quiero fer una prosa   en román paladino
> en el cual suele el pueblo   fablar con so vezino;
> ca non so tan letrado   por fer otro latino,

obsérvese que la lengua vernácula referida (*román,* y *romanz* y *romance* en otros manuscritos del mismo poema) es la que habla el pueblo o sea el grupo de los vecinos de un lugar entre sí. Berceo, para indicar la intención de que todos entiendan esta lengua vernácula, usa el adjetivo *paladino* 'claro, público', procedente del lenguaje cancilleresco (véase J. Corominas, *Diccionario crítico etimológico,* citado, III, s.v. *paladino);* y además lo que quiere componer en él es una *prosa,* que en la acepción usada significa un poema en verso de contenido religioso (ídem, s.v. *prosa).* No hay, pues, una limitación de *pueblo* en el sentido de una clase o grupo social, sino al contrario implicaciones de un lenguaje legal y religioso con el propósito del autor.

[10] El enfrentamiento de ricos y pobres aparece así en el *Libro de Buen Amor:*

pueblo como lugar menor (o sea el que no constituía corte), cierra esta cadena de significados, sobre todo si con pueblo se designa a los villanos y gentes de ciudad que no pertenecían a la hildalguía o nobleza; de ahí que la acepción de pueblo como la gente inculta del país (frente a la cultura de clase social) llegase a ser general, y a ella tuvo que hacer frente la reacción romántica de una nueva consideración de pueblo como agente creador y conservador de la obra literaria, sobre todo en condiciones primitivas como las medievales.

El término *pueblo* en la lengua española resultaba propicio para recibir el concepto romántico de *Volkgeist*, creado por Herder, correspondiente al pueblo-nación; de esta manera el pueblo (lo popular) representa a todos, altos y bajos, desde el más pobre del país hasta el rey; y, por eso, la poesía popular se considera como «la voz viva de las naciones», pues representa una emanación natural de la colectividad, anterior a la poesía culta, e incluso puede pensarse que sea el origen de ésta. Sobre este fondo ideológico se plantea el desarrollo de la concepción y los efectos de la poesía popular.

EL CONCEPTO SEGÚN MENÉN-
DEZ PIDAL Y OTROS CRÍTICOS

Una situación léxica de esta naturaleza requería que el concepto aplicado a la palabra *popular* se precisase dentro de unos límites semánticos. Si Menéndez Pelayo expresó incidentalmente el confusionismo que llevaba inherente la poesía popular, Menéndez Pidal hubo de esforzarse por poner claridad en el asunto, pues en la teoría literaria que él defendía, era un concepto importante y que entraba en juego con frecuencia; por esto cree ne-

---

>   mas el pueblo pequeño   siempre está temeroso
>   que será soberviado   del rico poderoso

(est. 819)

Para más pormenores, véase J. A. MARAVALL, *Los hombres de saber o letrados y la formación de su conciencia estamental*, en *Estudios de historia del pensamiento español*, obra citada, pág. 357.

cesario graduar la apreciación de la poesía popular con las siguientes diferencias: «Es preciso distinguir claramente en el confuso adjetivo *poesía popular* dos solos significados: 1) *poesía popularizada,* poesía de un autor acogida por el pueblo en sus cantos como novedad grata, que es olvidada pronto, porque pasa de moda; las variantes que cada autor introduce son sólo [...] deturpación del texto original que todo el mundo conoce como auténtico; 2) *poesía tradicional,* poesía acogida por el pueblo durante mucho tiempo, asimilada como cosa propia, herencia antigua; las variantes que cada autor introduce, unas deforman el texto y se pierden, otras perduran en la tradición, reformando el texto recibido y conformándolo al gusto común de cada tiempo; estas variantes ejercen una función creadora o recreadora...» Como consecuencia de esta participación, propone aplicar el uso de ambos conceptos de la siguiente manera: «Por consiguiente, creo que debe evitarse el adjetivo *popular,* usándolo sólo para el caso de la amplia popularidad entre todas las clases sociales, y usar *tradicional,* que alude a la asimilación y elaboración del canto popularizado durante mucho tiempo»[11].

Esta gradación no resulta aún suficiente para otros críticos, y Sánchez Romeralo propone la denominación de poesía *popularizante* para las canciones de tono popularista que no pertenecen a la tradición popular[12]; no tiene, sin embargo, reparos en usar el término *popular* para las poesías que se atienen a un estilo que caracteriza diciendo que «para que una canción sea popular [...] necesita como condición *sine qua non,* haber sido aceptada y conservada por la tradición popular»; y también afirma que «una canción será popular cuando posea 'estilo popular'»[13].

La cuestión se ha considerado también en un grado relativo, pues el estilo popular no ha de entenderse como propio de gen-

---

[11] R. MENÉNDEZ PIDAL, *La primitiva lírica europea. Estado actual del problema,* artículo citado, págs. 296-297.

[12] Antonio SÁNCHEZ ROMERALO, *El villancico (Estudios sobre la lírica popular en los siglos XV y XVI).* Madrid, Gredos, 1969, pág. 10 y otras más.

[13] Ídem, pág. 115.

tes iletradas o sin ninguna relación con los que poseían una formación literaria. Por eso señala Auerbach: «Sería también falso interpretar la palabra *popular* como 'libre de influjos eruditos': un popularismo así no se da en la Edad Media europea, pues cuanto llegaba a ser fijado por escrito tenía por padrino a un copista clérigo o educado clericalmente; incluso la tradición procedente de la profundo de la poesía popular contenía formas de origen clásico»[14].

Teniendo, pues, en cuenta la complejidad que encierra esta designación de 'poesía popular' y conjugando la creación de la obra y el público, procederé a una clasificación que tiende sobre todo a legitimarse sobre lo que nos ofrecen los propios documentos conservados.

LA PIEZA MÁS ELEMENTAL:
EL VILLANCICO BÁSICO

Los testimonios sobre la poesía popular y su consideración en cuanto a su invención y su conservación, han permitido constituir un grupo genérico que se conoce con el nombre de lírica popular (por su amplia difusión en una comunidad, tocante a sus varias clases sociales, y por la condición de sus intérpretes) y tradicional (en cuanto a que se mantiene en la memoria de esa comunidad a través de las generaciones como un fondo que representa una identificación colectiva de su constitución). Para la fijación de este grupo examinaré: a) las condiciones de su existencia y conservación; b) los temas que trata; y c) la métrica en que aparece; y de todo ello ha de resultar la posible identificación del estilo popular y tradicional, contando siempre con los criterios de su transferencia al documento escrito, a veces muy difíciles de ponderar porque casi siempre los primeros intentos se han perdido y lo que se conserva ha logrado ya una cierta uniformidad en su escritura.

---

[14] E. AUERBACH, *Lenguaje literario y público en la baja latinidad y en la Edad Media,* edición citada, pág. 279.

En su forma original esta lírica se encuentra en la canción folklórica en la que se reúnen letra y canto. La canción se interpreta de una forma por la que el cantor se identifica con el público, de tal manera que cualquiera de los oyentes a su vez puede continuar la difusión de la pieza. Por otra parte, la canción se expone en el marco de un público que la condiciona y asegura su autenticidad. La canción se siente así común y une a los que la oyen, los cuales se identifican con lo que dice; de esta manera puede ocurrir que lo oído sea algo de la tradición, ya sabido por todos y sentido como propio; o que se renueve una canción conocida o se modifique para el caso de una interpretación concreta, de manera que el enlace con la tradición se ha mantenido; o que la canción se cree por vez primera, en cuyo caso sus características han de ser tales que el oyente permita reunir esta nueva creación al fondo que él tiene como propio de su tradición.

De estas condiciones primarias, de orden folklórico, se deduce que las palabras de la canción (a las que llamaré *letra* frente al canto, o sea el texto que se canta) no son más que una parte del conjunto; dependen por un lado de la música, y por otro, de este compromiso colectivo de mantener una tradición común. Desde un punto de vista estrictamente literario, me he de referir sólo a la letra, teniendo en cuenta, sin embargo, que este aislamiento de las palabras representa el apartamiento arbitrario de la parte lingüística de lo que constituye una compleja unidad artística. Lo que queda aislado es un sintagma cerrado que pasa a ser poético (en cuanto que se centra sólo en los efectos creadores de la palabra) y literario (puesto que puede llegar a establecerse una teoría del hecho poético que representa la canción y señalarse su estilo y, por fin, considerarse como una obra fijada por la escritura en un manuscrito o un impreso).

Esta letra constituye lo que en principio, como hipótesis de trabajo, se llama *villancico*, al que añadiré la mención de *básico* para distinguirlo después de otras denominaciones. El villancico básico es, pues, un texto poético que representa la expresión

más sencilla de la lírica tradicional existente en la canción
popular. Se encuentra en los testimonios que nos han llegado
como consecuencia de los diversos procesos cuyo resultado ha
sido el que se escribiesen las canciones; estos textos son el único
medio con que contamos para establecer su existencia y reconocer sus características.

EL CONTORNO DE
LA LÍRICA POPULAR

Las canciones de la lírica popular aparecen en un contorno
determinado: en principio, por ser cantos de villanos, hallamos
una primera delimitación social. La reconoce Covarrubias al definir las *villanescas:* «Las canciones que suelen cantar los villanos cuando están en solaz» [15]. El solaz de la gente de campo
ofrece, pues, uno de los contornos propios de esta canción; así
ocurre con los cantos de la aldea con ocasión de las fiestas religiosas del ciclo litúrgico, sobre todo la Navidad, el Carnaval,
la Pasión; y también en las fiestas locales de la romería y del Pa-
trono o del Cristo o de la Virgen del lugar. En estas reuniones
los bailes se relacionan a veces con ancestrales ritos que sobre-
viven a través de la tradición.

Pero el solaz no es el único motivo del canto, sino también
lo es el trabajo: canciones de labranza, de segadores y espiga-
doras, de pastores, de arrieros, etc. Y también los cantos propios
de los oficios: de molineros, pescadores, herreros, etc. El ritmo
de la canción desde siempre ayuda en el trabajo, y así ocurre
en los grupos que se constituyen, pues en estos casos hay indicaciones implícitas o explícitas de que se canta en tales ocasiones, sin que esto quiera decir que las mismas canciones no
puedan ser cantadas también como mero motivo lírico, lejos de
su circunstancia original. El trabajo se realiza también en la
casa, y entonces la mujer es la intérprete, junto a los suyos.
Los niños en sus juegos se valen de la canción. Lo fundamental
es que se dé la apetencia de la canción y que la letra cumpla

---

[15] S. de Covarrubias, *Tesoro*, edición citada, pág. 1009.

con su cometido comunicativo tal como es propio en la lírica popular. Y como esto se ha logrado con resortes elementales, los críticos de raíces románticas han señalado que esta lírica existe por razones de la vida misma; así Menéndez Pidal escribió: «La lírica popular brota como expresión espontánea siempre que la aridez de la vida se interrumpe por un momento de emoción, mientras que en estos momentos la lírica letrada permanece rígida, indiferente...» [16].

Por tanto, cualquiera que sea la vía por la que el villancico haya llegado al testimonio escrito, en cada caso hay que tener en cuenta esta condición inicial en la que el cantor se hallaba integrado en una comunidad que sentía la canción como una parte de su legado colectivo. Sin embargo, esta misma canción, ya incorporada al fondo tradicional, se desata de estas condiciones primarias y vale para cualquier otra ocasión en que pueda aparecer, con tal de que se mantenga en el estilo que le es propio y por la que es reconocida como tal canción popular.

EL TEMA DEL AMOR

En estas múltiples y variadas situaciones hay un tema dominante que se colorea a través de ellas: el del amor. Según se irá viendo a lo largo del libro, la palabra *amor* tuvo una gran diversidad de significados durante la Edad Media: la Literatura los acusa y recoge en los diversos grupos genéricos en que se encuadran las obras. En este caso el amor se presenta de muchas maneras; E. M. Torner escribe que «...la lírica popular, siempre viva, canta de mil modos y en formas diversas el eterno tema universal, el amor, y sólo cuando las analogías no son directas, se puede referir el canto a tal o cual época por determinados

---

[16] Publicado en varias ocasiones, *Estudios Literarios*, y en *España y su historia*, obra citada, pág. 787. MENÉNDEZ PIDAL estima complemento necesario de esta obra el artículo *Sobre primitiva lírica española*, que figura en el volumen titulado *De primitiva lírica española y antigua épica*, Buenos Aires, Espasa-Calpe, 1951, págs. 113-128.

conceptos adjuntos o por especiales maneras de expresión; detalles, en fin, no siempre fáciles de advertir» [17]. Por eso es tan difícil señalar unas características determinadas para las canciones medievales de esta clase; a lo más se puede indicar cómo se presenta de una manera general. Así ocurre que en este período domina la exposición del amor desde el punto de vista femenino, como es propio de las *fraulieder* o canciones de mujeres que se encuentran en los comienzos de la lírica europea [18]. La mujer, invocando a la madre, a las hermanas o al amado, expone el caso de amor. No falta tampoco el punto de vista del hombre, y es frecuente que por la imprecisión de las expresiones, debidas en parte a la brevedad, el contenido resulte ambiguo y puedan cantar la canción lo mismo hombres que mujeres. Por otra parte, sólo en casos determinados el texto de una canción corresponde a una relación directa entre el intérprete y el contenido de la pieza. La canción popular se convierte así en un metalenguaje poético, con unidades establecidas, en el que el amor es su contenido más amplio.

El amor expuesto en estas canciones se refiere sobre todo a situaciones elementales, establecidas sobre la condición humana; así expresa los efectos del amor en el alma, como son el desasosiego de la niña que casi es mujer, y la nostalgia del ausente. El amor recorre un amplio orden de matices que van desde la sutileza espiritual hasta la realización del mismo en la carne. El contraste de esta variedad es evidente frente al caso del *fin'amors* provenzal ya indicado y a sus descendientes cancioneriles, como señalaré en el capítulo de la lírica cortés.

El tema se ofrece de una manera muy variada, dentro de los cauces establecidos. La clasificación de estas canciones resulta difícil y depende siempre del criterio elegido, que tiene que ser convencional. Así Sánchez Romeralo ofrece la siguiente clasificación que es aprovechable para un cuadro de conjunto de la lírica medieval castellana:

---

[17] Eduardo M. Torner, *Lírica hispánica. Relaciones entre lo popular y lo culto*, Madrid, Castalia, 1966, pág. 14.

[18] Véase el mencionado estudio de M. Frenk Alatorre, *Las jarchas mozárabes...*, págs. 78-82.

A) *Sobre la niña:* 1. El tema de la morenica; 2. El juego de los ojos; 3. Los cabellos.

B) *Sobre el encuentro amoroso:* 1. La espera; 2. El alba; 3. Ir a la fuente o a lavar al río; 4. Los baños de amor; 5. La romería, ocasión del encuentro.

C) *Las penas de amor:* 1. El insomnio; 2. La ausencia; 3. El olvido y la infidelidad; y la imposibilidad de olvidar el amor; 4. Las penas de amor. Las penas de amor y el mar; 5. La malcasada.

D) *Desenfado y protesta:* 1. La niña precoz; 2. *Collige, virgo, rosas;* 3. La guarda; 4. La niña que no quiere ser monja.

E) *Las fiestas del amor:* 1. Las fiestas de San Juan; 2. Las fiestas de mayo.

CARACTERÍSTICAS BÁSICAS DE LA LÍRICA POPULAR EN LA EDAD MEDIA

Testimonios que ilustren sobre los capítulos de la Poética propia de la lírica popular apenas existen en la Edad Media, y, sin embargo, esta poesía adopta una formulación que se mantiene con rigor y que la distingue de otras especies literarias. Así ocurre que: a) el poeta (pues siempre alguien hizo por primera vez la pieza) sabe cómo crear la letra de la canción para que b) el oyente la identifique como propia de la lírica popular, y esto pasa porque c) el creador y el oyente conocen la tradición de la misma e identifican la pieza oída como propia de ella. De no existir esta coordinación, el grupo genérico que constituye la lírica popular se disolvería en seguida. La determinación de estas condiciones representa la exposición de una Poética que, si bien no registraron los libros de teoría literaria, fue una realidad operante en la Literatura. Contando con que esta poesía se integra en la canción, pero estableciendo nuestra consideración sobre la base de la letra, el villancico básico ofrece las siguientes características generales:

a) Se trata de una poesía apretada, de gran densidad comunicativa, movida siempre por un afán de síntesis; se asocia con los principios constitutivos del refrán en el sentido de que nunca se dijo tanto en tan pocas palabras.

b) Como resultado de este propósito, domina el sintagma breve; el autor va sin desviaciones a la comunicación del contenido sin entretenerse en divagaciones.

c) El lenguaje de esta poesía resulta elemental, y la expresión es directa: dice lo que quiere comunicar y al mismo tiempo, con una gran economía de medios, evoca el ambiente propio de la especie poética.

d) Las fuerzas conservadoras dominan el conjunto manteniendo un léxico propio del grupo genérico *(amigo, madre, alba, serrana,* etc.); la disposición sintáctica es semejante dentro de un conjunto de fórmulas que, a pesar de su repetición, conservan su eficacia.

e) Estas características adoptan las formas métricas del villancico básico, muy sencillas, y que son: 1, el pareado; 2, la estrofa de tres versos.

f) En la constitución estrófica no domina la regularidad silábica ni un sistema de rimas; incluso puede darse la ausencia de éstas, si bien se prefiere la asonancia.

Un catálogo de las piezas poéticas que responden a estas condiciones nos ofrece la base para la exploración de la estructura dominante y su estilo. Sánchez Romeralo ha estudiado minuciosamente el asunto, y ha fijado los siguientes caracteres: brevedad y dinamismo, dentro de un tono de sobriedad, abundante participación del sentido dramático, tendencia a una intensificación expresiva de la afectividad y valoración poética en un grado intenso de la «palabra al aire libre» y el «nombre cotidiano de las cosas» [19].

VÍAS DE CONOCIMIENTO
DE LA LÍRICA POPULAR

La tradición poética mantuvo la memoria de las palabras o letra de la lírica popular, al tiempo que hizo posible su renovación total o parcial dentro del estilo descrito. Sánchez Rome-

---

[19] A. SÁNCHEZ ROMERALO, *El villancico*, obra citada, en especial cap. IV, págs. 174-314.

ralo insiste en que «si el cantor modifica un villancico de dos, tres o cuatro versos, a poco que modifique, la versión nueva adquiere un carácter distinto»[20]. Por tanto, y en contraste con otros grupos genéricos (como los constituidos por las obras de juglaría, clerecía, romancero, etc.), la lírica popular es una modalidad poética sustancialmente breve; en su interpretación y en los documentos que la guardan pueden enlazarse piezas diversas de la misma, pero la poesía entera y cabal se constituye en cada una de ellas. De ahí un gran número de villancicos, casi semejantes, pero que constituyen cada uno de ellos una pieza distinta. La tradición sostiene un juego de combinaciones dentro de la estructura genérica, con la posibilidad de un gran número de variantes. Y así ocurre que es más fácil recordar un villancico que un romance, y es más probable que en una comunidad haya más intérpretes potenciales del villancico porque el ejercicio de la memoria y la habilidad en la interpretación son menos técnicas y, por tanto, más comunes. El Folklore estudia este proceso, y desde el punto de vista de la Literatura hay que explorar las ocasiones que hubo para que la canción popular llegara a escribirse (y así la letra cantada pasara a ser escrita), y de este modo penetrara en la consideración de los autores de la poesía escrita (cantada o recitada o leída). Así se puede llegar a una relativa ordenación histórica de este grupo genérico, sujeta siempre a examen y discusión en cada caso, y que tiene como único fundamento los motivos que hayan existido para que llegase a la escritura la lírica popular.

CANCIONES LÍRICAS MOZÁRABES CONSERVADAS EN LAS LITERATURAS ÁRABE Y JUDÍA

a) *El episodio del zéjel.*—La filología hispanoárabe ha estudiado con detenimiento las relaciones entre los cristianos y los árabes de España desde la caída del reino visigodo hasta la toma de Granada por los Reyes Católicos. De esto se trató antes

---

[20] Ídem, pág. 122.

al referirnos a las relaciones entre los españoles y los otros
pueblos; efecto de la convivencia entre los mozárabes y los con-
quistadores, fue la comunicación lingüística, y con ella la de la
literatura popular. En 1912 esta relación entre ambas comunidades pudo documentarse en la literatura árabe: una de las
modalidades de la poesía popular de estos árabes andaluces,
el zéjel, presentaba en sus textos palabras mozárabes sueltas, y
su forma estrófica no existía en el árabe clásico (rimas *aa bbba);*
se trataba de una variante avulgarada de un género de composiciones que recibía el nombre general de *muguasajas* [21], y a las
que me referiré en el párrafo siguiente. Se ha conservado hasta
el nombre del poeta hispanomusulmán al que se atribuye la invención del zéjel: Mocádem ben Moafa, natural de Cabra, que
murió hacia el 920. Un poeta de Córdoba, Aben Guzmán, escribió
un Cancionero [22] que ha llegado a nuestros días, y cuya publicación ha permitido conocer este género de poesía tal como se
cantaba por las ciudades y aldeas de la Andalucía árabe de mediados del siglo XII.

b) *Descubrimiento y documentación de las jarchas.*—De mayor trascendencia fue la identificación y lectura de las jarchas
mozárabes en algunas poesías árabes y judías. Desde 1948 en que
el hebraísta S. M. Stern [23] dio a conocer las primeras muestras

---

[21] La denominación española de esta estrofa tiene variantes: *muwaššaḥa* (E. García Gómez); *muwaxaha* (T. Navarro); *muwaschaha* (Menéndez
Pidal); *moaxaha* (H. Serís). D. Alonso propone castellanizar el término en
forma *muguasaja* que sigo aquí, y E. García Gómez, en *moaxaja.*

[22] *El Cancionero de Aben Guzman,* Madrid, Escuelas de Estudios Árabes de Madrid y Granada, 1933 (Ibn Quzmān), edición de Alois R. NYKL;
estas noticias comenzaron a conocerse en 1912 por un discurso del arabista
Julián RIBERA.

[23] E. GARCÍA GÓMEZ, *La lírica hispano-árabe y la aparición de la lírica
románica,* «Al-Andalus», XXI, 1956, págs. 303-333. Es un planteamiento general del asunto, útil para una visión de conjunto desde el punto de vista
de los arabistas. Véase Samuel M. STERN, *Hispano-Arabic Strophic Poetry,*
Oxford, Clarendon, 1974, edición de L. P. HARVEY con una completa bibliografía del autor y la publicación de la tesis inicial *The Old Andalusian
Muwashshaḥ.*

descifradas de estas poesías, no cesa la investigación que aumenta el número de piezas estudiadas. La jarcha es una parte de un tipo de poesía, la muguasaja, cuya peculiaridad ha descrito así García Gómez: «es una poesía destinada a encuadrar una *jarŷa* romance, que constituye su final y su punto de gravedad. Ante ella van cinco o seis estrofas, en árabe clásico, dividida cada una en dos partes: una, con rimas independientes, y otra con rimas y estructuras exactamente iguales a las de la *jarŷa*, que queda incluida en la última estrofa» [24]. El mismo arabista establece el cuadro general de la situación de la muguasaja en la literatura con el siguiente esquema en que se manifiesta la condición crítica de este tipo de poesía, situada entre las presiones de las especies clásica y popularizante:

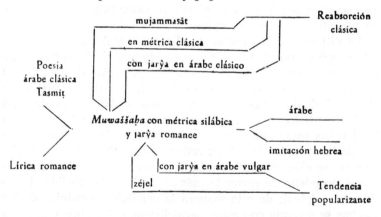

La jarcha es la estrofilla final (o 'salida', que esto significa en árabe), escrita en una lengua diferente, según se ve en el esquema; lo más propio es que lo fuese en un habla popular, y así podía ser el árabe avulgarado, o una jerga en que se mezclase el árabe con el mozárabe, o la misma lengua románica de estos cristianos sometidos, que oían los poetas andaluces a su alrededor. Esta estrofilla, la jarcha, desde el punto de vista lingüístico estaba colocada en un plano de expresión más bajo que

---

[24] El esquema se encuentra en la pág. 319 del citado artículo.

la muguasaja y, para los teóricos entusiastas de esta clase de poesía puesta de moda, había de escribirse o conocerse antes que el conjunto de la misma porque representaba la esencia del sentido de la composición entera [25].

Las relaciones entre la jarcha y el zéjel muestran que este último representa el grado más popularizado de esta serie de composiciones, y García Gómez establece de este modo sus diferencias con la muguasaja: «en estar todo él escrito en árabe dialectal, sin *i'rāb* (sintaxis desinencial); en que el número de sus estrofas puede ser mucho mayor que el de la *muwaššaḥa;* en que la *jarŷa* ha perdido en él casi todas o todas sus características, y en que la intervención de la lengua romance, si la hay, pasa a ser en forma de palabras aisladas en cualquier lugar del poema; y en que a veces se pierde su valor lírico para adoptar un tono francamente narrativo» [26].

La dificultad que representa el estudio y documentación de este grupo de poemas mozárabes en alfabeto árabe o hebreo es grande, y el esfuerzo por ajustar la interpretación de los mismos es una de las brechas más combatidas de la crítica actual. Para el conocimiento de estos poemas y sus problemas es de gran ayuda la edición que llevó a cabo García Gómez [27] publicando las jarchas romances junto con las muguasajas correspondientes, de las que son la salida; reúne en este libro el texto árabe y su traducción española realizada en forma de «calco rítmico» con el propósito de verter lo más ajustadamente posible el sentido del original; de esta manera la condición románica de las jarchas se acentúa con estos paralelismos entre ellas y la lírica popular castellana.

---

[25] Cita Emilio García Gómez el juicio de un poeta árabe de la segunda mitad del siglo XII: «Algunos poetas [...] por ser incapaces de componer una jarcha, toman una ajena, lo cual es mejor que el que compusieran por sí mismos otra más floja» *(Sobre un posible tercer tipo de poesía arabigo-andaluza,* «Estudios dedicados a Menéndez Pidal», II, CSIC, 1951, pág. 405).

[26] Ídem, pág. 318.

[27] Emilio García Gómez, *Las jarchas mozárabes de la serie árabe en su marco,* edición en caracteres latinos, versión española en calco rítmico y estudio de 43 moaxajas andaluzas, Barcelona, Seix Barral, 1975, 2.ª edición.

LAS JARCHAS Y LA LÍRICA
EUROPEA E HISPÁNICA

Este descubrimiento supuso una conmoción en la teoría de los orígenes de la lírica europea, sobre todo por la fecha temprana de los testimonios textuales establecidos, en relación con otros grupos genéricos de la literatura primitiva [28]. D. Alonso [29] en 1949 publicó un artículo que fue una llamada general para que las jarchas entrasen en la consideración de los orígenes de la lírica europea, y esto trajo un examen general de estas jarchas en relación con el lugar que habrían de ocupar en el marco de las literaturas vernáculas de Europa en su época inicial. El resultado fue que las jarchas ofrecieron el testimonio de una lírica popular en lengua vernácula, anterior a las primeras muestras poéticas conocidas hasta entonces. Con todo, aun reconociendo la importancia del descubrimiento, los asuntos que siguen en discusión son muchos; entre otros: la relación de las jarchas con el contorno árabe o judío que las recoge; el grado de transformación que hayan podido sufrir al integrarse en el nuevo conjunto; la relación que presentan con la poesía popular de otras partes por cuanto no todas las jarchas son semejantes, etcétera. La relación directa de la jarcha con la poesía tradicional romance no está admitida en forma unánime. En una oposición total algunos autores pretenden que estas poesías fueron creación de los poetas árabes y judíos para dar un fin agudo a su obra lírica; se ha puesto de manifiesto que el amor se trata de una manera sencilla y natural, y también que eran poesías que pertenecían a un medio urbano. La expresión y la sicología

[28] Así ocurre que en la literatura hispánica medieval el *Poema del Cid* se sitúa, según Menéndez Pidal, en 1140 y en fechas posteriores en otros críticos, y por lo menos de antes de 1042 es una jarcha hebrea de un Yosef el escriba que celebra a Samuel Ben Negrella de Granada y a su hermano Isaac.

[29] Dámaso ALONSO, *Cancioncillas «de amigo» mozárabes (Primavera temprana de la lírica europea)* [1949], en *OC*, I, págs. 33-86.

amorosas parecen a algunos más propias de la cultura oriental que de la occidental. J. M. Sola-Solé resume esta situación así: «Este profundo impacto del mundo árabe en las *ḫarǧa-s* [...] no puede provenir solamente de la situación vital del Al-Andalus, con la convivencia de elementos árabes, cristianos y judíos. Es más, cualquier simplificación del problema, a base de admitir un origen puramente romance para la poesía de las *ḫarǧa-s* [...], puede ser extremadamente exagerada y peligrosa. En realidad, la arabización de las *ḫarǧa-s* romances es tan fuerte y evidente que cabría pensar si no serían éstas, por lo menos en algunos casos, algo así como humildes restos de una poesía popular hispano-árabe, mal conocida aún, pero de cuya existencia apenas puede caber la menor duda. Frente a la poesía clásica, de orientación férreamente literaria, con sus tópicos habituales y su lenguaje extremadamente depurado, esta poesía popular árabe del Al-Andalus estaría impregnada de elementos romances, más o menos abundantes según su ambiente genético o sus respectivos autores»[30].

Hay esperanzas de que se encuentren otros textos y con esto se ampliarían los datos en juego. Pero para el propósito que aquí importa, las jarchas (al menos, las más características)

[30] J. M. SOLA-SOLÉ, *Corpus de poesía mozárabe (Las Ḫarǧa-s andalusíes)*, Barcelona, Hispam, 1973, págs. 42-43; la obra incluye una amplia bibliografía sobre el asunto. Una breve explicación de la lírica de fuera de España en relación con la de dentro, encontrando semejanzas, en Stephen RECKERT, *Lyra Minima. Structure and Symbol in Iberian traditional verse*, Londres, Grosvenor Press (Portsmouth), 1970. Puede verse la exposición de algunos puntos de vista (Rodrigues Lapa, Costa Pimpão, Pellegrini, Roncaglia y Spitzer) de este examen en A. SÁNCHEZ ROMERALO, *El villancico*, obra citada, págs. 350-380. Por otra parte, en la literatura europea de orígenes existen canciones que manifiestan un paralelo con el caso mozárabe; así ocurre con la llamada «Alba de Fleury» que presenta un refrán románico que se corresponde con la «salida» de una estrofa latina de tres versos. Esta pieza primitiva ofrece una estructura análoga a la de la muguasaja árabe con su salida o jarcha en mozárabe; sobre su interpretación como el testimonio de una relación entre la lírica mozárabe y la literatura francesa provenzal o franca, véase Giorgio CHIARINI, *Il bilinguismo dell' «Alba di Fleury» e le Kharagiat mozarabiche*, «L'Albero», 51, 1974, págs. 3-21, que amplía y precisa la tesis de Paul Zumthor en el mismo sentido.

resultan ser la primera documentación (y no hipótesis de trabajo) de la lírica popular en una lengua hispánica; a través de ellas se reconoce el filón de una tradición y se conocen algunos textos primitivos en la línea de la lírica popular. En esta coyuntura una moda de los poetas arabigoandaluces fue la ocasión para que pasara a la letra escrita en el alfabeto árabe o judío la canción mozárabe, y que los poetas cultos la imitasen con un propósito poético distinto, pero guardando sus características más importantes.

LAS CANTIGAS DE AMIGO EN LA
LÍRICA GALLEGOPORTUGUESA

Si la lengua mozárabe aporta el testimonio de la lírica popular representada en las jarchas, la lengua gallegoportuguesa ofrece la conservación de un rico filón que también se relaciona con esta lírica. La cuestión se plantea como en el caso anterior: el filón se halla conservado entre las formas de una poesía cortés, cuyo modelo procede de Provenza: de entre la variedad de la lírica de los cancioneros gallegoportugueses, se encuentra la abundante modalidad de la canción o cantiga de amigo. Más de medio millar de composiciones constituyen un notable grupo, que Filgueira Valverde [31] caracteriza con los siguientes rasgos: a) por el carácter femenino del canto, pues la poesía está puesta en boca de una mujer; b) por el uso de formas paralelísticas o encadenadas; c) por la base popular y arcaizante de la expresión poética; d) por el sentimiento de la naturaleza que testimonian; e) por la especie de amor que se canta en ellas, que no es el *fin'amors* sino un amor natural, como el que se encuentra en los villancicos.

Se trata, pues, de otra vía de acceso de la lírica popular a la literatura escrita, establecida en este caso dentro del contexto

---

[31] Véase la información general sobre esta especie de poesía en el capítulo de José Filgueira Valverde, «Lírica medieval gallega y portuguesa», de la *HGLH*, I, 1949, págs. 543-642; las características mencionadas se enuncian en la pág. 570.

de los cancioneros. De ahí que exista relación entre estas cantigas de amigo y las posteriores poesías castellanas semejantes. Sin embargo, en el caso gallegoportugués la elaboración culta enriqueció la disposición de esta poesía con el uso de un cuidadoso artificio, extraído de las mismas modalidades de la poesía popular en combinación con el *leixa-pren* medieval; de esta manera se constituyó una modalidad poética que por la perfección de su cultivo acabó cerrándose sobre sí misma. La forma paralelística fue una disposición de la lírica primitiva, base del desarrollo de la misma, y posiblemente reforzada por las letras de danza. Los poetas gallegoportugueses utilizaron esta modalidad hasta los límites posibles de perfección en el juego poético, mientras que en Castilla fue una forma más de la lírica popular, que corrió suerte pareja con el villancico, con el cual en ocasiones aparece en relación. No es necesario, pues, pensar en que el origen de la canción paralelística castellana esté en la cantiga de amigo gallegoportuguesa [32]. Si en gallego aparece documentada la cantiga de amigo desde 1199, fecha que se atribuye a una que se cree ser de don Sancho de Portugal, esto es consecuencia de la vía de acceso al documento, signo a su vez de su incorporación junto a la poesía culta. De todas maneras las relaciones entre estas modalidades de la lírica popular son muy complejas y, en algunos casos, el intenso cultivo de los cancioneros gallegoportugueses pudo favorecer su uso entre los poetas castellanos que se acercaran a las formas populares en su propia lengua.

LA LÍRICA POPULAR EN LOS CANCIONEROS
CASTELLANOS DESDE FINES DEL SIGLO XV

Son escasos los testimonios primeros de la lírica popular que nos han quedado en la literatura castellana. Menéndez Pidal ha explorado las menciones indirectas que se hallan en las crónicas

[32] Véase Eugenio Asensio, *Poética y realidad en el cancionero peninsular de la Edad Media*, Madrid, Gredos, 1970, 2.ª edición, en que se trata ampliamente del paralelismo gallegoportugués y castellano y de sus relaciones.

históricas; en Berceo hay una cantiga de veladores en el planto o duelo de la Virgen, y también en otras piezas sueltas como la *Razón de amor* o *Siesta de abril*, en Juan Ruiz y en el Marqués de Santillana, etc.; y también aparece entremetida en obras narrativas[33].

La ocasión de reunir un gran número de textos aconteció como consecuencia de una moda literaria de mediados del siglo xv que dio acceso, a los cancioneros de las Cortes de Aragón, Navarra y sobre todo de Castilla, a la poesía popular. Sánchez Romeralo[34] indica que quizás la moda hubiese partido de la corte de Alfonso V de Nápoles; el caso es que llegó pronto a Castilla, y se extendió y arraigó de tal manera que aseguró hasta el siglo xvii (y aun posteriormente) la presencia continua de esta clase de poesía en la literatura española[35]. En principio, para plantear su estudio, hay que tener en cuenta que estas poesías se difundieron como letras de canciones, con su melodía; y así se encuentran en la obra de los músicos de la corte de los Reyes Católicos y del Emperador Carlos. Otro factor que contribuyó a su éxito fue que estas poesías por su carácter y dimensiones resultaron muy adecuadas para formar parte del texto de los pliegos sueltos, muy populares por esos años. Y también la actitud aprobatoria que los grandes poetas de los

---

[33] Ramón MENÉNDEZ PIDAL, *Sobre primitiva lírica española*, en *De primitiva lírica española y antigua épica* [1943], Buenos Aires, Austral, 1951, págs. 113-125; y también Alan DEYERMOND, *Lyric Traditions in Non-Lyrical Genres*, en los *Studies in honor of Lloyd A. Kasten*, Madison, University of Wisconsin, 1975, págs. 39-52.

[34] A. SÁNCHEZ ROMERALO, *El villancico*, obra citada, pág. 50.

[35] Los textos se encuentran en las siguientes colecciones: Dámaso ALONSO y José Manuel BLECUA, *Antología de la poesía española. Lírica de tipo tradicional*, Madrid, Gredos, 1964, 2.ª edición; José Manuel ALÍN, *El Cancionero español de tipo tradicional*, Madrid, Taurus, 1968. Una antología de villancicos populares y popularizantes se encuentra en el estudio de A. SÁNCHEZ ROMERALO, *El villancico*, obra citada, págs. 391-553. Otra colección es la de Margit FRENK ALATORRE, *Lírica española de tipo popular* [1966], Madrid, Cátedra, 1977; otra es la de John G. CUMMINS, *The Spanish Traditional Lyric*, Oxford, Pergamon, 1977.

Siglos de Oro, como Lope y Góngora, tuvieron hacia esta poesía, así como su inserción en la comedia española.

En el curso de este fenómeno de la moda literaria, la canción popular como tal pieza folklórica hubo de acomodarse al contexto de los Cancioneros, manteniendo la nota poética de su propia peculiaridad. Esto se hizo de una manera más o menos matizada, y no podemos disponer de elementos de juicio para establecer un contraste entre la pieza folklórica popular y la versión que aparece documentada en el cancionero, pero la repetición de algunos textos y el examen de las características de las obras ofrecen al menos elementos para una aproximación sobre lo que sería el paso de una a otra situación. Las características populares se mantienen de manera más patente en el estribillo o cabeza de las composiciones. El villancico representa la forma más acusada de esta corriente, y tanto el tema como el estilo ponen de manifiesto las características asignadas al villancico básico. Este villancico en función de estribillo o cabeza aparece en los cancioneros junto con su desarrollo que glosa de algún modo el sentido del mismo, y ambas partes se encuentran tan unidas que constituyen una pieza poética con sentido unitario y propio. Estas unidades poéticas formadas por el villancico y el desarrollo son las que aparecen en los cancioneros y en las otras modalidades de la conservación de estos textos.

Estas obras poéticas de la lírica popular también se dieron en la forma de la canción paralelística y en la del zéjel, y fueron objeto de una consideración literaria por parte de los autores cultos semejante a la que tenían con las obras de ascendencia cortés.

La mayor afluencia de los villancicos en los cancioneros se establece, sobre todo, en la forma así llamada 'villancico'; la terminología con que se nombra esta poesía y sus partes no es consecuente ni en el caso de las referencias de los Siglos de Oro ni luego en su estudio entre historiadores y críticos modernos. De ahí que haya que estar sobre aviso para evitar confusiones. Por de pronto, hay que notar que estos villancicos que se incorporan a los cancioneros, se encuentran rodeados por la lírica cortés; lo difícil hubiera sido que ambas modalidades no se hubiesen relacionado de algún modo siendo vecinas en unos mismos códices, libros y autores. Por eso hay que establecer varios grados en la consideración de este villancico conservado por la escritura:

a) La pieza poética más próxima al villancico básico, que pondría de manifiesto la obra popular, existente en la tradición oral, de una manera más directa, siempre dentro de la relatividad del caso.

b) El villancico modificado por el poeta que lo incorpora al cancionero o a otro medio de conservación escrita; cabe pensar que algunas de estas modificaciones se realizarían para acentuar la unidad entre la cabeza y el desarrollo.

c) El villancico inventado por el poeta; en este caso puede o imitar la forma y los temas populares contrahaciéndolos, o valerse sólo de los moldes estróficos ya instituidos en la acomodación referida antes. Esta oscilación depende de muchas circunstancias, y se puede llegar al caso del villancico cuyo contenido y sentido es enteramente cortés, y sólo guarda de su raíz tradicional el nombre y la disposición métrica.

La forma métrica de la cabeza puede valer para reconocer el grado de esta adaptación[36]. La lírica popular, en las formas que cabe entender como más cercanas a los originales folklóricos, ofrece estrofas de dos o tres versos, de medidas a veces fluctuantes, sin rima o con rima asonante y consonante. La pro-

---

[36] Véase la gran variedad de las formas en un estudio, que resultó fundamental en su aparición (1920), de Pedro Henríquez Ureña, *La versificación irregular en la poesía castellana*, Madrid, Centro de Estudios Históricos, 1933; también en los *Estudios de versificación española*, Buenos Aires, Universidad, 1961, *La poesía castellana de versos fluctuantes*, págs. 9-250. Véase la información general de este aspecto en R. Baehr, *Manual de versificación española*, obra citada, págs. 312-326. Utilizo la fórmula de designar con la cifra el número de sílabas del verso, seguido de las letras para la combinación de las rimas, que si son minúsculas representan la rima asonante, si mayúsculas, la consonante, y si no hay letra, significa que es verso sin rima con los demás; reservo las letras últimas del alfabeto para las cabezas de las poesías. En el caso de rimas indiferentes, me valgo de la minúscula cursiva.

gresiva regularización de la cabeza hacia formas métricas del tipo 8x 8x; 8x 8y 8y; o 8x 8y 4y demuestra que la tendencia culta se ha impuesto y se ha alcanzado una norma.

Aun cuando se ha indicado con insistencia que el desarrollo se encuentra unido con la cabeza, sin embargo también en esta parte se nota la diferencia de grado entre glosas más cercanas o más lejanas de la condición popular. Del desarrollo considerado más popular dice M. F. Alatorre: «La glosa popular no es un poema en sí: es esclava fiel de la breve canción, cuyo contenido repite variándolo, o desarrolla con mayor o menor extensión, o despliega, o explica, o complementa, todo ello de acuerdo con ciertas técnicas tradicionales»[37].

De ahí las dificultades en la apreciación del grado de popularidad de una poesía, pues este desplazamiento de las formas folklóricas hacia las literarias se cruza con el caso contrario: los autores cultos utilizan como recurso artístico la imitación de las formas folklóricas. Si consideramos que la conservación de la tradición lírica popular y el juego creativo que trae consigo el sistema que la ampara, son obra del pueblo, y sobre todo del llano, un autor como Lope o Tirso pueden considerarse también poetas del pueblo y crear a su mismo aire con plena legitimidad artística, y óptimos resultados. Sánchez Romeralo ha adoptado la actitud más científica para el difícil asunto del diagnóstico de la poesía popular; se vale del establecimiento del estilo y de sus fórmulas generadoras. Sin embargo, hay que reconocer que la sanción del caso estaba en el asentimiento del público, que era el que confirmaba el logro de los autores, intérpretes, la selección que realizaban los impresores de los pliegos sueltos, etc. Y también hay que añadir el caso en que estas piezas líricas (o una referencia a las mismas o a sus temas fundamentales) aparecen en las obras de verso o prosa de condición narrativa, o se entremezclan en el curso de las comedias.

---

[37] Margit FRENK ALATORRE, *Glosas de tipo popular en la antigua lírica* [1958], en *Estudios sobre lírica antigua*, obra citada, pág. 269.

Es difícil establecer una ordenación en la gran variedad de formas estróficas de esta lírica. Por una parte, los textos no suelen conservar la letra completa de las piezas, pues las partes que se repiten, sobre todo con motivo del desarrollo musical, no figuran escritas o impresas, en especial los estribillos y los versos análogos; entonces ocurre que la letra es a manera de un apunte del texto, que el intérprete completa como conviene según el curso de la ejecución. Por otra parte, no se llegó a constituir un cuerpo de formas estróficas firmes, como ocurrió con la lírica culta. De ahí las frecuentes indicaciones que haré a la variedad de metros y a las diversas rimas, así como a las variantes que ofrecen estas estrofas imprecisas. Todo esto obliga a que las indicaciones que haga sean sólo de orden general, y en el caso de cada pieza se hayan de especificar sus manifestaciones. Por ello lo que digo vale sólo como una primera orientación.

a) *El zéjel o forma de estribote.*—El esquema estrófico del zéjel (llamado por algunos tratadistas forma de estribote), ya mencionado al tratar de las relaciones entre la poesía popular árabe y la románica, es, en su forma elemental, en cuanto a la combinación de las rimas:

XX | AA : AX | XX...

Los versos pueden tener 8 y 6 sílabas y otras medidas o presentar oscilaciones. La cabeza tiene sentido propio, y en la mudanza, el verso cuarto, en rima con la cabeza, ejerce una función de vuelta, a efectos musicales. La cabeza, indicada o no, se repite como estribillo melódico. Según T. Navarro, las variantes sobre la forma básica antes indicada pueden ser: «*a)* el estribillo podía reducirse a un solo verso o constar de más de dos; *b)* el último verso del estribillo y el de la vuelta eran a veces más cortos que los demás; *c)* la mudanza sumaba en algunos casos cuatro o cinco versos monorrimos en vez de tres; *d)* los versos de la mudanza llevaban a veces rimas interiores; *e)* la vuelta podía consistir en dos o tres versos»[38].

El uso de este zéjel se encuentra en la poesía de asuntos religiosos y también en la de tema satírico, y en sus manifestaciones populares suele ser de tema amoroso.

b) *La canción paralelística o cosaute.*—Con las características señaladas para las cantigas de amigo, la canción paralelística tiene en su cabeza reunidos los elementos poéticos que sirven de punto de partida a la pieza, y el desarrollo presenta una disposición de vaivén en la expresión, lograda con la repetición sucesiva de algunos de los elementos de la cabeza. La relación entre la cabeza y el desarrollo puede ser muy diversa; he aquí algunas fórmulas, sobre la base de 8 y 6 sílabas y oscilaciones, partiendo de la más sencilla: $x\,x \mid a\,a\,x$:

a)   base pareado, asonante o consonante: $x\,x \mid x\,a\,x\,a$;
b)   base de tres versos, asonante o consonante:

$$x\,y^1\,y^2 \mid x\,a\,y^1\,b\,y^2$$

También se usó la base de cuatro y más versos, y entonces las fórmulas resultan mucho más complejas. Esta clase de estrofas son propias para la danza y para el canto alterno y se encuentran de manifiesto en el *cosaute*, canción de danza propia de los medios cortesanos[39].

c) *El villancico estrófico.*—En su forma más acabada presenta el esquema:

$$\text{XYY} \mid \underset{1}{\text{AB}} : \underset{2}{\text{BA}} \mid \text{BYY} \parallel \text{CD} : \text{DC} \mid \text{CYY} \parallel \ \ldots$$

---

[38]   T. Navarro, *Métrica española*, obra citada, pág. 51.
[39]   Cfr. *coursault*, que por una mala lección paleográfica se llama también *cosante*. Véase el capítulo «Los cantares paralelísticos castellanos. Tradición y originalidad», en el citado libro de E. Asensio, *Poética y realidad en el cancionero peninsular de la Edad Media*, págs. 177-215.

Un villancico inicial de cabeza, con sentido propio en sí mismo, va seguido de una redondilla (abrazada o cruzada), compuesta de dos mudanzas, que posee unidad sintáctica de oración también independiente; sigue luego la vuelta, en la cual la distribución de las rimas se verifica enlazando el primer verso con la redondilla anterior y los dos siguientes con el segundo y tercero de la cabeza; la disposición se refuerza, a veces, con la repetición entera o parcial, en función llamada de represa, de los versos segundo y tercero de la cabeza en los correspondientes de la vuelta. Las variaciones dependen de la cabeza, más o menos extensa, y, por tanto, de la vuelta, en el enlace mencionado de las rimas y, a veces, de parte del verso o de los mismos enteros. La vuelta presenta, pues, un doble enlace: con la cabeza y con la redondilla, reforzado en ocasiones por la represa.

La función del desarrollo es de explanación, dilatación o interpretación, y depende del carácter del tema de la pieza, que suele ser amoroso y también de asunto religioso, sobre todo referente a la Navidad, de donde ha venido que en el lenguaje común actual el villancico se refiera sobre todo a los cantos navideños.

d) *Formas diversas de la canción popular.*—Los mencionados esquemas, aun considerados con la flexibilidad que se indica, no cubren la amplia variedad de esta clase de poesía, tal como aparece en Cancioneros y pliegos sueltos. Resulta siempre fundamental la presencia del villancico básico, en donde aparecen los rasgos de la lírica popular de carácter tradicional de una manera aproximada, tal como se dijo. El desarrollo, que es la parte en donde domina la elaboración artística, tiene que poseer relación con la cabeza, sobre todo en la parte final, y la represa, total o parcial, es un signo más de la unidad del conjunto poético. Tal como indiqué al principio, el juego de enlaces entre el villancico y su desarrollo resulta así de una gran variedad, contando además con los efectos que pudieran proceder de la interpretación musical en la manera de disponer la letra en la extensión de la melodía.

El paso de la lírica «medieval» a la «moderna» ha sido estudiado por M. Díaz Roig; su opinión es que las modalidades aquí referidas y las que han de establecerse en las modernas son «dos tradiciones, dos 'escuelas' con algunos rasgos en común, pero con divergencias profundas» [40]. Un factor importante fue el influjo del Romancero, que, desde su tradición más antigua de obra medieval, se cruzó con las nuevas modalidades.

OBRA FOLKLÓRICA Y ELA-
BORACIÓN LITERARIA

Apenas conocemos poesías legítimamente folklóricas de la época medieval. En pocos casos una canción se encuentra rodeada de un contexto —en el teatro o en la narración— que nos ofrezca garantías contando con la correspondiente predeterminación genérica. En el paso de la canción a la poesía escrita hubo una aproximación a lo que fueron las corrientes determinantes de la obra culta: el isosilabismo y la regularidad de la estrofa. Sin embargo, a través de los testimonios indicados, se demuestra la existencia de un sistema poético que mantiene a lo largo de los siglos medievales la cohesión de una poesía de condición popular, asegurada en la base de una tradición. Dentro del sistema se sostiene la continuidad de esta poesía y, al mismo tiempo, se ofrecen los medios para que los poetas cultos puedan utilizar estos recursos bien con el propósito de continuar dentro de ella o bien con el de alejarse de la misma a través de un matizadísimo juego poético que llegó a constituir una modalidad renovadora hacia un tercer estado, de gran fortuna creadora. Por tanto, la apreciación de la base del sistema, situada en los dominios del Folklore, y su relación con el factor creador del poeta, deben siempre examinarse en cada caso con una gran discreción. Sólo por medio de los textos más o menos elaborados hemos podido establecer un acercamiento a lo que haya sido la

---

[40] Mercedes Díaz Roig, *El romancero y la lírica popular moderna*, México, El Colegio de México, 1976, pág. 4.

canción popular en la Edad Media. En algún caso se ha logrado conocer en cierta medida el proceso de esta elaboración, como en el de la canción de Çorraquín Sancho, curiosa reunión de resonancias épicas en un temprano uso (hacia 1158) del paralelismo que Francisco Rico [41] ha estudiado con pormenor.

[41] Francisco Rico, *Çorraquín Sancho, Roldán y Oliveros: un cantar paralelístico castellano del siglo XII*, en *Homenaje a la memoria de don Antonio Rodríguez Moñino 1910-1970*, Madrid, Castalia, 1975, págs. 537-564.

CAPÍTULO XI

LOS COMIENZOS DE LA LITERATURA EXTENSA. LA FUNCIÓN LITERARIA DE LOS JUGLARES Y CLÉRIGOS

LA DIFICULTAD DE DOCUMENTACIÓN

El fondo de la poesía lírica estudiada en el capítulo anterior se mantiene y perpetúa por la vía folklórica; representa una manifestación continua que atraviesa la Edad Media en unas condiciones que son las comunes en esta modalidad oral y sobre cuya conversión en texto escrito hemos tratado. Entre esta vía folklórica y la otra, permanente, que constituía la literatura en lengua latina, en una determinada época de la Edad Media comenzaron a aparecer diferentes especies de obras en lengua vernácula que se apartaron de una y de otra por varios motivos: son piezas más extensas que la breve canción popular; en su extensión desarrollan un argumento de diverso contenido dentro de unas normas que van fijándose y que constituyen grupos; las obras se relacionan con diferentes clases de la sociedad medieval, y el ámbito de los públicos es más amplio y, al mismo tiempo, más condicionado. Y, como característica básica y común, se valen de la lengua vernácula frente al latín, lengua de cultura y arte.

Para el conocimiento y el estudio de esta época inicial se tropieza con la dificultad que es común a la literatura de la época de los orígenes literarios: que son escasos los documentos, tanto textos como noticias. De entre los escritos conservados de la época de orígenes (desde las primeras manifestaciones hasta 1300), sólo una parte muy escasa tiene un carácter clasificable como literario. La causa es que esta literatura vernácula de los orígenes estuvo relacionada sobre todo con textos conservados y difundidos por la vía oral; cuanto se dijo en el capítulo II sobre las relaciones entre las manifestaciones orales y escritas de la literatura, aparece en el caso de la época de orígenes de una manera más aguda, con la dificultad de que las noticias son pocas y controvertibles.

Una literatura de esta especie estaba estructurada para que el receptor la percibiese a través de la voz de un intérprete, y su escritura era un recurso accesorio, que no afectaba a la condición de la misma. Sin embargo, con el tiempo y con el ejemplo constante de la literatura latina, y también con el uso cada vez más extendido de la redacción en lengua vernácula, la escritura de la obra literaria fue haciéndose cada vez más frecuente, y esto creó unas nuevas condiciones en la estructura de la obra. De la interpretación salmodiada y cadenciosa se pasó a la lectura pública, con el apoyo sólo de la palabra; y de ésta, a la lectura personal, en la medida en que lo permitiera la cultura literaria del perceptor de la obra. Hay que pensar que esto no fue un proceso uniforme ni lineal, sino que las diversas modalidades de recepción de la obra convivieron y se entremezclaron en el período señalado en un grado mucho más intenso que en las épocas posteriores.

Por otra parte, lo que haya sido este complejo proceso resulta difícil, por no decir imposible, de conocer debido al azar de la conservación de las obras. Los ejemplos son muchos: la gran escasez de textos que conserven poemas de la épica medieval puede atribuirse al carácter oral de la difusión de sus textos, pero es asombroso que no se haya conservado ningún texto completo del *Amadís* medieval, siendo una obra de la que tenemos testimonios de su presencia en medios cortesanos donde habría un gran número de ocasiones para que se pudiera haber escrito, como indudablemente se haría; esta sola muestra basta para poner de manifesto esta dificultad azarosa de la conservación de las obras, único medio para llegar hasta la misma realidad poética de los textos. La erudición y la crítica literarias pretenden llenar, en la medida de lo posible, los huecos de las obras perdidas, como veremos en los distintos casos.

LA LITERATURA VERNÁCULA ADOPTADA POR JUGLARES Y CLÉRIGOS

De entre el conjunto de obras conservadas o de las que se tiene noticia, aparece una primera división en dos grupos, que es común a las literaturas europeas: la obra sujeta a un cómputo de medida, que es la base de la línea poética determinada según unas condiciones (o verso, como se indicó en la parte primera de este libro); y la obra continua, en la que el sintagma fluye sin que exista un cómputo variable o estricto que lo divida en segmentos rítmicos, contando sin embargo con los efectos eurítmicos del orden de las oraciones (o sea la prosa literaria). Esta división fundamental aparece establecida en términos muy generales, y no afecta a la posible elaboración poética del sintagma, pues en ambos casos se aplican los procedimiento de la Retórica. Tal partición ofrece dos cauces muy amplios que siempre fueron percibidos por los receptores de la obra literaria, que distinguieron el verso (un poema épico-histórico o una pieza lírica, etc.) de la prosa (una crónica o un libro o un tratado, etcétera) contando también con un posible uso de ambas formas según combinaciones determinadas (*Conde Lucanor*, la línea de la *Consolación* de Boecio, las obras glosadas, los libros sentimentales con poesías intercaladas, etc.).

El cauce general que toca plantear en esta parte es el correspondiente al verso. Su establecimiento es consecuencia de un propósito que requiere siempre una técnica en la elaboración, considerando el verso como unidad interior en el curso del sintagma literario, cuyas condiciones pueden ser, como veremos, diferentes, pero no pueden faltar. La literatura (o conjunto de obras literarias) comienza como tal con el reconocimiento del arte que establece esta técnica, cuya determinación pudo o no exponerse en tratados de Poética o de otro orden de la teoría literaria, pero cuya efectividad resultó siempre operante, tal como quedó dicho.

LOS JUGLARES

Desde la Antigüedad romana hay noticias de intérpretes de cantos literarios de diferente especie. Para el caso de los comienzos de la literatura castellana, estos intérpretes se identifican en general con los llamados *juglares,* de los que poseemos noticias suficientes como para conocer cuáles fueron sus actividades [1]. El juglar ejercía su oficio entreteniendo a las gentes con las habilidades de su menester u oficio, que eran muy diferentes de acuerdo con la clase del mismo y el público que lo rodease en sus exhibiciones: juegos de circo, músicas, cantos con instrumentos acompañantes, melopeas, pantomimas, etc. Según fuese el público ante el que actuaban, así sería la representación, y este es el primer condicionamiento que se puede señalar. En el oficio hubo juglares y juglaresas, cristianos y moros, sin otro límite que el fundamental de que llegasen a complacer al público que los rodeaba. De entre los entretenimientos que mostraban los de la juglaría hubo uno que toca directamente a la literatura: cuando lo que interpretaban ante el público eran obras a las que, desde nuestra perspectiva crítica, podemos considerar como poéticas y que se manifestaban en la lengua vernácula, en verso y rimadas según determinadas condiciones. De este espectáculo sólo nos queda, en el mejor de los casos, el texto manuscrito que en alguna ocasión desconocida llegó a escribirse; lo más frecuente son las noticias indirectas que aparecen en documentos referentes a los intérpretes y también las

---

[1] Sobre los juglares en España, véase Ramón MENÉNDEZ PIDAL, *Poesía juglaresca y orígenes de las literaturas románicas*, Madrid, Instituto de Estudios Políticos, 1957, 6.ª edición.

noticias sobre la obra, su argumento, algún episodio, los personajes, etc.

Lo que sabemos de estas actividades literarias de los juglares pertenece a una época ya relativamente avanzada; se trata de obras con argumentos referentes a los asuntos de los diferentes reinos hispánicos, que acusan en particular la posición fronteriza de los mismos. Además, los juglares recogen también el caudal de poemas que procede de Europa, especialmente de los reinos franceses, que son los más accesibles por la frontera del Norte.

Los juglares se comportaban como profesionales que exhibían su oficio ante la sociedad. Dentro de ella hay que reconocer diversas especies de «públicos», englobados todos ellos en el «pueblo». Los juglares procuraban entretener a estos grupos de públicos con asuntos que fuesen de interés general: la memoria poética de los héroes pasados y presentes, relatos de hechos ficticios pertenecientes a un fondo legendario común, argumentos que procedían de la Iglesia, como vidas de santos, milagros, devociones, etc., y otras novedades con que podían remozar los repertorios. Los juglares fueron viajeros por razón del oficio, y su arte había de entretener a públicos muy diferentes, tanto por los diversos públicos como por la variedad de los lugares visitados. Si se llama al juglaresco un arte «popular», ha de ser entendiendo que el pueblo lo forman estas clases sociales reunidas en grupos de diversas naturalezas: cortes de reyes y de señores, palacios episcopales, los concejos y gentes de ciudades, villas, aldeas y las ocasiones de las romerías, peregrinaciones, ferias, con motivo de los viajes de los señores, acompañando a las huestes, etc.

Los juglares, que poseían un repertorio de entretenimiento muy amplio, aparecen considerados con prevención por parte de los moralistas de la Iglesia y en los textos de las leyes. No obstante, los que cantaban hechos famosos o de asunto religioso figuran mencionados favorablemente por Alfonso X en las *Siete Partidas*, donde dice que a los caballeros, cuando están comiendo, conviene que les lean historias de esforzados hechos, y que si hubiese juglares en la reunión, que fuesen de los de gesta, que hablasen de hechos de armas [2].

Los juglares interpretaron una gran diversidad de obras ateniéndose a esta condición pública de su oficio: a veces se inclinaban por recitar obras ya conocidas, pues el público se complacía en la reiteración de los asuntos que consideraba como propios y con los que se sentía identificado como grupo; y otras veces preferían seguir la renovación de las modas. Los repertorios resultaban así variados, y en esto radicaba uno de los motivos del éxito del juglar con respecto a los auditorios. Esta intención de servir al público, aunque éste fuese del estado llano, no se ha de entender que diese lugar a un arte descuidado; había juglares de muy distinta condición, y no faltaron los letrados, sin contar con la experiencia poética propia del oficio o menester. El mismo autor del *Libro de Alexandre*, que muestra las diferencias de juglares y clérigos favoreciendo al arte suyo, se expresa así de un juglar:

> un juglar de gran guisa sabía bien su mester,
> hombre bien razonado, que sabía bien leer,
> su viola tañendo vino al rey ver...
>
> (Est. 232)

Los juglares, pues, se atuvieron a las normas artísticas propias de las obras que interpretaban, y dispusieron de la libertad que les ofrecía el trato con estos públicos. Desde este punto de vista, la función del juglar como intérprete se encuentra en la línea de la obra dramática, y esto de una manera peculiar e intensa, pues la relación que se establece entre el público y el actor a través del texto representa una gran convergencia de fuerza artística. Tal como dice J. Rychner, la trinidad *juglar-obra interpretada-público* «es infinitamente más concreta, más presente, más viva, más inmediata en la epopeya cantada; todavía más estrecha que en el género dramático, pues el juglar, a menudo autor, es además el único actor, y porque, hay que

---

[2] Alfonso X, *Las Siete Partidas*, edición citada, 1807, II, pág. 213, Partida II, Título XXI, Ley XX.

añadirlo, los asuntos que trata son en parte tradicionales, y enlazan por eso al público con el juglar»[3]. El texto de la obra resulta así sustantivo sólo en lo que se deriva de esta unidad de factores, y es el efecto de un acomodo entre ellos, variable, por tanto, según las circunstancias de la representación.

LOS CLÉRIGOS

Lo mismo que el juglar, el clérigo aparece en los orígenes de las literaturas peninsulares sólo indirectamente relacionado con las actividades literarias. En un sentido general, como ya se dijo en el capítulo IV, el clérigo es un hombre de Iglesia, que pertenece a la comunidad encabezada por la Roma de San Pedro y de sus sucesores, y que se encuentra dentro de la disciplina eclesiástica a la que debe su formación cultural[4]. Esta formación representa la medida más alta de conocimientos intelectuales en la Edad Media, sólo flanqueada por las culturas árabe y judía, que en el conjunto de España se presentan con gran florecimiento. Los movimientos culturales del arte románico y, después, del gótico se expanden por encima de los reinos políticos ofreciendo vías que llegan hasta los confines de la España cristiana. El fundamento de esta expansión cultural, por lo que toca a la Literatura, es sobre todo religioso en sus diversos grados (teología, filosofía, moral); la erudición que com-

---

[3] Jean RYCHNER, *La chanson de geste. Essai sur l'art épique des jongleurs*, Ginebra-Lille, Droz y Giard, 1955, págs. 66-67.

[4] Una información sobre este asunto conduce al planteamiento general del pensamiento europeo medieval; referido a sus efectos literarios, selecciono estos títulos: Johan NORDSTRÖM, *Moyen Âge et Renaissance*, París, Stock, 1933; Paul RENUCCI, *L'aventure de l'Humanisme européen*, París, Les Belles Lettres, 1953; Peter DRONKE, *Poetic Individuality in the Middle Ages. New Departures in Poetry*, Oxford, Clarendon, 1970; los breves manuales de Enrique BAGUÉ, *La vida intelectual en la Edad Media*, Barcelona, Seix Barral, 1947, y Jacques LE GOFF, *Los intelectuales de la Edad Media* [1957], Buenos Aires, Universidad, 1965; las actas del Coloquio [1962] *L'Humanisme médiéval dans les Litteratures romanes du XII au XIV siècle*, París, Klincksieck, 1964, con escasas referencias a España.

porta esta base cultural llega, como vimos, a los antiguos y adopta una condición erudita; su formulación se establece en las artes de la Edad Media, y los artistas (o los que dirigieron las obras) se documentan en libros latinos; si la obra es literaria, esto ocurre con mayor motivo. La comunidad de valores y de sus expresiones, propios de la espiritualidad clerical, era de índole europea, centrada en la unidad de Roma, y había reflorecido en los Renacimientos medievales y en las enseñanzas de las Escuelas y Universidades, en trance de crecimiento. Se desprende de esto que el latín sea la lengua propia de la clerecía y el medio más idóneo para la expresión de sus obras, y esto había de aplicarse al caso de las obras poéticas o literarias en un sentido amplio.

Por razones sobre todo de eficacia en la comunicación con el pueblo feligrés, el hombre de Iglesia se valió también de las lenguas vernáculas. Y al servirse de ellas de una manera pública, hubo de conferirles una dignidad adecuada a su cometido; por esta causa el clérigo, conservador de un patrimonio por medio del latín y creador en esta lengua, acabó por convertirse en un autor que se vale de la lengua vernácula. Cuando ocurre este desplazamiento lingüístico, la misma palabra *clérigo* había tomado un sentido propio, que se usa sobre todo en el ámbito de la literatura medieval. Si bien *clérigo* se relaciona con el latín *clerus* (conjunto de los sacerdotes) y con la significación restringida de miembro de ese clero, en su uso literario adopta una significación más amplia. Con ella se designa al hombre, educado en la sabiduría, que se ocupa en aconsejar y enseñar a los demás. Dentro del cuadro social que refleja el lenguaje literario, *clérigo* se polariza frente a *caballero*, y se caracteriza por el saber intelectual frente a la destreza en el uso de las armas propia del caballero. Esta polarización no siempre se establece por la vía del enfrentamiento, pues pueden darse casos en que ambos se emparejan para reunir en torno del rey una corte compuesta por unos y por otros:

Bien habia y [allí] diez mil carros, de los sabios señeros
que eran, por escrito, del rey los consejeros;
los unos eran clérigos, los otros caballeros;
quienquier los conosçria que eran compañeros.

(Libro de Alexandre, est. 853)

El poeta los concebía como compañeros en el servicio del
rey de la Antigüedad sobre el cual el arte literario de la Edad
Media situó el ideal del equilibrio entre la fuerza y la sabiduría,
servidas así respectivamente por los caballeros y por los clérigos.
Esta partición, considerada como fórmula ideal del caso, estableció cuadros diferentes de actividades que obtienen cauces
literarios distintos. Pero esto, como digo, no supuso una separación entre ambos grupos, si bien por el lado del clérigo ayudó
a asegurar esta significación peculiar que aquí persigo.

Por otra parte, la idea de una colaboración entre ambas actividades en un mismo personaje o su atribución a una misma
persona histórica fue también abriéndose camino: el caballero
podía mejorar en valer si se educaba en el saber del clérigo,
sobre todo por cuanto, según veremos al referirnos a la poesía
cancioneril, la cortesía requería una ciencia que se podía recoger en abundancia mediante la enseñanza clerical. Y, por su
lado, el clérigo podía intervenir en la vida profana, e incluso
tomar las armas, aun contando con que el fin religioso de la
formación recibida le conducía a enseñar la religión y sus de-
beres a los laicos. Para esto había recibido una formación en
latín y, cuando resultó conveniente, pasó a expresar sus conocimientos en la lengua vernácula. En esta labor de transfusión
hubo de escoger, de entre la compleja especulación intelectual
de la Edad Media, lo más adecuado para el caso: la enseñanza
podía proceder de una exposición teórica, pero lo más frecuente
fue el uso de los ejemplos de los que se dedujese la moralización, o mediante la organización de glosas y comentarios que
aclarasen el sentido del texto elegido. Si bien la condición religiosa de los asuntos fue la más adecuada, siguiendo el ejemplo
de las nuevas literaturas vernáculas de Francia primero, y de
Italia después, en estas obras clericales se trataron también

argumentos generales de carácter profano, propios de la literatura contemporánea en latín, y se crearon obras con la sucesión de los contenidos de la literatura antigua remodelados a través de la Edad Media, y asimismo se dio entrada a los temas históricos modernos.

LA POLARIDAD JUGLARÍA-CLERECÍA

La primera declaración en una lengua vernácula del grupo de que me ocupo, realizada por un autor sobre su obra, se encuentra al comienzo del *Libro de Alexandre*. Y es importante, por tratarse del primer intento de clasificar las obras de la literatura en lengua romance en dos grupos:

> Mester traigo hermoso, no es de juglaría;
> mester es sin pecado, ca [pues] es de clerecía,
> hablar curso rimado por la cuaderna vía
> a sílabas contadas, ca es gran maestría.
>
> (Est. 2)

Esta declaración ha sido mencionada con frecuencia y se ha utilizado para el establecimiento de los llamados «mester de juglaría» y «mester de clerecía» [5]. En efecto, sobre todo después de Menéndez Pelayo, se han utilizado estas dos expresiones para reunir, de una manera a veces en exceso simplificada, las manifestaciones de los comienzos de la literatura medieval. Sin embargo, ni toda la juglaría es épica ni tiene, por tanto, conformidad en los asuntos, ni toda la clerecía es eclesiástica en un sentido estricto. Esta interpretación polarizada se apoya en particular en las características métricas que se desprenden de la estrofa mencionada sobre las diferencias que presentan los versos de uno y otro grupo, ejemplificando el de juglaría en las

---

[5] Para una cuidadosa definición de los términos usados en esta declaración de principios, véase Raymond S. WILLIS, *Mester de clerecía. A definition of the «Libro de Alexandre»*, «Romance Philology», X, 1956-1957, páginas 212-224, y Alan D. DEYERMOND, *Mester es sen peccado*, «Romanische Forschungen», LXXVII, 1965, págs. 111-116. Sobre este asunto tengo en preparación un artículo.

series del verso épico, y el de clerecía, en la cuaderna vía. Sirviéndose de estos dos versos, que son los de mayor uso en cada caso, cabe verificar, en efecto, una oposición, según haré en el párrafo siguiente; el enfrentamiento conlleva una cuestión de prestigio, que se plantea por razón de que la estrofa en cuestión pertenece al exordio del *Poema de Alexandre*, en la parte donde el autor expone las excelencias de la obra que ha escrito, para así ganarse la benevolencia del oyente o lector. Sin embargo, también puede entenderse que ambos grupos presentan ciertas conformidades sobre las que no se ha insistido: ambos están constituidos por versos largos, compuestos de dos hemistiquios de extensión media de 7-8 sílabas, cerrados por una rima de distinta especie, que establece estrofas regulares en un caso, y libres en el otro. Para un oyente que sólo perciba los efectos acústicos del verso, las diferencias entre los versos mencionados son entre sí menores que si se los compara con los otros versos de la lírica popular o de la cortés. Si bien ambos grupos mantienen la oposición radical con el curso de la prosa, cabe notar entre el uno y el otro una conformidad fundamental que los hace adecuados para la organización de los relatos propios de las obras extensas, que son las que se encuentran en ambos grupos. Por eso puede suponerse en esta literatura vernácula de los comienzos una base oral común, procedente de las condiciones propias de las lenguas modernas; y esto frente a los usos de la literatura latina, cuya base era una lengua básicamente escrita y a la que se llegaba por un aprendizaje lingüístico, y frente a la experiencia coloquial, de la que hubo de partir la dignificación de las lenguas vernáculas.

EL VERSO DE LA ÉPICA PRIMITIVA
O SERIES ABIERTAS DE LOS JUGLARES

El verso que corresponde a la épica primitiva se ha estudiado sobre todo tomando como base el *Poema del Cid*, la obra mejor conservada del grupo. Los versos (o espacios de sintagma comprendidos entre dos rimas contiguas) del *Poema* oscilan entre las 10 y las 20 sílabas; cada uno está claramente partido en hemistiquios, cuya medida es en orden de mayor a menor frecuencia: 7 sílabas (39,4 %), 8 (24 %), 6 (18 %), y el resto, de otras medidas; éstas se combinan entre sí en grupos de 7-7 (15,19 %), 6-7 (12,15 %), 7-8 (11,34 %), y el resto con otras combinaciones, o sea que los versos más comunes son los de 14, 15 y 13 sílabas. Los versos no forman estrofas fijas, sino series abiertas cuya cohesión mantiene la rima asonante, que a veces presenta mezclados grupos de rimas consonantes, consecuencia de la igualación de los otros sonidos que se suman así a la asonancia constitucional.

El establecimiento de este módulo abierto del verso no se obtuvo como consecuencia de una norma predeterminada; es imposible conocer cuáles fueron las formas con las que se relacionan estas primeras manifestaciones de la literatura peninsular. Los testimonios escritos del *Poema del Cid* y del *Roncesvalles* son relativamente tardíos, y su afinidad con cantos anteriores es sólo hipotética. Existe, sin embargo, una relación entre las medidas que presenta la fluctuación de los hemistiquios del verso épico y las que son propias de la lengua coloquial castellana; a este propósito escribe T. Navarro: «Las medidas de siete, ocho y seis sílabas, predominantes en los hemistiquios del *Mio Cid*, coinciden con las de los grupos fónicos más frecuentes en la prosa castellana. Se comprende que un verso narrativo de extensión fluctuante se apoyara en las mismas medidas que sirven de base al ritmo del idioma»[6]. Lo señalado para el *Poema del Cid* resulta válido para los restos de los otros poemas mayores de carácter épico, que presentan también una oscilación aproximada en cuanto a las sílabas de los hemistiquios del verso, e igual rima incompleta o asonante con estrofas en series de número indeterminado de versos. Milá y Fontanals había establecido, de una manera aproximada, observaciones semejantes sobre el carácter de esta métrica. De los recuentos establecidos, Menéndez Pidal enunció la teoría de que este verso fluctuante representaba una modalidad de la métrica que había sido común

6 T. NAVARRO, *Métrica española*, edición citada, págs. 58-59.

en la épica primitiva; entonces, la conservación de la fluctuación en la literatura española sería un caso de arcaísmo en relación con lo que había ocurrido en otras épicas, en particular la francesa, que habían pasado a formas regulares. En lo que se refiere a esta teoría, G. Chiarini observó que la métrica francesa de la épica no manifestaba una isometría única, pues, si bien en un principio el *décasyllabe* francés domina, luego se utiliza también el *dodécasyllabe* (alejandrino); y en el mismo poema puede darse una coexistencia de ambos. Ajustando las condiciones de la medida de los versos en francés y en español (castellano y dialectos pericastellanos), y comparando la organización de los hemistiquios, resulta que ya no son tan diferentes las condiciones de ambas métricas; y aun pueden acercarse más si se establecen retoques en los versos. Siendo evidente el anisosilabismo, éste se interpreta como una técnica que admite una cierta elasticidad en la medida de unos esquemas de base [7].

La función del juglar en lo que toca a la difusión y al mantenimiento del texto del poema, es cuestión de difícil esclarecimiento: la recitación puede haber sido una especie de salmodia, o entonación modulada con el acompañamiento, en bastantes casos, del ritmo de instrumentos musicales. De esto resultaría que el cómputo de las sílabas no fue el criterio válido para los recitadores, sino el apoyo de unas sílabas fuertes emplazadas

---

[7] La teoría del anisosilabismo, largo tiempo madurada por R. MENÉNDEZ PIDAL, aparece expuesta en su edición del *Cantar de Mio Cid*, páginas 76-103, complementada por lo que dice en las adiciones de la edición de 1946, págs. 1174-1176, con mención de las opiniones contrarias. Hay que añadir los artículos de Charles V. AUBRUN, *La métrique de Mio Cid est régulière*, «Bulletin Hispanique», XLIX, 1947, págs. 332-372, y *De la mesure des vers anisosyllabiques médieuvaux: le «Cantar de Roncesvalles»*, en la misma revista, LIII, 1951, págs. 351-374; los criterios usados por Aubrun para establecer la medida regular no le parecen convincentes a T. NAVARRO, *Métrica española*, obra citada, pág. 58, nota 14. Giorgio CHIARINI, mencionado arriba, escribe *Osservazioni sulla tecnica poetica del «Cantar de Mio Cid»*, en «Lavori Ispanistici», Serie II, Universidad de Florencia, 1970, páginas 7-45.

bajo el acento tónico de las palabras relevantes del verso[8]. Mientras los juglares difundieron estos poemas, el curso rimado oscilante y la rima incompleta se mantuvieron como los propios de esta modalidad literaria. Aunque se pasase a la escritura un poema de esta clase, esto no produciría el isosilabismo; a lo más, podía originarse un reajuste guiado más bien por la impresión acústica del conjunto del hemistiquio, en apoyo del ritmo de conjunto propio del verso.

LA CUADERNA VÍA

Frente a una situación de la naturaleza referida, se estableció otro criterio orientado hacia un logro diferente en orden a un sistema basado sobre principios distintos; este criterio pretendió fijar en una medida silábica la proporción del verso y valerse de la rima completa o consonante. Esto es lo que dice el autor del *Libro de Alexandre* en la estrofa mencionada: contar las sílabas y usar una estrofa cerrada (la que se llamó propiamente *cuaderna vía*[9]) fueron señales de una maestría diferente de la del verso épico de los juglares, y que el clérigo juzgaba como superior. Por tanto, la cuestión del mayor prestigio, desde el punto de vista de la versificación, radicaba en la fijación del número de sílabas y en la elección de la estrofa, manteniendo unas características de fondo semejantes en la medida del curso poético, según he indicado. Tanto la serie épica como la cuaderna vía fueron formas métricas adecuadas para poemas narra-

---

[8] Véase Robert A. HALL, *Old Spanish Stress-Timed Verse and Germanic Superstratum*, «Romanische Forschungen», XIX, 1965-6, págs. 227-234.

[9] Se encuentra la bibliografía del caso en T. NAVARRO, *Métrica española*, obra citada, págs. 56-88, y R. BAER, en su *Manual de versificación...*, citado en los índices. Hizo afinadas observaciones sobre el alejandrino . HENRÍQUEZ UREÑA, *La versificación irregular en la poesía castellana*, obra citada, en especial, págs. 16-21; y se opuso a los trabajos publicados por [R]. H. ARNOLD, en *La cuaderna vía*, «Revista de Filología Hispánica», VII, [19]45, págs. 45-47. Sobre el realce que posee el verso cuarto de la estrofa de cuaderna vía, véase Francisco YNDURÁIN, *Un artificio narrativo en Juan [R]uiz*, en *De lector a lector*, Madrid, Escelicer, 1973, págs. 3-23.

tivos de gran amplitud, y por eso resultan los más utilizados en la literatura primitiva de contenidos extensos, como ya dije.

Los clérigos se valieron, pues, en abundancia de esta cuaderna vía a que se refiere el exordio del *Poema de Alexandre*. El verso de la cuaderna vía está formado por dos hemistiquios de siete sílabas, con cesura intensa detrás del primero; cada pareja de estos hemistiquios (o sea el verso entero) forma un conjunto de catorce sílabas en su modalidad más equilibrada; cada cuatro de estos versos se agrupan en una estrofa cerrada, con rima consonante uniforme entre sí, que cambia en cada estrofa. En cuanto al origen de esta constitución métrica, se ha afirmado que esta estrofa procede del influjo cultural francés, extendido sobre todo por los cluniacenses; en la literatura francesa de donde procede, fue un episodio métrico poco importante en relación con el uso que de ella se hizo en España. En el arraigo de esta estrofa, se acabó fijando en cuatro el número de los versos de cada unidad de grupo; intervinieron también el influjo del tetrástrofo latino, muy empleado por la poesía medieval, y la gran difusión que obtuvo paralelamente la redondilla octosilábica.

La cuaderna vía resulta así una forma métrica cuya función fue muy importante en el establecimiento de la literatura vernácula: significó un esquema de verso más elevado que las series abiertas. Por otra parte, la cuaderna vía representó un eslabón entre el libre desarrollo de la prosa (de más difícil afirmación en la literatura) y el rigor que había de requerir el verso cancioneril, de procedencia provenzal. Si se tiene en cuenta el carácter narrativo y didáctico de las obras escritas en la cuaderna vía, resulta que este metro actúa en un campo más amplio que el de la épica, con mayores exigencias que él, ejerciendo, en forma sistemática y continua, un efecto semejante al del *cursus* latino en la prosa, del que resultaron las formas próximas al verso latino de la Edad Media.

FORMAS MÉTRICAS CONCURRENTES

Ocurre, sin embargo, que no es posible un reparto sistemático asignando al llamado «mester de juglaría» el verso de las series anisosilábicas y la expresión de los asuntos «populares», y al llamado «mester de clerecía», la cuaderna vía y la expresión «culta». La falta de medida isosilóbica se encuentra en poemas que, en las formas paralelas o en las de origen en otras literaturas europeas, son regulares. Tal es el caso del *Libro de la infancia y muerte de Jesús* (o *Libre dels tres Reys d'Orient*, como fue también llamado, poema hagiográfico de carácter culto y eclesiástico); la *Vida de Santa María Egipciaca* (del mismo tono clerical); la *Disputa del alma y el cuerpo* (inspirada en dos poemas latinos); y la *Razón de amor con los denuestos del agua y el vino* y *Elena y María* (debates clericales). Desde el punto de vista estrófico coinciden en que son pareados y la unidad del verso la constituye cada segmento oscilante breve, con rimas asonantes y consonantes. El conjunto de cada pareado viene a recaer en una medida del sintagma de verso semejante a las de la serie épica y de la cuaderna vía, pues se trata de poemas de extensión media, de organización narrativa y dialogada.

Por el contrario, el *Poema de Fernán González* representa el tratamiento clerical de un asunto heroico; la obra pasó a la *Crónica general* prosificada como los poemas épicos anisosilábicos, y del mismo asunto trató un cantar de gesta desaparecido, del siglo XIV.

Otra especie métrica que sirvió para confeccionar la poesía heroica fue el *Poema de Alfonso XI*, obra anterior a 1350, crónica rimada en 2455 redondillas octosílabas. Añadamos la sorprendente *Historia troyana polimétrica*, de hacia 1270, que enlaza con la literatura clerical de Benoît de Sainte-Maure, y que presenta diversidad de metros y estrofas.

Con estas modalidades métricas comienza la poesía extensa y media en lengua castellana, cuyo proceso formal seguiremos en otros capítulos. Si bien juglares y clérigos aparecen en este período inicial como los impulsores más importantes de la literatura, sus respectivos ámbitos se comunican a través de la condición de las obras y de las especies de público.

Aun cuando, en el juicio del exordio del *Poema de Alexandre*, el isosilabismo sea la norma de la clerecía, no quiere decirse con esto que se llegase a un rigor de perfección. Los criterios de medición del verso no son firmes en el ajuste de las sílabas con grupos vocálicos y en las sinalefas, dominando un criterio lingüísticamente más regulado en los poemas del primer período de la clerecía; y la cuestión de las discrepancias surgidas en la labor de la copia de los textos plantea problemas de interpretación, más acusados en la poesía culta que en los textos de la juglaría, pues la tendencia por la norma pudo establecer anomalías en la transmisión a través de posteriores correcciones. Con todo, en los comienzos de la literatura vernácula, el criterio hacia el isosilabismo queda fundamentalmente favorecido por la poesía clerical, y éste será el que prevalezca en forma definitiva para la literatura escrita de fondo y orientación culta; la oscilación silábica acabará por ser una manifestación interpretada negativamente en cuanto a la maestría poética.

LA CUESTIÓN DE LA AUTORÍA Y DE LAS RELACIONES ENTRE JUGLARES Y CLÉRIGOS

En el exordio del *Alexandre* sólo se dice que el comunicante (que puede ser un intérprete y, al mismo tiempo, el autor) ofrece un servicio literario dentro de las actividades generales de un *mester;* el manuscrito de Osuna y el de Medinaceli dicen: «Quiero *leer* un libro de un rey [noble] pagano» (est. 5); y el de París es el que sólo trae «Quiero *fer* un libro». No se indica en la declaración ni el nombre del autor, ni se trata del origen u otros pormenores de la formación de la obra, si bien se manifiesta la conciencia de que se está dentro de una dirección literaria clerical.

Por otra parte, los juglares se vieron más favorecidos por la crítica que procedía del Romanticismo [10], y que podía así fijar en ellos el término más vago de los «cantores del pueblo o rapsodas» con el que se quiso establecer la procedencia popular de esta poesía. Milá y Fontanals indicó, con respecto a los cantares de gesta, que «ejecutores y autores a menudo de este linaje de poesía eran los juglares...» [11]. Esta formulación hubo de orientar gran parte de la teoría posterior. Por tanto, la cuestión más importante que se discutió fue que, si, además de la función difusora que les era reconocida (y probaban los documentos), hubiesen los juglares actuado también como «autores». La cuestión se planteó en un principio separando radicalmente ambas funciones, y una posible solución ha sido, por el contrario, su acercamiento y el establecimiento de una tercera situación, la del intérprete-creador en grado diverso. Por de pronto, hay que reconocer que el juglar literario (al que siempre nos referimos aquí) no era ni un improvisador ni un indocumentado, y había recibido una formación adecuada. Los poemas a los que cabe atribuir una difusión juglaresca (sobre todo los épicos), aunque no hayan tenido una teoría declarada sobre su constitución poética, no pueden haber sido obras espontáneas; resulta ingenuo declarar que las obras de la clerecía —en las lenguas vernáculas y, sobre todo, en el latín— hayan sido las únicas sujetas a normas y antecedentes, y que la poesía de interpretación juglaresca haya quedado libre de tales condiciones. Por esto el planteamiento romántico sufrió un fuerte examen, y Menéndez Pidal reunió un gran número de datos en relación con esta cuestión relativa a la procedencia y origen de los poemas que él consideró juglarescos. Por otra parte, la posible relación entre los poemas épicos conservados por la escritura y los cantos épicos que se han documentado sobre todo en el Oriente de Europa, ha traído otros elementos en el juicio; tal han sido las investigaciones de

---

[10] La historia de estas opiniones quedó establecida en el capítulo primero de la obra de M. MILÁ FONTANALS, *De la poesía heroico-popular castellana*, obra citada, págs. 51-166.
[11] Ídem, pág. 496.

M. Parry, A. B. Lord, M. Murko y otros más; en España el caso del Romancero pudo ayudar para tender el puente entre la versión oral de un poema de esta clase, conservado en el folklore actual, y los textos escritos que desde el siglo XVI testimonian su perduración.

Los poemas épico-heroicos del primer período son el resultado de un conocimiento de la teoría literaria que no se improvisó en cada caso, y que obedecía a los principios de una estructura poética determinada. Es indudable también que el juglar era el que mejor conocía los resortes expresivos para lograr el efecto buscado, cuya unidad de conjunto se encontraba en un estilo de grupo. Por su parte, el clérigo-autor sabía muy bien el arte aplicable a su obra. El ministerio de ambos (el *mester*) no se pudo referir más que de un modo indicativo a la manera de hacer los poemas en la corriente establecida por la épica heroica (y otras posibles manifestaciones de menor entidad, líricas y más cercanas al Folklore) y a la manera que era propia de la intención clerical más inmediata (vidas de Santos, milagros de la Virgen o poemas narrativos cultos). Por otra parte, juglares como intérpretes y clérigos como autores y sus respectivas funciones no se han de considerar como actividades estancas e incomunicables, y si al tratar de la clerecía diré que conocía el formulismo inherente al estilo de los juglares, éstos, a su vez, se han de relacionar con los clérigos que escribían en la lengua vulgar en el esfuerzo convergente de llevar adelante la literatura de los comienzos de las lenguas vernáculas. No siempre se tuvo en cuenta la complejidad artística de la función del juglar; subrayando la función creadora frente a la puramente interpretativa, escribe Menéndez Pidal que «al hablar de los juglares en el siglo XII, no quiero decir sino *poetas* que escriben para legos», y añade, de manera que puede salvar también la participación del arte clerical latino: «no poetas indoctos, desconocedores de la literatura latina» [12]. En otra parte asegura una participación más directa al decir que «el esfuerzo creador de

---

12 R. MENÉNDEZ PIDAL, *Cuestiones de método literario*, en *Castilla, la tradición y el idioma*, Buenos Aires, Espasa Calpe, 1955, pág. 80.

las literaturas nacientes lo realizan los anónimos juglares, legos acaso indirectamente influidos por la cultura eclesiástica, y entre ellos quizá algunos clérigos ajuglarados, mal vistos en las noticias que de ellos nos dan los escritores eclesiásticos»[13]. De esta manera, pues, se ha de entender que el poeta creador de una obra que pertenece a la especie de la difusión juglaresca, actúa dentro de un grupo literario establecido; este poeta recoge la efectividad de una organización literaria poseedora de una «poética», que, si bien no se encuentra declarada específicamente, ejerce una función rectora en la creación. Cuestión diferente es el curso que haya de seguir el texto establecido, que en este caso es múltiple, a través de una transmisión recreadora, pues existió una labor de poetas reformadores que podían renovar la obra acomodándola a circunstancias sucesivas, sobre todo las que dominaban en el caso de cada interpretación. En este sentido se ha planteado un grave problema en cuanto al espacio de texto que pudo ser interpretado en cada ocasión en que el juglar se relacionase con el público. Tal como nos han llegado las versiones escritas en los poemas aparece manifiesto que éstos, en su unidad total, no podían comunicarse a los oyentes en una sola actuación del juglar. Hay que contar, pues, con su fragmentación, que dependería en cada caso de las circunstancias existentes en la actuación. En este punto resulta necesario conceder al juglar un margen de libertad para que acomodase el conjunto del poema al espacio de tiempo que le concediese el auditorio y el lugar de la actuación. Y en cuanto a las versiones manuscritas que conservamos, siempre ha de quedar la duda de cuál pudo ser su relación con la realidad de estas versiones orales concretas. ¿Cuál es la obra poéticamente válida para la consideración en nuestros estudios? ¿El poema escrito, en su extensión unitaria? ¿La realización —siempre para nosotros ignorada— de las canciones? J. Rychner no duda en escribir que «no descubrimos ninguna razón para defender la unidad de las canciones según las leemos en los manuscritos»; y sigue: «lo que

---

[13] Idem, *La «Chanson de Roland» y el neotradicionalismo*, obra citada, pág. 423.

conocemos del oficio del juglar y de las condiciones de difusión de la canción de gesta, no resulta favorable a la unidad de composición» [14]. El problema estriba en fijar un sentido de la unidad de fondo que pudiera mantenerse en cuanto a su compatibilidad con las actuaciones parciales de la interpretación oral, una unidad que para nosotros sólo apareciese ocasionalmente establecida como conjunto —caso de la versión escrita en total— y que se sostuviese sobre una determinación profesional, una técnica de género, y sobre un cauce expresivo congruente con la condición de la interpretación juglaresca.

Si este es el grave problema de la unidad textual del poema épico en la versión juglaresca, hay que tener en cuenta además que hubo diversas clases de intérpretes; estos de la épica solían llamarse *juglares* y los de la lírica *ministril, segrer* o *segrel* según los tiempos y lugares; y las especies de *juglares de gesta, de péñola, de boca, de voz* y los que recibían el nombre del instrumento, etc. Esta diversidad tuvo sus efectos en la entidad del poema.

En otros casos el origen clerical de los poemas que interpretan los juglares resulta claro, como se vio antes. Y por otra parte, en los poemas clericales hay indicaciones referentes al arte de la juglaría. La comunicación entre los juglares y clérigos fue evidente, por más que en el exordio del *Alexandre* y en la clasificación de algunos críticos se pretenda oponerlos; la cuestión está en calibrar la oposición y señalar, por otro lado, los aspectos coincidentes.

ORALIDAD Y ESCRITURA

Dos corrientes se perfilan en el fondo de la literatura vernácula primitiva que pueden, sin embargo, confluir en determinadas ocasiones: la especie poética que crea la obra valiéndose de la palabra recitada, que se había de interpretar en voz alta y apoyándose en un ritmo, reforzado por la salmodia y por

---

[14] J. RYCHNER, *La chanson de geste...*, obra citada, pág. 154.

los instrumentos musicales, ante un público oyente; y, por otra parte, la especie poética que, independientemente de que se comunicase en voz alta, tuvo en cuenta una configuración que iba a parar, en último término, a la literatura escrita, de acuerdo con el fondo etimológico de la palabra *letra*. Para la primera especie la escritura de la obra es accidental; para la segunda, es fundamental. A ambas especies corresponden créditos distintos. La obra escrita tiene, por el solo hecho de haberse escrito, un crédito superior a la obra que se perpetúa por medio de la palabra oral; si bien este crédito puede referirse sólo a la calidad del contenido, que implica en consecuencia una valoración moral, puede extenderse también al crédito artístico. El criterio creador del autor de la clerecía se apoyaba en el ejemplo de la tradición culta de la literatura latina, y a su amparo creó las primeras obras de intención elevada en la lengua romance. La obra mantenida en la tradición juglaresca resultaba más aleatoria; su prestigio podía poseer una repercusión de índole social que no ha llegado al documento más que de una manera indirecta. Si en el caso de la obra clerical la escritura del texto es sustancial en el sistema de la concepción literaria, la obra de tradición oral sólo llegó a la escritura de una manera ocasional y azarosa, y en todo caso representa una fijación esporádica y episódica.

En la época de los orígenes de la literatura vernácula no pueden considerarse radicalmente separadas las asociaciones *juglar-texto oral* y *clérigo-texto escrito;* el juglar pudo conocer la obra y la técnica de la literatura escrita (sobre todo, latina) y el clérigo lo mismo con la oral. En realidad, apoyándose la literatura vernácula en la lengua común, y siendo el latín una lengua de cultura y aprendida, estas manifestaciones clericales tienen que participar de una situación que pudo denominarse de compromiso: siendo el de los clérigos un arte «culto» (de prestigio superior y de contenidos más elevados), hubo de valerse del arte que procedía de la literatura oral, propia de públicos más extensos, «popular» en el sentido amplio; y aún pudo buscar estas apariencias para asegurarse una mayor difusión. El arte clerical y la *verdad* que con él se exponía, si bien estaban en la línea universal de la Iglesia, iban destinados al *pueblo de Dios;* por tanto, la literatura clerical en lengua vernácula tenía también un manifiesto compromiso con la vida secular, y cuando trataba de asuntos profanos, se había de inspirar en el sentido común y general propio del arte medieval. Así ocurrió con el anacronismo, que es la correspondencia paralela con la ausencia de espacio propia de las pinturas medievales. Otro tanto hay que decir del uso de los autores magistrales, que se verifica sin el sentido filológico que luego iría modelando el humanismo, cada vez más disciplinado y cuidadoso de los textos y de sus contenidos. Esto no obsta para que esta obra de la clerecía resulte una manifestación culta, según la condición de la época, con un uso de autoridades y de la retórica. Aun cuando sus autores se enorgullecen de que los hechos que cuentan proceden de los libros, las autoridades no suelen especificarse ni el grado de su relación con las obras en que se apoyan: a veces son citas incidentales, otras, paráfrasis; otras son menciones libres y recreaciones aproximadas. La cuestión está en el vigor que mantienen las diversas especies de manifestaciones en cuanto a sus cauces genéricos, de creación primero, y de difusión después. Esto, sobre todo, se ve claro si nos referimos a lo que pudo ocurrir con una misma «materia prima», tratada de diferente manera según la ocasión. En este caso (citando uno de los pocos ejemplos que resultan válidos por haber obtenido un gran número de manifestaciones), la historia y fama del Cid pudo establecerse en la literatura por varios cauces: así nos encontramos con el cantar de gesta romance y con el poema heroico o panegírico latino, con la crónica en prosa castellana y con la historia en prosa latina. Cada especie de obra perteneció a un grupo genérico diferente en cuanto a su intención literaria y a su proyección sobre públicos distintos como grupos de recepción, pero en los que podían hallarse unos mismos hombres; la posible relación estaría de acuerdo con la condición de los mismos, pues un caballero, un clérigo de la iglesia o un letrado clerical podrían gustar de la experiencia poética que supone un cantar de gesta junto con el público del pueblo llano; y estos mismos caballero, clérigo o letrado podían admirar el verso latino o leer la prosa cronística en otro caso. Pero ¿en qué medida se llegó a dominar, entre la nobleza y entre la clerecía, la lengua latina para que pudieran leer o escribir en ella? Si el autor y el público adscritos sólo a la lengua vernácula tienen un dominio lingüístico que puede señalarse con una relativa precisión, en cuanto se establecen implicaciones con el latín, cabe encontrar desde el que sólo sabe un poco hasta el que lo domina por entero como lengua poética en cuanto lector y autor. Y de ahí la cuestión tan importante que es el reconocer lo que pudo pasar de un cauce a otro, sin que ninguno de los dos perdiese su virtualidad literaria, y de tal modo que se beneficiase del contacto. En esa zona de transferencias hay que situar un arte de la clerecía vernácula (una vez rebasada la paradoja que pudiera implicar la designación), que muestra la intención de extender la literatura establecida con este criterio culto por entre un público más amplio que el que conoce y lee sólo la lengua latina. El uso creciente de la lengua vulgar en el ámbito del derecho y la labor de los que fomentan los nuevos movimientos de la espiritualidad religiosa, aportan un público cada vez más extenso, al que este mester de los clérigos suministra sus obras.

Y, por otra parte, un compromiso análogo hubo de actuar en los juglares, sólo que de signo contrario; el desarrollo creciente e irreversible de la literatura escrita vernácula afectó las condiciones de su arte oral y pudo echar mano de recursos propiamente cultos, en una conveniente adaptación. Lo que conocemos de estas obras pertenece a este período avanzado en que es presumible la ocasión de los contactos.

El acercamiento y aun el cruce con los procedimientos de juglaría fue uno de los medios de que se valió el clérigo para ganar favor en los públicos iletrados. Esto se ve muy claro en Gonzalo de Berceo, que gusta llamarse juglar y usar las fórmulas de la juglaría. Al comienzo de la *Vida de Santo Domingo* declara su propósito, cuya intención ha de entenderse en relación con el conjunto y no de una manera aislada:

Quiero fer una prosa en román paladino,
en el cual suele el pueblo hablar con su vecino,
ca no so tan letrado por fer otro latino:
bien valdrá, como creo, un vaso de bon vino.
(Vida de Santo Domingo, est. 2)

Lo que dice de no ser tan letrado como para escribir en latín, ha de entenderse en el sentido de que Berceo prefiere mostrarse ante estos nuevos oyentes o lectores en ademán humilde, y con esto prepara la agudeza del verso cuarto de la estrofa en el que pide un premio por su labor, tal como es costumbre en el juglar. He destacado anteriormente que Berceo quiere valerse de un *román paladino*, común, propio y claro como el de la conversación, pero hay que contar también, tal como dice el verso primero, con que quiso hacer una *prosa*, que es una forma poética que se corresponde con una intención literaria. El propósito de conmover al pueblo cristiano con el relato de los hechos de la *Vida* del Santo local, es el determinante del tono poético. Y hay que entender que el *pueblo* es para el predicador o para el hombre de religión que escribe la obra, un ayuntamiento de las diversas clases que acuden al edificio de la iglesia, esto es, el *pueblo de Dios;* entre los que oyen o leen al poeta pueden hallarse, junto a los iletrados, que son la mayoría del pueblo llano, las gentes que comienzan a ser letradas en la lengua vernácula, y junto con ellos también se encuentran los caballeros y nobles, si hay ocasión. Por eso llamarse *obrero de Dios* y *juglar de Dios* responde a los fines de su arte; la ingenuidad resulta ser no el reflejo de una situación primitiva, sino un medio retórico para mostrarse más convincente. J. Guillén, reuniendo esta compleja situación que mezcla los dominios de la juglaría y de la clerecía en la realidad del poema, caracterizó así a Berceo: «A esta luz se ve la continua realidad total a través de un lenguaje continuo, y por eso llano: el lenguaje de todos dirigido a todos, es decir, a los oyentes que en aquellos lugares de la Rioja se paran a seguir la recitación del clérigo, juglar también. El clérigo creyente cumple su deber piadoso. El juglar consuma su obra con irreprochable congruencia. En estos albores de la poesía castellana, el idioma se mantiene al nivel más básico: común a la comunidad del público, y fiel a la esencia poética» [15].

Y lo que se dice de la literatura más directamente clerical, puede extenderse a los poemas que difunden obras antiguas o que se relacionan con la Antigüedad (como, por ejemplo, los libros sobre Apolonio y Alejandro); y también cabe referirlo a los poemas en los que la relación es más crítica, como son los que cuentan argumentos propios de la épica juglaresca que se configuran en la clerecía (como ocurre con el caso de Fernán González).

El resultado de esta exploración es que no cabe implicar la cuestión de la autoría con la constitución de dos mesteres, diferentes y opuestos; en todo caso la relación se ha de establecer en un grado relativo, y de acuerdo con los criterios artísticos de que ambos se valen. El autor no se declara en el caso de las obras de la juglaría por la razón constitutiva de la especie poética. En la clerecía, de acuerdo con la tradición latina, el nombre del autor figura manifiesto, sobre todo si la obra ofrece una nota personal como es el caso de Berceo al referirse a las vidas de los santos locales, con los que él se siente en una relación cercana y de los que escribe para un público que conoce, siendo al mismo tiempo muy posible que éste lo conozca a él. Pero esto no ocurre cuando se trata de la elaboración de un fondo antiguo o épico (como es el referente a Apolonio y Fernán González) en el que predomina la narración de hechos lejanos, que no pertenecen al entorno del autor ni tienen tampoco un público local determinado. El proceso de la literatura afirmará la norma de la declaración del nombre del autor a medida que aumente el número de obras en lengua vernácula; así se constituye un fondo sobre el que este hecho es un elemento identificador, puesto que la maestría en el arte literario resulta un mérito para el escritor. Aumenta, pues, la conciencia de la función del autor, y el establecimiento de un texto y su difusión se aproximan y confunden con las condiciones de la literatura latina.

―――――――

15   Jorge GUILLÉN, *Lenguaje y poesía* [1961], Madrid, Alianza Editorial, 1969, pág. 28.

Pero el que se declare o no el nombre del autor no implica el que estas obras hayan tenido una elaboración artística; siempre existió una función creadora que sirvió para dar al poema una forma determinada, consciente en el autor cuando la conforma, e identificable por parte del público contemporáneo, y que es la que ha de establecer el crítico literario en cada caso para articular con ella los grupos de obras.

CAPÍTULO XII

LA ÉPICA MEDIEVAL ROMANCE

Cuando se quiso ordenar con un criterio histórico y genérico la literatura vernácula de los comienzos, se asoció estrechamente la poesía épica de los mismos con la actividad de los juglares «de gesta» que interpretaban las canciones o cantares así llamados «de gesta». Como se verá en seguida, estos cantares de gesta se reúnen en un grupo genérico dentro del concepto general de la épica. La poesía épica narra el curso de una acción propia de un héroe, y esto ha ocurido en muy diversos lugares y tiempos; el nombre de «epopeya» sirve para designar el conjunto de estas obras y cada una de ellas de una manera general, pero en este libro prefiero la denominación de poesía épica y heroica en lengua vernácula o romance.

El héroe realiza la acción heroica, y la literatura expresa la admiración del público (auditorio, grupo social, comunidad, pueblo) creando una poesía de acción y de aventuras, de valientes empresas y nobles ejemplos. C. M. Bowra [1], autor de un estudio

---

[1] C. Maurice Bowra, *Heroic Poetry* [1952], Macmillan and St. Martin's Press, New York, 1966, pág. 3. El estudio de la compleja red de relaciones y analogías percibidas en el conjunto de las épicas europeas, con especial referencia a la función de España, ha sido realizado por Erich von Richthofen en sus varios libros y artículos: *Estudios épicos medievales*, Ma-

de conjunto de esta poesía, escribe: «La poesía heroica existe aún en numerosas partes del mundo y ha existido en otras muchas porque responde a una necesidad real del espíritu humano.» En principio, Bowra reconoce dos clases en esta poesía: la antigua (primitivas civilizaciones hasta la Edad Media), y la moderna (que florece aún hoy). Limitando un campo tan extenso, dentro del marco europeo, el grupo genérico aquí estudiado corresponde a los poemas épicos que aparecen en los orígenes de las lenguas modernas, diferentes en determinado grado de los poemas cultos de épocas maduras en la literatura de dichas lenguas[2]; así el *Poema del Cid* se empareja con la *Chanson de Roland* y con el *Beowulf* en oposición, por ejemplo, al *Carmen Campidoctoris* (exaltación del héroe en la literatura medieval latina) y a *Los famosos y heroicos hechos del* [...] *Cid* (Amberes, 1568), de Diego Jiménez de Ayllón, referentes a la misma persona en cuanto al primero, o con *La Araucana* (1569-1589), de Ercilla, por citar el más representativo de la literatura española de entre los poemas épicos «cultos» de los Siglos de Oro. Según Bowra, el primer grupo sería propio de la literatura oral, recitada, y el segundo lo sería de la literatura escrita; el primer grupo poseería el espíritu heroico correspondiente a las sociedades con un patrón heroico de conducta, mientras que el segundo, también de condición heroica, sería, sin embargo, de una diferente concepción del heroísmo, como correspondería a una sociedad distinta en cuanto al sentido de la acción. Por lo que toca a este libro, la épica del medievo que trataremos aquí es de grado heroico, y pertenece, en líneas generales, al primero

---

drid, Gredos, 1954; *Nuevos estudios épicos medievales*, Madrid, Gredos, 1970; *Tradicionalismo épico-novelesco*, Barcelona, Planeta, 1972; *Analogías histórico-legendarias inadvertidas en las tradiciones épicas medievales de España, Francia y los países germánicos* [1972], en *Límites de la crítica literaria*, Planeta, 1976, págs. 123-193.

[2] Véase C. Maurice Bowra, *From Virgil to Milton*, Londres, 1945; hay traducción portuguesa con el título *Virgílio, Tasso, Camões e Milton*, Oporto, Liv. Civilização, 1950. Para establecer un contraste con la épica «culta» o «literaria», véase el manual informativo de Frank Pierce, *La poesía épica del Siglo de Oro*, Madrid, Gredos, 1968, 2.ª edición.

de los grupos mencionados, o sea al que corresponde a la épica oral[3].

RELACIÓN ENTRE LA ÉPICA HE-
ROICA MEDIEVAL Y LOS JUGLARES

Las obras de esta épica heroica medieval se difundieron por medio de los juglares, y por eso se califican de orales, pero también llegaron a escribirse en determinadas ocasiones. Como dije en el capítulo anterior, son poemas extensos, de curso narrativo, dispuestos en series de versos anisosilábicos, cerrados con rima asonante. La materia del contenido de los poemas son argumentos en los que personajes nobles, por motivos de su condición, en un lugar y un tiempo establecidos, realizan hechos referentes a hazañas de guerras, combates contra enemigos diversos, casos que tocan a la vida social o familiar del héroe central de la obra (vasallaje, amistad, venganza, traición, amor, odio, etc.). Estas obras se denominan *gestas* (esto es, relato de hechos, acción), *nuevas* (hechos importantes que constituyen una noticia que merece correr de boca en boca), *cantares* (por ser obra que los juglares interpretaban según una manera rítmica) que, para distinguirlos de otras clases, se llamaron *cantares de gesta.*

El desarrollo de la Filología después del Romanticismo, en la segunda mitad del siglo XIX, encontró en la épica medieval romance un dominio fructífero de estudios; la erudición y la crítica europeas crearon estudios de gran envergadura sobre cada una de las épicas medievales, y también sobre su conjunto. En el caso de España[3] fue M. Milá y Fontanals el más importante investigador de este campo en los inicios de un estudio sistemático; su obra *De la poesía heroico-popular caste-*

---

[3] Una información general, realizada por Ana M. MUSSONS, Carlos ALVAR y Jacques HORRENT, sobre la bibliografía reciente de la épica española (desde 1962) se encuentra en el «Bulletin bibliographique de la Société Rencesvals (pour l'étude des épopées romanes)», 9, 1975, págs. 27-77.

llana (1874) [4] es el primer planteamiento con validez filológica de este conjunto poético que aseguró para Castilla la concepción de una poesía heroico-popular reuniendo los cantares de gesta y el Romancero. En este conjunto, el Romancero era la parte más conocida, pues su cultivo había proseguido desde los orígenes medievales hasta el Romanticismo y aún subsistía; por otra parte, el prestigio de la obra «popular» que crea el Romanticismo general, enaltece y difunde el romance español por Europa, y hay abundantes referencias al mismo en libros de erudición, crítica y creación. La parte de la épica heroica representó el descubrimiento de una literatura perdida, que volvía a ocupar su lugar en los estudios históricos de las literaturas modernas. Separamos en este capítulo el estudio del Romancero (del que me ocupo más adelante), señalando, sin embargo, que parte de él participa en algunos rasgos de los caracteres de la épica medieval.

La grave dificultad que existe en el estudio de la épica medieval española (sobre todo si se compara con la de Francia del Norte, que es la más abundante y paralela) es la gran escasez de obras que de ella existe; apenas conservamos textos, y aun la noticia erudita sobre su existencia y difusión resulta difícil. Menéndez Pidal lo expresa con estas desalentadoras palabras: «La tradición española, lo mismo en su edad heroica primitiva que en la de su mayor florecimiento literario, pierde todos o casi todos sus textos; de su época más floreciente sólo se han salvado cinco miserables manuscritos, todos despiadadamente maltratados, faltos de muchas hojas y alguno representado muy pobremente tan sólo por un par de folios» [5]. La cuestión implica los dos agravantes del caso: la escasez de textos propia del período primitivo, que es común en todas las literaturas europeas, y la mayor pobreza que dentro de esta escasez general presenta la literatura española. La erudición y la crítica históricas tienen,

---

[4] Manuel MILÁ Y FONTANALS, *De la poesía heroico-popular castellana* [1874], Barcelona, CSIC, 1959, edición de Martín de RIQUER y Joaquín MOLAS.

[5] Véase el artículo de Ramón MENÉNDEZ PIDAL, *Problemas de poesía épica*, en *Los godos y la epopeya española*, Madrid, Espasa-Calpe, 1956, pág. 80.

pues, que completar, en la medida de lo posible, los huecos que se presumen en lo que sería el conjunto de este grupo genérico. Recogiendo las obras de Amador de los Ríos y Milá y Fontanals, Menéndez Pidal realizó la más profunda y extensa exploración de la épica de los primeros tiempos de la literatura en lengua romance. Su gran obra ha consistido en reconstruir, siguiendo un criterio formulado y en la medida en que esto ha sido posible, el grupo genérico de la poesía heroica medieval española, publicando la obra conservada y también los restos de otras, y reuniendo los datos indirectos (aprovechamiento de la épica en otros grupos genéricos, noticias documentales, etc.). Con paciente y sistemática labor, ha levantado con todo una teoría congruente para entender la naturaleza peculiar de esta poesía. Su gran objetivo fue relacionar la obra épica con la juglaría, y una vez reunidas, explorar las condiciones en que se realizó la épica «juglaresca» de contenido épico, que encontró diferentes de las que existen para la poesía de autor. De ahí que épica y juglares aparezcan en su teoría relacionados por la base, y su intento fue que estos solos se bastasen para justificar la peculiaridad artística de los poemas.

LA TEORÍA DE MENÉNDEZ PIDAL SO-
BRE LA ÉPICA: TRADICIÓN Y LATENCIA

Los juglares difundieron los cantares de gesta por la vía oral, *interpretando* los textos ante los públicos que reunían en torno. Existía una *tradición* que consistía en que el público reconocía el grupo genérico de la épica como una manifestación literaria propia de la comunidad; esta propiedad llevaba consigo la identificación de los cantares, sin que existiesen textos escritos, y su persistencia en el gusto del público. Esto requería, según Menéndez Pidal, un sistema y un proceso que, por su propia naturaleza, han ido perdiendo los textos de las obras.

Resumiendo en forma condensada el sistema y su proceso, señalo la participación de los siguientes elementos: *a)* el auditorio reconocía en el texto el grupo genérico de la épica, propio de las circunstancias sociales de la época; *b)* el intérprete mantenía las condiciones expresivas del grupo mediante el ejercicio de la memoria profesional; y también mediante una colaboración en el conjunto del sistema que le hacía participar, en más (refundición de la obra) o en menos (variantes de verso), de la condición de autor re-formador; *c)* el texto quedaba asegurado en el sistema por ambas partes: el intérprete y el público; y la identificación de la obra a través del texto oído era un atributo de la personalidad colectiva de los auditorios dentro de la comunidad. El sistema se mantenía dentro de este ciclo mientras la tradición sostuviese el conjunto; sólo en el caso en que el texto llegase a la escritura, se podía establecer una persistencia independiente de esta agrupación. En este caso, para Menéndez Pidal, el texto escrito era subsidiario en el conjunto del sistema propuesto. Situado en un punto de vista general, Menéndez Pidal escribe sobre las primeras manifestaciones de una literatura: «...los orígenes de las literaturas románicas (y, por tanto, de la épica, que es su manifestación más extensa) son muy anteriores a los textos hoy subsistentes, ya que éstos no pueden ser explicados sin tener en cuenta una larga tradición de textos perdidos, en los cuales lentamente se han ido modelando la forma y el fondo de los diversos géneros literarios» [6]. Y el caso de la épica medieval resulta ejemplar: los textos orales se perdieron por su propia condición poética; y con lo poco escrito que ha perdurado, apenas cabe graduar en qué relación se hallan las obras documentadas con los textos orales. El paso de la forma oral a la escrita no sabemos si ha llevado consigo una elaboración artística que haya apartado los textos de su estado oral; y la cuestión de su estado «primitivo», contando con la transformación propuesta a través del sistema y con las circunstancias de la escritura del poema, resulta aún más problemática.

Los factores que hayan intervenido en el proceso de pasar a la escritura un poema son importantes: la técnica usada por los copistas, cuando trasladan otro texto que tienen delante, se

---

[6] Ramón Menéndez Pidal, *Reliquias de la poesía épica*, Madrid, CSIC, 1951, pág. IX.

conoce más o menos, pero, según Menéndez Pidal, este no es el caso de la épica medieval; él cree que «la popularidad implica muy poco esmero en la transmisión escrita de los textos: las copias se estiman nada más que como recurso efímero del momento, algo provisional, como el favor del público que pide siempre obras nuevas y renovadas; también por eso las copias son de inferior calidad material, poco acreedoras a los cuidados de la bibliofilia»[7]. La función de la tradición, mantenida en este caso por los juglares, sería la retención memorística del texto de la obra, que se transmitiría de unos juglares a otros a través del tiempo; esto ocasionaría una manera peculiar de mantener la integridad del texto, distinta de la que existe para el caso de las obras creadas poéticamente para su perduración escrita. La teoría de Menéndez Pidal, aplicada a los poemas épicos, por ser éstos piezas «mayores» (aun en su fase primitiva) requiere la colaboración del intérprete profesional, pues la obra, por sus dimensiones, no puede ser retenida por cualquiera. Suponiendo una determinada integridad inicial, el texto se habría de mantener dentro de los límites de una unidad que admitiese determinadas variantes, siempre que el público siguiese reconociendo en el texto de cada interpretación la obra en cuestión. Los márgenes de las variaciones pudieran haber sido o leves retoques o reconstrucción de algunas partes o renovación de otras, dañadas por el olvido que ocasiona una transmisión defectuosa; hay que contar también con el envejecimiento de las obras y la consecuente aparición de nuevos modos, efecto del factor de la moda literaria, conducente siempre a la renovación.

Este ejercicio de la memoria se educaba por razón del oficio propio de los juglares (que en esto actuarían como los actores de todos los tiempos); y, al mismo tiempo, hay que suponer una colaboración del público, que puede llegar a ser activa en el caso de que las obras o partes de ellas fuesen aprendidas por los oyen-

---

[7] Ramón MENÉNDEZ PIDAL, «El escándalo de los textos perdidos y el milagro de los temas perdurables», en el conjunto de estudios sobre *La épica medieval en España y en Francia*, publicado en *En torno al «Poema del Cid»*, Madrid, Edhasa, 1970, pág. 95.

tes. Para que la tradición actúe en forma total se necesita que el
público haya conocido la obra y la haya considerado como parte
de su patrimonio poético; este patrimonio, recibido de los antepasados, constituía parte de las creencias colectivas que distinguían a unos oyentes de otros como formando parte de un grupo
social o político. Resulta necesario que la tradición (y la voluntad
de su mantenimiento) se confunda con el proceso de la vida
colectiva del pueblo, de la que los poemas eran un signo artístico que ayudaba a su reconocimiento como entidad conjunta.

Así, pues, según esta concepción cada recitación del poema
era un texto oral correspondiente a una obra conservada dentro
de esta tradición; en tanto que la obra no era así manifestada
ante el público, permanecía en lo que Menéndez Pidal llama
estado latente, esto es, mantenida en la memoria de los juglares
por la vía profesional y en los gustos del público por razón de
pertenecer a este fondo colectivo que identificaba la comunidad.
La teoría de la latencia fue sostenida por Menéndez Pidal hasta
sus últimas obras como una pieza necesaria de su concepción
de la literatura española (aplicada con gran intensidad al caso
de la épica). En su sexta edición de *Poesía juglaresca* escribe:
«Preciso es admitir y tener muy en cuenta la gran extensión de
esa época latente de la literatura primitiva. Los juglares, agentes
de un recreo colectivo efímero y de un noticierismo del momento, practicaron innumerables actos de creación y de refundición poético-musical, pero los manuscritos de que se servían
para su oficio diario eran pocos y pobres, y como además su
vulgar materia no interesaba a las bibliotecas eclesiásticas, se
perdieron casi totalmente»[8].

Según Menéndez Pidal, en España el grado de persistencia
de la tradición fue siempre muy alto por el gusto conservador
de los públicos. Esto hizo que, aunque en muchos casos se
perdiesen los cantares de gesta como tales piezas poéticas, su
contenido, aún identificable como parte del fondo tradicional

---

[8] R. MENÉNDEZ PIDAL, *Poesía juglaresca y orígenes de las literaturas románicas*, edición citada, pág. 357; en esta edición de 1957, se refiere con
frecuencia a las críticas más recientes sobre sus teorías.

de la comunidad, pudo perdurar por otros cauces, como se estudiará más adelante. De esta manera, pues, se forma un sistema en el que, con la base de la tradición, gracias a un estado latente de gran intensidad por el favor de los públicos, los juglares mantienen la cohesión de las obras, sostenida por el estilo propio del arte literario que aplican.

DISCUSIÓN DE TEORÍAS: LA TESIS DE BÉDIER Y EL NEOTRADICIONALISMO DE PIDAL

La tesis de Menéndez Pidal representó una explicación de las cuestiones relativas a la épica medieval que, de acuerdo con la teoría expuesta, ofreció una exposición congruente del grupo épico medieval en España. Apoyada en hipótesis (como cualquier explicación de la época de orígenes), levantó objeciones en relación con otras explicaciones que partían de distintas hipótesis de trabajo. Ante las objeciones que se le hicieron, Menéndez Pidal simplificó los argumentos de su defensa indicando cómo su manera de concebir el arte literario, aplicable a esta épica y basado en la tradición y el estado latente, estaba en oposición con otras teorías diferentes, que él llamó en conjunto la *tesis individualista*, por estimar que sus opositores, como nota más destacada, defendían la intervención de los factores individuales por sobre los colectivos, para él dominantes en la tradición. He aquí un párrafo en el que sostiene los principios de su tesis, y cuyo contenido se repite en varias de sus obras: «Una teoría [se refiere a la suya, que llamó en sus últimos tiempos *neotradicionalista*] piensa que, entre las varias formas de arte existentes, hay una forma de arte tradicional, en la que el gusto literario es profundamente colectivo. El autor de cada obra es anónimo por esencia, porque él, individuo, se sumerge en la colectividad. Por esta forma de arte tradicional y anónimo comienzan históricamente todas las literaturas. La otra teoría [la que él llama en conjunto *individualista*] considera siempre en todo caso predominante la individualidad del artista, del poeta, el cual, si es anónimo, lo es por pura casualidad. El influjo de la colectividad sobre el artista es meramente accidental, sin trascendencia. Todas las literaturas se inician por una obra genial que abre caminos nuevos» [9].

La llamada tesis individualista obtuvo su expresión más señalada en la obra de J. Bédier, *Les légendes épiques*, que destaca en particular la función creadora del poeta en el marco de una conciencia literaria, por primitiva que ésta sea; según Bédier, para explicar la aparición de un poema épico, ha de contarse con el ambiente social que impone la religiosidad dominante y con las manifestaciones colectivas que impulsa: el camino de peregrinación, jalonado de monasterios, islas de cultura que se bastan a sí mismas desde el punto de vista de la organización social y económica dentro de la unidad espiritual de la Iglesia, y en los que se fomenta el cultivo de relatos sobre los santos y los héroes, y esto en las lenguas de cada lugar. Monasterios e iglesias con cultos locales favorecieron la literatura vernácula; los núcleos formadores de estas obras fueron memorias documentadas, adscritas a los lugares de culto y a la zona geográfica de su irradiación cultural. La obra de Bédier no es sólo una exposición de principios, sino también una sucesión de estudios monográficos (referentes a la épica francesa) de las que se desprenden unas conclusiones, a las que pertenecen estos párrafos: «En vez de cansarse buscando hipotéticos modelos perdidos de las canciones de gesta, hay que aceptarlas tal como son, en los textos que tenemos (pues sus modelos perdidos, si los hubo, quedarían muy cerca), hay que apreciarlas e intentar comprenderlas por lo que son. Hasta ahora no tuvimos derecho a esto. Cuantas veces encontrábamos en un relato de caballerías un personaje histórico o un acontecimiento de la época carolingia o merovingia, estábamos obligados a admitir que el libro era un arreglo de cantos lírico-épicos o de poemas épicos de aquellas épocas. Mostrando que en el siglo XII unos hombres tenían determinadas

---

[9] Tomo esta formulación de *Problemas de la poesía épica* [1951], incluida en la obra antes citada *Los godos y la epopeya española*, págs. 61-62.

razones para interesarse por un personaje o un acontecimiento del pasado, habremos desembarazado a la crítica de esta obligación, y devuelto a los libros del siglo XII el derecho que poseían de haber sido imaginados en el siglo XII. Por eso tiene interés el recurso de las peregrinaciones, las ferias y las iglesias. Permite a los poemas situarse en el tiempo y en el lugar. Pero para explicarlos las peregrinaciones no bastan; se necesitan las cruzadas de España en el siglo XI y las de Tierra Santa en el siglo XII. Es necesario el concurso de las ideas y los sentimientos que formaron el armazón de la sociedad feudal y caballeresca; se precisa toda la vida del tiempo. Así el peregrino y el clérigo, sin duda, pero también el caballero, el burgués, el villano. Y sobre todo se necesita al poeta, no ese bardo romántico que en el siglo VII o en el X, componía (según se dice) los cantos en plena batalla, sino el poeta del siglo XII, el que ha puesto en rima el asunto que ha llegado a nosotros, que ha trabajado en pulir la obra como lo haría un escritor de hoy, y para que su obra gustase a sus contemporáneos, ha sabido plegarse a los gustos de ellos, participar en sus pensamientos, pasiones y espíritu» [10].

Menéndez Pidal tuvo, pues, que defender su teoría frente a esta obra, que se oponía a la suya en varios puntos fundamentales: frente a la imprecisión, heredada del romanticismo, de la colectividad en funciones de creación, la función específica del autor; frente a la sucesión que supone la latencia aplicada en grado extenso, el vacío entre la noticia y el poema; frente al papel accesorio de la clerecía, el avance hasta un primer término del monasterio; frente a la tradición recreadora y mantenedora que atraviesa el tiempo, la obra como nacida de la época en que se documenta. En su larga vida, tuvo ocasión Menéndez Pidal de verificar reajustes en su teoría, puliéndola y añadiendo lo que la erudición iba aportando, pero manteniendo las bases fundamentales, que no creía rebatidas. Por eso reunió la obra de erudición y crítica que había esparcido durante muchos años,

---

[10] Joseph BÉDIER, *Les légendes épiques. Recherches sur la formation des chansons de geste*, París, Champion, 1926-1929, 4 tomos, 3.ª edición. El fragmento mencionado, en el tomo IV, págs. 431-32.

ajustó los datos, los concertó y expuso en la primera parte de su libro La «Chanson de Roland» y el neotradicionalismo [11], que no sólo es la obra más acabada en favor de esta teoría y en su aplicación a la situación española, sino que también proyecta sus principios sobre el gran poema francés: a) la poesía, «creación colectiva de todas las clases sociales» (como el lenguaje), produce pronto la _Chanson de Roland_ y el _Poema del Cid;_ b) «La poesía épica fue el género tradicional más cultivado en la Edad Media; era _historia contada,_ obra de unos cantores establecida sobre el relato tradicional y la propia inventiva»; c) esta obra se propagaba por tradición ininterrumpida, en continuas variantes y frecuentes refundiciones; d) rechazando «el falso concepto de una poesía inartística y ciega, ajena a la creación individual», refiere esta creación a los propagadores, pero esquiva la cuestión del primer autor. «Los poetas geniales y los adocenados que cooperan en estas renovaciones del texto heredado, viven en íntima comunión tradicional», y en su labor «nunca se llega a sustituir todo lo primitivo»; e) de esta labor resulta que el poema es «poesía no sólo _para todos,_ sino también obra _de todos,_ poesía colectiva creada por labor sucesiva de varios poetas anónimos»; f) los clérigos actúan fuera de este proceso, pues lo suyo era la _historia escrita;_ «se sentían tentados a veces a tomar algo de los cantores porque el relato de éstos era más animado, más sugestivo, más divulgado y grato al público». Este cuadro resume las conclusiones del libro más acabado de la teoría neotradicionalista.

Expuesta en relación con Francia, la teoría de Bédier se aplicó a las otras épicas vernáculas, sobre todo románicas; en

---

11 Ramón MENÉNDEZ PIDAL, La «Chanson de Roland» y el neotradicionalismo (Orígenes de la épica románica), Madrid, Espasa-Calpe, 1959; el resumen procede de las conclusiones, págs. 465-467. Véase la interpretación y comentarios de la teoría en Charles V. AUBRUN, Tradición literaria y crítica tradicionalista, «Filología», VII, 1961, págs. 1-11. Sobre la discusión y la consistencia de las teorías de Menéndez Pidal en la actualidad, véase Antonio ANTELO, La literatura española medieval y su historia, artículo citado, págs. 640-644.

relación con España lo hizo C. Guerrieri Crocetti, y él y los que han seguido esta orientación, han buscado las relaciones entre los poemas (sobre todo en cuanto al Cid) y los monasterios e iglesias [12].

LAS TESIS DE RYCH-
NER Y DE SICILIANO

Por otra parte, fuera de España hubo planteamientos de la discusión que pueden situarse en cierto paralelismo con las posiciones de Menéndez Pidal. Así ocurre con J. Rychner, que ha verificado un estudio sobre el arte épico de los juglares apoyándose en un grupo de obras francesas, y su labor tiene una base documental de la que es imposible disponer, dada su pobreza, en la épica española. Apoyándose en esta amplia base, insiste en que la consideración de la poesía épica de la Edad Media se ha de establecer en estrecha relación con una determinada manera de *publicar* (esto es, de dar a conocer al público) la obra en cuestión. En este caso de la épica la publicación de la obra es fundamentalmente oral, y la integridad de cada una depende del carácter profesional del juglar. Y en este sentido, en un poema de esta clase, hay que considerar: a) el asunto; b) los temas; c) los motivos, y d) su expresión. El asunto representa la base general del argumento épico; los temas son las divisiones que se pueden establecer, y que abarcan una parte del argumento con entidad propia; los motivos resultan de subdivisiones de los temas, y poseen también una sub-entidad, basada en una expresión que coincide, en el conjunto de las obras, con medios de expresión fijados a manera de fórmulas; a través de estos procedimientos se establece la expresión del grupo, que, considerado desde la perspectiva descriptiva, ofrece el aspecto formulístico que es propio de estos poemas.

---

[12] Camillo Guerrieri Crocetti, *L'Epica Spagnola*, Milán, Bianchi-Giovini, 1944; y *Il Cid e i cantari di Spagna*, Florencia, Sansoni, 1957; sobre el *Cid*, Luis Rubio García, *Realidad y fantasía en el Poema de Mio Cid*, Murcia, Universidad, 1972, págs. 245 y 280.

Teniendo en cuenta esta organización, el juglar establece el texto oral de su obra sobre el desarrollo de los motivos que le ofrecen una expresión establecida: «en el plano del relato, los motivos aíslan ciertos momentos, siempre los mismos, y en la expresión estos momentos se hacen públicos de manera análoga mediante las mismas fórmulas». Esta es la técnica propia de la obra oral: «La composición por motivos, que debe su razón de ser a la ausencia de la escritura, es una técnica que reemplaza en cierta medida a la grafía. Importa memorizar los motivos: un cantor que posea plenamente los motivos y las fórmulas tradicionales puede reproducir un canto que no haya oído más que una vez». Le basta con retener la trama del asunto y aplicar a cada tema los motivos adecuados. Y, por otra parte, esto permite que cada interpretación se acomode al auditorio y demás condiciones de la misma: «los recitales eran variables, porque el arte del juglar no era el de las obras escritas, sino oral: y una recitación cantada tiene siempre algo de improvisación, y no es nunca idéntica a otra; según las circunstancias el juglar cantará una versión más o menos completa, más o menos adornada, y la improvisación puede llevar a sus labios otras palabras...»[13]. Y, sin embargo, la transmisión oral resulta fiel y mantiene los textos a través de los intérpretes y del tiempo; la profesionalidad del juglar actúa en un sentido conservador en cuanto a un posible texto de fondo, una especie de arquetipo que no sería único, pues resulta acomodable a cada caso. La realidad poética fluyente nos resulta así inaprehensible en toda esta complejidad para nosotros siempre hipotética. Sólo los textos que consiguieron llegar a la escritura pueden ser objeto de nuestro conocimiento y estudio; y el problema está en considerar quién pudo llevar a cabo esta desviación desde la transmisión oral, que muestra este conjunto épico de una manera constitutiva, a la escrita, y los fines que pudiera haber tenido. Una hipótesis es estimar que sus realizadores fueron juglares que conservaban así el repertorio; otra es inclinarse por una intervención clerical que pudo asimilar la técnica de la épica

---

[13]   J. RYCHNER, *La chanson de geste...*, obra citada, págs. 127 y 33.

vernácula y sobre ella aplicar las condiciones de una escritura que remodelase la obra oral manteniendo su carácter; y de ahí se pasa a conceder una función más activa a la autoría en el sentido de desplazar al juglar como mero intérprete oral de un texto establecido por el autor que escribe dentro del sistema.

La discusión se plantea en torno a la apreciación del poema desde el punto de vista del crítico que lo considera. También sobre el caso cercano de la épica francesa, un crítico como I. Siciliano, que tiende en sus libros a la generalización teórica, expresa lo siguiente en relación con el estudio de los poemas de *Roland, Girart, Raoul* y *Guillaume,* y en cuanto al sentido de unidad que trasciende: «El análisis de los cuatro poemas nos ha mostrado, mejor que las cuatrocientas páginas de nuestras discusiones, que la zampoña, la versión oral, el oficio, la fórmula, el poeta inculto, no hubieran podido componer una canción de gesta de cuatro, de diez mil versos, con sus episodios mejor o peor concertados, con sus personajes bien caracterizados y dibujados, con su estilo unido, con sus cesuras y sus sílabas bien contadas» [14].

Si una tradición (juglaresca, en este caso) pudo lograr estos efectos lo mismo que si fuese el autor consciente de su obra, es lo que está en discusión. De todas maneras la obra está ahí, en la pobre medida que nos ofrece la literatura española. ¿De dónde vino?: imposible de saber. ¿Cuándo puede decirse que comienza el poema como entidad literaria?: tampoco puede decirse. Lo que sí es más probable es que lo que nos queda no sea el comienzo del grupo genérico, aunque así se presente en nuestra apreciación.

Después de la muerte de Menéndez Pidal (1968), los estudios sobre la épica española se han diversificado en un gran número de trabajos parciales que han añadido sobre todo datos referentes a la función del autor, de su posible condición culta, de la situación de cada obra en relación con los centros monásticos y con las cortes. Parece evidente al crítico actual que una obra

---

[14] Italo SICILIANO, *Les chansons de geste et l'épopée. Mythes, Histoire, Poèmes,* Turín, Soc. Ed. Internazionale, 1968, pág. 461.

como el *Poema del Cid* o como el Poema de las *Mocedades de Rodrigo*, tan distintos en sus logros poéticos dentro de la misma formulación juglaresca, son obras de rango artístico, que han requerido una elaboración que no puede concebirse como espontánea y natural. La cuestión está en encontrar el sistema de este orden de manifestaciones artísticas, y establecer el grado de su dependencia o independencia con otros grupos genéricos mejor conocidos en cuanto al proceso de su creación.

LA LEYENDA Y SU APLICACIÓN AL ESTUDIO DE LA ÉPICA MEDIEVAL

Vemos, pues, que no se trata sólo de un enfrentamiento simplista entre una teoría tradicional y otra individualista. Los factores en juego son muchos y de orden diverso. La cuestión se plantea también en la consideración del carácter folklórico que pudo tener en su origen un poema de esta especie; más allá de los tanteos de los críticos románticos en torno del pueblo como autor, la disciplina de las investigaciones folklóricas ha aportado una documentación de interés para la literatura. P. Le Gentil [15] ha examinado el concepto de leyenda en lo que pudiera ser de aplicación en estos casos; según aparece en los estudios folklóricos, la leyenda se encuentra en el período inicial de las culturas y es propia del período oscuro de las literaturas primitivas que aquí se estudia. Le Gentil se pregunta por su función en cuanto al estado latente de la épica. Siempre ignoraremos la relación entre un hecho acontecido en la vida de una comunidad, que resultase de condición propia para formar una leyenda, y cuándo ésta comenzó a aparecer. Si el hecho fue de los que sirvieron como argumento del poema épico, cabe la duda de si el poema tuvo su origen en el hecho mismo o en la versión que

---

[15] Pierre Le Gentil, *La notion d'«état latent» et les derniers travaux de M. Menéndez Pidal*, «Bulletin Hispanique», LV, 1953, págs. 113-148. Otra vez examinó la teoría del tradicionalismo en el artículo *Le traditionalisme de D. Ramón Menéndez Pidal (d'après un ouvrage récent)* [una nueva edición de *Poesía Juglaresca*], «Bulletin Hispanique», LXI, 1959, págs. 183-214.

del mismo estableció la leyenda oral o en una versión escrita más o menos cercana a los sucesos. Las leyendas constituyen un patrimonio de las colectividades, y cómo se conservan entre las gentes es muy difícil de precisar [16]. Un hecho, y más si fue importante para la comunidad, pasó a su historia; y esto pudo ocurrir, si hubo ocasión, por los cauces de la historia culta (o sea escribiéndose en los anales, crónicas, etc.), y también quedó en la memoria colectiva donde pudo constituir el germen de una leyenda. Su incorporación al pasado legendario de la comunidad depende de que este germen se desarrolle a través de algún cauce. En la Edad Media, la constitución de la leyenda (¿relato en prosa, formas elementales de la recitación o canto dentro del sentido folklórico?) pudo ser inmediata a los acontecimientos, hasta el punto de constituir la noticia del hecho, al menos entre los que no tenían otra fuente de información. ¿Cómo serían estas leyendas, no en cuanto a la enunciación que de ellas puede formular hoy un folklorista, sino en esta forma de comunicación primitiva? Para Le Gentil fueron intervenciones ínfimas y anónimas, algo así como balbuceos, una producción inferior, iliteraria si las pudiésemos comparar con los poemas. Esto le parece a Menéndez Pidal limitado, pues su concepto de latencia lo aplica en general: «los poemas escritos están sujetos a latencia lo mismo que la más breve canción oral» [17]. La discusión tiene que cortarse en este punto, pues depende de los límites en que se sitúe la latencia: es evidente que hay que reconocer que los textos conservados de un poema (y más, en la literatura española, tan avara de documentos) no son ni los primeros ni los más autorizados. Menéndez Pidal amplía esta latencia (que es general en el fenómeno literario primitivo) hasta asegurar la existencia de poemas, completos y acabados en su condición de tales, mucho más allá de los textos, ascendiendo en el tiempo

[16] Para las consideraciones sobre la leyenda, véase el prólogo de Vicente García de Diego a la *Antología de leyendas*, Madrid, Labor, 1953; en la parte que se trató de los influjos godos, se hallará la bibliografía sobre las leyendas de esta procedencia que se han discutido en relación con la épica.

[17] R. Menéndez Pidal, *Poesía juglaresca...*, obra citada, 6.ª ed., pág. 354.

por medio de la tradición hasta una relativa cercanía de los hechos que los motivaron y manteniendo sus condiciones poéticas por la vía oral dentro del marco de la variabilidad juglaresca. Según esta otra interpretación, un poeta (juglaresco) pudo recoger el fundamento de un poema en este período temprano en que la leyenda aún queda cerca del hecho; poema y leyenda pueden ser entonces testimonios cercanos entre sí y con el hecho referido, en una forma mixta de Folklore y Literatura. Pero en cuanto la memoria del acontecimiento que se conserva, entre en el cauce común de las leyendas, se acerca y reúne con una «materia legendaria» común (o sea el conjunto de las leyendas folklóricas y literarias propias de la comunidad), entonces se producen contactos, cambios y fusiones entre las leyendas. La concurrencia de leyendas actúa como una red compleja que arrastra creencias ancestrales, viejos mitos, recuerdos históricos, ficciones, dentro de la cual se mezclan unos con otros. De esta manera la materia legendaria pudo conservar en su acopio el contenido de un hecho heroico, que luego adoptaría la disposición poética, en este caso propia del poema épico juglaresco.

Por su parte, A. D. Deyermond ha verificado una exploración de los *folk-motifs* en relación con la épica, y ha podido documentar la existencia de los mismos en las obras más importantes o en sus versiones en otras formas literarias; espera «demostrar que el contenido folklórico de la épica española es mucho más alto que lo que generalmente se sospecha, y que este hecho no debe ser desatendido en las discusiones sobre los orígenes, la historicidad o la estructura de los poemas épicos españoles»[18].

I. Siciliano, en sus libros sobre los orígenes de las canciones de gesta[19], quiso también establecer una síntesis entre los diversos aspectos de estas teorías. Por de pronto, el poema

---

[18] Alan D. DEYERMOND, en colaboración con Margaret CHAPLIN, *Folk-Motifs in the Medieval Spanish Epic*, «Philological Quarterly», LI, 1972, páginas 36-53; la cita, en la pág. 38.

[19] Italo SICILIANO, *Les origines des Chansons de Geste. Théories et discussions*, trad. francesa, París, 1951, págs. 218 y 223 respectivamente; véase, referida a poemas franceses, la opinión del mismo crítico en su más reciente obra *Les chansons de geste et l'épopée...*, antes citada.

épico, por cuanto él comporta en relación con un concepto de la vida social, le parece obra de la minoría dominante: «Al principio del género, estaba la casta». Refiriéndose a Francia, estas obras —dice— «cantan las guerras que llevan a cabo los reyes y los grandes vasallos para la defensa y exaltación de la Santa Cristiandad, el fiero linaje, el feudo, el derecho; resulta difícil creer que tales pensamientos y cuidados atormenten y hostiguen el genio popular»[20]. Pero reconoce que esta poesía acabará por llegar a las plazas y a las calles. La unidad de fondo se encuentra en la estructura, en el espíritu, en el estilo de cada poema. Las opiniones en favor de una procedencia secular (juglaresca) o clerical no le parecen decisorias, y escribe: «Fue así como los poetas concibieron sus poemas y los dramas de sus héroes, y nadie sabrá si ellos pensaron primero en el combatiente y después en el cristiano, pues el héroe es un combatiente cristiano. Nadie podrá saber si el espíritu religioso influyó en el heroico, o al revés, porque se trata de una síntesis profunda e impenetrable.» Y en cuanto a los asuntos que pudieran haber motivado los poemas, comenta: «Temas sin fecha, y de origen visiblemente diverso, que podían proceder de lejos, y aun de muy lejos. Pero el espíritu en el que estos temas fueron concebidos, los conflictos patéticos, los dramas humanos, la concepción de la patria, del deber, del honor —la verdadera esencia del canto— pertenecen al poeta o a su tiempo, nacen de él y con él. El poeta no pidió al pasado crónicas y poemas latinos que le hubieran quitado toda ilusión, sino ficciones y mitos que pudieran alimentar sus ilusiones; no ha buscado la precisión de la historia, sino el misterio de las cosas lejanas en las que podía vivir maravillosamente sus nuevas ficciones, un cuadro imaginario —e imaginado— en el que poder desarrollar los dramas que él creaba, las empresas heroicas preferidas por él y por su pueblo»[21].

De lo que se deduce que el arte de la composición en un poema de esta clase necesita reunir una materia argumental

---

[20] Los trozos citados, en *Les chansons de geste et l'épopée*, pág. 459.
[21] En este caso los trozos proceden de *Les origines des chansons de geste*, págs. 218 y 223.

primera, adecuada para que reciba la disposición poética en la que el autor y el público coinciden; sólo así la unidad total de la obra posee la fuerza de atracción conveniente para que la comunidad considere en ella una cifra de su condición colectiva; esta fuerza pudo ser movida por motivos de orden político y religioso, pues era de las más eficaces para crear una situación aprovechable en un reino. La leyenda es así un factor que cabe elaborar, y tenerla favorable es una partida ganada en el juego político. Castilla fue la mejor representación de este conjunto de fuerzas, la formulación más afortunada, desde este punto de vista de la política de los reinos españoles.

LA CUESTIÓN DEL VERISMO DE LA ÉPICA ESPAÑOLA

Los estudios sobre el conjunto de la épica medieval española fueron ocasión para que Menéndez Pidal formulase conclusiones sobre las características de este grupo genérico en conjunto. De este modo reunió una serie de razones que, junto con las que procedían de la épica hispanorromana y de la renacentista y posterior, le valieron para formular la tesis de que la épica española en conjunto había sido fundamentalmente *verista*. Los motivos en que se apoya son de dos clases: la consideración de los poemas por sí mismos, y su comparación con los de la épica francesa, sobre todo. La tesis forma parte de sus argumentos frente a Bédier, que propone la existencia de un vacío literario entre el hecho histórico (que es el motivo) y su versión en una obra épica. Para Menéndez Pidal resulta básica la aproximación entre el hecho y el poema que es su versión literaria, y que ofrece lo que son, en cierto modo, noticias o *nuevas* de aquél; según él, el uso que los cronistas hicieron de los poemas como fuente de información histórica, lo comprueba. En su última obra insiste en este punto, que formula así con palabras inequívocas en relación con el cantar de gesta: «El cantar de gesta nace desde luego relatando gestas o hechos notables de actualidad [...], no la conmoción que en modo eventual promueve algún que otro suceso extraordinario, sino la ordinaria y permanente necesidad sentida por un pueblo que respira un ambiente heroico, necesidad de conocer todos los acaecimientos importantes de su vida presente, y deseo de recordar los hechos del pasado que son fundamento de la vida colectiva...» [22]. Según esto el poema sirve la apetencia historial del pueblo, y la fórmula última o evangelio del neotradicionalismo se expresa así: «En el principio era la historia», y esto significa la preferencia por la verdad (la relación veraz de los hechos acontecidos) frente a la fantasía (la recreación imaginaria de los hechos, establecida con unos fines determinados). De ahí la enunciación de Menéndez Pidal de una «historia poética»: «La edad heroica es aquella edad en que un pueblo que se halla en un grado de cultura incipiente, con escasa diferenciación entre las clases instruidas y las ignorantes, está animado de un fuerte y concorde espíritu, viéndose unido en la ejecución de una alta empresa nacional; siente por esto con viveza la necesidad del relato histórico, que dé a conocer tanto los hechos de actualidad como los del pasado, y careciendo del uso de la escritura, fija por medio del verso y del canto sus memorias históricas. Historia poética» [23]. Verismo sería, en esta interpretación, la persistencia de este arrimo a la verdad con preferencia a cualquier manipulación imaginativa.

Otros críticos no juzgan tan decisivo el acercamiento a la historia como para situarlo en un primer término en la consideración de la épica medieval hispánica, y aun lo discuten y niegan. Es indudable que la épica es común a los países europeos, y, puesta la cuestión en un plano general comparativo, los hechos se juzgan de modo diferente. Así L. Spitzer [24] formuló la tesis de que el Cid como tal personaje del poema fue concebido de acuerdo con las ideas comunes de la universalidad de la Edad Media católica; el poema narra una biografía novelada de don

---

[22] R. MENÉNDEZ PIDAL, *La «Chanson de Roland» y el neotradicionalismo*, obra citada, pág. 429.

[23] Ídem, pág. 433.

[24] Leo SPITZER, *Sobre el carácter histórico del «Cantar de Mio Cid»*, «Nueva Revista de Filología Hispánica», II, 1948, págs. 105-117.

Rodrigo, pero de manera diferente de como aparecen los héroes
en la epopeya «mítica» de la *Chanson de Roland*. Y escribe:
«el juglar que compuso el *Cantar de Mio Cid*, el primer cidófilo,
se atreve a transformar en tipo ideal, anovelándola, la persona
histórica, porque buscaba en la historia una enseñanza moral,
y debía transformar aquélla cuando no cuadraba con ésta»[25].
E. R. Curtius, por su parte, quiso poner de relieve el artificio
artístico del *Poema del Cid;* la obra romance tiene una intención
diferente de la que hubiese sido propia de la concepción de un
personaje atenido a los términos de la realidad histórica o sea
un Cid *realista*[26]. Menéndez Pidal[27] defendió su tesis de las
observaciones mencionadas: niega la diferencia entre las dos
modalidades épicas como la formuló Spitzer, y encuentra la distinción fundamental en que «la poetización fabulosa en que predomina la ficción sobre la historia, no la hallamos para la
leyenda de Mio Cid sino en el siglo XIII [...], pero toda esa labor
de novelización corre siempre dentro de los cauces de la realidad,
sin nada sobrenatural o prodigioso, sin apartarse de lo que
comúnmente se llama «lo verosímil», desarrollando, pues, un
verosimilismo realista [...]. En Francia, por el contrario, abunda el verosimilismo fantástico [...] donde la similitud con la
verdad incluye las ficciones más irreales»[28]. Menéndez Pidal estima que se trata de modalidades diferentes: «Tratar el *Poema*

---

[25] Ídem, pág. 116.

[26] Ernst Robert CURTIUS, *Zur Literarästhetik des Mittelalters*, «Zeitschrift für romanische Philologie», LVIII, 1938, págs. 1-50; 129-232 y 433-479.

[27] Contestó a Spitzer en *Poesía e historia en el Mio Cid (El poema de
la épica española)*, «Nueva Revista de Filología Hispánica», III, 1949, páginas 113-120; las ideas básicas de este artículo, sin las referencias polémicas,
fueron ampliadas después en *La épica medieval en España y en Francia*,
parte I: «Verismo épico», en *En torno al «Poema del Cid»*, obra citada,
págs. 69-81. Y a Curtius en *La épica española y la «Literarästhetik des
Mittelalters»* de E. R. *Curtius*, en la misma «Zeitschrift», LIX, 1939, págs. 1-9
(recogido luego en el tomo *Castilla, la tradición y el idioma*, págs. 75-93);
y también en *Fórmulas épicas en el «Poema del Cid»*, «Romance Philology»,
VII, 1953-4, págs. 261-267.

[28] R. MENÉNDEZ PIDAL, *La épica medieval en España y Francia*, artículo
citado, pág. 79.

del Cid como la *Chanson de Roland,* de tan irreal poesía; interpretar los dos poemas en serie, en el mismo taller de la crítica, es negar el carácter diferencial de dos literaturas y de dos pueblos»[29].

La defensa de Menéndez Pidal se basa sobre todo en la caracterización de unos conjuntos, que se adscriben luego como propios de una comunidad política nacional. La cuestión del pretendido verismo de la épica española no importa hoy tanto en su conjunto como el estudio de las obras en sí mismas y en su agrupación en unidades superiores por caracteres congruentes, estrictamente literarios. Por otra parte, la necesidad de basarse en un solo poema, el del Cid, no ofrece más que una presunción de lo que habría sido el conjunto; y además los episodios ficticios del poema son muchos y afectan a personajes importantes en largas tiradas de versos. Es cierto que esto resulta sorprendente en contraste con la verosimilitud histórica de otras partes; para estas partes que coinciden con la noticia documental, P. Russell[30] ha pensado incluso en si pudo haberse dado una elaboración historiográfica en el curso de la realización del poema, que diese al mismo un aspecto de apariencia histórica. El verismo resulta siempre un concepto relativo entre los dos conceptos absolutos de la verdad y de la fantasía; en la épica histórica actúan siempre, y lo que se trata es de establecer la posición del verismo en relación con ambos conceptos absolutos. El poema requiere constitucionalmente un cierto trato ficticio, y en este caso juega la relación entre la ficción y los datos de la historia[31]. L. Chalon ha llevado a cabo una minuciosa confrontación de los poemas épicos con la historia, y apoya la posición del verismo inclinado hacia la verdad histórica con la reserva

---

[29] R. MENÉNDEZ PIDAL, artículos sobre *Cuestiones de método histórico,* en *Castilla, la tradición, el idioma,* obra citada, pág. 92.

[30] Peter E. RUSSELL, *Some problems of diplomatic in the «Cantar de Mio Cid» and their implications,* «Modern Language Review», XLVII, 1952, en especial págs. 347-348.

[31] Jules HORRENT, bajo el epígrafe de *Historia y poesía en torno al «Cantar del Cid»,* Barcelona, Ariel, 1973, ha reunido algunos de sus estudios cidianos que tratan de esta cuestión.

de que «de un extremo a otro de la epopeya, los datos de la historia han sido retocados en función de las necesidades de la composición estética»[32].

LA PERIODIZACIÓN DE LA
ÉPICA. PERÍODO INICIAL

Hasta ahora solamente contamos con textos de la épica vernácula que no pertenecen al período inicial; por tanto, lo que hayan sido estos poemas de la época primera son sólo presunciones. A través de una exploración filológica[33], se han reunido noticias de los poemas que sirvieron para la redacción de las Crónicas históricas, en cuanto los mismos valieron como material informativo. L. Chalon indica que poema y crónica son diferentes: «el cuidado por el arte impone al poeta épico una técnica muy distinta de la del cronista. Mientras que, éste se muestra pendiente de establecer la cronología de los acontecimientos que cuenta, concordar tradiciones divergentes, ceñirse lo más posible a la verdad histórica, el poeta, por su parte, se preocupa antes que nada del aspecto estético de su obra»[34]. Y, además, el género cronístico no sigue un mismo criterio, pues los compiladores de fines del siglo XIII y del XIV introdujeron los datos poéticos con más libertad y prefiriendo las formas más acusadamente conmovedoras y extremadas; teniendo en cuenta esta variedad de criterios, los historiadores de los siglos XI al XIV (tanto los que escribieron en latín como los que lo hicieron en la lengua vernácula), recogieron noticias de rela-

---

[32] Louis CHALON, *L'histoire et l'épopée castillane du Moyen Âge. Le cycle du Cid. Le cycle des comtes de Castille*, París, Champion, 1976, página 213.

[33] Véase Ramón MENÉNDEZ PIDAL, *Relatos poéticos en las crónicas medievales*, «Revista de Filología Española», X, 1923, págs. 329-372; y la exposición general en el antes mencionado libro, fundamental para este tema: *Reliquias de la poesía española*; véase también Erich von RICHTHOFEN, *Reducciones en prosa de la poesía épica medieval española*, en *Límites de la crítica literaria* [1972], obra citada, págs. 195-202.

[34] L. CHALON, *L'histoire et l'épopée castillane du Moyen Âge*, obra citada, págs. 558 y 564, respectivamente.

tos en cuyo fondo se encuentra la resonancia de la versión poe-
mática del hecho que el historiador acomoda en su crónica; en
algunos casos declara seguir versiones de procedencia juglaresca,
y entonces sólo cabe pensar que se refiere a un poema.

Establecer un orden en el desarrollo de la épica depende del
criterio con que se considere el grupo genérico; en el capítulo
anterior se señaló que los juglares y los clérigos no representaban posiciones opuestas en cuanto al menester literario. Y aún
más, si bien existen diferencias en lo que se refiere a su intervención en la literatura, puede ocurrir que los poemas heroicos
con un contenido épico de carácter o raíz históricos y los poemas
clericales con argumentos europeos se consideren en un mismo
plano de creación; esto se propugna atendiendo a un examen
del sintagma poético, destacando en especial su organización for-
mulística. En este sentido D. A. Nelson [35] establece «...el desarrollo de la poesía épica en una lengua vernácula como pasando
por tres fases diferentes: 1) épica oral tradicional (de la que no
queda ningún ejemplo en español); 2) épica semi-literaria regis-
trada por un poeta-escriba (de la que el *Cid*, *Beowulf* y la *Chanson de Roland* son ejemplos principales); 3) épica literaria (representada en español por el *Libro de Alexandre* y el *Poema de
Fernán González)*». El desarrollo no sería sucesivo, pues los
encabalgamientos entre las tres «técnicas» pudieron ser frecuentes; en la fase primera, de condición oral, dominaría la improvisación, afirmada sobre un uso intensivo de las fórmulas y
expresiones formativas de su constitución. La fase segunda,
representada por el *Cid*, conserva este uso, pero el texto penetra
en la escritura, y la transcripción del verso de procedencia oral
resulta vacilante y refleja ciertas irregularidades, mientras que
crece la función que se corresponde con un criterio de autoría
alejándose de las fórmulas o modificándolas. La fase tercera
sería la propiamente literaria, y a ella podrían pertenecer tanto
las obras que continuarían el asunto de la épica histórica como
las obras del fondo europeo, tan conocidas por los clérigos.

---

[35] Dana A. NELSON, «*Nunca devriés nacer*»: *Clave de la creatividad de
Berceo*, «Boletín de la Real Academia Española», LVI, 1976, pág. 29.

Ateniéndose a una partición entre una épica histórica (con noticias documentadas en las *Crónicas*) y las obras clericales, Menéndez Pidal establece en el desarrollo de la épica juglaresca un primer período que llama «primitivo», y que comprende desde las primeras obras del grupo genérico hasta aproximadamente 1140 (fecha atribuida por él a la aparición del *Poema del Cid*). Las primeras indicaciones de que existan poemas de este período se encuentran en una *Chronica Gothorum*, atribuida a un mozárabe toledano del siglo XI, y la gran provisión de datos y noticias se halla en la *Crónica general* de Alfonso X [36].

Las noticias del contenido que puede atribuirse a las obras del período primitivo, se refieren a asuntos familiares de los reyes y condes cristianos, a sus querellas y a las relaciones que mantuvieron con los árabes. Las reconstrucciones establecidas nos bastan para dejar de manifiesto el argumento de los poemas, en los que las tragedias familiares se mezclan a veces con leyendas (de origen germánico, algunas). Estos poemas serían relativamente breves, de unos 500 ó 600 versos según la opinión de Menéndez Pidal, y sus caracteres formales coincidirían con lo que aparece en el segundo período, ya mejor y más directamente conocido. Así en cuanto a la métrica, el verso sería anisosilábico, la rima asonante y la estrofa, la misma serie abierta; y en cuanto a su estilo y estructura, es de creer que no serían muy diferentes a los poemas posteriores, dentro de una constitución más elemental, puesto que hubo sucesión continua entre el período primitivo y el siguiente, y la división propuesta es sólo un recurso de Menéndez Pidal para dar un sentido orgánico a la evolución del grupo genérico ateniéndose a los presupuestos de su teoría de la épica. J. Rychner, por su parte, describe esta épica perdida, anterior a la documentada, y su estudio le lleva a «suponer de-

---

[36] Escribe sobre esto Menéndez Pidal: «...el medio siglo empleado en la redacción de las más grandes *Crónicas generales* en romance, la primera hacia 1289, y la segunda en 1344, es la época de apogeo y preponderancia de los juglares de gesta en la historiografía» *(Poesía juglaresca...*, obra citada, pág. 286). Los argumentos de estos primeros poemas se encuentran en el libro *Leyendas épicas españolas*, versión de Rosa CASTILLO, Valencia, Castalia, 1956.

trás de las canciones conservadas otros cantos más antiguos, probablemente más cortos, acaso más cercanos a la historia, que, rehechos por generaciones de cantores, embutidos con nuevos episodios que se relacionan con el mismo motivo, ya conocido y gustado por el público, completados, reelaborados, puestos al día, vueltos a cambiar, al tiempo que rejuvenecidos, adaptados a la ideología del tiempo, creados otra vez por poderosos poetas, habrían llegado hasta las canciones que se nos han conservado»[37]. En el largo proceso siempre hay ocasión de que el poeta haya intervenido, y a cargo del último de ellos hay que colocar el esmero que pondría en la versión que estaba pasando al manuscrito, pues daba al poema la nueva categoría que la letra otorgaba a la obra hasta entonces oral.

PERÍODO DE PLENITUD O DE
LOS GRANDES POEMAS ÉPICOS

El rasgo distintivo de este período es el influjo recibido por los juglares españoles procedente de los poemas épicos franceses; esto se unió al propio desarrollo autóctono de los poemas españoles, con formas ya aseguradas por el cultivo del grupo genérico. Las características literarias de estas obras ponen de manifiesto determinadas relaciones con el grupo de la épica francesa[38]. Menéndez Pidal las sitúa en el plano de los contactos entre los juglares, y estima que su efecto no consiguió apartar

---

[37] J. RYCHNER, *La chanson de geste...*, obra citada, págs. 157-158.
[38] Ramón MENÉNDEZ PIDAL, *La épica medieval en España y en Francia*, publicado en la colección de estudios, *En torno al «Poema del Cid»*, obra citada, en especial la parte II: «La forma épica en España y en Francia», págs. 81-94. Desde un punto de vista comparativo, A. DESSAU, *Relations épiques internationales: les changes de thèmes entre les légendes héroïques françaises et espagnoles*, «Cultura Neolatina», XXI, 1961, págs. 83-90. Leo POLLMANN, en *La épica en las literaturas románicas. Pérdidas y cambios* (Barcelona, Planeta, 1973), estudio que va del *Roldán* (se refiere al *Cid* en parte del capítulo II) hasta Camus, sostiene un criterio de tendencias eclécticas, con base estructural. También los estudios de E. von RICHTHOFEN, mencionados en la nota 1 de este capítulo, págs. 327-328.

los poemas españoles de las condiciones poéticas que asignó al período inicial, sobre todo en cuanto al anisosilabismo, tal como él lo interpreta, y a la asonancia. Otros críticos que inclinan la redacción del *Poema* hacia la creación de un autor relativamente culto, admiten también estas relaciones, sin que esto afecte al grado de originalidad del mismo; C. Smith establece un paralelo entre el influjo italiano en Garcilaso, y el francés en Per Abad, escribiendo: «El *Poema de Mio Cid* supera, juvenil y confiado, revolucionario, sus modelos franceses, y se ofrece como brillante ejemplo de un arte nuevo» [39]; esto es lo que Garcilaso hizo con Petrarca.

El influjo de los modelos franceses se enmarca en un cuadro histórico general que presenta diversas repercusiones en las Bellas Artes. Este influjo en el dominio literario es, pues, un aspecto más de las relaciones que en el siglo XI, en tiempos de Alfonso VI (1040-1109), se establecieron entre los reinos españoles y la Francia del Norte. De fundamental importancia resultó la peregrinación a Santiago de Compostela, a la que ya me he referido antes; este camino, por la afluencia de franceses, llegó a llamársele francés, y estuvo jalonado de villas y ciudades en las que esta relación entre españoles y franceses se estableció comunalmente, pues estos últimos tuvieron barrios dentro de las poblaciones. Los juglares franceses hallaron ocasión de reunirse con los españoles en este camino de Compostela, y de este conocimiento pudo proceder la adopción de algunos aspectos de la técnica literaria de los poemas franceses, sin olvidar tampoco los importantes contactos literarios a través de las cortes señoriales y de las relaciones monásticas.

El hecho fue que los poemas se alargaron, y así el *Poema del Cid* tiene cerca de los 4000 versos, y el fragmento que queda del de *Roncesvalles* parece indicar que estaría sobre los 5000 versos; algunos procedimientos de la retórica, como el uso de la anáfora y de distribuciones, determinadas locuciones épicas de tipo formulístico, episodios fantásticos (como el de la apari-

---

[39] Colin SMITH, *Temas carolingios y franceses en el Poema de Mio Cid*, en *Estudios Cidianos*, Madrid, Cupsa, 1977, pág. 159.

ción del Arcángel Gabriel) son las indicaciones que se dan para señalar este influjo. Sin embargo, persistieron algunos rasgos definidores, tales como la sobriedad en el uso de la ficción y el realce más humano que mítico del héroe, evitando recurrir a aventuras o pasiones extremadas [40].

EL CASO DEL «POEMA DEL CID»

A este período de culminación pertenece el *Poema del Cid* [41], la obra maestra y casi única de la épica medieval española. La

---

[40] Un conjunto de poemas conservados y reconstruidos se encuentra, reunido por Manuel ALVAR, en *Cantares de gesta medievales*, México, Porrúa, 1969 (Roncesvalles, Infantes de Lara, Cerco de Zamora, Mocedades de Rodrigo y Campana de Huesca); véase Ramón MENÉNDEZ PIDAL, *La leyenda de los siete infantes de Lara*, Madrid, Espasa-Calpe, 1971, 3.ª edición. Para el fragmento del *Poema de Roncesvalles*, véase Jules HORRENT, *Roncesvalles*, París-Lieja, Les Belles Lettres, 1951 (reedición: Bruselas, 1968).

[41] Bibliografía general: Donna SUTTON, *The Cid: a tentative bibliography to January, 1969*, «Boletín de Filología», Chile, XXI, 1970, págs. 21-173. M. MAGNOTTA, *Historia y bibliografía de la crítica sobre el «Poema de Mio Cid»: 1750-1971*, Chapel Hill, North Carolina Studies, 1976; un planteamiento general en Edmond de CHASCA, *The Poem of the Cid*, Boston, Twaine, 1976. La exploración del sentido artístico y el estudio de los recursos literarios utilizados en la obra se estudian en el libro de Edmund de CHASCA, *El arte juglaresco en el «Cantar de Mio Cid»*, Madrid, Gredos, 1967. Ramón MENÉNDEZ PIDAL, *Cantar de Mio Cid*. Texto, Gramática y Vocabulario, tomo I, primera parte: «Crítica del texto». Gramática, 3.ª edición, Madrid, 1954, págs. 1-420; tomo II, «Vocabulario», Madrid, 1954, págs. 423-904; tomo III, cuarta parte: «Texto del Cantar y Adiciones», Madrid, 1956, págs. 907-1232. Los tres tomos tienen numeración seguida; se establecen dos ediciones, una paleográfica del manuscrito y otra crítica, con el intento de acercarse a la forma primitiva del *Poema*. La edición crítica formó un volumen de «Clásicos Castellanos» (Madrid, Espasa-Calpe), que sigue apareciendo en la misma colección, cuyo prólogo (1913) ha sido reeditado por su autor en el libro *En torno al «Poema del Cid»*, obra citada, págs. 7-65, junto con otros estudios sobre el *Poema; el último* es una recapitulación que recoge lo esencial de los muchos trabajos del autor sobre el asunto (1962), págs. 187-220, con una bibliografía final. Recientemente ha habido otras ediciones del *Poema:* la de Colin SMITH (Oxford, Clarendon, 1972; la misma con notas y referencias traducidas al español, Madrid, Cátedra, 1976), con un criterio crítico más conservador que la de Menéndez Pidal. Otra, de Ian MICHAEL (Madrid, Castalia, 1976), de carácter crítico, con una gran economía en la

fecha de su aparición es controvertida, y su fijación depende de la teoría en que se apoye. Así, para Menéndez Pidal, hubo de componerse hacia 1140, o sea poco menos de medio siglo después de la muerte de su protagonista Rodrigo Díaz de Vivar. El manuscrito trae un *explicit* con la indicación de haberse «escrito» el año de la era 1245 (1207 del cómputo actual); o acaso 1345, pues existe un espacio en el que pudo haber otra C (¿rectificación de un error de copia, borradura voluntaria para envejecer el poema?). La interpretación del *explicit* acerca del Per Abbat que dice lo «escribió» en 1207, si aceptamos esta fecha, ha conducido a T. Riaño a proponer que compuso el *Poema* un Pedro Abad, clérigo de Fresno de Caracena (cerca de Gormaz, en la provincia de Soria); por su parte, C. Smith plantea la hipótesis de si el autor de la versión estudiada (autor-refundidor) pudo ser un Pedro Abad «de Santa Eugenia», hombre de leyes que pudo vivir en un lugar llamado Cordobilla (Palencia) lindando con León. Esto muestra una corriente de la crítica en el sentido de buscar un autor clerical (religioso o laico) a la obra, así como

---

corrección y una relativa normalización de la grafía y abundantes notas para su uso escolar, así como un aparato crítico que recoge y discute las lecciones de los editores anteriores. Ajustándose al propósito de la endocrítica, a cuya teoría crítica me referiré más adelante, Miguel GARCI-GÓMEZ ha publicado una edición (Madrid, Cupsa, 1977) que contiene un texto reformado del *Poema*, fijado de acuerdo con un tipo medio de grafía medieval establecido sobre la base de la edición paleográfica de Menéndez Pidal, la cual puede rehacerse con ayuda de las notas de pie de página; divide el *Poema* en una *Gesta* (versos 1-1277) y una *Razón* (2278-3735), destacando en la impresión el sentido dramático de la obra con la mención del «Cronista» (narración) y de los personajes de cada caso. El texto antiguo ha sido modernizado en varias ocasiones, y hay una edición mía de esta clase (8.ª edición, Madrid, Castalia, 1974), con un planteamiento general del estudio del *Poema* de carácter informativo. Finalmente señalaremos la aparición de un libro sobre el *Poema del Cid*, escrito por los años de 1892-1894, escrito por Miguel de UNAMUNO, *Gramática y glosario del Poema del Cid*, Madrid, Espasa-Calpe, 1977, que fue una obra de gramática histórico-comparatista, sin intención crítica ni filológica; su autor la presentó al concurso de la Real Academia Española en que fue premiado el estudio básico de la edición paleográfica y crítica de Menéndez Pidal.

la tendencia a retrasar la fecha del *Poema* alejándolo de la muerte del Cid [42].

De cualquier manera que sea, dejando de lado al autor, coautor o refundidor siempre poco conocido, hay que contar con este hecho básico: el estudio y la valoración general de la épica medieval castellana como hecho de poesía, puesta de manifiesto en un texto, se realiza casi solamente valiéndose de este poema. Gracias a la conservación del manuscrito del *Poema del Cid*, la literatura castellana, como raíz de la española, se sitúa al lado de las otras europeas que tienen un gran poema épico en sus comienzos. Y este poema, dentro del azar que supuso su sola conservación, cumple con el cometido mencionado en forma satisfactoria: resulta una obra que merece la calificación de maestra en cuanto a creación poética dentro del criterio artístico de la épica, y sirve, de manera afortunada, para cifrar los gustos literarios de una colectividad y, a través de ellos, de unos cometidos e ideales políticos. Pero, con todo, hay que estar sobre aviso por el riesgo que supone disponer de una sola obra escrita; precisamente su alta calidad poética pudiera suscitar alguna desconfianza en cuanto a su validez como muestra del conjunto. J. Rychner [43] señala que el *Roland* representa, por la firmeza de su concepción y el acertado uso del lenguaje épico, un ejemplo atípico del conjunto que constituyen las otras obras. Como caso paralelo, es posible que el *Cid* sea otra de estas cumbres del grupo. De todas maneras es una pieza maestra integrada en una tradición y que puede tomarse como signo de la

---

[42] La tendencia es a retrasar la fecha; así, por ejemplo, en dos recientes editores del *Poema:* Colin Smith cree que fue un autor de hacia 1200, acaso compuesto en Burgos (*Poema de Mio Cid*, edición citada, pág. 44); Ian Michael, hacia fines del siglo XII o comienzos del XIII, «tal vez entre los años 1201 y 1207» (*Poema de Mio Cid*, edición citada, págs. 56 y 58). Véase una información sobre el *explicit* en M. Magnotta, *Sobre la crítica del Mio Cid: problemas en torno del autor*, «Anuario de Letras», IX, 1971, págs. 51-98. Timoteo Riaño Rodríguez, *Del autor y fecha de Mio Cid*, «Prohemio», II, 1971, págs. 467-500; y Colin Smith, *Per Abad y el «Poema del Cid»* [1973], en *Estudios cidianos*, obra citada, págs. 13-34.

[43] J. Rychner, *La chanson de geste...*, obra citada, pág. 154.

colectividad constituida por la suma de los diversos públicos que oyeron la obra según la manera juglaresca.

Si se examina el argumento del *Poema del Cid*, queda de manifiesto que se encuentra en relación con los hechos realizados por el caballero Rodrigo Díaz de Vivar. Como ya se dijo antes, no significa esto que el poema pueda ser entendido al pie de la letra como una narración de sentido histórico, pues cantar de gesta, crónica histórica en latín o en lengua romance y poema en lengua latina [44] pertenecieron a grupos genéricos diferentes en cuanto a su estructura de fondo, si bien pueden presentar correlaciones, sobre todo estilísticas, de orden formulístico. Ya he insistido, en varias ocasiones, en que la creación literaria en lengua vernácula buscaría el apoyo propio del prestigio que pudieran otorgarle la Iglesia y la Cancillería en la Corte y la organización clerical tal como se hallaba esparcida en la extensión de los Reinos cristianos. En la elaboración del cantar de gesta, destinado a la difusión anónima de los juglares, pudo hallarse la autoría difusa de los refundidores que retocaban los textos fluyentes tal como les resultaba conveniente para sus intenciones, manteniéndose dentro de determinados límites. De ahí que el *Poema del Cid* se haya estudiado también en cuanto a su adscripción a un centro cultural de índole monástica: siguiendo la interpretación general de Guerrieri Crocetti, Rubio García ha situado la obra como perteneciente al ámbito clerical del Monasterio de Cardeña.

La historia sobre el Cid fue establecida con rigor por Menéndez Pidal en *La España del Cid* [45], monumento de la moderna

---

[44] Sobre estos poemas véase H. SALVADOR MARTÍNEZ, en *El «Poema de Almería» y la épica románica*, Madrid, Gredos, 1975; estudia las relaciones entre este poema latino (que publica con traducción) y el hipotético *Poema* integrado en la *Chronica Adefonsi Imperatoris* (VII). Una *Historia Roderici* cuenta, acaso sea su autor testigo de algunos hechos, noticias del Cid (texto en *La España del Cid*, II, 921-971). Véase el artículo de C. SMITH, *Historias latinas y épica vernácula*, en los *Estudios cidianos* citados, páginas 87-106.

[45] Ramón MENÉNDEZ PIDAL, *La España del Cid*, Madrid, Espasa-Calpe, 1947, dos tomos; VI y VII de las *OC* (7.ª edición, 1969).

investigación histórica; con este estudio como fondo puede discutirse y establecerse la relación entre la realidad histórica y la versión poética. El *Poema del Cid* resulta, desde este punto de vista, un testimonio de la fama que dejó de su vida pública y privada este valiente y hábil capitán. De la compleja personalidad de Rodrigo (h. 1043-1099) al autor elige algunos aspectos: en primer lugar, la lealtad que muestra hacia el Rey, señor natural del Cid, puesta a prueba por las calumnias de sus enemigos. Por razón de estas insidias, el Rey se enojó con don Rodrigo y lo desterró. Al frente de su hueste, el Cid se aleja de Castilla, pero no se rebela contra su señor [46]; penetra en tierra de moros, y a unos vence con las armas y a otros los hace sus vasallos por tratos. Emprende una política de guerras y acuerdos que le conduce a ganar la ciudad de Valencia. Entre tanto, vuelve al favor de su Rey, y su consideración y honra crecen tanto que llega a emparentar como suegro con linajes reales. Su condición heroica se basa en el esfuerzo de su brazo, al frente de los suyos, sirviendo a lo que él estima la obra buena y recta, que le lleva al triunfo sobre sus enemigos. La virtud del fuerte capitán está basada en la fe en Dios, la lealtad hacia su Rey, la justicia en su señorío, el amor familiar hacia la mujer y las hijas, el valor en el combate, etc. Don Rodrigo alcanza la categoría de héroe con hechos que prueban su nobleza, y en todo se muestra mesurado, y cuando es ocasión, sabe manifestarse con comedida ternura. De esta manera se mantiene en el poema la condición heroica sin que haya que desorbitar el sentido de los hechos que se narran en el poema con excesos de la fantasía. Sin embargo, tampoco existe una sujeción total a lo que la historia conserva de la verdad de los hechos. La cuestión está en que se dé prioridad al sentido historicista de la obra (tesis de Menéndez Pidal) o al sentido poético (tesis de C. Smith, al que no le parece creí-

---

[46] Joaquín CASALDUERO, en *El Cid echado de tierra*, publicado en sus *Estudios de literatura española*, obra citada, págs. 28-58, estudia la inventiva del *Poema* entremetida en la materia histórica. Véase también la obra de Cesáreo BANDERA GÓMEZ, *El «Poema de Mio Cid»: poesía, historia y mito*, Madrid, Gredos, 1969; y Luis RUBIO GARCÍA, *Realidad y fantasía en el Poema del Cid*, Murcia, Universidad, 1972.

ble que si el *Poema* se hubiese escrito cerca de los hechos del Cid, se hubiera verificado el proceso de transformación artística del conjunto); desde uno u otro punto de vista se puede interpretar el sentido de una evidente unidad de creación dentro del carácter del grupo genérico de la épica medieval, que no es, desde luego, el mismo que se aplicaría en una obra de hoy.

La obra pasó por el curso de una elaboración que nos conduce hasta el manuscrito de Per Abad; no se trataría de una sucesión de «borradores», sino de textos enteros y con unidad propia. Es evidente, entonces, que hubo un último poeta que, recogiendo el legado precedente (adscrito a la tradición general de la épica, y a la específica del Cid) dio a la obra un grado de cohesión cuyo resultado es esta evidente unidad de conjunto que se aprecia en el manuscrito conservado. Esto no impide que la crítica haya querido encontrar en el códice-poema de Per Abad las fisuras de partes anteriores; y así el mismo Menéndez Pidal [47] se refiere a dos poetas en el proceso de la formación del actual *Poema del Cid*. Uno de ellos, al que llama el «poeta de San Esteban de Gormaz», sería el primer «autor» de la obra (y no le pareció que fuese eclesiástico), destinada a resaltar la personalidad de don Rodrigo; este primer estado de la creación del poema es probable que fuese de condición informativa, destinado a recoger las hazañas del caballero que así permanecía como héroe, y pródigo en noticias y referencias a la geografía del lugar. El otro «autor», llamado por él, el «poeta de Medinaceli», actuó en funciones de refundidor, lejos de los hechos y sin una relación inmediata con la verdad histórica, atento a los efectos poéticos. La parte o cantar del destierro fue la menos retocada: más lo fue la que se llama de las bodas; y la tercera parte, o de Corpes, representa la modalidad más fantaseada de la obra. La exploración de Menéndez Pidal señala, pues, dos

---

[47] Ramón MENÉNDEZ PIDAL, *Dos poetas en el «Cantar de Mio Cid»* [1961], en *En torno al «Poema del Cid»*, obra citada, págs. 107-162. Erich von RICHTHOFEN propone una disposición diferente, tomando como centro de la obra el cantar segundo; véase *El problema estructural del Poema del Cid*, en *Nuevos estudios épicos medievales*, obra citada, págs. 136-146.

grandes orientaciones en el seno del poema y se escapan otros matices que pudieran precisarse desde otros puntos de vista. J. Horrent[48] encuentra, por su parte, una sucesión desde un poema de hacia 1220, inmediato a la muerte del Cid; una refundición de hacia 1140-1150 realizada bajo el «emperador» Alfonso VII; una nueva refundición de hacia 1160, bajo Alfonso VIII; y de este estado procedería un texto «cuya sustancia épica no difería fundamentalmente de la del poema de los años 1120», que luego Pedro Abad, escriba del siglo XIV, copió en el códice conservado.

EL ESTILO JUGLARESCO DE LOS POEMAS DEL PERÍODO DE CULMINACIÓN

Sólo el estudio directo de una obra puede servirnos para caracterizar su estilo. Y es desde el estilo como puede establecerse la red general de las preferencias expresivas que definen el conjunto de un grupo genérico: de ahí la importancia literaria del *Poema del Cid*. Se ha admitido de forma general que la única difusión de los poemas épicos haya sido la de los juglares, y por eso se ha enlazado el *Poema* con la representación juglaresca. C. Smith ha puesto ciertas reservas a la cuestión: «No podemos estar seguros de si el *PMC*, tal como nos ha llegado, estaba destinado a la representación oral o si fue representado alguna vez; en contraste con lo que sabemos de otros poemas españoles, tiene éste una serie de caracteres eruditos, y las referencias directas al público (v. gr., *señores*, v. 1178) quizá sean puramente convencionales. Todo lo que podemos decir es que el poema deriva su carácter general, algunos de sus materiales y en gran parte su estilo de antecedentes orales, y que en su forma actual —con sus fuertes y simples versos, su ritmo, su cadencia y su frecuencia de discurso directo— se acomoda

---

[48] Jules HORRENT, *Tradición poética del «Cantar de Mio Cid» en el siglo XII* [1964], en *Historia y poesía en torno al «Cantar del Cid»*, obra citada, págs. 243-311; la cita, en la pág. 310.

muy bien para la representación oral» [49]. Aun en el caso más cauteloso, se conviene en una representación oral, que es el oficio de los juglares. De cómo sería ésta, hay pocas noticias. No sabemos hasta qué punto considerarían (para la representación, se entiende) cada poema como una obra o si fragmentaban la larga extensión de un poema en partes convenientes. La relación entre el juglar y el público acontece dentro de los recursos propios del arte dramático: es un intérprete que cuenta con su voz, con la mímica y con la música acompañante, y que actúa ante un público. El autor de un poema épico (sea el primero o cualquiera de los que después hubiesen intervenido en el mantenimiento del texto) cuenta con el efecto de estos recursos. El lenguaje que usa resulta de la suficiente elevación como para sostener el tono propio del grupo genérico [50]; como ocurre con las obras primitivas, es muy posible que la lengua general de este grupo fuera arcaizante y contuviese expresiones mantenidas sólo dentro de los poemas, pero que el público podía entender por la continuidad de la tradición que los propios textos habían establecido. Esto culminó en el empleo de los formulismos que se fijaron a través de la sucesión de estas obras a las que pertenece el *Poema del Cid*, y cuyo uso continuado hace que la obra se cierre dentro de un ámbito reconocible por el público, y así mantiene su identificación desde el principio hasta el fin [51].

[49] C. Smith, *Poema de Mio Cid*, prólogo de la mencionada edición española, pág. 38.

[50] Rafael Lapesa, *La lengua de la poesía épica en los cantares de gesta y en el Romancero viejo*, en *De la Edad Media a nuestros días*, Madrid, Gredos, 1967, págs. 9-28. Los estudios sobre recuentos de usos y formulismos se están aplicando al poema castellano; así ocurre con la introducción del concepto de narrema, el registro de fórmulas y el establecimiento de las concordancias. Los métodos de recuento aparecen en Franklin M. Waltman en su *Concordance to «Poema de Mio Cid»*, The Pennsylvania State University Press, 1972. Edmund de Chasca ha reunido el *Registro de fórmulas verbales en el «Cantar de Mio Cid»*, Iowa, University, 1968. Eugene Dorfman estudia *The narrema in the Medieval Romance epic: An introduction to narrative structures*, Toronto, University of Toronto, 1969.

[51] Referida la cuestión al *Poema del Cid*, único en el que puede plantearse, véase Ruth H. Webber, *Narrative organisation of the Cantar de Mio Cid*, «Olifant», I, 2, 1973, págs. 2-34; Alan D. Deyermond, *Structural and*

El *Poema del Cid* pertenece al estilo del grupo genérico de la épica medieval, representativo de la tradición heroica de los públicos que constituían su auditorio; es evidente que, entre la calidad social de estos públicos, la clase de los caballeros quedaría complacida, pues el héroe (cualquiera que fuese, triunfante o trágico) era de los suyos, y las ideas básicas que se defendían, eran caballerescas. Pero también las otras clases podían encontrar en el poema épico motivos para una complacencia solidaria, como serían: oír la lengua común en un menester literario elevado, recibir la proyección modélica del héroe como hombre perfecto y justo, sentirse representados en algunos motivos por cuanto formaban parte de una comunidad que se exaltaba en la obra, etc. La obra, tal como se nos ofrece en el manuscrito, aparece en forma en que es difícil concebir que sea de un autor único; pero esto no impide reconocer que el poeta último que la retocó o recompuso, se atuvo a las condiciones del grupo genérico para así identificarse con el gusto literario del público.

Siguiendo otros puntos de vista, un orden de crítica distinto pretende establecer el análisis de la obra verificando «la constitución literaria de la obra, con el fin de esclarecer la organización artística de sus componentes, no tanto el contenido informativo». M. Garci-Gómez ha denominado endocrítica a este esfuerzo por dilucidar la composición y el arreglo de los diversos incidentes con miras al *totum* coherente de un tema capital; sostiene que los diversos episodios «son piezas de un engranaje en acción»[52]. Esta posición resulta parcial por cuanto los elementos y factores coordinantes no se inventan de una manera absoluta en cada creación. En los casos como el *Poema del Cid* en que todo indica una autoría, el autor conforma la obra dentro de una corriente inexcusable. El «poeta» dejó, manteniendo esta intención a través de las reformas, la huella genial de su creación en una pieza que, aunque elemental y primitiva desde nuestra

---

Stylistic Patterns in the «Cantar de mio Cid», en *Medieval studies in honor of Robert White Linker,* Valencia, Castalia, págs. 55-71.

[52] Miguel GARCI-GÓMEZ, *«Mio Cid». Estudios de endocrítica,* Madrid, Planeta, 1975; las citas en la pág. 23.

perspectiva, es obra madura, plena y lograda, dentro de su grupo; por eso, según Dámaso Alonso, tiene un estilo «tierno, ágil, vívido, humanísimo y matizado»[53].

ÚLTIMO PERÍODO DE
LA ÉPICA JUGLARESCA

El grupo genérico de la épica medieval tuvo una duración limitada. Hallándose en esta época de transición en que la literatura en lengua vernácula sigue desarrollándose hasta acabar por imponer la transmisión textual, su declinación coincide con el deterioro y final desaparición del juglar, al que se considera el intérprete más idóneo de los poemas en lo que éstos ofrecen de recursos «teatrales». El poema aparece ya como texto escrito, pero el número de códices que lo conservan es muy limitado; a esto se une que las características externas de los poemas siguen siendo semejantes, pues a fines del siglo XIV y en el XV persisten la oscilación silábica, la asonancia y la serie abierta de versos. Sin embargo, la tensión entre el mantenimiento de una relativa veracidad histórica y el ejercicio de la fantasía se resuelve en favor de la segunda. El protagonista del poema, el héroe, aunque sea una figura histórica, aparece tratado libremente, ateniéndose a versiones legendarias, despreocupadas de la veracidad, y sólo atentas a los efectos sorprendentes sobre un público que prefiere la aventura de ficción, que era la materia literaria de otros grupos genéricos como los libros de caballerías contemporáneos.

El poema de las *Mocedades de Rodrigo*[54] se halla conservado en un manuscrito incompleto, procedente de otro anterior o de

---

[53] Dámaso ALONSO, *Estilo y creación en el Poema del Cid* [1941], en *OC*, II, edición citada, págs. 107-143; la cita, en la pág. 114.

[54] Véase Alan D. DEYERMOND, *Epic Poetry and Clergy: Studies on the «Mocedades de Rodrigo»*, Londres, Tamesis Books, 1969, que trae la edición paleográfica del texto (págs. 221-277); su autor estudia a fondo la obra mencionando los estudios precedentes y amplia bibliografía. R. MENÉNDEZ PIDAL había incluido una edición del texto en *Reliquias de la poesía española*, obra citada, págs. 257-289, bajo el título de «Rodrigo y el Rey Fer-

un dictado, en el que se encuentra precedido de una genealogía en prosa del héroe. El Rodrigo como personaje es el mismo Díaz de Vivar del *Poema del Cid*, pero en este caso sus aventuras son de un signo muy distinto. Se trata de una obra reelaborada sobre una gesta precedente que recoge la experiencia poética de la adaptación clerical del *Poema de Fernán González;* su autor —un clérigo con experiencia en los asuntos de la administración, según Deyermond— lo compuso para favorecer los designios de la diócesis de Palencia intercalando episodios favorables a este fin. El poema de las *Mocedades de Rodrigo* mantiene la estructura juglaresca, pues está realizado dentro de los condicionamientos de esta difusión ya en trance desintegrador.

El poema de las *Mocedades de Rodrigo* es el testimonio más acabado de este período final del grupo genérico de la épica medieval juglaresca. La desaparición de esta épica se vio aún más acelerada por cuanto no llegaron a constituirse en forma estable y documentada en textos los diferentes ciclos poéticos, según ocurrió en el caso de Francia. Dos modalidades distintas literarias le ganaron el favor de los públicos: el romance como grupo genérico poético (que también pudo ser juglaresco y, en parte, paralelo a la épica) y los libros de caballerías. Falto de la fijación en textos, las obras de esta épica apenas fueron conocidas en los siglos siguientes, pero su intensa difusión por la juglaría había asegurado la existencia de una materia épica que estuvo presente por otros muchos cauces genéricos en la literatura española posterior [55].

---

nando», como llama al poema de las *Mocedades de Rodrigo* (pág. LXXIII). Edición escolar de Luis GUARNER, *Cantar de Rodrigo*, Zaragoza, ed. Aubí, 1972.

[55] Estos cauces fueron objeto de estudio por R. MENÉNDEZ PIDAL, en uno de sus trabajos primeros (1909, publicado en 1910) en el libro *La epopeya castellana a través de la literatura española* (2.ª edición, que en lo fundamental sigue a la primera de 1945, Espasa-Calpe, Madrid, 1959). Referido al *Cid*, véase «La leggenda del Cid nella letteratura spagnola» en la edición de Guillén de CASTRO de *Las Mocedades del Cid*, realizada por Jole SCUDIERI RUGGIERI, Roma, Universidad, 1947, págs. 1-26.

Por otra parte, los poemas dedicados a Fernán González y a Alfonso XI, en versos de la clerecía (cuaderna vía y redondillas), presentan un contenido épico más comprometido aún con la corriente clerical, por lo que me referiré a ellos en el capítulo siguiente.

LA ÉPICA RELIGIOSA MEDIEVAL

Sitúo en este epígrafe el poema *Ay, Iherusalem!* [56], «extraño mestizaje de lirismo y gesta, de planto y de narración épica», según E. Asensio, que lo estudió poco después de que, en 1960, fuese incorporado su texto a la literatura española. Se trata de una obra compuesta poco después de 1245 según Deyermond, y entre 1272 y 1276 según Asensio; y relativa al propósito de arbitrar medios para favorecer la reconquista de Jerusalén; es, por lo tanto, un canto de cruzada, con rasgos juglarescos y clericales conjuntamente, que, junto con las «nuevas llorosas» de la caída de la Ciudad Santa, invita a servir a Dios y a participar en la construcción de la Nueva Jerusalén en el cielo. Con base métrica en el hexasílabo formando una compleja estrofa, es una pieza aislada que completa así el cuadro del espíritu de la épica medieval por el lado de un predominio de la materia religiosa en el contenido.

---

[56] El texto en María del Carmen PESCADOR DEL HOYO, *Tres nuevos poemas medievales*, «Nueva Revista de Filología Hispánica», XIV, 1960, páginas 242-250; edición escolar, en Manuel ALVAR, *Antigua poesía española lírica y narrativa*, México, Porrúa, 1970, págs. 183-186. Estudio general en Eugenio ASENSIO, *Ay Iherusalem!: planto narrativo del siglo XIII* [1960], en *Poética y realidad en el Cancionero peninsular de la Edad Media*, Madrid, Gredos, 1970, págs. 266-292; véanse también Henk DE VRIES, *El Poema tríptico del nombre de Dios en la ley*, «Boletín de la Real Academia Española», LI, 1971, págs. 305-325; y Alan DEYERMOND, *¡Ay Jherusalem!, estrofa 22: traductio y tipología*, en *Estudios ofrecidos a Emilio Alarcos Llorach*, Oviedo, Universidad, 1977, I, págs. 283-290.

Capítulo XIII

POESÍA DE CARÁCTER CLERICAL

Las obras que, en un principio, fueron apareciendo como consecuencia de la aplicación de los clérigos a la literatura vernácula, ampliaron cada vez más la materia de los contenidos hasta entonces tratados, y elevaron el estilo poético. Cualesquiera que hayan sido las obras perdidas en el período de orígenes, las obras primitivas de este grupo fueron creando un ámbito literario que se situaba frente a dos fronteras:

a) Frente a las manifestaciones del Folklore, que habían adoptado ya una constitución poética y representaban una constante continua, de carácter oral, mantenida por la memoria, y eran anónimas por propia naturaleza; por tanto, estas obras prosiguen una situación en la que es difícil introducir una novedad.

b) Frente a la literatura en lengua latina, de base fundamentalmente escrita en lo que afecta a la conservación de los textos, con predominio de la autoría, en la que la creación presupone una intención renovadora dentro de unos cauces genéricos.

La coincidencia con la literatura folklórica consiste en el uso de la lengua vernácula; y, más allá de la lírica popular, la literatura clerical vernácula también sobrepasa los formulismos inherentes a la poesía extensa de carácter épico; de la literatura latina recoge el ámbito de la cultura clerical, aprovechándolo para la génesis y desarrollo de su propia obra. En esta poesía primitiva encontramos una iniciación que, mediante la cuaderna vía, nos ofrece (salvo lo que haya quedado oculto en las obras perdidas) una relativa perfección formal; enlazando con las manifestaciones juglarescas, encontramos una serie de poemas que representan una situación mixta o de transición con formas menos regulares que las de la cuaderna vía. De una forma u otra, las obras fueron, en general, comunicadas oralmente a los públicos, si bien los textos se fijaron en la escritura para la conservación de los mismos; cabe también que los juglares los hayan incorporado a sus repertorios, y presenten asimismo, en algunos casos, las condiciones de una difusión de esta naturaleza. Copiadas una y otra vez, valieron como obras literarias para ser leídas en grupos o individualmente. Esta afirmación de la escritura coincide con otros usos de la lengua escrita, como fueron las obras menores del Derecho (fueros y cartas-pueblas, documentos privados, etc.) y con su aplicación en las Cancillerías, hasta dar en la constitución de la prosa literaria, que se benefició de estas obras. Hay que añadir además el común desarrollo de las otras literaturas románicas, de la provenzal y francesa sobre todo, de las que a veces proceden las materias que se reconstituyen en las obras españolas. En relación con esto conviene considerar también una característica de esta poesía en su época primitiva, que fue la contingencia de deslizamiento lingüístico entre los dialectos inmediatos, castellano, leonés y aragonés; la lengua vernácula no se adscribe aún a una modalidad lingüísticamente determinable, y el esfuerzo por establecer la literatura es común en todos ellos, y las obras pasan de un dialecto a otro a través de un ajuste lingüístico peculiar y matizado.

En el período primitivo esta poesía representa una corriente dentro de la cual crece el prestigio de la palabra escrita; la creación se orienta hacia el sistema de la literatura culta en lengua latina; y, por otra parte, disminuyen y acaban por anularse las modalidades orales de origen folklórico o que están aseguradas por un formulismo de orden estrictamente oral. Desde sus primeras manifestaciones se trata de poemas de ex tensión amplia y media, con desarrollo sobre todo narrativo o dramático de condición no-teatral.

El contenido de comunicación se relaciona con algún aspecto de la clerecía, en la significación extensa que se dio al término. Esta procedencia general y predominante se vio ampliada y enriquecida por los cauces paralelos de las obras procedentes de las culturas judía y árabe, que en algunos casos vertieron sus contenidos en el mismo sistema de formas. El fenómeno literario de esta reunión de la clerecía europea y de su equivalencia intelectual judía y árabe es uno de los aspectos más característicos de la literatura medieval hispánica.

Esta agrupación poética que reúne las obras de raigambre clerical presenta, como veremos, una gran variedad[1]. Partiendo de las obras mencionadas como poemas mixtos, de base clerical y metro juglaresco, las obras que representan la modalidad más determinada del grupo suelen agruparse en tres períodos que corren en la sucesión de los siglos XIII al XV[2]. El grupo literario que constituyeron cedió ante la competencia con las formas del arte cancioneril, y su verso más representativo, la cuaderna vía, fue quedando arrinconado y, desde 1400, cada vez más limitado a una intención didáctica que puede que fuese, en sus últimas manifestaciones, un recurso nemotécnico.

---

[1] Una visión de conjunto de la obra clerical en verso de cuaderna vía se halla en el artículo escrito por Georges CIROT, *Inventaire estimatif du «mester de clerecía»*, «Bulletin Hispanique», XLVIII, 1946, págs. 193-209. Con ilustraciones en diapositivas, N. SALVADOR MIGUEL, *El mester de clerecía*, Madrid, La Muralla, 1973. Más ampliamente establece el mismo N. SALVADOR MIGUEL un estudio de conjunto en *Historia de la literatura española*, dirigida por José María DÍEZ BORQUE, obra citada, I, págs. 125-183. En lo que toca a su relación con la juglaría, el punto de vista de R. MENÉNDEZ PIDAL, en *Poesía juglaresca*, obra citada, págs. 272-284. Aunque referidas en concreto al poema juglaresco de las *Mocedades*, léanse las generalizaciones del problema en Alan D. DEYERMOND, *Epic Poetry and the Clergy: Studies on the «Mocedades de Rodrigo»*, obra citada, cap. III, págs. 51-81.

[2] Un conjunto de estas obras se halla reunido en las antologías, citadas, *Antigua poesía española lírica y narrativa* y *Poesía española medieval*, al cuidado de Manuel ALVAR; y junto con otros textos épicos, se encuentran en *Poema del Cid y otros momentos de la primitiva poesía española*, Madrid, Calleja, 1919.

En el capítulo anterior examinamos el aspecto métrico de estas obras en las que concurrían el verso anisosilábico, organizado en pareados, y un contenido que pertenece al ámbito clerical. Son obras medias, preferentemente religiosas: así, el incompleto *Libre dels tres reys d'Orient* o *Libro de la infancia y muerte de Jesús* [3], del siglo XII (242 versos), que reúne episodios en relación con los Evangelios apócrifos y que tiene una base teológica en cuanto a la gracia divina. De este orden, en un dominio hagiográfico, es la *Vida de Santa María Egipciaca* [4] (1451 versos), conservada en el mismo manuscrito que el anterior poema, versión de la difundida leyenda de esta Santa a través de un texto francés.

La incompleta *Disputa del alma y el cuerpo* [5], de fines del siglo XII o comienzos del XIII (37 versos dobles conservados en el manuscrito de Oña) es una obra poética de meditación sobre la muerte, tema muy común y que pertenece a una familia de versiones procedentes de la literatura latina medieval.

Junto con este grupo de obras religiosas está la *Razón de amor con los denuestos del agua y el vino*, o *Siesta de abril* [6],

---

[3] *Libro de la infancia y muerte de Jesús*, edición de Manuel ALVAR, Madrid, CSIC, 1965, con un planteamiento general. Para la métrica de estas obras, véanse anteriormente págs. 315-316.

[4] *Vida de Santa María Egipciaca*, edición de Manuel ALVAR, Madrid, CSIC, 1970-72; y de Roger M. WALKER, Exeter University, 1972. Este poema y el anterior están reunidos en una edición escolar por el mismo M. ALVAR, *Poemas hagiográficos de carácter juglaresco*, Madrid, Aula Magna, 1967.

[5] Véase la cuestión planteada desde el punto de vista de la estructura dialogada de la obrita en la pág. 472, con la bibliografía correspondiente. Sobre la resonancia clerical del asunto (hay un poema francés y otros latinos), véase Pierre GROULT, *La «Disputa del alma y el cuerpo». Sources et originalité*, en el Homenaje *Linguistic and Literary Studies... a H. Hatzfeld*, Washington, The Catholic University, 1964, págs. 221-229.

[6] Lo mismo que en el caso anterior, véase la pág. 472, con la bibliografía. De las dos obras hay poemas clericales relacionables, y para su

del siglo XIII (264 versos en total), obra compleja en la que una aventura amorosa cortés en un lugar primaveral se reúne con una disputa entre el agua y el vino. En este caso el aire juglaresco de la obra se mezcla con los asuntos de la lírica cortés, especialmente la *amorosa visione.*

Elena y María[7] (402 versos conservados), también del siglo XIII, pertenece al grupo de los debates, tan abundante en la literatura latinomedieval y en las primeras manifestaciones cultas de las literaturas vernáculas. En este caso son dos mujeres que discuten quién tiene mejor gracia y disposición para el amor, si el clérigo o el caballero.

Este grupo de poemas, relativamente corto, pero de una gran diversidad, nos muestra las relaciones que hubo entre clérigos y juglares. En él se encuentran representadas las diversas corrientes europeas —las religiosas, las goliardescas, las procedentes de Francia y de Provenza y las propias del conjunto de la literatura latina europea—. El autor no aparece aún mencionado porque los poetas de estas obras componen con la conciencia de que la materia argumental básica no les pertenece, y porque es probable que se considerasen como obras menores, cuya copia se hacía con poco cuidado y sin que fuese necesario nombrar al autor; los juglares pudieron interpretarlas si encontraban un público adecuado, y su persistencia manuscrita representó un índice de superación. Con todo, en ellas está ya en juego una intención creadora, con el uso de unos procedimientos artísticos claramente manifiestos, que aprovecharon las condiciones del verso anisosilábico por su gran empleo en la literatura española.

---

significación general, A. R. de FERRARESI, *De amor y poesía en la España medieval: prólogo a Juan Ruiz,* obra citada, págs. 43-118.

[7] Lo mismo que en las notas anteriores, véase la pág. 472, con la bibliografía. Para el planteamiento general del asunto en el marco clerical, véase Cesare SEGRE, «*Ars amandi*», *clasica e medievale,* en *GRLMA,* VI, I, págs. 109-116.

El primer período de la poesía íntegramente clerical es el
que corresponde a las condiciones de la poesía primitiva; desde
los orígenes se desarrolla en el siglo XII y sobre todo el XIII,
hasta que aparece la potencia creadora de Juan Ruiz. Este período presenta una amplia variedad de asuntos, y los argumentos
son de gran extensión, desarrollados en la forma narrativa de
relato continuado. En el segundo período (siglo XIV), en el que el
portentoso hallazgo del *Libro de Buen Amor* abrió caminos de
gran juego poético, se impuso con el *Libro rimado del Palacio*
el carácter moralizador; los argumentos resultaron más complejos, pues los autores acudieron en cada obra a una mayor variedad de fuentes y de información; los asuntos aparecen expuestos
con un descenso de los procedimientos expositivos de la narración, y los libros acabaron por ser lecciones rimadas sobre la
vida humana. El tercer período (siglo XV), en el que la cuaderna
vía había cedido ante el arte cancioneril, sólo contiene obras
morales y edificantes, probablemente concebidas con fines escolares. En este conjunto del desarrollo, la condición clerical de la
obra aparece claramente manifiesta en el primer período; en el
segundo y tercero la cohesión clerical se desperdiga en una
diversidad de corrientes culturales que se entrecruzan: así el
arte cancioneril y la organización social de las Cortes permiten
una mayor variedad. Un límite a la actividad literaria propiamente clerical, referida en particular a la cuaderna vía, se testimonia en una poesía del *Cancionero de Baena* del «viejo» Pedro
López de Ayala cuyo *Rimado* (o *Rimos* de las *Maneras del palacio*, según el Marqués de Santillana, antes de 1449) se compuso
entre 1367 y 1403. Esta poesía, respuesta a una pregunta que
le había hecho Fernán Sánchez de Talavera, escrita en arte
mayor, trae insertas siete estrofas de la cuaderna vía del *Rimado*,
de las que el propio autor dice que son «versetes algunos de

antiguo rimar», y a los que se adjetiva de «rudos»[8]. La estrofa que mejor había caracterizado la presencia clerical se pierde con el sistema poético que sustentaba.

Así el arte que manifiesta el conjunto de las creaciones literarias de la clerecía en la literatura puede compararse con una ciudad medieval en la que, junto a las obras compuestas en la cuaderna vía, que son las dominantes, se hallan otras, de medida y estrofa distintas (desde el pareado primitivo hasta la redondilla), constituyendo una entidad poética cerrada y relativamente bien conservada en contraste con el derruido grupo de los poemas épicos. La entidad conjunta viene siendo considerada por algunos críticos como un grupo genérico único, pero no hay que olvidar su variedad y las distintas corrientes poéticas que se hallan representadas en su interior.

Una ordenación por asuntos puede servir para ilustrar esto. Y así la Antigüedad, según la concepción clerical de la época, está representada por la *Historia troyana*[9], de hacia 1270 (escrita en parte en verso polimétrico, y en parte en prosa), basada no en la *Ilíada*, sino en un *Roman de Troie*, crónica seudohistórica, con aires de libro de caballerías, escrita por Benoît de Sainte-Maure. Un ejemplo del caudillo perfecto, en figura de rey imperante, se halla en el *Libro de Alexandre*[10], que es el que ofrece una conciencia más declarada del arte clerical, y cuyas fuentes son francesas y alguna árabe. El espíritu de la aventura personal

---

[8] Véase Joaquín GIMENO CASALDUERO, *Pero López de Ayala y el campo poético de Castilla a comienzos del XV*, «Hispanic Review», XXXIII, 1965, en especial págs. 13 y 14.

[9] *Historia troyana en prosa y verso...*, edición de Ramón MENÉNDEZ PIDAL con la colaboración de E. VARÓN VALLEJO [1934], en *Textos medievales españoles*, obra citada, págs. 179-419.

[10] *El libro de Alexandre* [1934], edición de Raymond S. WILLIS, facsímil de Kraus Reprint, Millwood, 1976. Véase Ian MICHAEL, *Estado actual de los estudios sobre el Libro de Alexandre*, «Anuario de Estudios Medievales», II, 1965, págs. 581-595. Es importante el estudio del mismo MICHAEL, *The treatment of Classical material in the Libro de Alexandre*, Manchester, Universidad, 1970. Además, Louis F. SAS, *Vocabulario del Libro de Alexandre*, Madrid, Real Academia Española, 1976.

según la manera bizantina anima el *Libro de Apolonio* [11], de origen griego y abundantemente representado en la literatura medieval. Un argumento de la historia castellana, en relación con el espíritu de la épica, figura con el *Poema de Fernán González* [12], que representa la versión de un tema de raíz épica con la mezcla de la historia con la leyenda. El *Poema de Alfonso XI* [13], atribuido a Rodrigo Yáñez, de antes de 1350, pretende renovar este arte con la biografía del rey escrita en redondillas, procedimiento que no tuvo éxito aplicado a la narración extensa. Una intención que puede situarse dentro del cometido moralizador del espíritu de la clerecía, aparece en los curiosos versos de Sem Tob, judío de Carrión, de mediados del siglo XIV. De intención moralizante es otro de los libros del grupo, el *Libro rimado del Palacio* [14], de Pedro López de Ayala (1332-1407), obra para cortesanos, escrita en la segunda mitad del siglo XIV por uno de ellos, que la crea desde un punto de vista clerical ya secularizado.

---

[11] *Libro de Apolonio*, edición de Manuel ALVAR, Madrid, Fundación Juan March, Castalia, 1976, I, «Estudios»; II, «Textos»; III, «Concordancias». Véase Joaquín ARTILES, *El «Libro de Apolonio», poema español del siglo XIII*, Madrid, Gredos, 1976.

[12] *Poema de Fernán González*, edición de Alonso ZAMORA VICENTE, Madrid, Espasa-Calpe, 1954, 2.ª edición; ídem, traducción, reconstrucción, notas y comentario de Ermino POLIDORI, Roma, G. Semerano, 1961. Véase Joaquín GIMENO CASALDUERO, *Sobre la composición del Poema de Fernán González* [1968], en *Estructura y diseño en la Literatura castellana medieval*, obra citada, págs. 31-64. Sobre el posible cantar con el que tuviera relación este poema clerical, véase Juan Bautista AVALLE ARCE, *El «Poema de Fernán González»: clerecía y juglaría*, en *Temas hispánicos medievales*, Madrid, Gredos, 1974, págs. 64-83.

[13] *Poema de Alfonso XI*, edición de Yo TEN CATE, Madrid, CSIC, 1956, con el vocabulario, Amsterdam, Swets & Zeitlinger, 1942. Véase Diego CATALÁN, *Poema de Alfonso XI. Fuente, dialecto, estilo*, Madrid, Gredos, 1953.

[14] *Poesías del Canciller Pero López de Ayala*, edición de A. F. KUERSTEINER, New York, The Hispanic Society of America, 1920, 2 tomos; edición parcial de José LÓPEZ YEPES, Vitoria, Caja de Ahorros, 1974, I; *Libro rimado del Palacio*, edición crítica establecida por Jacques JOSET, con el texto completo, estudio y notas, Madrid, Alhambra, 1978, en dos volúmenes con numeración sucesiva.

R. P. Kinkade[15] estima que se escribió en cerrado contacto con la Orden de San Jerónimo (fundada en Castilla en 1373) de San Miguel del Monte en la actual provincia de Logroño, cerca de San Millán de la Cogolla. Insistiendo en la apreciación negativa de la vida humana, pero en un sentido más general, se escribió el *Libro de miseria de omne*[16], desgarbada obra de fines del siglo XIV.

Pasando a los asuntos de la Iglesia, que fueron los que tocaron más directamente a la condición estrictamente «clerical», Gonzalo de Berceo[17], clérigo secular del Monasterio de San Millán de la Cogolla, estableció en la primera mitad del siglo XIII la aplicación de la cuaderna vía a los asuntos marianos y a la noticia de la vida y milagros de los santos locales, con un fin de edificación popular. La *Vida de San Ildefonso*[18] (hacia 1304),

---

[15] Richard P. KINKADE, *Pero López de Ayala and the Order of St. Jerome,* «Symposium», XXVI, 1972, págs. 161-180.

[16] *Libro de miseria de omne,* edición de Manuel ARTIGAS, «Boletín de la Biblioteca Menéndez Pelayo», I, 1919, y II, 1920, en varios lugares.

[17] Un planteamiento general en John E. KELLER, *Gonzalo de Berceo,* Boston, Twayne, 1972. Textos en: Gonzalo de BERCEO, *Obras Completas,* edición de Brian DUTTON, Londres, Tamesis, I, «San Millán», 1967; II, «Milagros», 1971; III, «Duelos, Himnos, Loores y Signos», 1975; con amplias noticias de la *Vida de Santo Domingo* hay una edición de Teresa LABARTA, Madrid, Castalia, 1973; *El Poema de Santa Oria,* edición y estudio de Isabel URÍA MAQUA, Logroño, Diputación, 1976; *Martirio de San Lorenzo,* edición de Pompilio TESAURO, Nápoles, Università, 1971. Para estudio, véanse Joaquín ARTILES, *Los recursos literarios de Berceo,* Madrid, Gredos, 1968, 2.ª edición; Gaudioso GIMÉNEZ RESANO, *El mester poético de Gonzalo de Berceo,* Logroño, Diputación, 1976, con repertorios de rimas; Domingo YNDURÁIN, *Algunas notas sobre Gonzalo de Berceo y su obra,* «Berceo», 90, 1976, págs. 3-67, con precisiones sobre las obras del autor; y Dana A. NELSON, *«Nunca devriés nacer».* Clave de la creatividad de Berceo, «Boletín de la Real Academia Española», LVI, 1976, págs. 23-82, con un amplio examen de la constitución del arte de Berceo, en comparación con el *Poema de Alexandre,* que estima fue escrito por Berceo; para rehabilitar esta autoría está trabajando desde diversos puntos de vista. Juan M. ROZAS LÓPEZ, *Los Milagros de Berceo como libro y como género,* Cádiz, Universidad a Distancia, 1977. Carmelo GARIANO, *Análisis estilístico de los «Milagros de Nuestra Señora» de Berceo,* Madrid, Gredos, 1971, 2.ª edición.

[18] *Vida de San Ildefonso,* edición de Manuel ALVAR EZQUERRA, Bogotá, Instituto Caro y Cuervo, 1975.

del beneficiado de Úbeda, es obra de pareja intención, pero menos lograda.

Ya en el dominio de las relaciones con las literaturas paralelas, encontramos en cuanto a la literatura árabe, el asunto de la vida del casto José que inspiró un poema aljamiado árabe, de fuentes coránicas, el *Poema de Yúçuf*, y otro, en la aljamía hebrea, las *Coplas de Yocef*[19], de fuentes bíblicas y con una métrica peculiar, emparejable con la obra de clerecía según algunos críticos. Añádase la peculiar sentenciosidad del judío Sem Tob, expuesta en coplas heptasílabas[20].

LA OBRA CULMINANTE DE JUAN RUIZ

El arte clerical en su acepción más amplia tiene su culminación en Juan Ruiz, Arcipreste de Hita[21]. Por una parte, en la

---

[19] Ramón MENÉNDEZ PIDAL, *Poema de Yúçuf. Materiales para su estudio* y *Sobre la derivación y fuentes del poema* [1902 y 1952], en *Textos medievales españoles*, obra citada, págs. 421-519. *Coplas de Yoçef*, edición de Ignacio GONZÁLEZ LLUBERA, Cambridge, University, 1935.

[20] Véase Luisa LÓPEZ GRIJERA, *Un nuevo códice de los «Proverbios morales» de Sem Tob*, «Boletín de la RAE», LVI, 1976, págs. 221-281, un nuevo texto castellano.

[21] Juan Ruiz es el autor de más diversas interpretaciones en el juicio de los críticos. Resumido el asunto en MENÉNDEZ PELAYO, *Antología de poetas líricos castellanos*, ed. *OC* (en especial, I, cap. V, págs. 257-314). Obra fundamental es la de Felix LECOY, *Recherches sur le «Libro de Buen Amor» de Juan Ruiz, archiprête de Hita* [1938], en la reproducción con nuevo prólogo y bibliografía suplementaria de Alan D. DEYERMOND, Westmead, Gregg International, 1974 [1973], con información sobre la situación de los estudios sobre el *Libro de Buen Amor* hasta la fecha indicada. Añádase *El Arcipreste de Hita, el autor, la tierra, la época*, en *Actas del I Congreso Internacional sobre el Arcipreste*, Barcelona, SERESA, 1973. Los estudios de María Rosa LIDA, a quien tanto debió el estudio del *Libro de Buen Amor*, han reaparecido en *Juan Ruiz. Selección del Libro de Buen Amor y Estudios críticos* (Buenos Aires, Ed. Universitaria, 1973) con la versión de la extensa antología de la obra, las *Notas* y las *Nuevas notas* con otros artículos; y también *Dos obras maestras españolas: El «Libro de Buen Amor» y «La Celestina»*, Buenos Aires, Eudeba, 1966, y otra, 1968, edición española de Raimundo LIDA. Luis BELTRÁN, en *Razones de Buen Amor, Oposiciones y convergencias del Arcipreste*, Madrid, Fundación J. March-Castalia, 1977, se inclina por el sentido de unidad de la obra, implícito en su ambigua

primera mitad del siglo XIV en que se escribe el *Libro de Buen Amor*, la poesía del arte clerical se halla en su madurez y, por tanto, Juan Ruiz dispone de la experiencia literaria de las obras precedentes; y por otra, los juglares disponen de una gran abundancia de poemas de toda especie, de la épica medieval y de los largos contactos con la clerecía. Además, el arte cancioneril está ya asegurado en las lenguas vernáculas de España, y en el castellano dispone de un fondo de obras suficiente, con su origen provenzal y con el cultivo genérico de la lengua gallega. La fase de la poesía primitiva puede considerarse sobrepasada, y así el *Libro de Buen Amor* representa una manifestación «clásica» dentro de la literatura clerical.

La fuerte personalidad poética del Arcipreste, la más vigorosa de la Edad Media, pudo recrear motivos literarios europeos con otros procedentes de las culturas árabe y judía que lo rodeaban, manteniendo siempre la unidad constitutiva del poema, y utilizarlos con desembarazo como alternativas en el discurrir de su inquieta ciencia poética. El resultado fue que, lejos del ambiente clerical español en que creó la obra, Juan Ruiz habría de resultar un autor de difícil entendimiento poético, pues presuponía el conocimiento y dominio de los fondos literarios en los que se apoya, muy diversos y a la par circunstanciados. De ahí que, aun asegurando la alta valía literaria de Juan Ruiz, su obra obtuviese una difusión limitada puesto que el módulo de su poesía se había de considerar envejecido ya a fines del siglo. Por eso su obra no se difundió por la vía de la imprenta hasta el siglo XVIII, en el que la erudición redescubrió el texto del libro, punto de partida para que los críticos lo valorasen con muy diferentes criterios. Puesto en el plano de la controversia, el poema de Juan Ruiz es una cuestión muy debatida y sobre la cual es difícil ponerse de acuerdo, aunque de las distintas opiniones se

expresión poética, a través de una lectura personal desde el principio al fin del *Libro* que recoge e interpreta los precedentes comentarios críticos; un procedimiento similar, con énfasis en los casos semejantes de la literatura europea, es el de A. C. de FERRARESI, en *De amor y poesía en la España medieval: prólogo a Juan Ruiz*, obra citada, págs. 157-285. Sobre las ediciones del *Libro de Buen Amor*, véase la información de las págs. 68-83.

alcanza una conclusión: que su autor fue un poeta que, aun contando con que los elementos de que se vale pertenecen en gran parte a un fondo cultural europeo, realizó una obra de tal naturaleza que sólo pudo escribirse en España; y este juicio no es tan general como parece. La perspectiva creadora del Arcipreste y el trato que dio a los materiales poéticos en juego en su obra se radican de una manera inexorable en el lugar en que escribió la obra. La cohesión con que logró organizar la unidad de su _Libro_, con el fundamento clerical que es su base, y los procedimientos que pudiese haber tomado de árabes y judíos, constituyen un caso difícil de equilibrio artístico, logrado en su plena eficiencia creadora. Valiéndose de la forma autobiográfica, muy extendida en la literatura árabe (en particular de las _maqāmas_, tomadas probablemente de versiones judías), concibió una obra en la que declara su pretensión de enseñar a las gentes. Con esto se encuentra dentro de la gran corriente didáctica propia del arte clerical y, en efecto, hay abundante doctrina y ejemplos en el _Libro de Buen Amor_. La doctrina está expuesta a lo largo de la extensión en un relato en primera persona gramatical, valiéndose de un _yo_ que sustenta la parte personal del sintagma poético; y también en una sucesión de ejemplos en estilo impersonal. Lo que él dice que es prueba de su experiencia, ha de entenderse en un sentido poético, y así Juan Ruiz enseña y divierte en sus frustradas aventuras, sobre todo de carácter amoroso; ríe y llora a través de las diversas situaciones de la inventada trama, y abre las páginas de su libro a toda suerte de poesía, seria y jocosa, religiosa y profana, como si él mismo fuese motivo para incorporar un extenso cancionero de muy diferentes metros, enmarcado en el curso de la cuaderna vía. Las burlas de Juan Ruiz tienen en ocasiones un sentido paródico, pero su relación con la realidad vivida y sorprendida poéticamente las separa de un estricto sentido goliardesco, al que a veces, sin embargo, se acerca, pues esta especie poética fue, como el _Libro de Buen Amor_, la experiencia paralela más notable de condición personal que se encuentra en la literatura latina medieval y en la vernácula.

El *Libro de Buen Amor* resulta ser así la obra más lograda, como creación poética, de la literatura medieval, por cuanto el escritor logra manifestar en su radical realidad la vida que otorga al personaje que es él mismo, desarrollando las formas retóricas que mejor se acomodan con esta manifestación de la personalidad literaria; y esta creación posee una soltura que no tiene igual en la Edad Media española. La condición clerical de la obra es clara si se estudian las fuentes de que se vale, pero también Juan Ruiz se manifiesta como el poeta más comprometido de la clerecía al valerse de fórmulas de los juglares, y asimismo de las correspondientes a las líricas popular y cortés.

FIN DEL ARTE LITERARIO CLERICAL

El término del arte literario clerical llega cuando alcanza el fin que se propuso; la eficacia de una técnica literaria de naturaleza clerical quedó inútil cuando el Humanismo aparece sobre todo en Italia, y señala unos fines más concretos al amplio abanico del uso literario de la clerecía. La Iglesia reduce su literatura a los fines eclesiásticos, y el Humanismo establece unas disciplina filológica sobre los textos, sobre todo de la Antigüedad; las glosas y comentarios, cada vez más abundantes, rodean los textos, de los que se buscan las mejores fuentes, que cada vez se conocen más de cerca. La literatura culta en lengua vernácula, ampliada con la prosa sobre todo de orden cortesano, abrió campos nuevos. La literatura de ficción cortés tuvo su cauce sin límites en los libros de caballerías y otros. La poesía acabó por adoptar las formas lingüísticas castellanas sobrepasando el mimetismo gallegoportugués. El resultado de esta concurrencia fue que el arte clerical quedó desbordado desde dentro, y la estrofa que lo había dominado, la cuaderna vía, fue dejándose de usar hasta su olvido, mientras que los versos octosílabos y de arte mayor heredaron esta intención de ennoblecimiento temático y estilístico que había sido el origen de la actividad «clerical» en la literatura.

Capítulo XIV

LA POESÍA CANCIONERIL MEDIEVAL

Después del estudio de la poesía de extensión amplia y media e intención culta, viene ahora la consideración de la poesía breve, de orden fundamentalmente lírico, con implicaciones didácticas que pueden alargarla hasta un grado medio. En este grupo literario se pone de manifiesto la intención de presentar una poesía «elevada», en lengua vernácula, según un patrón general que se estableció en la poesía provenzal desde sus orígenes, y que desde allí se había extendido a los otros países de Europa, entre ellos a España. En el caso de esta poesía, los propósitos y procedimientos para lograr esta condición de elevada aparecen declarados en una poética formulada por los autores, y que he examinado antes en la parte correspondiente a lo que llamé «poesía nueva». En este grupo poético se alcanza a reconocer, en gran número de casos, las condiciones de esta poesía elevada, que puede, a veces, ser de condición culta y relacionarse con el fondo del humanismo medieval, pero esto no resulta esencial; de la misma manera que otras veces, se plantean posibles relaciones con la poesía popular de base folklórica. Por tanto, la oposición de rasgos entre la poesía nueva y la de raíces cultas o populares es siempre relativa, y circunscrita en particular a determinadas familias poéticas del grupo. Por eso A. D. Deyermond no vacila en insistir que las fronteras de la aplicación de estos conceptos literarios nunca serán seguras: «es imposible, en efecto, trazar límites rigurosos entre poesía culta y popular, transmisión oral y culta, poesía amorosa sagrada y profana, vida eclesiástica y secular, realidad y ficción» [1].

Y por otra parte no debe olvidarse que las divisiones que he establecido separando la lírica popular por una parte (capítulo X) y la que aquí llamo cancioneril, representan sólo un propósito de ordenación interior para el caso de la literatura española, en el reducido límite fijado. Todas estas manifestaciones de la lírica, sea profana o sea religiosa, proceda de una lengua románica o de una germánica, se pueden estudiar como una unidad. P. Dronke insiste en este punto: «Esta tradición es una unidad» [2], y señala que ningún libro había tratado la tradición lírica como un conjunto. Con esta advertencia previa, estableceré una descripción de un grupo relativamente determinado en este conjunto, cuya variedad sólo mostraré en relación con lo que constituye una mayoría dentro del repertorio de las piezas poéticas que se han conservado.

La elevación que propugna la poesía de este grupo representa el esfuerzo común de los poetas-autores por crear y asegurar una obra en una lengua moderna, destinada a un auditorio culto y cortés; y en esta labor aparecen empeñados en España los *troubadours* y *trouvères* viajeros y los trovadores de los reinos hispánicos de Cataluña, Aragón, Navarra, Galicia, León y Castilla [3]. Este propósito se manifiesta en el marco social de las cortes y en relación con el ejercicio de la cortesía. Por tanto, se necesita conocer previamente la significación de este marco

---

[1] A. D. Deyermond, *Historia de la literatura española*, obra citada, I, pág. 33.

[2] Peter Dronke, *La lírica en la Edad Media* [1968], Barcelona, Seix Barral, 1978; se ocupa de la lírica europea del año 850 al 1300.

[3] Ya mencioné el libro de Carlos Alvar Ezquerra, *La poesía trovadoresca en España y Portugal*, Barcelona, Planeta, 1977, donde se encontrarán las noticias de estos trovadores y de los precedentes estudios sobre el asunto.

y ejercicio corteses para situar en su dominio la caracterización de esta poesía como fenómeno cultural: y después hay que considerar la condición que estas cortes, existentes en el conjunto de la Europa occidental, pudieran haber tenido en Castilla en cuanto a rango político y social de sus componentes, y la peculiaridad de sus actividades y, finalmente, sobre todo para nuestro fin, la función que en este reino pudo lograr una poesía de esta naturaleza.

La cortesía [4] representó una disciplina espiritual que caracterizó la vida social de los caballeros de linaje en cuanto a que daba un carácter de nobleza a su vida y los señalaba ante los demás como pertenecientes al grupo que constituían. La significación del término es compleja; y, en su aspecto más espiritual, la cortesía implicaba que los caballeros se manifestasen en la vida de relación como poseedores de una educación y de unos propósitos propios de la nobleza de alma; y esto en el plano de las actividades seculares, sin ser propiamente hombres de religión. En los castigos (o avisos para bien vivir) del Rey de Mentón de *El Caballero Cifar* se dice primero: «con el saber puede hombre ser cortés en sus dichos y en sus hechos»; pero esto no pareció bastante, y añadió: «cortesía es suma de [y otro manuscrito trae: todas] las bondades» [5], y se explica que cortesía es la conducta del que vive, con el temor de Dios, una vida en la que nada se oculta, y sabe dominarse, practicar el bien con todos, usar de buena manera las riquezas y contentarse con lo que se tuviere, sin dejarse llevar nunca del despecho. La cortesía resulta ser así virtud y ciencia conjuntas, sobre todo en cuanto a la vida activa; y como esto se sitúa en la corte, resulta que es la conducta más propia del que vive en ella. Lo mismo que aconteció con el término *clerecía*, también la palabra *cortesía* tomó un sentido en la literatura: la poe-

---

[4] José Antonio Maravall, *La cortesía como saber en la Edad Media*, [1965], en *Estudios de historia del pensamiento español*, Madrid, Cultura Hispánica, 1967, págs. 261-274.

[5] *El libro del Cauallero Zifar*, edición de Charles Ph. Wagner, Ann Arbor, 1929, pág. 294.

sía que admitía en su fundamento, como requisito previo, los efectos benéficos de la cortesía en el caballero se denomina *poesía cortés*, puesto que en estas cortes —fueran del Rey o establecidas en la casa de un gran señor o, incluso, sin una radicación precisa, pero sí con la aceptación de tales efectos— se hallaron los que la «interpretaron» mejor como forma de vida y le dieron esta realidad cultural reconocida tanto por los autores como por el público. La gente de la corte era la más preparada para entender las sutilezas del arte propio de esta poesía, y por eso formaba el público más adecuado para apreciar sus méritos. Y en las cortes se daba el ambiente propicio para que surgiesen las situaciones adecuadas en las que pudiera ocurrir la casuística que hemos estudiado en relación con el *fin'amors*, que la crítica moderna ha denominado precisamente *amor cortés*, según he dicho antes. En estas cortes había también ocasión para observar los vicios de la sociedad y del gobierno de los que trataba asimismo esta poesía, o de recoger la anécdota espiritual o desvergonzada, objeto de la misma. En las cortes de los reyes y grandes señores se tuvo en gran estima esta poesía, y se le reconoció una función en la vida social que se tenía como señal de nobleza. El autor era un caballero de linaje o si él no poseía la gracia de la poesía, podía valerse del arte del poeta asalariado, y entonces éste ejercía su maestría con una dignidad reconocida y que se apreciaba tanto por la calidad de la obra conseguida, como por el galardón merecido por ella.

LA POESÍA CORTÉS Y SU PROGRESIVA ADOPCIÓN EN CASTILLA

Una poesía de esta naturaleza tardó en componerse en lengua castellana. Hubo primero un conocimiento de la poesía provenzal y después su progresiva adopción en Portugal y Castilla. El Marqués de Santillana, como primer historiador de la literatura castellana, lo registra así: «Extendiéronse, creo, de aquellas tierras y comarcas de los lemosines estas Artes a los gálicos y a esta postrimera y occidental parte que es la nuestra España, donde asaz prudente y hermosamente se han usado» [6]. Esta extensión se logró por la acción de los que, en Castilla, interpretaron esta poesía en la propia lengua provenzal, y Menéndez Pidal [7] distingue dos períodos en esta progresión: el de la interpretación juglaresca occitánica (1135-1230) y el de la gallega (1230-1330). La culminación de este influjo aconteció en la corte de Alfonso X, donde se reunieron ambas modalidades. La expansión de esta poesía motivó que el provenzal y el gallegoportugués adquiriesen la condición de lenguas literarias, y que como tales fuesen reconocidas en la extensión de la España cristiana: de esta manera, junto al uso de la lengua vernácula, se dio el uso de estas otras lenguas, restringidas a la expresión de la lírica cortés.

Después de este período de convivencia lingüística, el castellano acabó por recoger el legado de la poesía cortés, con el sistema artístico correspondiente, a través de un período de transición en el que la lengua poética fue un híbrido gallego-castellano, de características fluyentes según los autores y por su radicación geográfica y temporal. R. Lapesa ha clasificado esta situación variable con la orientación de un constante progreso en el predominio del castellano, en los siguientes grupos:

«*a*) Poesías gallegas de autor gallego. En ellas debe desecharse como yerro de copia todo castellanismo que no estuviera ya introducido en el gallego común [...].

b) Poesías compuestas por trovadores de lengua castellana con intención de usar el gallego, pero en las cuales hay castellanismos atribuibles al autor por exigirlos el metro o las rimas en algunas de sus composiciones [...]. Como es imposible averiguar la maestría y cuidado efectivos de cada poeta al valerse del gallego, será arbitrario todo intento de restaurar los textos

---

[6] L. Sorrento, *Il Proemio del Marchese di Santillana*, edición citada, pág. 30.

[7] Ramón Menéndez Pidal, *Poesía juglaresca y orígenes de las literaturas románicas* [1924], Madrid, 1957, caps. V y VI, págs. 101-198.

originales [...]. Hoy por hoy sólo son legítimas las correcciones requeridas por el metro, las rimas o el sentido.

c) Poesías castellanas de autores gallegos, donde el castellano es lo general, pero con mayor o menor número de galleguismos [...]. En ellas habrá que dar por buenos los textos de los cancioneros, prefiriendo las variantes gallegas aceptables, si hay pluralidad de versiones.

d) Poesías castellanas de autores castellanos, con huellas lingüísticas del largo empleo que tuvo el gallego como lengua lírica. Puede aconsejarse igual criterio textual que el recomendado en el grupo anterior» [8].

El castellano, pues, acabó por hacerse con las maneras expresivas de esta poesía cuando la misma llevaba ya un largo cultivo, apropiándose de la lengua literaria del grupo genérico, y a través de una sucesiva aproximación y remozamiento de sus formas gramaticales, logrará al fin abrir por entero y sin disfraces lingüísticos el dialecto de Castilla a esta especie de creación.

EL CANCIONERO COMO
CONJUNTO UNITARIO

En Castilla esta poesía se escribió en lengua castellana cuando su cultivo estaba extendido por el Occidente y asegurado, constituyendo un código poético aceptado por los autores y reco·nocido por el público. Por este motivo, las corrientes renovadoras que en Italia habían modificado el sistema general, se abrieron pronto camino y perturbaron la relativa uniformidad de las situaciones de principio. Esta confluencia se manifiesta a través del sistema de conservación de esta poesía, que se establece por lo general en los libros denominados *Cancioneros* [9], que son

---

[8] Rafael LAPESA, *La lengua de la poesía lírica desde Macías hasta Villasandino,* «Romance Philology», VII, 1953, pág. 58.

[9] El número de poesías líricas de carácter cortés es relativamente elevado, y están contenidas en cerca de 50 cancioneros, cuya referencia biblio-

códices que suelen hallarse bien caligrafiados, como corresponde al medio cortés. El título de *Cancionero* designa la materialidad del códice en su conjunto, y la obra en él contenida, que
es una suma de piezas con unidad propia; en el cancionero
afluyen obras de muchos autores y de muy diversa calidad y
especie [10], aunque también puede designar la de uno solo, siempre que se mantenga dentro de este carácter. La reunión de las
piezas poéticas en estos códices ha hecho que, aun contando
con la diversidad que mostraré, la obra se considere en un
conjunto, y que se llame *cancioneril* a la manera y estilo del
total y de cada una de sus manifestaciones. Estos cancioneros
son hoy la gran fuente de conocimiento de esta poesía, y comienzan en el de Baena [11] para terminar, en lo que toca a la

---

gráfica y mención del primer verso de las poesías contenidas, se hallan
en la citada *BLH* de J. Simón Díaz, III, vol. primero, págs. 295-487. Puede
verse también el citado *Manual de bibliografía de la literatura española*,
de H. Serís, págs. 217-270 y 801-830, que extiende la mención del estudio
bibliográfico de los Cancioneros hasta el siglo XVII. Ha aparecido el tomo I
del libro de Jacqueline Stenou y Lothar Knapp, *Bibliografía de los Cancioneros castellanos del siglo XV y repertorio de sus géneros poéticos*, París,
Centre National de la Recherche Scientifique, 1975, en cuyo prólogo se ha
verificado un gran esfuerzo por ordenar la enorme variedad poética de este
grupo literario; el libro recoge los resultados de las listas de la compu-
tadora que ha tratado el conjunto de los datos.

    10   Hasta tal punto este sentido de la palabra *Cancionero* puede juntar
la obra de su estilo, que R. Foulche-Delbosc reunió en un gran corpus
la lírica del siglo XV bajo el título colectivo de *Cancionero castellano del
siglo XV*, Madrid, Bailly-Bailliere, 1912-1915, dos volúmenes; constituye el
repertorio más extenso y más comúnmente citado de la obra de este grupo
genérico, con el defecto de que no señala la procedencia de los textos
reunidos.

    11   Hay edición facsímil, antes citada, del códice de Baena; la edición de
Pedro José Pidal, Madrid, Rivadeneyra, 1851, es anticuada, pero se reim-
primió en Buenos Aires, Anaconda, 1949; edición de Francisco Michel,
Leipzig, Brockhaus, 1860, 2 tomos; la recomendable es la edición crítica
de José María Azáceta, Madrid, CSIC, 1966, tres volúmenes; las distintas
citas que hago del *Prólogo* del *Cancionero* de Baena proceden de una modernización del texto manuscrito.

Edad Media, en el de Hernando del Castillo [12], por citar los más importantes y decisivos [13].

LA MATERIA POÉTICA CANCIONERIL

En la medida en que la poesía cancioneril castellana recoge el conjunto de la herencia provenzal, mantiene los principios que informaron a ésta. Sobre la impresión de unidad que ofrece esta poesía, escribe P. Zumthor, refiriéndose al caso de Peire Vidal, pero que puede extenderse al conjunto de la herencia: «Aunque algunas lagunas modifican un poco la economía de la canción, la naturaleza y funcionamiento de los lazos que unen los elementos léxicos, sintácticos y rítmicos permanecen en conjunto sin cambio, y el inventario de los motivos permanece en lo esencial el mismo» [14].

Por principio, estos motivos y su expresión constituyen un conjunto que se admite como un sistema de indiscutida validez. Un hombre, caballero y trovador, escribe la poesía desde el punto de vista masculino. Cuando me referí a la poesía provenzal,

---

[12] Del *Cancionero general* recopilado por Hernando del CASTILLO existe una edición facsímil, con introducción bibliográfica, índices y apéndices por Antonio RODRÍGUEZ MOÑINO, Madrid, Real Academia Española, 1958, completada por un *Suplemento* del mismo erudito, de las poesías que no figuran en la primera edición y que fueron añadidas desde 1514 hasta 1517, Valencia, Castalia, 1959. Véase la antología de José María AGUIRRE del *Cancionero general de Hernando del Castillo* (con inclusión de otros), Madrid, Anaya, 1971.

[13] Se publicó el tomo I del *Cancionero de Estúñiga*, que es la parte del estudio biográfico de sus poetas y la temática de la obra que sostiene, con la descripción del manuscrito y sus relaciones: Nicasio SALVADOR MIGUEL, *La poesía cancioneril: el «Cancionero de Estúñiga»*, Madrid, Alhambra, 1977. De los estudios sobre un autor determinado, destaco el de Wolf-Dieter LANGE, *El fraile trovador* [Diego de Valencia], Frankfurt, Klotermann, 1971, con un amplio planteamiento de las cuestiones poéticas de la lírica de cancionero y una extensa bibliografía general, además de la que se refiere al autor que estudia.

[14] Paul ZUMTHOR, *Essai de Poétique Médiévale*, obra citada, pág. 192; véase la extensa reseña que dedico a este libro en el «Anuario de Estudios Medievales», en el número de próxima aparición.

señalé el proceso de este amor en sus cuatro situaciones fundamentales: tímido, suplicante, enamorado y amante. En su aplicación a la literatura castellana, el sistema general persiste (al
menos como propósito), pero ocurre que las primeras situaciones son las predominantes y sobre las que se afirma la expresión del grupo. Las condiciones de vida en la sociedad castellana limitaron el alcance final del sistema, y, contando con lo
tardío de sus manifestaciones, lo acomodaron a las nuevas corrientes literarias en relación con los libros sentimentales, en
los que predominó más la solución trágica del conflicto que la
del logro amoroso, cualquiera que éste fuese. Las circunstancias
de que la dama fuese casada y el juego dramático del amor
cortés, con la intervención del maldicente y del marido celoso,
no se dieron de una manera radical; y mejor que poesía *cortés*,
prefiero llamarla *cancioneril* porque la base feudal que había
habido en Provenza, no se dio en Castilla, aunque se conservase la fórmula de llamar *señor* (en masculino) a la dama, fuese
soltera o casada.

El cuadro general descrito se reitera en tantas ocasiones que
llega a constituir un sistema cerrado en sí mismo, en el que
se establecen unas determinadas combinaciones según las reglas
del conjunto y que todos, poeta y público, admiten como una
unidad, diversificable en tantas piezas como poesías se escriben
dentro de él[15]. No obstante esta reiteración de situaciones y
elementos poéticos, la poesía cancioneril se mantuvo hasta el
fin de la Edad Media y aseguró la expresión común del amor en
la Europa occidental. Y con el del amor se unieron otros motivos, de índole cortesana, que examinaré más adelante y que
coexisten apoyados en este otro fundamental.

Cortesía, hermosura, gracia, alegría, cordura, noble figura,
bondad y otras más son las cualidades que se reúnen en esta

---

[15] P. Zumthor, *Essai de Poétique Médiévale*, obra citada, pág. 239.
Otis H. Green explora su complejidad temática en *El amor cortés en
Quevedo*, Zaragoza, Biblioteca del Hispanista, 1955, donde aún persisten
los motivos que estudia en *Courtly Love in the Spanish Cancioneros*, «Publications of the Modern Languages Association of America», LXIV, 1949,
págs. 247-301.

herencia poética y en torno de la señora, objeto del amor cortés. De este servicio de amor resulta que la mujer es objeto de una especie de culto laico, y en su alta consideración esta poesía llega a valerse de expresiones de carácter religioso [16], abriendo el camino de la divinización de la mujer que luego desarrolló la poesía platonizante del Renacimiento con el fondo general de esta lírica cancioneril, cuya vigencia traspasa la época medieval.

LA TEORÍA CASTELLANA DE
LA POESÍA CANCIONERIL

En el último período de la poesía de los trovadores provenzales, abundó la consideración teórica sobre este orden de creación literaria: aparecen libros sobre rimas y versificación, y se escriben tratados sobre la poesía, y es la ocasión en que se reúne en códices la obra de los trovadores precedentes, sobre todo de los que se consideran maestros. Las amplias *Leys d'amors* de los autores del grupo llamado tolosano y los *ensenhamens* son manifestaciones de esta corriente [17], y esta actividad recopiladora y teorizante nos ha permitido conocer la poesía de los trovadores de Provenza. La exposición de la teoría y técnica del arte de esta poesía pasó, de estas manifestaciones provenzales, a los distintos países de Europa, en donde obtuvo un cultivo paralelo; lo que había ocurrido en Provenza se da en la literatura castellana y aquí examinaré algunas de estas declaraciones que sustentan lo que he llamado «teoría de la poesía nueva».

---

[16] Pueden sorprenderse, en enumeración de Juan Ruiz, en dos estrofas de su obra; véase A. H. Schutz, *La tradición cortesana en dos Coplas de Juan Ruiz*, «Nueva Revista de Filología Hispánica», VIII, 1954, págs. 63-71. Para la fraseología religiosa, véase el citado libro de Wardropper, *Historia de la poesía lírica a lo divino en la cristiandad occidental*, pág. 39.

[17] Véase el libro *The «Razos de Trobar» of Raimon Vidal and associated texts*, Londres, Oxford University Press, 1972, que contiene también la *Doctrina d'Acort*, de T. da Pisa; las *Regles de Trobar*, de J. Foixá; la *Doctrina de compondre dictats*, y dos trataditos anónimos del ms. Ripoll, 129.

Por desgracia se desconoce una obra que Juan Manuel cita en el Prólogo general de sus obras con el título de *Libro de las reglas de cómo se deve trobar*, que habría escrito este autor probablemente entre 1330 y 1335.

Un ejemplo de este orden de planteamientos teóricos se encuentra en Juan Alfonso de Baena, el coleccionador del primer gran cancionero conservado en Castilla. Cada poesía va en él precedida de un epígrafe explicativo de su circunstancia, y, además, al principio de la colección figura un «Prologus Baenensis» en que expone su teoría de la creación poética cancioneril. En este prólogo elogia la maestría de esta especie de arte literario, y atribuye a los que cultivan la que llama «poetría y gaya ciencia» un paradigma de perfecciones, en el que dice que el poeta tiene que ser «noble, hidalgo y cortés y mesurado y gentil y gracioso y pulido y donoso y que tenga miel y azúcar y sal y donaire en su razonar y otrosí, que sea amador y que siempre se precie y se finja de ser enamorado». Este paradigma resulta necesario para que la poesía posea la efectividad que se le atribuye, y de él se desprende que una obra de esta naturaleza sólo es adecuada para los entendidos que acepten estos supuestos previos. Y en este caso no se busca, como ocurría en el caso de la obra juglaresca o clerical, la aprobación de un público numeroso, de la mayoría de una comunidad. Juan Alfonso de Baena tiene ocasión de enumerar a los que él piensa ha de agradar la colección que ha recogido, y éstos son el Rey, la Reina, el Príncipe, los grandes señores del reino, prelados, infantes, duques, condes, adelantados, almirantes, maestres, priores, mariscales, doctores, caballeros, escuderos, hidalgos y gentileshombres, sus donceles, criados y oficiales de la casa real. Esta lista representa el grupo que en Castilla sostiene la corte del Rey, y en ellos se manifiesta por principio la virtud y efectos de la cortesía de que antes se habló. Los poetas resultan los más predispuestos para el ejercicio de la cortesía, y esto lo dijo después el Marqués de Santillana: «así como la materia busca la forma, y lo imperfecto la perfección, nunca esta ciencia de poesía y gaya ciencia buscaron ni se hallaron sino en los ánimos gentiles, claros ingenios y elevados espíritus»[18]. Los términos de *poetria* (poesía) y *gaya ciencia* van con frecuencia formando unidad fraseológica. *Gaya* es palabra de origen provenzal *(gaudium>gauy>gai)*, de donde pasó al francés, y al español como *gay-o* y *gay-oso*. Es término del léxico genérico, y se relaciona con la alegría que engendra el amor cortés mientras el poeta *(servidor)* concibe alguna esperanza, de la misma manera que la *pena* de amor (con la asociación de la *muerte)* es su efecto contrario. Cultivar esta ciencia poética (ciencia en tanto que requiere unos conocimientos y una técnica), además del signo social que representa, es ocasión para alegrar el alma y enriquecer el espíritu, de la misma manera que a su modo el cristiano se alegra y se siente enriquecido sólo por el hecho de serlo, aunque presienta los dolores que puede traerle la condición de tal. La obra no sólo tiene su destinatario y con él un público, sino que también revierte sobre el autor, y de esta manera tanto éste como el receptor reciben los beneficios de la cortesía. Baena, reuniendo la Teología espiritual y distintas formulaciones de los provenzales, escribió que esta clase de poesía era «ciencia, avisación y doctrina [...] alcanzada por gracia infusa del señor Dios»[19]. Y el Marqués de Santillana hubo de añadir: «¿Cuál de todas [las ciencias] es más prestante, más noble o más digna del hombre? ¿O cuál más extensa a todas especies de humanidad?»[20]. Y con esto, reconociendo que la poesía puede ser un atributo de la dignidad del hombre y no sólo signo de una clase social, abre el camino de la valoración humanística de cualquier poesía noble.

En consecuencia, la poesía cancioneril representó siempre el exigente ejercicio de una técnica de alto grado artístico,

---

[18] L. SORRENTO, *Il Proemio del Marchese di Santillana*, edición citada, págs. 20-21.

[19] Véase el comentario de esta expresión en Charles F. FRAKER, Jr., *Studies on the Cancionero de Baena*, Chapel Hill, University of North Carolina, 1966, págs. 63-90.

[20] L. SORRENTO, *Il Proemio del Marchese di Santillana*, edición citada, página 22.

manifestada en una cuidadosa elaboración de los versos y de las estrofas; el poeta se imponía la dificultad de unas rimas o infrecuentes o previstas desde antes de la elaboración del poema, unas estrofas complejas y un intenso artificio expresivo, y todo ello como pruebas de la virtud creadora. La realización de esta poesía fue un exasperado ejercicio de la inteligencia creadora sobre una materia de naturaleza ambigua, espiritual y corporal a la vez, por ir referida a un amor en el que para el lector moderno resulta un enigma la correspondencia entre las palabras del poema, la posible realidad sentimental implicada y su realización humana, sobre todo desde el punto de vista carnal. Además, si la poesía era de otra especie que la amorosa, también nos queda la duda sobre el grado de su sinceridad, por si sólo se tratase de un juego cortesano. Este factor es muy importante en todos los casos, tanto en los amorosos como en los demás, pues la sinceridad es un valor condicionado al conjunto del sistema. Pero estas dificultades no impiden reconocer en el autor de la poesía cancioneril un hombre para el que la cortesía fue un estilo de vida, una manera de comportarse consigo mismo y con los demás, y en el que la obra poética llegó a ser un indicio patente de su condición. La literatura representa así un factor de orden social; y aunque se sostenga que estas manifestaciones son convencionales, por lo menos su reiteración continua en estos siglos XIV y XV llegó a crear un sistema de expresión y una materia poética que el grupo social cortés tenía como válido. Y hay que tener en cuenta que, junto al juego cortés del amor, esta poesía mostró también la otra cara de la condición humana en las canciones de escarnio y de maldecir, cuyo valor indicativo como documento social es de gran interés.

LAS ESPECIES DE POESÍA CANCIONERIL

a) *Los nombres generales.*—La poesía cancioneril ofrece diversos cauces de realización en los que se condicionan mutuamente contenido y forma. Estos cauces recogen la tradición provenzal y su descendencia gallegoportuguesa, el hibridismo galle-gocastellano y la progresiva afirmación del castellano como lengua poética. Examinaremos algunos de los términos de esta poesía.

El término más amplio que recoge el sentido de esta poesía es *copla* [<copula(m)]; los versos de ella han de hallarse co-pulados en una unión de consonantes perfecta y armónica. La letra se interpreta a través de una melodía, y la palabra se pliega al ritmo de ella, y por eso el término *canción* es también común a esta poesía, y también el de *cantiga,* aplicados al con-junto. La estrofa (que es el término general que recoge el sen-tido de copla) representa una unidad interior, cuya autonomía abarca el enlace de un grupo de consonantes y también, según la maestría usada, la relación con las otras estrofas. Se deno-minó *pie* al verso, que así resulta ser la unidad menor del con-junto de la poesía; el pie tiene una variante, llamada *pie que-brado,* que representa generalmente la fórmula de la medida de medio verso, o de menos sílabas que el pie común, con 5, 3 o hasta 2 sílabas, destinado a crear un efecto de suspensión para el realce del contenido del mismo o de lo que sigue; y se emplea sobre todo al fin de la estrofa y de la composición.

b) *Las clases de maestría.*—El enlace de los versos mediante la rima es un artificio básico en la técnica cancioneril. De él procedía la indicación de la *maestría,* que era como el indicio del dominio del arte que mostraba el poeta, y que se llevaba a cabo en tres grados: la *maestría común* (o *arte común*), la *media (arte de media maestría)* y la *mayor (arte de maestría mayor)* [21].

En la maestría común, la más primitiva y que luego sería la más general, las rimas varían en cada estrofa; se tenía por la

---

[21] Véase Henry L. Lang, *Las formas estróficas y términos métricos del «Cancionero de Baena»,* en los *Estudios eruditos in memoriam de Adolfo Bonilla y San Martín,* I, Madrid, Vda. e hijos de J. Ratés, 1927, en especial la parte de las notas de terminología métrica, págs. 504-521. Las referencias de las citas del *Cancionero de Baena* envían al número de la composición en el orden de J. Pidal.

de menos saber y valer, y no era adecuada para las recuestas. Puede recoger el artificio de las *coplas caudadas*, que consiste en añadir dos o tres versos de la misma rima que los últimos al final de la estrofa, como se explica más adelante (pág. 399).

En la maestría media, al menos una de las rimas de la primera estrofa de cabeza tiene que continuarse a través de las otras de la poesía, y esto permite muchas combinaciones.

En la maestría mayor, las rimas usadas en la primera estrofa deben mantenerse en las siguientes; por eso el procedimiento resultaba el más difícil y su uso fue cada vez a menos hasta desaparecer con el fin de la gaya ciencia medieval.

La titulación de estas maestrías aplicadas al arte del verso como unidad del poema trajo otro uso, y así Juan del Encina escribe que el vulgar castellano tiene dos géneros de coplas: «el uno cuando el pie consta de ocho sílabas o su equivalencia, que se llama *arte real;* y el otro cuando se compone de doce o su equivalencia, que se llama *arte mayor*» [22].

La mención de estas maestrías se concierta con otros procedimientos que se refieren a diferentes aspectos del arte cancioneril [23]. Valiéndose de cualquiera de ellas, la poesía había de poseer una calculada cohesión interna, tal como pedía Baena: como propia en los que «bien y sabia y sutil y derechamente lo saben hacer [esta poesía o gaya ciencia] y ordenar y componer y limar y escandir y medir...». Este cúmulo de técnica poética se realiza en las modalidades que menciono a continuación y que son sólo las más destacadas de esta manera literaria.

c) *La canción de amor.*—La modalidad más característica se menciona como *cantiga* en términos antiguos, y hoy se conoce como *canción de amor*, llamada por algunos *trovadoresca*. La fórmula de esta canción de amor, en su manifestación más ele-

---

[22] Juan del ENCINA, *Arte de poesía castellana*, edición citada de MENÉNDEZ PELAYO en la *Historia de las ideas estéticas*, OC, I, pág. 519.

[23] Según las designaciones de T. NAVARRO, *Métrica española*, obra citada, párrafo 71, págs. 140-144, que adopto para fijar una terminología.

mental, está compuesta por versos octosílabos o hexasílabos (menos), organizados en el siguiente orden de consonantes:

Rimas	1) ABBA |	2) CD:DC |	3) ABBA ||	4) .... |||
	ABAB |	CD:CD |	ABAB ||	
Melodía	α	β β	α	

1) La parte inicial es la cabeza de la composición, y adopta la disposición métrica de la redondilla, si bien puede aumentar o disminuir este número de versos. La parte inicial expresa el asunto o motivo básico de la poesía, y sobre ella vuelve el desarrollo de las otras partes siguientes, de tal manera que el conjunto de la poesía representa una glosa de esta cabeza, que es la cifra de la significación fundamental.

2) La parte medial es casi siempre otra redondilla, con rimas diferentes de las usadas en la parte inicial, y está compuesta por dos mudanzas melódicas, que suelen ajustarse con una ligera pausa en el medio y en los casos mejor logrados esta pausa lo es también del curso del sintagma o letra.

3) La parte final vuelve a adoptar la disposición métrica de la inicial en cuanto a las rimas, y aún cabe reforzar la relación mediante una represa total o parcial de los versos finales de la parte inicial.

4) Cada tres partes constituyen en el desarrollo total de la poesía una unidad interior, y la canción puede acabar con ella o prolongarse con otras unidades de constitución análoga en las que no se suelen repetir en los manuscritos e impresiones la parte inicial. Así resulta un esquema: ABBA | CD:DC | ABBA || EF:FE | ABBA || GH:HG | ABBA || etc.

Esta fórmula general puede presentar algunas variaciones por razón de la interpretación musical, pues ésta a veces requiere duplicar versos o parte de los mismos; y esto puede escribirse o no, quedando al arbitrio del amanuense. La fórmula en cuestión es la que mejor asegura la organización de la canción. A medida que los cancioneros manuscritos, y después la imprenta, aseguran la eficacia de la palabra poética, la canción de amor cortés se afirma cada vez más sobre el texto literario, y la interpretación melódica —siempre posible, por otra parte— va quedando de lado en la apreciación de la obra. De todas maneras, como indicio de su fondo rítmico-musical, uno de los factores más activos en la cohesión de la obra es el ajustado y exacto conjunto de rimas, reforzado por la represa cuando existe.

La más depurada técnica cancioneril se aplica a la canción de amor, pues en la variedad de situaciones que ofrece el amor cortés en ella se halla la más intensa formulación de esta poesía.

d) *El decir.*—Otra manifestación acusada de la poesía cancioneril es el *decir;* su nombre ofrece una primera oposición a la canción, de la que se diferencia por la ausencia de melodía y, en consecuencia, porque la función rítmica del conjunto se establece sólo sobre los recursos de la palabra. Baena, en su prólogo, se refiere a las cantigas (que se identifican con la canción de amor) diciendo que son «muy dulces y graciosamente asonadas de muchas y diversas artes»; de los decires señala que son «muy limados y bien escandidos». La oposición entre asonado y escandido se corresponde con la de 'música' y 'medida de versos', y esto señala su condición poética más importante (dejando de lado que los decires en alguna ocasión se cantasen, del mismo modo que la canción pudo considerarse sólo como pieza escrita).

El decir usó diversas estrofas de arte menor y mayor.

Entre la canción de amor y el decir se puede establecer otra diferencia, y es que la canción recogió hasta tarde las formas híbridas gallegoportuguesas, mientras que el decir se inclinó hacia el uso del castellano de una manera franca. Pudo ayudar en esto que el decir recogió la herencia del didactismo propio de la condición clerical; en efecto, encontramos un gran número de gente de Iglesia que usa estos decires.

e) *La recuesta.*—Citada también por Baena como una de las manifestaciones preferidas en la maestría mayor, la *recuesta* consiste en la controversia que se entabla sobre un asunto expuesto en una primera poesía. A veces esta poesía inicial es una

pregunta (a manera de *adivinanza*), y entonces la recuesta sirve
para responder a ella; otras veces una poesía inicia una polémica, y otro u otros poetas se oponen al primero mientras que
otros lo apoyan. La forma más perfecta es la de maestría mayor, cuando la respuesta se hace «por los mismos consonantes
y arte que el otro primer decir»: y esto ocurre lo mismo en la
poesía de versos cortos que en la de largos. Esta modalidad,
muy relacionada con el decir puesto que muchas veces parte de
uno de ellos, es una de las favoritas de Baena, y resulta la más
idónea para las obras polémicas que favorecen la sutileza del
arte cancioneril; en efecto, el poeta, según Baena, debe ser
hombre «de muy altas y sutiles invenciones [...] que haya visto
y oído y leído mucho y diversos libros y escrituras, y sepa de
todos lenguajes». De ahí que el decir y la recuesta traten de
asuntos de todas clases, de religión, derecho, política, etc. [24].
Y en el calor de la polémica, la recuesta era propicia para las
obras de escarnio y de maldecir, a la vez que favorecía una
disposición dialogada que hizo que viniesen a ella los temas
comunes de los debates medievales.

f) *La glosa.*—La *glosa* (en el sentido de una forma poética)
representa otra disposición culminante de esta poesía. Con este
nombre su manifestación es tardía [25]. Por de pronto, hay que
contar con que la mayor parte de las poesías cancioneriles llevan
implícita una «glosa» en la disposición de su desarrollo, pues
se ha insistido en que la cabeza es la cifra del conjunto y las
otras estrofas su desarrollo. En su forma más perfecta acaba
por ser una redondilla, que es el tema, y un desarrollo en cuatro
estrofas, cada una de las cuales termina con los versos sucesivos
de la redondilla inicial, que así se distribuye como represa total.

---

[24] Sobre la modalidad de «preguntas y respuestas» en la Castilla del
siglo xv, en especial en la Corte de Juan II, véase John G. Cummins, *Method
and Conventions in the 15th Century poetic Debate*, «Hispanic Review»,
XXXI, 1963, págs. 307-323.
[25] Hans Janner, *La glosa española. Estudio histórico de su métrica y
de sus temas*, «Revista de Filología Española», XXVII, 1943, págs. 181-232;
y del mismo autor, *La glosa en el Siglo de Oro*, Madrid, Nueva Época, 1946.

g)   *La desfecha y la esparza.*—Menciono la *desfecha* (o *deshecha* o *desecha)* porque representa una disposición opuesta a la glosa: se trata de una versión breve de otra poesía más extensa, reducida de manera que se extraiga su sustancia lírica. Según Lang [26], realiza una función similar a la *finida,* a la que me refiero después, en el apartado i).

T. Navarro, por su parte, estima además que «en el fondo la desfecha es en efecto un original desarrollo de la finida trovadoresca» [27].

La *esparza* es una copla suelta en la que se concentra de manera apretada un contenido, casi siempre de orden reflexivo; le parece a T. Navarro «precursora del madrigal y del epigrama» [28].

h)   *Modalidades específicas de estrofas cancioneriles.*—Las anteriores modalidades poéticas son sólo unas pocas de entre la gran variedad del arte cancioneril; fueron las más representativas, y junto con ellas hay otras formas con nombres que establecen determinados condicionamientos: así el *discor,* primero queja de amor, y luego, en Castilla, poema lírico en general; la *endecha,* canción triste, de tono elegíaco; el *lay,* poco cultivado, en verso corto y con rimas agudas: el *rondel,* también obra de versos cortos, en relación con el *rondeau,* propio para efectos de baile, etc. Por otra parte, ocurre que el conjunto de esta terminología no fue uniforme y muchas veces resulta equívoco.

En cuanto a los nombres más usuales de las combinaciones estróficas o coplas, cito los siguientes:

Copla de arte menor: ocho versos octosílabos en dos redondillas con dos o tres rimas; es combinación paralela a la copla de arte mayor. Con el uso de cuatro rimas en las dos redondillas se conoció también con el nombre de *copla castellana.*

---

[26]   H. R. Lang, *Las formas estróficas...,* artículo citado, pág. 509.
[27]   T. Navarro, *Métrica española,* obra citada, pág. 163.
[28]   Idem, pág. 146.

Copla real: diez versos octosílabos agrupados 4 + 6, con dos o tres rimas; o 5 + 5, con rimas diferentes en cada quintilla.

Copla mixta: combinaciones diferentes de las anteriores (4 + 3; 4 + 5; 5 + 6) con dos, tres o cuatro rimas.

i) *Otros elementos del arte cancioneril.*—La terminología anterior hay que completarla con la mención de otras designaciones referentes al arte cancioneril que se manifiestan en determinados usos poéticos [29].

Así ocurre con la *finida* o *cabo,* accesoria adición, señalada con estos títulos específicos después de la pieza poética completa, que estaba constituida por un número de versos de la mitad de la estrofa usada en la poesía, y otras veces de sólo tres o dos versos; a veces se usaba como finida la estrofa final de la composición. Las rimas podían ser o una o dos en común con la última estrofa, o las mismas de la mitad de la última estrofa o ser independientes.

Las *coplas caudadas* repiten al fin de la estrofa en otros tantos versos la rima de dos o tres versos finales.

El *doble* o *manzobre* es el uso de la misma palabra para la rima de dos versos.

El *arte de encadenada* o *multiplicado* es el uso de la rima interior en alguno o algunos versos, y se utiliza en sus formas más acabadas en la maestría mayor.

---

[29] Con respecto al *Cancionero de Baena,* que es el primer texto en el que aparecen estos nombres, es básico el estudio de H. R. LANG, que mencioné parcialmente en la nota 21 sobre *Las formas estróficas y términos métricos del «Cancionero de Baena»,* en los mencionados *Estudios...,* I, págs. 485-525. Pierre LE GENTIL, en *La poésie lyrique espagnole et portugaise à la fin du Moyen Âge,* Rennes, Plihon, 1949, I, y 1953, II, recoge con gran extensión el difícil asunto de la terminología del arte cancioneril. Hay varios artículos de Dorothy M. CLARKE, sobre aspectos parciales del arte cancioneril, en especial de índole métrica, que con otros numerosos aspectos pueden hallarse en los índices de la citada bibliografía de A. CARBALLO PICAZO, *Métrica española.* En cuanto a manuales generales, está el de T. NAVARRO, *Métrica española,* repetidas veces citado, y el mencionado de R. BAEHR, *Manual de versificación española.* Como planteamiento de conjunto, véase la citada obra de D. C. CLARKE, *Morphology of Fifteenth Century Castilian Verse.*

El arte de *dexa prende* (o *lexa-prende*) consiste en la repetición de una o varias palabras del verso último de una estrofa, o el verso completo, en el principio del verso de la estrofa siguiente.

El arte de *macho e femea* o *fembra* es el uso de una palabra en masculino o en femenino como rimas, o en formas verbales con la alternancia de *-o* y *-a* (*amigo* y *amiga* en disposición de rima con *castigo-castiga* y con *abrigo-abriga*).

Estos y otros usos representan artificios que se aplican para demostrar el dominio del verso, y son un indicio de riqueza en el arte cancioneril. Encina llamó a algunos de estos usos «galas del trovar» [30] y representaron la herencia más rica del arte cancioneril que se ofrecía a los poetas del Renacimiento inicial cuando Garcilaso comenzó el uso de las formas italianas, que fueron la otra alternativa de la época.

j) *La copla de arte mayor.*—En correspondencia con la copla de arte menor, esta otra estrofa presenta ocho versos, y por eso se la llama también *octava de arte mayor* y *antigua octava castellana*, en oposición a la nueva u octava real, heroica o italiana; las rimas son consonantes, con el enlace ABBA: ACCA o ABAB: BCCB. El verso de la copla de arte mayor ha sido asimismo verso de arte mayor. Su organización rítmica ha sido muy discutida [31]; se ha propuesto, desde Foulché-Delbosc, una base rítmica silábico-acentual que en cada hemistiquio estableciese dos sílabas tónicas separadas por otras dos átonas, aunque para esto hubiese que desplazar el acento común de la palabra: *mudáble Fortúna* sería un hemistiquio en que coincidirían el acento de palabra y el de verso; e *inmórtal Apólo*, un hemis-

---

[30] J. del ENCINA, *Arte de poesía castellana*, edición citada, pág. 523.

[31] Véase una información sobre el asunto en R. BAEHR, *Manual de versificación española*, obra citada, págs. 184-187; un planteamiento general, sobre todo basado en Juan de Mena, en Fernando LÁZARO CARRETER, *La poética del arte mayor castellano* [1972], en *Estudios de Poética*, Madrid, Taurus, 1976, págs. 75-111, con estudio de las posibilidades del metro en relación con el arte poético que desarrolló.

tiquio discordante. Por otra parte, T. Navarro [32] estima que el hemistiquio puede estar constituido por un dáctilo en el período rítmico, antecedido de anacrusis y seguido de la terminación (modelo primario: *pasándo la puénte*, o] óoo [óo), o por dos troqueos (modelo primario: *múy oliénte rósa*, òo óo [óo). Por su parte, O. Macrí [33] propugna establecer el cómputo sobre la secuencia sintagmática del hemistiquio, señalando los grupos que contiene, que serían entidades intermedias entre la unidad de la sílaba y el conjunto del hemistiquio; según este criterio el hemistiquio *rosa novela* se divide en dos grupos *rosa* y *novela:* óo oóo (troqueo+anfíbraco) en una división sintagmática, mientras que para T. Navarro este hemistiquio vendría medido: óoo óo. De cualquier manera que sea, los diferentes elementos que integran el sintagma se organizan armónicamente dentro del esquema equilibrado de este verso bipartito de condición esticomítica; a su vez los versos en la estrofa buscan una disposición concordante estableciendo la preferencia por la agrupación del sintagma en unidades de 4 + 4. Por otra parte, este verso de arte mayor no siempre consigue acoplar esta tensión rítmico-acentual con la fluidez del sintagma, y obliga a compensaciones.

La copla de arte mayor sirvió para la expresión de los asuntos graves y reflexivos frente a las otras formas procedentes de la tradición trovadoresca; su peculiar disposición y el artificio de su métrica sirvieron para que en este metro se recogiesen las derivaciones de la literatura provenzal a través de Francia e Italia, que iban constituyendo las novedades poéticas en el conjunto europeo [34]. También resultó el verso que más convino para recoger la herencia de la poesía clerical. El verso de arte mayor sirvió para las combinaciones más extensas del arte cancioneril, sin que se llegase a la amplitud de las manifestaciones

---

[32] T. Navarro, *Métrica española*, obra citada, pág. 116.

[33] Oreste Macrí, *Ensayo de métrica sintagmática (Ejemplos del «Libro de Buen Amor» y del «Laberinto» de Juan de Mena)*, Madrid, Gredos, 1969.

[34] Dorothy C. Clarke, *The Copla de Arte Mayor*, «Hispanic Review», VIII, 1940, págs. 202-212.

anteriores, y fue también la forma métrica que recogió la poesía de mayores pretensiones intelectuales, valiendo al mismo tiempo para los asuntos del amor cortés. Por eso la pretensión de que el arte mayor supone una progresión con respecto al resto de las formas del arte cancioneril es sólo relativa, y se refiere a determinados contenidos, pues en líneas generales fue una más de las modalidades del mismo. Si bien llegó a representar la forma más artística de la poesía en el siglo xv, no resistió la competencia del verso endecasílabo desde Garcilaso, verso más flexible y con una libertad mayor en cuanto a la adaptación del fluir del sintagma al ritmo poético.

Capítulo XV

LA PROSA MEDIEVAL. ENCAUZAMIENTO

La distinción entre prosa y verso representa una bifurcación general de la expresión artística que se establece desde el origen de las literaturas vernáculas. En primer lugar hay que apartar de la consideración literaria el uso común de la lengua como medio de comunicación en la conversación espontánea, al que se llama también en general *prosa;* esta especie de disposición que puede presentar el sintagma no cuenta a los efectos de la Literatura hasta un período tardío. La prosa que se sitúa frente al verso desde el comienzo de las literaturas vernáculas se vale de un uso de la lengua en el cual un autor, siguiendo un criterio determinado, establece una expresión de orden prosístico con un fin literario; este fin presupone que el autor se vale de unas normas de carácter artístico, reconocido como tal por los oyentes o lectores.

Teniendo presente esto, el uso literario de la prosa medieval en la lengua vernácula tuvo que abrirse camino: a) frente al verso, de más prestigio como modalidad literaria; b) diferenciándose del habla común por la afirmación de unas normas, y c) ganando lentamente al latín medieval la expresión de los aspectos religiosos, científicos y literarios que habían sido propios de esta lengua. La cuestión de un arte de la recitación popular, aplicada a los cuentos folklóricos, puede entrar también en la consideración de la prosa artística, si éstos pasan a la literatura.

El comienzo de la prosa medieval viene, pues, impulsado por dos factores: el uso, cada vez más creciente, de la lengua vulgar en el verso, que representa un desarrollo irreversible y creciente de la literatura medieval romance; y la necesidad, de orden práctico en un principio, de escribir fueros locales y documentos de poca trascendencia, que después revierte en el uso de la prosa vernácula, flanqueada por el hábito de escribir en latín y en árabe, junto con la conversión en literarias de obras de procedencia folklórica, a veces a través de otras literaturas.

En términos generales el autor de la prosa medieval se manifiesta como tal con más claridad que el de la obra en verso, y sus propósitos e intenciones son más aparentes y declarados. El arte de la prosa acabó por establecerse tan cuidadosamente como el del verso, y en su técnica existe una intención rítmica que favorece determinadas disposiciones; esto es un signo manifiesto que separa la prosa *poética* (o sea de creación, y, por tanto, literaria) de la de uso común y coloquial y, a su vez, se opone al ritmo y medición del verso, de distinta naturaleza. En este proceso la oratoria, que es la modalidad prosística de más larga tradición literaria, tuvo una función importante, sobre todo a través de los sermones dirigidos al pueblo cristiano; también intervino, entre las gentes cultas, la oratoria antigua, que era el modelo subyacente en el fondo de las artes literarias, y cuyo prestigio pedagógico se pasó al arte de la prosa vernácula, sobre todo al que se aplicaba a la política y a la organización de los relatos de la prosa histórica, y después de los de prosa de ficción [1].

---

[1] Una visión del arraigo inicial de la prosa en el conjunto románico, en Wolf-Dieter Stempel, *Die Anfänge der romanischen Prosa im XIII. Jahrhundert*, en *GRLMA*, I, 1972, págs. 585-601. Un breve estudio de carácter informativo sobre la prosa (desde los orígenes hasta el siglo xiv) se encuentra en mi libro *La prosa medieval hasta el siglo XIV*, Madrid, La Muralla, 1974. Una amplia antología de la prosa de los «ejemplos» medievales, por

a) *Corriente religiosa y didáctica.*—En la ordenación cronológica de la prosa literaria se establece un primer período con las manifestaciones que se testimonian antes de Alfonso X, que comenzó a reinar como sucesor de Fernando III en 1252. Contando con las dificultades propias del período de orígenes, las primeras obras aparecen en relación con la Iglesia. Así pasa con un monje que anotaba palabras romances por entre las líneas de un sermón latino de San Agustín: este «primer vagido» de la lengua de España, como llama a estos vestigios D. Alonso [2], se encuentra en unas glosas del monasterio de San Millán de la Cogolla (hacia el siglo X).

También se relaciona con la religiosidad medieval un libro que es traducción parcial de la Biblia, puesto a nombre de Almeric [3], y que es, al mismo tiempo, un itinerario por Tierra Santa; el título propuesto para la obra es *La Fazienda de Ultra Mar*. Según su editor, es la más antigua traducción de la Biblia a una lengua romance, si bien es parcial y está en relación con este propósito de ilustrar el viaje por los Santos Lugares. La obra, según el editor, sería de tiempos de Raimundo, arzobispo de Toledo (1126-1152), y según otros, posterior, de mediados del siglo XIII.

En tiempos de Fernando III (reinó de 1217 a 1252) se inició una moda que favorecería el uso de la lengua vernácula en obras doctrinales, cuyo contenido se refiere a enseñanzas sobre la conducta humana y sus consecuencias morales, organizadas

---

Juan ALCINA FRANCH, en *El Conde Lucanor y otros cuentos medievales*, Barcelona, Bruguera, 1973.

[2] Dámaso ALONSO, *El primer vagido de nuestra lengua* [1947], *OC*, edición citada, I, págs. 11-13.

[3] ALMERICH, *La Fazienda de Ultra Mar*, edición de Moshé Lazar, Salamanca, Universidad, 1965; en cuanto a la parte del itinerario, guarda relación con el posterior itinerario de Johannes Wirziburgensis, más rico en informaciones.

con un criterio elemental; estas doctrinas proceden de libros latinos o árabes de análoga intención, y su trasposición al castellano representa una versión más o menos libre de las obras originales, en muchos casos una paráfrasis, que así continúa el mismo espíritu en la lengua vulgar. Así tenemos entre otros el *Libro de los cien capítulos*, el *Libro de los buenos proverbios*, el *Poridat de poridades* (o *Secreto de secretos*) y los *Ensennamientos et castigos de Alixandre*.

En algunos de estos libros la materia didáctica se encierra en un marco general, como ocurre en la *Historia de la doncella Teodor*, procedente de las *Mil y una noches*, cuyo argumento es el de la doncella que salva su honra contestando a las preguntas que le formula el rey; se conoce un texto de mediados del siglo XIII, y fue libro de gran difusión, pues, con variantes en las respuestas de la doncella, llega hasta la imprenta del siglo XIX. *El libro de los doce sabios* o *Tratado de nobleza y lealtad*, de hacia 1240, con el argumento de los sabios que aconsejan a un joven rey, está en los comienzos de las obras de consejos políticos. El *Bonium* o *Bocados de oro*, que es el viaje del rey en busca de la sabiduría, de mediados del siglo XIII, es un libro de procedencia oriental, y que atribuye algunas de las sentencias a filósofos griegos.

b) *Los comienzos del relato de ficción: el libro de cuentos.*— Los comienzos de la prosa acusan sobre todo la presencia de libros en los que este contenido y propósito se reviste de la forma de apólogos o cuentos, de organización elemental; tales argumentos, si bien pueden ser en algunos casos de procedencia folklórica, entran en la literatura a través de versiones establecidas en latín o en árabe. En este campo las letras castellanas reciben influencia tanto del Occidente europeo como de Oriente: «...hasta fines del siglo XIV, España está atenta a las resonancias de su pasado semioriental, pero permanece abierta a los vientos que soplan de Occidente...» [4]. Así ocurre con el libro

---

[4] Una información general sobre los cuentos se halla en Rameline E. MARSAN, *Itinéraire espagnol du conte médiéval (VIIIᵉ-XVᵉ siècles)*, París,

Disciplina clericalis, de Pedro Alfonso [5], nombre cristiano del judío de Huesca Rabí Moisés Sefardí, bautizado en 1106, «compuesto» en hebreo o en árabe, y pasado al latín en un texto que fue muy difundido luego. Esta y otras obras semejantes ejercen una función transmisora a través de los traductores y adaptadores españoles; sobre su base se constituyeron los «libros de cuentos», grupo genérico de gran fortuna, cuya obra más destacada es el *Libro de Calila e Digna*.

El *Libro de Calila e Digna* se cree que fue traducido en 1251 por instigación de Alfonso X, cuando aún era infante; es obra que representa una modalidad más compleja que las anteriores, puesto que, aunque el cuento como tal posee un argumento, éste sirve como demostración de una doctrina o intención moral. El término *cuento* es directamente sólo un posverbal de *contar*, y acabó por designar estas piezas de breve extensión, cada una con un sentido propio y muchas veces reunidas en *Libro* mediante un marco argumental. La fabulación del relato, aunque de orden elemental, acusa la condición poética o creadora; su organización es primitiva y desarrolla los argumentos linealmente por relación de causa a efecto hacia un fin determinado; el diálogo es escaso y secundario. Estas obras, de acuerdo con las condiciones que he mencionado, aparecen en medios cortesanos, y testimonian la existencia de un público oyente (y las menos de las veces, lector) de gente noble, y también de los que están en condiciones de apreciar un grado más alto que el sencillo cuento folklórico. De este modo, en los márgenes del ámbito espiritual de la Iglesia, el público de la literatura vernácula puede recibir estas lecciones sobre el trato y conducta humanos.

Una cuestión fundamental es la relación que estas obras hayan podido tener con el cuento folklórico oral. En muchos casos el cuento folklórico fue la base primaria que, en alguna

Klincksieck, 1974; la cita mencionada, en la pág. 150. Una clasificación por los argumentos, en la citada obra de J. E. KELLER, *Motif-Index of Medieval Spanish Exempla*.

[5] Véase el estudio y restitución del texto (con versión castellana en parte de José LÓPEZ DE TORO) por Angel GONZÁLEZ PALENCIA, titulado PEDRO ALFONSO, *Disciplina Clericalis*, Madrid-Granada, 1948.

ocasión propicia, pasa a la fijación escrita. Esta adopción de
la literatura vernácula trae diversas implicaciones: a) frente a
la variabilidad de la recitación oral folklórica, el cuento literario
presenta una narración con estructura definida, acomodada a
una versión textual que se reitera, sin variantes, en la lectura
(independientemente de que después un coautor remodele el
cuento para incluirlo en otra colección diferente o en un contexto distinto). b) Los cuentos de las colecciones castellanas medievales se presentan reunidos en libros, y el carácter que adoptan
las mismas domina en el acomodo estilístico de las versiones.
Por tanto, no es lo mismo el cuento que pueda aparecer suelto,
que el que está dentro de la unidad superior de la colección;
ésta puede haberse formado en el castellano para un caso determinado o siguiendo el patrón de otra agrupación medieval, o
bien proceder de una lejana transmisión.

Así, por citar uno de los casos más característicos, ocurre
que el *Calila e Digna* [6] procede del árabe, y toma las fábulas
de una colección recogida por el médico de Cosroes I, rey de
Persia (531-570), procedente a su vez de fuentes orientales. En su
comienzo dice que el libro «departe por ejemplos de hombres
y de aves y de animalias». El cuento sustenta, pues, un *ejemplo*.
Esta palabra será específica para indicar esta especie de obras:
el *exemplo* o *enxiemplo* fue durante la Edad Media el título más
usado y significativo de este grupo genérico [7]. La enseñanza del

---

[6] Véase Isidoro Montiel, *Historia y bibliografía del «Libro de Calila e
Dimna»*, Madrid, Editora Nacional, 1975, con la larga ascendencia y las
manifestaciones hasta el fin de la Edad Media, desde el original sánscrito,
las versiones orientales, persas, griegas, hebreas, castellanas, latinas e italianas. El texto inicial castellano en *Libro del Calila e Digna*, edición de
John E. Keller, Madrid, CSIC, 1967.

[7] En la Edad Media el significado del término *ejemplo* (y sus equivalencias fonéticas) es complejo: a) recuérdese su uso en las Retóricas, en
donde significa 'prueba', constituida por una anécdota, que corrobora e
ilustra una exposición teórica, de carácter moral casi siempre; esta acepción conviene con estos cuentos, sobre todo si van precedidos o seguidos de
un planteamiento doctrinal; b) si la prueba en cuestión es decisiva, el ejemplo se estima como un precedente de validez general; c) el caso contado o
implicado en el ejemplo puede servir de modelo, bien en la vida o bien

ejemplo procede de la semejanza y de la comparación, de manera que la obra se ha de leer entera para que se saque de ella provecho, y pueda aplicarse a los casos de la vida real. En las primeras páginas del *Calila e Digna* se declara: «si el entendido [esto es, el que sabe penetrar en los asuntos humanos] alguna cosa leyere de este libro, es menester que lo afirme bien, y que entienda lo que leyere, y sepa que hay otro seso encubierto [que es el de la lección moral implicada]». Y esta lección enseña a reconocer el mal en las intenciones de los demás y a precaverse de las asechanzas de los hombres, y más aún de las mujeres.

Y, en efecto, las mujeres fueron un abundante motivo para que se escribiese sobre sus argucias y enredos, sobre todo en relación con el amor y la codicia. Este es el tema del *Sendebar*, libro que el infante don Fadrique, hermano de Alfonso X, hizo traducir del árabe en 1253 con el título significativo de *Libro de los engaños et los assayamientos de las mujeres*. Es obra de procedencia india, y la versión castellana del árabe recoge una vía oriental de su difusión; posee un marco que reúne los veintiséis cuentos de que se compone. De esta manera el *Sendebar* es la obra más acusada del misoginismo en los comienzos de la literatura española.

LA PROSA RELIGIOSA

El ministerio espiritual de la Iglesia encontró en la prosa un medio idóneo para dirigirse a los fieles en la lengua común.

como categoría artística. El ejemplo puede aparecer en prosa o en verso, tal como ocurre en Juan Ruiz. En general véase J. Th. WELTER, *L'Exemplum dans la littérature religieuse et didactique du Moyen Âge*, París, Toulouse, Guitard, 1927; sobre la condición retórica del ejemplo, véase Salvatore BATTAGLIA, *L'esempio medievale* [1959], en *La coscienza letteraria del Medioevo*, obra citada, págs. 447-485, y Fritz P. KNAPP, *Vergleich und Exempel in der lateinischen Rhetorik und Poetik von der Mitte des 12. zur Mitte des 13. Jahrhunderts*, «Studi Medievali», XIV, 1973, págs. 443-511; sobre el ejemplo en España, véase Daniel DEVOTO, *Introducción al estudio de don Juan Manuel y en particular, «El Conde Lucanor»*, Madrid, Castalia, 1972, págs. 160-174.

La liturgia y las festividades religiosas proveyeron de numerosas ocasiones para que la prosa oratoria en forma de sermón viniese desarrollándose desde los primeros tiempos de la Iglesia. Por eso la importancia de los sermones [8] aparece desde los Padres de la Iglesia (en San Agustín, por ejemplo). Los sermones, dentro y fuera de la Iglesia, se organizaron con la orientación del estilo denominado humilde, que era el paralelo al que se encuentra en el latín de las Sagradas Escrituras. Estos sermones, que, en el uso común de la Iglesia, iban destinados al pueblo reunido en la misa o en el acto religioso, pudieron también dirigirse a la nobleza y hasta valer para la formación de los mismos eclesiásticos. De esta manera el sermón podía llegar a ser un breve tratado; mientras el latín fue lengua viva, esta clase de obras representó una de las modalidades más ricas e innovadoras de la literatura medieval; su importancia creció en los siglos XII y XIII con el auge de las universidades. La conciencia artística de su realización se encuentra en las *Artes praedicandi* [9], y el deber de los maestros era *legere* (enseñar los textos), *disputare* (discutirlos) y *praedicare* (predicarlos). Las nuevas órdenes de dominicos (llamada específicamente *Ordo fratrum praedicatorum*), aprobada en 1216, y la de franciscanos (aprobada en 1209 y 1223) se valieron en abundancia del sermón y del tratado breve, y esto ayudó a que esta prosa oratoria se hiciese ágil, eficiente y artística. Aunque los sermones fueron obras fundamentalmente orales, dieron también prestigio a la prosa escrita, sobre todo en este caso de su acercamiento a los tratados; y así

---

[8] Sobre la importancia de los sermones, Étienne GILSON, *Les idées et les lettres*, París, Lieja, G. Thone, 1932, págs. 93-154. Para un planteamiento general, Cesare SEGRE, *Didattica morale, religiosa e liturgica*, en *Le forme e le tradizioni didattiche*, del *GRLMA*, VI, 1, págs. 58-86; documentación bibliográfica en VI, 2, págs. 97-132.

[9] Para la retórica y poética de la predicación medieval, véase Th. M. CHARLAND, *Artes praedicandi. Contribution à l'histoire de la Rhétorique au Moyen Âge*, París-Ottawa, J. Vrin-Inst. d'Études Médiévales, 1936, con los tratados de Robert de Basevorn y Thomas Waleys. Y también Erich AUERBACH, *Lenguaje literario y público en la baja latinidad y en la Edad Media*, Barcelona, Seix Barral, [1958], 1969.

hay obras, como el *Vencimiento del mundo*, al parecer de Alonso
Núñez de Toledo (1481), que es un riguroso sermón en su desarrollo. De la prosa oral a la escrita va estableciéndose así un
acercamiento progresivo, que el desarrollo de la imprenta en el
siglo xv haría más estrecho.

Estos sermones, de acuerdo con las normas de su constitución retórica, solían contener ejemplos, que podían ser cualquier fábula, parábola o descripción; abundan en ejemplos bíblicos y en relatos devotos que proceden de las *Vitae Patrum*,
y hasta se usaron cuentos profanos con este fin[10]. Este recurso
llegó a ser en algunos casos tan abusivo, que la Iglesia aconsejó
cautela en su aprovechamiento.

Dentro de esta orientación religiosa hay que contar también
con las obras destinadas a los eclesiásticos. Si bien el latín
sostenía su prestigio entre la gente de la Iglesia, esto ocurría
en los lugares en que esta lengua podía ser de uso frecuente en
la lectura y en la conversación; pero también hay que contar
con los eclesiásticos de escasa formación y que tenían pocas
ocasiones para mantener vivo su latín. De ahí que se encuentren
obras en lengua vulgar con estos fines, como el libro de *Los diez
mandamientos*, manual para uso de los confesores, y el *Libro de
la justicia de la vida espiritual*, de condición análoga, de fines
del siglo xiv.

---

[10] Luis BENEYTO, *Teoría cuatrocentista de la Oratoria*, «Boletín de la
Real Academia Española», XXIV, 1945, págs. 419-434. Véase también Francisco RICO, *Predicación y literatura en la España medieval*, Cádiz, Universidad a distancia, 1977, referido en general a la parte catalana, con el texto
de un sermón de Pedro MARÍN (principios del siglo xv), transcrito por
Pedro M. CÁTEDRA.

CAPÍTULO XVI

LOS MAESTROS DE LA PROSA MEDIEVAL

ALFONSO X COMO AUTOR Y
COMO «IMPERATOR LITTERATUS»

Las manifestaciones de la prosa mencionadas en el capítulo anterior pertenecen a corrientes determinadas dentro de unos grupos genéricos precisos. Desde la época de los orígenes hasta la afirmación de la prosa como instrumento artístico de la expresión, válido para otros diferentes grupos, actúa la función de Alfonso X [1] (nació en 1221; reinó de 1252 a 1284) que se manifiesta como el *autor* más calificado de su tiempo; como él era cabeza de la corte, estuvo en condiciones de hacer valer sus propósitos, que fueron la creación de una prosa literaria para la lengua de Castilla. El título de autor se le puede aplicar por varios motivos: por ser él mismo, de una manera condicionada, autor de libros; y también por ser su promotor, instigador

---

[1] Una orientación general en John E. KELLER, *Alfonso X el Sabio*, Boston, Twayne, 1976. Además de la bibliografía que considera al Rey en cuanto figura histórica (la obra fundamental, Antonio BALLESTEROS-BERETTA, *Alfonso X el Sabio*, Barcelona, Salvat, 1963), véase Evelyn S. PROCTER, *Alfonso X of Castile. Patron of Literature and Learning*, Oxford, University Press, 1951. Antologías generales de Alfonso X en: *Antología de sus obras*, prólogo, selección y glosario de Antonio GARCÍA SOLALINDE, Madrid, Imprenta Clásica Española, 1922-1925, y otra, de Margarita PEÑA, México, Porrúa, 1973.

(<de *augēre,* 'aumentar, hacer progresar') y asimismo porque en la elaboración de los libros puestos a su nombre hubo de realizar repetidas veces el ejercicio de la glosa, propio de un *auctorista,* o sea de un comentador según la manera medieval de leer los textos.

El curso de la vida de Alfonso X nos ofrece el caso de un rey para el cual el gobierno no fue sólo dirigir a sus súbditos, sino también el ejercicio de una política cultural que se cifra en el ideal político y humano del *imperator litteratus.* Siendo él, según la organización política de la época, el primer hombre del reino, dio prestigio a este tópico, profundamente enraizado en la tradición europea medieval: en su realización se quiso unir las virtudes marciales con las de la sabiduría en la persona del soberano. La divergencia que pudiera existir entre el clérigo (o representante del hombre culto, perteneciente sobre todo a las esferas de la Iglesia y del Derecho) y el hombre de armas (nobleza civil en ejercicio de la acción) se sobrepasa para llegar a fundir las virtudes de ambas especies en la figura real, de acuerdo con una predestinación divina. La aspiración de los reyes a poseer una alta formación cultural, patente ya en Constantino, continuó en la Edad Media, y sobre ella se basan estos reyes que en el siglo XIII laboran por el arraigo de las lenguas vulgares en sus reinos: Federico II de Sicilia y Alfonso X de Castilla [2]. Federico, en la primera mitad de siglo, y Alfonso, en la segunda, ambos situados en países críticos para la cultura europea, hacen suyo el afán de la erudición y de la poesía en la lengua común, y esto se manifiesta como un atributo de la sabiduría propio de la condición real. Pero el rey castellano no logró los fines que pudieran haberse desprendido de una afortunada práctica de este ideal, sobre todo en su aplicación política, para la que encontró un ambiente poco favorable a causa del poder de las banderías detentado por los señores de su reino. Tampoco logró la corona de Alemania, ni Portugal ni Navarra; sus ideales polí-

---

[2] Es de interés su comparación con Federico II de Sicilia. Véase Eugenio MONTES, *Federico II de Sicilia y Alfonso X,* «Revista de Estudios Políticos», X, 1943, págs. 3-31.

ticos apenas lograron otro fruto que el título de Emperador de España. Como *imperator* (es decir, como rey) sólo consiguió incertidumbres políticas, pero como *litteratus* es sin discusión el mayor favorecedor de la prosa castellana, y de esta obra se benefició el pueblo español de su época y el del futuro, hasta hoy.

LA CORTESÍA Y LA AFIR-
MACIÓN DE LA PROSA

La labor mencionada de Alfonso X se llevó a cabo en el ámbito de la corte, y el Rey la hizo valiéndose de los medios que le permitía su jerarquía social; en esto continuó los esfuerzos de su padre Fernando III, y amplió el campo de sus actividades. Como era propio de las cortes de su tiempo, a la de Alfonso X acudieron los poetas y trovadores que cultivaban la poesía cancioneril, y él mismo se mostró como tal dentro de esta actividad literaria. Pero además trajo junto a sí a sabios de toda especie y religión para que le ayudasen en esta otra labor que encauzó el arraigo de la prosa vernácula. Cuanto se dijo en el estudio de la poesía cancioneril sobre los beneficios humanos de la cortesía, se aplica en este caso, y no ya sólo como actividad de la clase noble, sino también en beneficio común del reino. La literatura, en el sentido en que la orientó Alfonso X, representó la escritura de cuanto merecía ser confiado a la conservación de la letra, del libro, para que perdurase en razón de una general importancia política, social, económica, científica, etc., esto es, cultural, en el sentido activo del término. La cancillería, que venía siendo el organismo público de esta comunicación del rey con sus vasallos, se complementa con esta otra actividad, dirigida por el mismo Alfonso, y de propósitos más amplios y nuevos. Por de pronto, aunque las fuentes de esta corte de letrados se basan en el latín y el árabe, el rey Alfonso usa la lengua vulgar; para esto se valió de la experiencia de la literatura en verso y de los inicios de la prosa que hubo en la corte de su padre. Esto significó que en esta lengua vernácula se trataron cues-

tiones que hasta entonces sólo se encontraban en las lenguas
«técnicas» de cada caso; y esto no ocurrió en tanteos ocasionales, sino mediante la creación de un «corpus» de leyes, historia
y ciencia, proyectado con gran ambición.

LOS SEMINARIOS DE
TRABAJO DE ALFONSO X

La obra que aparece bajo la autoría del rey es muy extensa,
comparada con la de cualquier otro escritor de la época. Para
explicar cómo se pudo llevar a cabo una obra de esta naturaleza, y, sobre todo, de tan variados asuntos, hay que pensar
primero que sólo un rey pudo proponerse una labor tan compleja en su conjunto; fueron necesarios colaboradores de gran
valía; había que contar con una gran biblioteca; era necesario
disponer de medios económicos suficientes para que la labor se
llevase a cabo durante años en un ambiente de estudio, radicado
en la corte, y esto quiere decir que no se verificaba en un monasterio, donde el trabajo estaba en la regla de la comunidad.
Para dar un nombre a esta compleja actividad, se llama a este
lugar «seminario o escuela de estudios»; esta organización de
los estudios necesaria para que se llegue a la redacción de los
libros se halla promovida por el rey que, en las ilustraciones
de la época, aparece sentado en medio de los sabios, siendo
él uno más entre ellos, el predestinado, el que está más en alto
que los demás como señal de su jerarquía. Por este motivo se
ponen a su nombre las obras creadas en este hogar de sabiduría, aunque no hubiese sido él quien compusiese los escritos.
El de la intervención de Alfonso es punto difícil y controverti-
do [3], y que han estudiado A. G. Solalinde, G. Menéndez Pidal,

---

[3] Sobre la intervención personal de Alfonso X en la redacción de las
obras que se colocan bajo su nombre, véase: Antonio G[arcía] SOLALINDE,
Intervención de Alfonso X en la redacción de sus obras, «Revista de Filología Española», II, 1915, págs. 283-288. Sobre la labor los Seminarios reales:
Gonzalo MENÉNDEZ-PIDAL, *Cómo trabajaron las escuelas alfonsíes*, «Nueva
Revista de Filología Hispánica», V, 1951, págs. 363-380; Diego CATALÁN, *El
taller historiográfico alfonsí...*, «Romania», LXXXIV, 1963, págs. 354-375.

D. Catalán, F. Lázaro y S. G. Armistead. Mencionaré dos referencias que suelen citarse para ilustrar esta actuación del Rey en relación con los letrados y sabios que lo rodearon en esta labor. Una de ellas pertenece a la *General Historia*, y es muy significativa: «el Rey hace un libro no porque él lo escriba con sus manos, mas porque compone las razones de él, y las enmienda y endereza, y muestra la manera de cómo se deben hacer, y así escríbelas quien él manda, pero [y] decimos por esta razón que el Rey hace el libro. Otrosí cuando decimos: «el rey hace un palacio», o alguna obra, no es dicho porque lo él hiciese con sus manos, mas porque lo mandó hacer y dio las cosas que fueron menester para ello; y quien esto cumple, aquel ha nombre que hace la obra, y nos así *veo* que *usamos* de lo decir». Este testimonio se completa con otro, en el que se pone de manifiesto una intervención más efectiva en el orden estilístico que, por ser personal, sería más reducida: «Y después lo enderezó y mandó componer [se refiere a *El Libro de la Esfera*] este Rey sobredicho, y tolló ['quitó'] las razones que entendió eran sobejanas ['excesivas'] y dobladas, y que no eran en castellano derecho: y púsolas otras que entendió que cumplían, y cuanto en el lenguaje, enderezólo él por sí mismo; y en los otros saberes hubo por ayuntadores ['recopiladores'] a maestre Juan de Mesina, y a maestre Juan de Cremona y a Yhuda el sobredicho y a Samuel...» [4]. Hay que presumir que la vigilancia sobre los trabajos y la intensidad de la intervención personal del Rey fueron de índole diversa según la condición de las obras; acaso sean

---

Sobre los procedimientos estilísticos de la traducción: Antonio M. Badía Margarit, *La frase de la «Primera Crónica General» en relación con sus fuentes latinas*, «Revista de Filología Española», XLII, 1958-9, págs. 179-210; y Fernando Lázaro Carreter, *Sobre el «modus interpretandi» alfonsí*, «Iberida», VI, 1961, págs. 97-114. Si bien va referido en último término a la literatura inglesa, es de interés para el planteamiento general del patrocinio literario en esta época el libro de J. Holzknecht, *Literary Patronage in the Middle Ages* [1923], New York, Octagon Books, 1966.

4 Los trozos citados son de la *General Historia*, 1.ª parte, libro XVI, capítulo XIV, y del prólogo del *Libro de la Esfera*; véase el mencionado estudio de A. G. Solalinde, *Intervención de Alfonso X...*, págs. 286-287.

suyas las notas de índole más personal, relativas a la justificación de su política, y que manifiestan la incomprensión de sus
contemporáneos por los ideales defendidos. Con todo, la conciencia del estilo literario de una prosa adecuada para cada asunto
aparece posible en la lengua vernácula, y con sólo el logro de
ese propósito, hay motivo suficiente para referirse a una huella
de la personalidad de Alfonso en las obras puestas a su nombre,
manifestada por una autoría en la dirección del conjunto y, en
otros casos, por un retoque de pormenores estilísticos que señalan la autoría personal.

El resultado de esta labor conjunta, dirigida por el rey, fue
el enriquecimiento progresivo de la prosa vernácula, que así
hubo de expresar contenidos de comunicación que hasta entonces habían permanecido en los límites de las lenguas cultas.
Alfonso X no se limita a ordenar traducciones del latín, del
árabe o prosificaciones del verso castellano para que fuesen el
entramado de sus obras. Estos contenidos fueron seleccionados,
discutidos y elaborados según el criterio de la glosa y mediante
comentarios de todo orden; según resultaba conveniente, la retórica servía para organizar y dar el tono adecuado a la dignidad
propia de cada texto. Muchas veces tiene que crear palabras
nuevas, casi siempre del latín, cuyo significado se aclara con
otro término o una perífrasis; la sintaxis, establecida sobre la
base de la construcción impersonal, propia de la exposición de
los contenidos científicos y objetivos, se esfuerza por reflejar el
rigor lógico de una dialéctica interior; la ordenación sistemática de materias tan extensas y diversas obliga a la disciplina
en la formación de las unidades de párrafos y capítulos para
que se mantenga la cohesión de la unidad a lo largo de cada
libro.

LAS OBRAS PROMOVI-
DAS POR ALFONSO X

La obra promovida por Alfonso X abarca sobre todo los contenidos del Derecho, las ciencias prácticas, los juegos inteligen-
tes y la historia.

El afán de Alfonso X por dotar a su pueblo de unas normas jurídicas establecidas con autoridad, razón y claridad en la lengua común, dio como resultado el *Libro de las leyes* o *Siete Partidas*. Estas siete (obsérvese el número simbólico) *Partidas* se refieren: 1) a las leyes en general, y a las canónicas; 2) a las leyes públicas, de gobierno y de administración; 3) a la justicia y a su administración, y a la propiedad; 4) al matrimonio y a los parentescos; 5) al comercio por mar y por tierra, y a la hacienda; 6) a los testamentos, y 7) a los delitos y sus penas. Sus bases fueron el derecho romano, las leyes de la época, y se exponen ideas de la doctrina de Justiniano y de la escuela de Bolonia, así como de filósofos antiguos y medievales [5].

Los sabios reunidos por el rey redactaron obras científicas referentes al saber de la astronomía, sobre las virtudes de las piedras preciosas, el *Setenario* [6], que es a modo de una enciclopedia o *Tesoro*, y también libros para el inteligente entretenimiento de las gentes, como los juegos de ajedrez, dados y tablas.

La labor histórica fue muy importante: el rey quiso contar el proceso de la humanidad desde los orígenes hasta sus tiempos. Plantear y escribir un libro de esta especie representaba para el sabio la aventura intelectual más empeñada, tanto por su extensión como por la diversidad de fuentes documentales. Dos fueron las obras de Alfonso X de esta condición: la *General Historia* [7] y la *Crónica General* [8], coincidentes en propósitos, pero de diferentes contenidos: ambas arrancan de los tiempos bíblicos,

---

5 Texto: *Las Siete Partidas*, Real Academia Española, Madrid, 1807, 3 tomos; edición facsímil, Madrid, Atlas, 1972. Véase E. N. VAN KLEFFENS, *Hispanic Law until the end of the Middle Ages*, Edimburgo, University, 1968.

6 *Setenario*, edición de Kenneth H. VANDERFORD, Buenos Aires, Instituto de Filología, 1945.

7 *General Estoria*, ed. Antonio G[arcía] SOLALINDE, Primera parte, Madrid, 1930; Segunda parte, I, ed. del mismo y Lloyd A. KASTEN y Victor R. B. OELSCHLÄGER, Madrid, 1957; II, 1961. Sobre esta obra, Francisco RICO, *Alfonso el Sabio y la «General Estoria»*, Ariel, Barcelona, 1972.

8 *Primera Crónica General de España*, edición con estudio de Ramón MENÉNDEZ PIDAL, Madrid, Gredos, I, 1955; II, 3.ª reimpresión con un estudio actualizador de Diego CATALÁN, 1977.

y la primera tiene la intención de referirse a todos los pueblos de la humanidad, mientras que la segunda trata sólo de los «hechos de España». Aunque Alfonso X venía desde su juventud ocupándose de cuestiones históricas, fue hacia 1270 cuando comenzó los trabajos de la *Historia* referente a España; y hacia 1272 (primera parte) y 1280 (segunda y cuarta parte) llevó a cabo la *General Historia*, a la que el Rey dedicó su preferente atención. En la elaboración de estas obras históricas del rey Sabio, se utilizaron las precedentes obras en latín, como ocurre con la *Historia Gothica* de Rodrigo Jiménez de Rada (1180?-1247), arzobispo de Toledo, conocido como el Toledano, y el *Chronicon Mundi* de Lucas, obispo de Tuy, llamado el Tudense, terminado en 1236. El uso de la lengua vulgar para la historia tenía precedentes, que iban desde las palabras sueltas y romancismos de los *Annales* latinos, hasta la versión romanceada de los *Annales Complutenses*, que alcanzan hasta 1219. Pero hay una gran diferencia entre estas tentativas y el cuerpo histórico ya definido que ofrecen las obras alfonsíes. Y además de las fuentes latinas, se usaron las árabes, y hay que añadir un aspecto muy importante para la literatura: la información que procedía de los poemas épicos juglarescos que, adaptados al curso de la prosa histórica, pasan a integrar las crónicas del Rey; y en esto seguía lo que ya habían hecho otros historiadores latinos. De esta manera se han podido estudiar las huellas de los poemas de Fernán González, Cantar de Zamora, los Infantes de Lara, Bernardo del Carpio y otros.

La *General Historia* resultó para Alfonso X obra más atrayente que la *Crónica* de España, pues pretendía contar «todos los hechos señalados, también de las historias de la Biblia como de las otras grandes cosas que acaecieron en el mundo, desde que fue comenzado hasta el nuestro tiempo»[9]; por tanto, en esta dimensión universal cabía también España. Más amplia en cuanto a su concepción de conjunto que una Biblia historial (si bien se tuvo en cuenta la *Historia Scholastica* de Pedro Coméstor), se extiende también hacia los tiempos medios, y aun el propio

---

[9] *General Estoria*, edición citada, I, pág. 3, b.

período histórico de sus redactores está presente en los comentarios urdidos en su contextura.

VALORACIÓN DE CONJUNTO

Para una valoración de conjunto de una actividad tan compleja como la que aparece en las obras puestas bajo el nombre de Alfonso X, hay que indicar que, partiendo del ejercicio de las artes liberales, realizado en la lengua vulgar, el Rey orienta e impulsa la labor de los sabios que lo rodean hacia los campos que mejor sirven al hombre de su tiempo. Esto lo realiza en lo que pueda ilustrarle sobre su condición política y social (las *Partidas);* y también en cuanto a ofrecerle la perspectiva de un pasado histórico (y por eso escribe sus historias); y después para darle un conocimiento de las ciencias (sobre todo, las que puedan influir en su conducta: astrología, lapidarios, etc.); y finalmente para orientarle hacia los entretenimientos que desarrollen su actividad mental (ajedrez, dados, etc.). Todos estos propósitos fundamentales, de acuerdo con los fines didácticos propios de la literatura medieval, sirven también para el mayor de los negocios humanos, que es el de la salvación del alma, pues «cada uno, cuanto más ha del saber, y más se llega a él por estudio, tanto más aprende y crece y se llega por ende más a Dios» [10]. Al mismo tiempo, la actividad que fomenta el rey adopta un significado humanístico, pues con estas lecturas el hombre se enriquece al asegurar la conciencia de su relación con el mundo natural y con el mundo modelado por la actividad de todos los hombres en un esfuerzo continuo desde los orígenes de la humanidad. La ciencia, cualquiera que sea, tiene una valoración ética, y su didactismo resulta trascendente de su propio contenido, pues se aplica a dar un sentido a la vida humana, que se sabe que es perecedera, pero que por eso no deja de ser mejorable.

---

[10] Ídem, II, 2, pág. 31, b.

Como continuación de la obra literaria de Alfonso X se encuentra un grupo de obras en prosa que se escribió en tiempos de Sancho IV, el Rey Bravo (reinó de 1284 a 1295); los propósitos del Rey Sabio no pudieron continuarse con el vigor con que se habían emprendido, si bien la inercia adquirida por la prosa castellana era suficiente como para asegurar su progreso, sobre todo en cuanto a su uso literario en la Corte de los Reyes y entre los grandes señores.

De entre estas obras la más conocida es la constituida por los *Castigos y documentos para bien vivir que don Sancho IV de Castilla dio a su hijo* [11]. «Castigo —se dice en la obra— quiere tanto decir como apercibimiento de conocer las cosas y no errar»; no errar por causa del mundo, demonio y carne, como se indica en el prólogo. Y como en este caso el hijo es un príncipe y está destinado a gobernar, la obra participa también de la condición de los libros políticos sobre el buen gobierno; y como el autor es un rey —o por lo menos, así figura en las atribuciones— escribe «con ayuda de científicos sabios». La obra se sitúa en la línea de la literatura alfonsí, y está ampliamente documentada con citas y autoridades antiguas y en ejemplos de procedencia oriental, así como había ocurrido en la obra del Rey Sabio; hay también algunas alusiones a la historia de España.

Junto al libro de *Castigos y documentos* aparece un *Libro del consejo y de los consejeros*, de la misma época de Sancho IV; en el prólogo se atribuye a un Maestro Pedro [12]. La obra sigue de cerca el *Liber consolationis et consilii*, de Albertano de Brescia (1246), glosándolo en parte, suprimiendo unas partes y aña-

---

[11] *Castigos e documentos para bien vivir ordenados por el rey don Sancho IV*, edición de Agapito Rey, Indiana University, Bloomington, 1952.
[12] Maestre Pedro, *Libro del consejo e de los consejeros*, Biblioteca del Hispanista, edición de Agapito Rey, Zaragoza, 1962.

diendo otras. En el prólogo el libro se declara escrito a «honra y servicio de los reyes que han de venir de aquí adelante; y otrosí a pro y bien de todos aquellos que le quisieren entender y por él obraren».

Menos conocida es la obra titulada *Lucidario*, resumen del pensamiento teológico de la época, que pasó pronto a las lenguas vulgares [13]. Escrito el *Lucidario* acaso hacia 1293, procede, en cuanto al título, disposición y casi la mitad del texto, del *Elucidarium* (hacia el 1095) de Honorio d'Autun; este autor recogió la obra de las lecciones y los comentarios de Anselmo de Canterbury sobre San Agustín y otros Padres de la Iglesia. La obra, según R. Kinkade, su editor, perteneció a un nivel general educativo, propio de alumnos de escuelas catedralicias y monásticas, y de maestros particulares y tutores, y trata de ilustrar sobre las relaciones de la Ciencia Natural con la Teología. Ocasión para que se llevase a cabo esta adaptación del *Elucidarium* pudo ser ilustrar acerca de la seducción y peligros del averroísmo; sobre la base de la obra de Autun, hay que añadir las partes que proceden del *Speculum naturale* de Vicente de Beauvais y de otros autores latinos y de la antigüedad, como Aristóteles, y de libros árabes de medicina y de filosofía. Una materia tan compleja aparece expuesta en el marco de las preguntas de un discípulo a su maestro, pero, como dice Kinkade, es evidente el deseo de Sancho IV (a cuyo nombre figura el prólogo) de dar un carácter más novelístico a la obra mediante la inclusión de parábolas, y un refuerzo del carácter coloquial de la obra frente al esquema pregunta-respuesta de Honorio d'Autun.

---

[13] Richard P. KINKADE, *Los «Lucidarios» españoles*, Madrid, Gredos, 1968, con estudio, bibliografía y edición del ms. 3369 de la Biblioteca Nacional de Madrid. El vocabulario en: Gabriel de los REYES, *Estudio etimológico y semántico del vocabulario contenido en los Lucidarios españoles*, Miami, Ediciones Universal, 1975.

JUAN MANUEL Y SU
CORTE DE GRAN SEÑOR

La personalidad y obras de don Juan Manuel [14] (1282-1349) resultaron decisivas en la afirmación del uso literario de la prosa en lengua vulgar, aplicada a la narrativa breve de la Edad Media, lo mismo que Alfonso X y las obras puestas a su nombre lo fueron para el amplio dominio de la Historia, el Derecho y las Ciencias en análogas condiciones. Siendo un noble de sangre real, Juan Manuel, hijo del Infante don Manuel, hermano de Alfonso X, había heredado de su tío la afición por el uso de la lengua vernácula. Otra vez se presenta en su caso humano la comunidad de las armas y las letras, pero Juan Manuel no es un rey, sino un gran señor; ello no obsta para que el determinismo social obre con igual eficacia. Por eso tuvo siempre la conciencia de su alta progenie en unos tiempos en que la autoridad del rey no se consideraba decisoria, tal como hubo de padecer en el gobierno su propio tío Alfonso. Y de ahí que actúe con una altivez que no le abandona ni en su vida, ni en su conducta con los reyes, ni en su política, ni en los tratos que hizo para casar a sus hijas, ni en los consejos que dio, ni —lo que más nos importa— en la realización de su obra literaria.

La contradicción que pudiera hallarse en la vida de Juan Manuel entre sus acciones y la doctrina que manifiesta en sus obras es la misma de sus tiempos, pero, aun considerando tan violentos contrastes, que parece que hacen imposible una labor perdurable, existe, por detrás de esta contradicción, una eficiente conciencia de pertenecer a una unidad cultural; la condición de esta unidad se encuentra en parte radicada en el uso de la lengua vernácula y en los medios artísticos aplicados a la literatura que se escribe en esta lengua, y en la afirmación de un

---

[14] Información general de la vida y obra en H. Tracy Sturcken, *Don Juan Manuel*, Boston, Twayne, 1974. Para la biografía, véase Andrés Giménez Soler, *Don Juan Manuel*, Biografía y estudio crítico, Zaragoza, Tip. La Académica, 1932.

sentido humanístico de la vida que salva el difícil período político y que abre los caminos de la España moderna. Hay que
considerar, pues, la obra de Juan Manuel como una manifestación más de la unidad entre los ideales de la vida caballeresca
y la moral cristiana; como en el caso de Alfonso X, Juan Manuel
también se dirige al hombre de su tiempo, pero no puede hacerlo con la amplitud del Rey. Y por eso Juan Manuel sabe reconocer los límites que implica su obra, que son los ideales de la
caballería y el hombre como sujeto de una moral vivida en la
teoría y en la práctica. Por otra parte, él ya es un «autor» en
un sentido restringido, y esto quiere decir que es un creador
literario que lleva a cabo una obra con su esfuerzo personal y
de la que se siente responsable, tanto para los elogios como
para su condena.

Aun reconociendo que su objetivo literario es más reducido
que el de Alfonso X, la norma «cortés» sigue vigente en él. Sólo
que la suya no es una corte real, con el cortejo de sabios, sino
la que puede mantener un gran señor con su prestigio social y
sus rentas. Esta corte sigue siendo el lugar en el que el caballero
adquiere el conocimiento del mundo, junto con las reglas de la
cortesía, referente al trato humano con las mujeres y los hombres; y esto se refleja en su obra. Juan Manuel recoge la cultura
de su tiempo en los diversos órdenes del saber: su obra, aunque
lega, demuestra un conocimiento de las doctrinas de la Iglesia,
y aun llegó a escribir una obra religiosa: un *Tratado de la
Asunción*. Siendo la obra de Juan Manuel la granazón de la
prosa profana de entretenimiento, sin embargo el sustrato religioso es el dominante en la base moral expuesta; la pretensión
de su obra literaria es la de enseñar al oyente o lector, y ninguna de sus obras carece de la correspondiente lección para los
hombres, tanto en el conjunto de la unidad de sus libros, como
en las partes de cada cuento o ejemplo [15].

---

[15] Resulta fundamental el libro de Daniel DEVOTO, *Introducción al estudio de don Juan Manuel y en particular de «El Conde Lucanor»*, Madrid,
Castalia, 1971, base de bibliografía comentada. Desde un punto de vista
comparativo, con diversos enfoques, véanse: Walter PABST, *La novela corta*

LA OBRA DE JUAN MANUEL

La obra de Juan Manuel, pues, pretende mostrar un orden de enseñanzas sobre la condición humana, manifestadas en una disposición literaria de orden narrativo. Dos modos de la didáctica medieval entran en juego: el uno está fundado en la exposición de razones convincentes por sí mismas y expuestas ordenadamente; y el otro busca probar la razón de la enseñanza por medio de un ejemplo o anécdota que puede proceder de la ficción inventada o de la historia verdadera, y que ofrece el relato de una experiencia objetiva, conveniente para establecer un paralelo con el caso de que se trata.

Exposición de razones y narración de casos adecuados son los dos elementos de la obra del escritor llamada comúnmente «mayor», y que está compuesta por los libros del *Caballero y del Escudero* [16], el de los *Estados* [17] y el de *Patronio* o *Conde Lucanor* [18]. En los tres libros hay una relación entre ambos elementos que es de orden decreciente para la parte expositiva de razones, y creciente para la narrativa. En el *Libro del Caballero y del Escudero* predomina la exposición doctrinal; y en el *Luca-*

en la teoría y en la creación literaria [1967], Madrid, Gredos, 1972; y Reinaldo AYERBE-CHAUX, «El Conde Lucanor», *Materia literaria y originalidad creadora*, Madrid, Porrúa, 1975. Sobre la concepción que de la autoría y del estilo tuvo Juan Manuel, véase en el capítulo VI, págs. 189-192.

[16] *Obras de don Juan Manuel*, edición de José María CASTRO y Martín de RIQUER, I, Barcelona, CSIC, 1955 (*Libro del Caballero y del Escudero, Libro de las Armas* y *Libro Infinido*).

[17] *Libro de los Estados*, edición de Robert B. TATE y J. R. MACPHERSON, Oxford, Clarendon, 1974; véase el estudio de José R. ARALUCE CUENCA, «El libro de los Estados», *Don Juan Manuel y la sociedad de su tiempo*, Madrid, Porrúa, 1976, con un glosario de voces de carácter social.

[18] Entre las ediciones de grado universitario están *El Conde Lucanor*, edición de José Manuel BLECUA, Clásicos Castalia, Madrid, 1969; edición de Germán ORDUNA, Buenos Aires, Huemul, 1972; y edición de Alfonso I. SOTELO, Madrid, Cátedra, 1976. Ediciones modernizadas por Enrique MORENO BÁEZ, Valencia, Castalia, 7.ª edición corregida, 1974, y por Lidio NIETO, Madrid, Novelas y Cuentos, 1971.

nor, los ejemplos. En todos existe un marco argumental que es semejante (la realización del tópico *senex-puer*): a requerimientos de un joven deseoso de conocimiento para así poder triunfar en la corte, un anciano experimentado explica la doctrina de un caso que aquél plantea y, a veces, la ilustra con ejemplos; este marco puede variar en relación con la unidad de la obra. El *Libro del caballero y del escudero*, incompleto, es de inspiración luliana; es un tratado de educación según el *Llibre del ordre de caballeria*, de Lull, con un leve montaje narrativo: un escudero, de buen entendimiento, pero escaso de bienes, marcha a las cortes de un rey; un caballero anciano en su retiro le adoctrina sobre la caballería, y con estas enseñanzas triunfa en la corte, y vuelve a la ermita para seguir aprendiendo. Esta segunda parte es como un *Tesoro* o enciclopedia, y presenta influencia de otras obras semejantes de San Isidoro, Vicente de Beauvais, el *Lucidario* y de las obras del Rey Sabio.

El *Libro de los Estados* está, según su autor, «puesto en dos libros: el primero habla del estado de los legos, y el segundo habla del estado de los clérigos». Siguiendo la inspiración luliana, del *Blanquerna* en este caso, Juan Manuel expone un argumento que permite una revisión de las clases sociales de su tiempo. En este caso se vale de un artificio argumental un poco más complejo que en el caso anterior: la obra recoge la leyenda de Barlaam y Josafat, de origen búdico, muy difundida en su forma cristianizada por la Edad Media. Un rey pagano, que adora a su hijo, quiere mantenerlo lejos del conocimiento de la muerte; un día el hijo ve un cadáver y sólo un predicador cristiano puede satisfacer su curiosidad por el sentido de la vida; esta parte es de poca extensión, y en lo más del libro predominan las reflexiones sobre la vida de los hombres y en especial en lo que afecta a la salvación del alma, sobre todo en el caso de los que poseen el poder.

La obra más importante de Juan Manuel es el *Conde Lucanor* o *Libro de Patronio*. Esta importancia radica sobre todo, desde el punto de vista literario, en el acierto con que se exponen los ejemplos contados. Cada uno de ellos puede considerarse independiente del marco que los contiene a todos; cada pieza es la manifestación acabada de una narración breve en la prosa lite-raria medieval de ficción. Las anécdotas son ilustraciones para servir de fundamento a una condensada exposición moral, que se cifra al fin en un consejo; contando con esta organización, los ejemplos constituyen por sí mismos un orden de narración impersonal en la que entran en juego los recursos retóricos más adecuados para la comunicación artística del caso anecdó-tico [19]. El módulo expositivo procede del cuento, pero la cohesión poética de los elementos implicados en el juego narrativo es superior a las manifestaciones anteriores del mismo grupo gené-rico: la descripción de lugares y de personas, el movimiento sicológico de las criaturas del argumento, la ajustada relación de los motivos de acción con sus efectos correspondientes, repre-sentan un notable progreso en el desarrollo de la prosa de ficción. En la literatura española la función de este libro es paralela a la del *Decamerón* de Boccaccio, y las coincidencias y las diferencias entre ambas obras no lo son en punto a la progresión de un pretendido desarrollo, sino en cuanto a que son soluciones diferentes del arte medieval de contar en prosa en las lenguas vulgares de Castilla y de Florencia.

El marco expositivo que recoge el conjunto es semejante al de los libros anteriores: un señor, Lucanor, propone a su con-sejero, Patronio [20], un caso, y para orientar su solución o infor-marle sobre su sentido le cuenta un ejemplo, breve relación a manera de cuento, del que se deduce la enseñanza adecuada para el caso; el consejo se resume al fin en unos versos de signi-ficación moral. Los ejemplos proceden de las más diversas fuen-tes. Este marco, sin embargo, resulta mucho más abierto y fle-xible que el de otros libros de cuentos: predominan los ejem-

---

[19] Sobre la constitución artística de esta obra, véase Ermanno CALDERA, *Retorica, narrativa e didattica nel «Conde Lucanor»*, en la *Miscellanea di studi ispanici*, Pisa, Universidad, 1966-1967, n.° 14, págs. 5-120.

[20] Sobre la procedencia de estos nombres, véase Martín de RIQUER, *Lucanor y Patronio*, en *Estudios ofrecidos a Emilio Alarcos Llorach*, Oviedo, Universidad, II, 1978, págs. 391-400.

plos en que desarrollan el argumento hombres y mujeres, y son menos los apólogos de animales. El fondo antiguo *(Isopete, Gesta romanorum)*, los relatos de origen evangélico, las fuentes árabes, la narraciones relativas a personajes históricos cristianos y árabes, y hasta la anécdota personal constituyen la materia narrativa, pero lo importante es el arte de la narración.

Y de esta manera Juan Manuel logra asegurar un uso maduro y artístico de estas narraciones, que así van logrando por sí mismas, más allá del propósito de la enseñanza, un fin de intención poética, esto es, creadora, con una clara demostración del estilo del autor, puesto de manifiesto en la prosa vernácula.

CAPÍTULO XVII

EL ROMANCERO MEDIEVAL

SIGNIFICADOS DE LA PALABRA
«ROMANCE» EN LA EDAD MEDIA

La palabra *romance* (y sus análogas *romanz* y *román*, con el verbo *romançar* y *romanzar*) tiene una significación polisémica durante la Edad Media; su uso para designar la forma poética que aquí se pretende establecer, aparece en convivencia con otros empleos cuyos límites semánticos no se ofrecen siempre con claridad. La acepción más amplia del término es la que señala la lengua vernácula (o *vulgar*, según el uso medieval) de los lugares en que ésta procede del latín del Imperio romano [1]; *romançar* equivale a traducir del latín a la lengua moderna. Santillana en su *Prohemio* se refiere a que sería difícil conocer cómo las ciencias de la poesía «hayan primeramente venido en mano de los romancistas o vulgares» [2]; el Marqués se refiere a las ciencias que comprenden la elaboración artística del lenguaje, de la que establece los tres grados ya mencionados: el sublime, el mediocre ('medio') y el ínfimo. *Romanzar* sería, pues, pasar desde el grado sublime del griego o del latín a los de las lenguas

---

[1] Véase Ramón MENÉNDEZ PIDAL, *Romancero hispánico*, Madrid, Espasa-Calpe, 1953, I, págs. 3-7.

[2] L. SORRENTO, *Il Proemio del Marchesi di Santillana*, edición citada, pág. 28.

provenzal, italiana y la española del Marqués, deslizando así los procedimientos artísticos de las antiguas a las modernas. Los otros usos de la palabra *romance* con un sentido literario denotan una significación difícil de precisar con exactitud, pero que se sitúa en los límites de 'relación escrita, relato o narración, obra realizada según un criterio artístico'. Así ocurre en el comienzo del *Libro de Apolonio* cuando el autor pide la ayuda de Dios y Santa María, de modo que, si Ellos le guían, «estudiar [intentar, tener el propósito de] querría | componer un romance de nueva maestría»³. En este caso el término se refiere al esfuerzo artístico que supone el menester literario de la clerecía. Sin embargo, al final del texto del manuscrito del *Poema del Cid*, escrito por otra mano que la del copista, aparece la mención: «El *romanz* es leído...», seguido de una fórmula juglaresca de petición de vino. Por lo tanto, en 1207 ó 1307 también el *Poema del Cid* habría obtenido la consideración de *romance*, aun cuando su realización artística hubiese sido juzgada por los autores de clerecía de menos valer artístico que los poemas que ellos escribían. En otro sentido menos comprometido con la literatura, en el *Libro de Buen Amor* hay un pasaje en que el autor se refiere a una cuestión de Derecho Canónico sobre los casos reservados al Papa; y se lee: «...decir cuántos y cuáles | serié grand el romance, más que dos manuales...» (est. 1148); en este caso *romance* significa 'relación' desde luego escrita, puesto que su extensión se compara con dos [libros] manuales. Por otra parte, en el mismo *Libro de Buen Amor* se llamó *el romance* a lo que el autor cuenta desde el mismo comienzo de la obra: «Si queréis, señores, oír un buen solaz | escuchad el romance, sosegadvos en paz...»; y a la terminación del mismo *Libro* el manuscrito T (que aparece fechado en 1330) trae la indicación: «fue acabado este *libro*», mientras que el manuscrito S (que indica la fecha de 1343) dice: «fue compuesto el *romance*», esto es, el libro entero, con toda la variedad de su contenido en me-

---

³ Véanse *Libro de Apolonio*, edición citada, de M. ALVAR, II, pág. 19, est. 1, y las concordancias; lo confirma la est. 428, donde Tarsiana dice que, después de cantar y tocar, «tornóles a rezar un romanz bien rimado».

tros y con la prosa de los preliminares. Los tres manuscritos del *Libro* han coincidido, por otra parte, en la lección: «Así, señoras dueñas, entended el romance» (est. 904); lo dicho antes es la fábula del león y del burro, una de las piezas de la obra. En este caso, es 'entended lo que he contado, el relato'. La acepción de *romance* como 'lengua vulgar' aparece en el mismo *Libro* en la mención despectiva «abogado de romance», 'el que no conoce el latín y no puede consultar los derechos romano, visigótico y canónico'[4].

Otras veces la palabra se asocia con términos relativos a la historia, como en el *Poema de Alfonso XI*, en que se refiere a que los reyes godos: «dejaron por su testigo | romances muy bien escritos | y crónicas hermosas...»[5]. Ocurre que en otras partes la palabra se empareja con los *cantares* o *cantares de gesta*, como en la *Primera Crónica General*, acabada hacia 1289»; «Y algunos dicen en sus romances y en sus cantares que el rey, cuando lo sopo, que mandó...»[6]. En este caso la disposición paralela de ambas palabras no obliga, sin embargo, a suponer su identidad completa, pues el uso fluctuante antes mencionado permite una interpretación más imprecisa. Y otras veces el relato del *romance* se califica de 'placentero', como ocurre en las *Partidas* en que el autor se refiere a «las historias y los romances y los otros libros que hablan de aquellas cosas de que los hombres reciben alegría y placer»[7]. Más adelante, Alfonso Martínez de Toledo, en su *Reprobación* (acabado en 1438), ofrece un texto en que *romance* se encuentra emparejado con narraciones de escaso porte: «por cuanto para vicios y virtudes harto bastan ejemplos y pláticas, aunque parezcan consejuelas de viejas, pastrañas [patrañas] o romances; y algunos entendidos, reputarlo

---

[4] Véase la nota de J. COROMINAS, en su edición citada del *Libro de Buen Amor*, pág. 160, quien pone en relación esta mención con lo de «abogado de fuero» (est. 320), es decir que se vale de la ley consuetudinaria o tradicional, y, por lo tanto, no necesita la erudición en latín.

[5] *Poema de Alfonso XI*, edición citada, de Yo TEN CATE, versos 146-147.

[6] *Primera Crónica General*, edición citada, de R. MENÉNDEZ PIDAL, página 375, a.

[7] ALFONSO X, *Las Siete Partidas*, Partida II, título V, ley 21.

han a *fablillas* [género poco apreciado por los cultos] y que
no era libro para en plaza»[8]. Ya en el mismo siglo XV hay otra
mención, muy comentada, pues se encuentra en la teoría poética del Marqués de Santillana, ya referida antes, en la parte
en que trata de los grados de las ciencias poéticas; después
de atribuir el sublime al latín y al griego, el medio, al vulgar de
Italia y Provenza, escribe: «Infimos son aquellos que sin orden,
regla ni cuento hacen estos romances y cantares de que las
gentes de baja y servil condición se alegran»[9]. La mención queda imprecisa y se ha interpretado como una posible indicación
de los romances cantados.

En este amplio campo de significaciones se establece la que
aquí nos importa: el romance como una forma poética determinada. Esto ocurre, al parecer, en el transcurso del siglo XV. En
un cuaderno del estudiante mallorquín Jaime de Odesa, fechado
hacia 1421, se encuentra el primer romance, escrito en una lengua mixta (castellana en cuanto al fondo morfológico, con cata-
lanismos léxicos) que responde a los principios de esta forma
poética[10]. Pedro Tafur, contando sus viajes, dice que en 1437
había un ministril en Constantinopla que era muy apreciado del
Emperador bizantino porque «le cantaba romances castellanos
en su laúd»[11].

---

[8] Alfonso MARTÍNEZ DE TOLEDO, *Arcipreste de Talavera o Corbacho*, Madrid, Castalia, 1970, edición de Joaquín GONZÁLEZ MUELA, pág. 179, y nota 10
de la pág. 20; el trozo se encuentra en un prólogo de transición entre la
parte II y la III.

[9] Marqués de SANTILLANA, *Prohemio...*, edición citada, de L. Sorrento,
pág. 29; la mención de *baja* sólo la trae un manuscrito. Véanse Ludwig
PFANDL, *La palabra española «romance»*, «Investigaciones Lingüísticas», II,
1934, págs. 242-262, y W. C. ATKINSON, *The interpretation of «romances y
cantares» in Santillana*, «Hispanic Review», IV, 1936, págs. 1-10.

[10] Véase Sylvanus G. MORLEY, *Chronological list of early Spanish ballads*, «Hispanic Review», XIII, 1945, págs. 273-287; existe una reproducción
facsímil de este romance y de otras primeras manifestaciones en Ramón
MENÉNDEZ PIDAL, *Estudios sobre el Romancero*, Madrid, Espasa-Calpe, 1973,
pág. 446, ilustración primera.

[11] Pedro TAFUR, *Andanzas e viajes de...*, Madrid, E. Ginesta, 1874, página 139.

Desde entonces en adelante, el término *romance*, aun con algunas vacilaciones procedentes de estos usos indicados, se fija para la forma métrica que estudiaremos a continuación. Muy pronto, Juan de Valdés, en el *Diálogo de la lengua* (h. 1535), aseguró la relación entre el *romance* 'forma poética determinada' y el *romance* 'lengua vernácula común' en el siguiente juicio que asegura para el primero una representación limpia del segundo: «[de los romances] en ellos me contenta aquel su hilo de decir que va continuado y llano, y tanto que pienso que los llaman *romances* porque son muy castos en su romance» [12].

DISPOSICIÓN MÉTRICA Y
RÍTMICA DEL ROMANCE

El verso del romance tiene su base métrica en el octosílabo; esta base métrica se reúne en grupos de dos, al fin de los cuales se sitúa la rima. Puede considerarse establecido de dos maneras:

a) Según lo considera Nebrija: «este pie [verso] de romance tiene regularmente diez y seis sílabas» [13], con una cesura intensa después del primer octosílabo. Esta consideración lo acerca a los versos medievales de la juglaría (contando con el anisosilabismo propio de éstos) y a los de clerecía (contando con que la base es, en este otro caso, heptasílaba). Esto justifica su impresión sobre las páginas en series de diez y seis sílabas, que a veces se realiza para así aprovechar mejor el espacio de la línea impresa.

b) Dando entidad al octosílabo y considerando que la rima sólo actúa en los versos pares. De esta forma suele aparecer en los textos y las ediciones primeras, pues resultaba así más fácil la distribución de la composición en la imprenta primitiva, sobre

---

[12] Juan de Valdés, *Diálogo de la lengua*, edición de José F. Montesinos, Madrid, La Lectura, 1928, pág. 163.
[13] Antonio de Nebrija, *Gramática castellana* [1492], edición de Pascual Galindo Romeo y Luis Ortiz Muñoz, Madrid, CSIC, 1946, pág. 51.

todo en los pliegos sueltos. Esto lo acerca a las formas de la poesía lírica de base octosílaba en muchos casos.

Dos cuestiones quedan por establecer: la rima y la estrofa. La rima fue sobre todo asonante, y así quedó asegurada para las formas más características. Este aspecto lo sitúa en relación con el verso épico de los orígenes. No obstante, en algunos casos se usa la rima consonante mezclada con la asonante, y aun la consonante sola, probablemente como moda divergente del uso general. Así ocurre con el romance de «Rosa fresca...», que en el mismo *Cancionero General* aparece según la forma general:

> Rosa fresca, rosa fresca,   tan garrida y con amor,
> cuando yo os tuve en mis brazos   no vos supe servir, no,
> y agora que os serviría   no vos puedo ya haber, no...
>
> (fol. CXXXII y v.)

Y, en otra parte, con el título de «Romance mudado por otro viejo», en que dice:

> Rosa fresca, rosa fresca   por vos se puede decir
> que naciste con más gracias   que nadie pudo escribir,
> porque vos sola naciste   para quitar el vivir...
>
> (fol. CXXXVI, v.)

Y en la forma «mudada» la rima es la consonante *-ir* hasta el fin de la composición.

El romance es obra de una extensión indeterminada, pues se presenta en forma de una estrofa indefinida, sostenida por la rima; la asonancia suele mantenerse en forma continua hasta el fin, si bien en algunos casos puede producirse cambio de asonancia. En determinados casos la extensión del romance aparece dividida en grupos de cuatro versos, que establecen cada uno una unidad interior, sin que por esto se cambie la continuidad de la asonancia en el conjunto de la obra.

La base métrica del octosílabo es la medida dominante del verso, y la más característica, pero el verso puede a veces manifestar ligeras oscilaciones en su medida, mucho menores que las del verso épico; la fluctuación oscila sólo entre 7 y 9 produciéndose una «ametría atenuada» [14]. Otra característica es que en la rima admite la *-e* paragógica, análoga en su constitución morfológica a la del verso épico (o sea, que puede ser etimológica —*besare*— o mero recurso métrico —*dane* por 'dan'—, con la alternancia de formas —*paz*[*e*] con *traen*).

Dentro del octosílabo, T. Navarro reconoce tres órdenes rítmicos, representados, a su manera, en los siguientes grupos:

a) el trocaico: oo óo oo óo

> Helo, helo por do viene
> el infante vengador...
>
> («El infante vengador»)

b) el dactílico: óoo ooo óo

> Pláceme, dijo Rodrigo,
> pláceme, dijo de grado...
>
> («Jura de Santa Gadea»)

c) el mixto TD: o) óo ooo óo

> Que yo tenía una hermana,
> de moros era cautiva...
>
> («La cautiva»)

d) el mixto DT: o) óoo oo óo

> En medio de todas ellas
> está la del renegado...
>
> («Bobalías el pagano»)

El efecto rítmico del trocaico es «lento, equilibrado y suave»; el del dactílico «produce efecto rápido y enérgico, apto para el énfasis y el mandato», y los mixtos «de movimiento más flexible se acomodan a los giros del relato y del diálogo» [15]. Estas modalidades se mezclan en la línea del desarrollo del romance, que es por tanto polirrítmico en conjunto, acomodándose la variedad al desarrollo del significado y sirviendo para

---

[14] T. NAVARRO, *Métrica española*, edición citada, pág. 75.
[15] Ídem, págs. 71-72.

subrayar con el ritmo del verso las situaciones que expresa la pieza en algunos casos.

Un uso que se hizo bastante general en los romances de los comienzos del período renacentista fue el de estrofas adicionales que se situaban al final o en medio del desarrollo de la pieza; éstas eran formas métricas populares o cultas (llegaron a ser versos de métrica italianizante), y su dimensión iba desde ser breves hasta convertirse en el motivo de la poesía, pasando el romance a ser el arranque o el cuadro de la pieza. Si estas estrofas eran breves, e intercaladas a intervalos regulares, se convertían en estribillos. Estos recursos, propios de autores que querían dar una novedad al uso métrico del romance, contribuyeron a acrecentar su carácter lírico.

Otro recurso métrico, que conservaron algunas versiones antiguas de romances, fue el de la glosa: el poeta elegía un romance y dividía el texto en partes. Escogiendo para la glosa una estrofa adecuada (por ejemplo, décimas), situaba estas partes del romance al fin de cada estrofa, de manera que estas partes presentan una doble rima en cada uno de estos versos: la del romance que es objeto de la glosa, y la que le corresponde en la estrofa.

Hay que contar de una manera fundamental con que el romance es una forma literaria que está sustancialmente unida con la música. En este sentido algunas de las primeras manifestaciones del romance aparecen referidas a su interpretación como cantos acompañados con instrumentos, y se documentan en cancioneros musicales. En tales casos, la unidad melódica contiene dieciséis sílabas (y, por tanto, la disposición sería la de pareados octosílabos) o en grupos de treinta y dos sílabas (en los que la disposición es la de pareados sucesivos de versos de dieciséis sílabas). El progreso de la melodía y el de la letra pueden no ir paralelos, pero mantenerse el ritmo constituido por los cuatro octosílabos. Así, por ejemplo, en su estudio sobre los vihuelistas, D. Devoto nota que el romance I de Alonso Mudarra aparece con esta disposición relacionando letra y música:

Primera estrofa apli- ⎧ Durmiendo iba el Señor
cada a la música. ⎪ en una nave en el mar;
⎨ sus Discípulos con Él, ⎫ Segunda estrofa.
⎪ que no lo [o]san recordar. ⎬
⎩ El agua, con la tormenta, ⎪
comenzóse a levantar... ⎭

La organización es:

música	A	A	A′	A′
versos	1-4	3-6	5-8	7-10

Por tanto, la consideración del carácter musical del Romancero es fundamental para el estudio de esta forma poética puesto que sobre el ritmo de la palabra actúa el ritmo de la música acompañante [16].

LA DOCUMENTACIÓN INICIAL DE LOS TEXTOS ROMANCERILES

La especie poética que se sitúa bajo la denominación de *romance* obtuvo gran fortuna en la literatura española, y aparece documentada desde la Edad Media hasta nuestros días. Los romances se conocen por medio de los textos escritos o impresos, y por medio de la exploración folklórica, desde que ésta se formula con un criterio científico; y además se le aplica la tesis de la poesía tradicional para unir así el texto documentado con la pieza recogida por medio del folklore, y poder reconstituir la riqueza de sus manifestaciones desde los orígenes hasta hoy, tanto en el caso de la poesía oral, como en la escrita, anónima o de autor.

De un conjunto tan extenso como el indicado, aquí sólo me toca referir las cuestiones que corresponden al desarrollo del Romancero en el período medieval, contando con que este corte rompe una perspectiva que hay que considerar continua, y en

---

[16] Véase Daniel Devoto, *Poésie et musique dans l'oeuvre des vihuelistes (notes méthodologiques)*, «Annales musicologiques», IV, 1956, pág. 92.

la que muchas veces es imposible situar una limitación temporal como la que aquí propongo [17]. En efecto, el Romancero fluye desde el Medievo hacia los siglos siguientes en forma abierta y creadora y, sobre todo, recreadora. Por esto resulta la más intensa vía de comunicación por la que todo cuanto reunió el Romancero en la Edad Media (tanto en el aspecto formal como en el de los contenidos) pasaría a las épocas siguientes; en ellas, este Romancero de orígenes medievales, en unos casos se mantuvo próximo a las formas primitivas, en otros casos se rehízo y en otros se imitó, adaptándose a sucesivos criterios artísticos cuando así fue necesario a causa de las modas.

---

[17] El estudio más amplio e informativo sobre la materia es el de Ramón MENÉNDEZ PIDAL, *Romancero hispánico (Hispano-portugués, americano y sefardí). Teoría e historia*, Madrid, Espasa-Calpe, 1953, 2 tomos. Teniendo en cuenta las fechas de su aparición (1890-1908), la parte de la *Antología de poetas líricos castellanos*, correspondiente al «Tratado de los romances viejos» de M. MENÉNDEZ PELAYO (tomos VI a IX de la ed. de *OC*), constituye un corpus del romancero que recoge la *Primavera y Flor de Romances* de Fernando José WOLF y Conrado HOFMANN [1856], corregida y adicionada por Menéndez Pelayo. Un resumen general de las cuestiones del romancero primitivo se encuentra en David W. FOSTER, *The Early Spanish Ballad*, Boston, Twayne, 1971, con un muestrario comentado de los diversos grupos de romances con versión inglesa y bibliografía fundamental anotada. De los estudios sobre el Romancero en historias, menciono el de Manuel GARCÍA BLANCO, *El Romancero*, en la *HGLH*, II, págs. 3-51, y la parte que Manuel ALVAR dedica al Romancero en la *Historia de la Literatura española (hasta s. XVI)*, edición citada, I, págs. 222-243. Los trabajos de carácter general y teórico de Ramón MENÉNDEZ PIDAL se han recogido en los *Estudios sobre el romancero*, Madrid, Espasa-Calpe, 1973. Diego CATALÁN MENÉNDEZ-PIDAL ha reunido los estudios sobre este período en *Siete siglos de Romancero (Historia y poesía)*, Madrid, Gredos, 1969. La cuestión de la tradición, en relación con varios aspectos del romancero medieval, se expone en el libro de Manuel ALVAR, *El Romancero. Tradicionalidad y pervivencia*, Barcelona, Planeta, 1974, 2.ª edición. Manuel ALVAR realizó una antología con estudio preliminar en *Romancero viejo y tradicional*, México, Porrúa, 1971. Otra antología, *El Romancero*, Madrid, Narcea, 1973, contiene un prólogo informativo de Giuseppe di STEFANO y los textos conservan las grafías antiguas, con ligeras modificaciones; otra, *El Romancero viejo*, Madrid, Cátedra, 1976, con prólogo de Mercedes DÍAZ ROIG, y textos con grafía modernizada.

Dentro del cuadro general de la literatura de la Edad Media, las manifestaciones poéticas que se acogen en el romance se pueden considerar como obras de dimensión media, o sea que se sitúan entre el poema extenso de la juglaría o de la clerecía y la pieza breve de la lírica popular o cortés. El romance se conservó por diversos cauces relacionados entre sí: la vía folklórica (que fue fundamental en su difusión y mantenimiento), la divulgación profesional (propia sobre todo de juglares y ministriles y toda suerte de intérpretes), la vía cortesana (que acabó por darle firmeza artística), con las correspondientes modalidades de escritura textual. Por otra parte, su dependencia de la música es un factor importante, tal como se dijo, sobre todo en la época medieval [18]. Por entre esta variedad de cauces, el romance acabó por lograr un curso propio en el dominio literario del texto escrito e impreso, que adoptó el nombre colectivo de *Romancero* [19].

---

[18] Para una información sobre la música del Romancero, véase el apéndice de *Ilustraciones musicales* de Gonzalo Menéndez-Pidal, situado al fin del tomo I del *Romancero hispánico* de R. Menéndez Pidal, obra citada, págs. 367-402. Una amplia recolección de melodías modernas de los romances se encuentra en Kurt Schindler, *Folk Music and Poetry of Spain and Portugal*, New York, Hispanic Institute, 1941.

[19] El estudio sistemático de la conexión entre el folklore y el romancero parte de un estudio, de 1920, de R. Menéndez Pidal, que se ha publicado junto con otro de Diego Catalán y Álvaro Galmés, en el tomo *Cómo vive un romance. Dos ensayos sobre Tradicionalidad*, Madrid, CSIC, 1954, cuyos títulos son: «Sobre Geografía Folklórica. Ensayo de un método» y «La vida de un romance en el espacio y el tiempo», referente a los de «Gerineldo» y «La boda estorbada»; también, el estudio de Menéndez Pidal en *Estudios sobre el romancero*, obra citada, págs. 217-323. Por su parte, Daniel Devoto, en *Sobre el estudio folklórico del romancero español. Proposiciones para un método de estudio de la transmisión tradicional*, «Bulletin Hispanique», LVII, 1953, págs. 233-291, pone de relieve los factores individuales, de carácter sicológico, que intervienen en el proceso. Diego Catalán, en el artículo *El «motivo» y la «variación» en la transmisión tradicional del romancero*, «Bulletin Hispanique», LXI, 1959, págs. 149-182, defiende el empleo del método geográfico, aun contando con las invenciones individuales en el curso de la transmisión.

El Romancero, palabra que valió para designar una reunión de romances, aparece en el siglo XVI, y se asegura con la publicación del gran *Romancero General* de 1600[20]. La primera colección formada sólo por romances se había llamado *Cancionero de romances* (Amberes, h. 1547)[21]; antes los romances estuvieron presentes en colecciones poéticas, como en el *Cancionero musical de Palacio* (período de los Reyes Católicos) y en el *Cancionero general* (desde 1511). Durante la primera mitad del siglo XVI los romances, reunidos con obras líricas diversas, algunas de origen tradicional también, alcanzaron una gran difusión en los pliegos sueltos de la primera imprenta popular.

De este proceso de difusión resulta que el Romancero ya había alcanzado en la segunda mitad del siglo XV un alto índice de popularidad. Unido a la conservación y propagación folklórica, pasó a formar parte de los repertorios cortesanos, tanto por su incorporación a las piezas de moda en las interpretaciones musicales, como por su escritura en los cancioneros; y luego por su impresión en los pliegos y en los libros.

En tiempos del reinado de Enrique IV (1454-1474) el romance se canta en la Corte, y hay después noticias de que la Reina Católica se enternecía oyéndolos entonar. Convertido así en obra que se beneficia del progreso análogo de la lírica popular, el romance salió de la Edad Media con una gran fuerza poética, adaptable a los más diversos medios sociales de público.

Para comprender mejor este triunfo, conviene recordar la opinión que en 1449 había puesto de manifiesto el Marqués de Santillana en su *Prohemio;* al clasificar en tres estilos la literatura, dejó —como ya se ha dicho— para el grado ínfimo los

---

[20] La colección completa de las fuentes de este Romancero de 1600 fue publicada por Antonio RODRÍGUEZ-MOÑINO, *Las fuentes del Romancero General,* con notas e índices, Madrid, Real Academia Española, 1957, en doce volúmenes.

[21] Ramón MENÉNDEZ PIDAL publicó, con un prólogo, una edición facsímil de esta importante colección (Madrid, Centro de Estudios Históricos, 1914; reimpresión, Madrid, CSIC, 1945); véase también *Cancionero de Romances (Anvers, 1550),* edición, estudio y bibliografía de Antonio RODRÍGUEZ-MOÑINO, Madrid, Castalia, 1967.

romances y cantares con que se alegraban las gentes de baja y servil condición [22]. Contando con que Santillana pudo haber usado la palabra en alguno de los otros sentidos, esta progresión social del romance es necesaria para su afirmación como género poético adecuado para un público cada vez más diverso.

POESÍA ÉPICA Y ROMANCERO

Por la complejidad propia de sus orígenes, el Romancero es una modalidad difícil de fijar en cuanto a su desarrollo temporal. No puede saberse con certeza cuáles fueron cronológicamente los primeros romances ni su carácter, y muchos de los que se consideran como antiguos sólo se testimonian, sobrepasado el período medieval, por conjeturas en relación con el conjunto del Romancero.

Esta dificultad hizo necesario formular de una manera hipotética la iniciación de la corriente poética relacionándola con las formas existentes de la épica y de la lírica en la situación paralela. Estas hipótesis sitúan la valoración de los datos en juego *a)* o en la posible relación entre el romance y otra forma preexistente que condiciona su aparición (tesis diacrónica); *b)* o en la función determinante del romance que por sí mismo modela la materia argumental, cualquiera que sea su procedencia, hacia una disposición formal genuina.

Por una parte, Menéndez Pidal estudia los romances que por su contenido pueden enlazar con los poemas de asunto análogo, existentes en la épica medieval. De esta manera establece la relación entre esta épica y lo que es el romance, la nueva forma poética cuya contextura aparece encauzada por una comunicación de procedimientos de versificación y de materia. Los procedimientos de versificación sí son comparables; las series épicas asonantadas quedan cerca de la métrica romanceril, y el aniso-

---

[22] Marqués de SANTILLANA, *Prohemio*, edición citada de L. Sorrento, pág. 29.

silabismo de las canciones épicas se aproxima a la «ametría atenuada». Por otra parte, la materia épica se trasvasó también a las Crónicas; y queda como gran fuerza operante el alcance de la difusión juglaresca de los poemas, verificada sobre públicos que mantenían la tradición de esta poesía. La recitación continuada de los poemas establecería entre los públicos una selección en los mismos o en partes de ellos, consistente en unas preferencias que pudieron guiar los criterios de la difusión juglaresca. Los públicos asegurarían —según Menéndez Pidal— esta persistencia dentro de la tradición; y la aparición de los romances dio nuevos cauces a las materias épico-heroicas y a las que se les añadieron dentro de estas manifestaciones de la hazaña cuyo protagonista sigue siendo el héroe.

Estableciendo así una relación entre la épica juglaresca y los romances, Menéndez Pidal asigna al juglar una función en el proceso de convertir la estructura del poema épico en la del romance, modalidades poéticas que evidentemente son distintas; se trata de explicar el paso de lo que, en líneas generales, es la obra de gran extensión y trascendencia colectiva que constituye el poema épico, a la obra de extensión media y resonancia individual que es el romance. Este proceso pudo llevarse a cabo porque los juglares eligieran para sus recitaciones los trozos que ellos sabían que el público escuchaba con más gusto, y los redondeasen buscando una entidad poética adecuada; por otra parte, la necesidad de renovar los repertorios los condujo a poetizar los asuntos carolingios y bretones, los de las historias romanas, y por esta vía los que procedían de las baladas europeas. La adopción cada vez más firme del molde resultante, hizo que se asegurase lo que iba siendo cada vez más romance y menos poema épico. Toda esta variedad confluyó en lo que Menéndez Pidal llamó romances *juglarescos*, que son más extensos que el término medio de los otros, con predominio de la narración, que manifiestan ser obra de un profesional que conocía a fondo los gustos de estos pueblos, en los que se acusa, cada vez más, la presencia de los caballeros y de los círculos cortesanos.

Así asegurado este cauce poético del romance, fue en él donde obtuvieron expresión los asuntos de las banderías señoriales (sobre todo en relación con el rey don Pedro, muerto en 1369) y también los referentes a los hechos de la guerra con el moro hasta la rendición de Granada. En estos casos cabe establecer una fecha, que es la del hecho que el romance cuenta, a partir de la cual pudo componerse la pieza poética.

De los romances indicados son de procedencia heroica los relacionables con los poemas medievales, y los otros que participan de esta procedencia en grado menor. Se puede aplicar a ellos, en esta interpretación de Menéndez Pidal, lo que él dice en relación con la continuidad de la presencia del tema heroico: «Es que ese gusto romancístico por los temas heroicos es el mismo que sostuvo la vida de las gestas desde el siglo x al xv; es que todas las gestas se hicieron romances; es que la epopeya se hizo romancero» [23].

Aun contando con la solidez de la teoría expuesta por Menéndez Pidal, algunos críticos han insistido en señalar que con el estudio de los romances de tema épico-heroico no se cubre más que un aspecto del Romancero. Y, por otra parte, la relación entre el poema (como ocurre en el caso del *Poema del Cid*, el único relativamente completo) y el romance no aparece en la mayor parte de las ocasiones claramente determinada, sino a través de acondicionamientos que filtran una «materia argumental» [24]. Hay que tener, pues, en cuenta, que estas diferencias son constitucionales del romance; como señala P. Bénichou, importa considerar «la libertad creadora con que pudieron formarse los romances viejos, aun de los temas más venerables» [25]. En el

---

[23] R. MENÉNDEZ PIDAL, *Romancero hispánico*, I, obra citada, pág. 193.

[24] Fueron decisivos para asegurar esta teoría los trabajos publicados bajo el nombre común de *Poesía popular y romancero* [1914-1916], en *Estudios sobre el Romancero*, obra citada, págs. 87-216. Sylvanus G. MORLEY, *Spanish Ballad Problems. The native historical Thems*, University of California, Publications in Modern Philology, Berkeley, XIII, 1925, págs. 207-228.

[25] Paul BÉNICHOU, *Creación poética en el romancero tradicional*, Madrid, Gredos, 1968, pág. 7, explora los romances de «El destierro del Cid», «El castigo de Rodrigo de Lara», «Abenámar» en cuanto a las génesis anti-

proceso habría que contar, además, con la «combinación de muchos o la reinvención de otros nuevos a partir de recuerdos incompletos» [26]. Por su parte, Menéndez Pidal se empeña en que lo importante es encontrar las líneas guiadoras del proceso que conduce hacia las formas más idóneas del romance. La orientación del crítico busca el conjunto de este progreso a través de las variantes, aun sabiendo que cada caso no se fija siempre en las versiones mejores y que su cronología es muy difícil de fijar.

Otros críticos no estimaron que el proceso propuesto fuese tan decisorio para los efectos de la idoneidad poética del romance, y prefieren considerar el efecto de un acto creador sobre una materia argumental conocida de todos, y no el lento proceso de una transformación; si bien pudo partirse de un conocimiento de los poemas épicos como fondo, el romance resultaba una obra de características diferentes. Así escribe Vossler: «Es cierto que la forma de los romances está emparentada con la del *Cantar* por nexos históricos, pero se alza frente a ella como algo nuevo y original, así como el niño es algo nuevo, no un fragmento de sus padres, no un producto de su desmigajamiento» [27]. No es el Romancero un «campo de ruinas épicas», según la expresión de Heinrich Morf; y si en una primera impresión puede parecer que la parcelación de los romances existentes sobre un mismo asunto, presenta un aspecto fragmentario, dice Vossler que «se trata de ruinas artificiales, no de edificios desplomados que tal vez pudieran reconstruirse y restaurarse; son velos y sombras pintadas, y ningún corrosivo filológico sería capaz de desecharlos para volver a la prístina pintura» [28]. En relación con el caso de los romances épico-históricos, donde este proceso habría de

---

guas; y las variantes modernas de «La muerte del Príncipe Juan», «Helo, helo por do viene, el moro...», y «El cautivo del renegado».

[26] Ídem, pág. 8.

[27] Karl VOSSLER, *Estudio sobre otras formas de la poética romance*, párrafo «Romance y cantar», publicado en *Formas poéticas de los pueblos románicos*, ordenadas por Andreas BAUER, Buenos Aires, Losada, 1960, página 237.

[28] Ídem, pág. 238.

resultar más aparente, hemos de ver que el hecho sustancial
será la confluencia de los temas hacia un estilo general del Romancero. Ahora pasaremos a considerar el caso de las relaciones
del Romancero con la lírica.

«BALADA», POESÍA LÍRICA Y ROMANCERO

W. J. Entwistle escribió un importante estudio sobre el grupo genérico de las *ballads* europeas; el término inglés se aplica
al estudio de las *romance ballads*, y entre ellas, al grupo español [29]. El hecho de que Entwistle haya sido profesor de español
en Oxford hizo que la parte española se hallase bien representada en el conjunto. El estudio de la parte española se verifica
sobre el Romancero, con lo que básicamente *ballad* equivale en
la literatura española a romance; en comparación con los paralelos franceses e italianos, que son cantos de origen lírico, los
españoles son sobre todo narrativos, de tono objetivo y austero,
intensamente dramáticos, más que las *viser* escandinavas y otras
baladas europeas, con una impresión de historicidad, ausencia de elementos sobrenaturales y con un estilo singularmente
uniforme. Entwistle trata de los romances épico-históricos en la
gran variedad antes mencionada, y también de los que se refieren
a asuntos procedentes de Francia, de los libros carolingios y
bretones de caballerías, y de los semi-carolingios (que son baladas internacionales situadas en un contexto carolingio, como el
«Conde Alarcos», «Don Dirlos» y «Gaiferos»), de origen germánico a veces; otros asuntos son variados como el de la malmari-
dada, el del prisionero, «Rosa fresca», etc. El Romancero se
muestra, pues, como la modalidad poética que en España recibe
y rehace la compleja materia baladística europea.

La recepción mencionada dio sus abundantes frutos poéticos
en la segunda mitad del siglo xv, sobre todo cuando los poetas

---

[29] William J. ENTWISTLE, *European Balladry*, Oxford, Clarendon Press,
1939; hay una segunda edición de 1951, con un prólogo añadido y algunas
correcciones; otra reproducción, 1969.

que cultivan la obra cancioneril cortés, de condición musical, adoptan las formas romanceriles en convivencia con las líricas de orden culto y popular. Los Cancioneros de la época y los posteriores recogen esta corriente, y en ellos aparecen romances, con mención de autor, que se encuentran dentro de la corriente del estilo romanceril, matizándose con un tratamiento artístico peculiar. Tales autores conocieron los romances mantenidos por la vía folklórica y también la resonancia de la labor de los últimos juglares y, al escribir sus piezas, contaron de la manera más adecuada con el conocimiento de la Poética propia de la poesía cancioneril. Por eso en los romances con mención de autor existe una matización de la obra romanceril hacia una mayor dignificación artística según la teoría de la creación literaria; estos romances de autor pueden quedar muy cerca de la condición de los anónimos, aunque muestran contactos con las obras de la lírica cancioneril, menciones de orden mitológico, relaciones con los libros de ficción cortesanos, etc. El resultado más patente es que se favorece la consideración del romance como obra de carácter lírico, sobre todo amoroso, y aún más si intervienen los factores sentimentales; y así ocurre que en algunos casos el romance llega a ser obra lírica «pura», en conexión con la poesía lírica tradicional y la cortesana medievales, con la que tiene «importantes puntos de contacto estructurales», como muestra J. M. Aguirre [30]. Por esta vía confluyen también los argumentos procedentes de los temas extranjeros, de las baladas europeas, que van quedando hispanizados mediante la incorporación de unos determinados nombres de personajes y una vaga geografía caballeresca.

---

[30] Véase el estudio de José María AGUIRRE sobre los romances de la *Mora Moraima y el prisionero: ensayo de interpretación*, en los *Studies of the Spanish and Portuguese Ballad*, Londres, Tamesis Books, 1972, páginas 53-70. Sobre el romance de Fonte frida, Eugenio ASENSIO, *Fonte frida o encuentro del romance con la canción de mayo*, en *Poética y realidad en el cancionero peninsular de la Edad Media*, Madrid, Gredos, 1970, 2.ª edición, págs. 230-262. Y la influencia en el tema trágico que estudia Edward M. WILSON, *Temas trágicos en el Romancero español* [1958], en *Entre las jarchas y Cernuda*, Barcelona, Ariel, 1977, págs. 107-129.

La consideración de que hayan existido unos romances primarios, paralelos a los poemas épicos, es una tesis de procedencia romántica; J. Grimm, F. J. Wolf, G. Ticknor y A. Durán estimaron que estos romances primitivos serían una manifestación de la poesía popular y que sobre ella se establecieron los grandes poemas épicos. La tesis romántica fue recogida en 1914 y 1915 por H. R. Lang y P. Rajna, que apoyaron la existencia del romance desde los comienzos de la literatura vernácula; este romance primario sería de condición epicolírica, en correspondencia con el carácter de las baladas europeas.

La tesis de un romance primario es indemostrable documentalmente. Pasando de esta condición primaria a la primitiva, ocurre que los romances de tendencia lírica (comprendiendo en ella desde lo que Menéndez Pidal prefiere llamar «epicolírica» hasta las piezas decididamente líricas) se encuentran entre las primeras formas escritas del grupo, y aun cabe decir que (relacionando la cronología y la temática conjuntamente) lo están en mayor número que los épicos, aunque esto sea un factor aleatorio, dominado por la circunstancia de que éstos son los romances que mejor afluyen a los cancioneros. En la discusión del asunto ha intervenido la consideración de que los romances épicos responden mejor a las características de la poesía tradicional, y los líricos, a la poesía de autor (o «individual», como se la ha llamado en la historia de la crítica), pero esto no puede entenderse de una manera general, pues Menéndez Pidal hubo de establecer un estado *épico-lírico* en el que situar las formas más idóneas del grupo poético. Por eso cabe aceptar, en principio, que la tendencia general del desarrollo de la poesía romanceril, en lo que muestran los textos documentados, favorece las manifestaciones en que los factores líricos se muestran con más efectividad, dentro de un ajuste concertado que estableceremos.

LA CONSERVACIÓN DE LOS ROMANCES

Siendo, pues, el caso del Romancero en tanto que grupo genérico tan complejo, conviene establecer las vías de su conocimiento con el mayor rigor posible; y así hay que explorar los testimonios de los textos que nos quedan y valorarlos dentro del que fue el cuadro de conjunto en el período que nos ocupa. Pero esto sólo nos dará un conocimiento reducido con una escasa base textual, y hay que suplir de algún modo la noticia de lo que haya sido lo demás del conjunto. Para el caso de la poesía romanceril hay que contar con los cauces comunes que valen para el mantenimiento de un texto: el oral y el escrito; ambos valen para el Romancero, y hay que considerar también los procedimientos de conservación propios de la última parte de la Edad Media que sustentaron estas piezas poéticas, como son los intérpretes, bien se sitúen éstos en la juglaría del último período o bien en la disciplina de las capillas y grupos de canto de las Cortes. Esto supone la participación de un público variado que ha intervenido en la difusión, que puede ser del estado llano o del estado de los caballeros y nobles, y los que se reúnen en las cortes señoriales y reales. No hay una determinación única para el Romancero, como ocurre con otros grupos genéricos de la Literatura; y la reunión de estas diversas vías de conservación de los textos obliga a manejar con cautela los datos, y mucho más teniendo en cuenta la gran fuerza de convergencia con que se manifiesta la creación romancística, pues el romance acaba siendo obra común a todos.

Menéndez Pidal apoya decisivamente la tesis de que el romance fue conservado y sostenido por la tradición y que es, por tanto, una modalidad de la poesía *tradicional*, término que estimó más adecuado que el de poesía *popular*. El Romancero resultó ser el grupo genérico en que mejor se logra el proceso que Menéndez Pidal atribuye a la poesía tradicional, sobre todo en cuanto al logro del «magno estilo impersonal, que es el estilo de la colectividad personificada»[31]; y de ahí la suma valoración representativa del grupo, pues «podemos escuchar la voz de los pueblos hispanos en su Romancero más pura, natural y unánime que en ninguna de las grandes producciones literarias»[32].

[31] R. MENÉNDEZ PIDAL, *Romancero hispánico*, obra citada, I, pág. 62.
[32] Ídem.

De esta manera el Romancero se manifiesta como la expresión más genuina del pueblo español en la literatura. Según Menéndez Pidal, la tradición, considerada como fuerza de cohesión poética activa, no sólo conserva la obra, sino que mejora el valor de cada pieza cuando actúan las direcciones que guían el estilo en un sentido de selección hacia las formas más efectivas del romance. Esta conversión continua, que en el período aédico iban verificando en cada caso los intérpretes o los impresores con instinto artístico, es forzoso que hoy aparezca ante la consideración del crítico como algo discontinuo y múltiple, difícilmente ordenable, pues sólo se han conservado unos pocos textos de los muchos que hubo, y éstos de una manera azarosa. Cuando un romance pasa al texto manuscrito o al impreso, no estamos seguros de que la letra conservada corresponda a la mejor interpretación. Por otra parte, los recolectores de los romances no aplicaron a estas obras el cuidado textual propio de la poesía culta y no se esforzaron en perseguir las versiones como lo hace un explorador del Folklore actual. Esta poesía en el proceso de conversión tradicional pudo alcanzar diversos grados de penetración en las directrices teóricas del estilo romanceril, y lo mismo ocurre cuando el romance de un autor entra en estos cauces, por su voluntad o sin ella: «La elaboración tradicional —escribe Menéndez Pidal— no logra de un golpe su plenitud en la simplificación y total asimilación al gusto más selecto de colectividad» [33].

Refiriéndose a los efectos del proceso que implica la tradicionalidad, Menéndez Pidal señala entre los decisivos el que hace desaparecer todo rastro de autor desde su origen; por eso escribe: «El poeta inicial y los refundidores sucesivos se desvanecen; toda personalidad de autor desaparece sumergida en la colectividad. El autor se llama Ninguno o Legión» [34]. Estas afirmaciones suscitaron la oposición de los que propugnan que la creación poética del origen no puede desaparecer de esta manera, y que el autor es siempre alguien que hizo la obra, y que ésta se incorporó al grupo genérico del Romancero desde dentro

---

[33] Ídem, I, págs. 62-63.
[34] Ídem, I, pág. 61.

del hecho poético con unas características que no podían desvanecerse si la obra poseía la calidad conveniente. Para Menéndez Pidal lo importante es el proceso de la tradición, en el que la sucesión de las variantes y la supervivencia de las mejores no es ciega ni aleatoria, sino que, mientras se mantiene eficiente la tradición, se logran, a través de estos ajustes, las más altas cotas poéticas: «Apartándose la tradición, paso tras paso, de todo lo transitorio que hay en el arte individual, en el de las escuelas y en el de las modas literarias, alcanza una belleza intemporal de la más firme estabilidad, de la más simple y poderosa eficiencia, que nos encanta y recrea en la fatiga del ánimo, como un alivio de perenne frescor» [35].

La tradición actúa por la vía folklórica, pero de una manera específica, pues no toda la poesía popular alcanza la condición de tradicional: «Toda obra que tiene méritos especiales para agradar a todos en general, para ser repetida mucho y perdurar en el gusto público bastante tiempo, es obra popular» [36]. Pero sólo es tradicional cuando «el pueblo la ha recibido como suya, la toma como propia de su tesoro intelectual, y al repetirla, no lo hace fielmente de un modo casi pasivo [...], sino que, sintiéndola suya, hallándola incorporada en su propia imaginación, la reproduce emotiva e imaginativamente, y por tanto la rehace en más o en menos, considerándose él como una parte del autor» [37].

Por otra parte, Menéndez Pidal reconoce que el proceso por el que se logra la condición óptima del romance tradicional, no se alcanza siempre, pues puede ocurrir que alguna pieza «deje subsistir algunos restos del espíritu individual propios del primer redactor o de los sucesivos seguidores» [38]; este es el romance que llama «tradicional a medias», que se queda a mitad de un camino imprevisible. Es evidente que Menéndez Pidal se inclina por conceder la primacía al proceso de la tradicionali-

---

[35] Ídem.
[36] R. MENÉNDEZ PIDAL, *Poesía popular y poesía tradicional en la literatura española* [1922], en *Estudios sobre el romancero*, obra citada, pág. 344.
[37] Ídem, pág. 345.
[38] R. MENÉNDEZ PIDAL, *Romancero hispánico*, obra citada, I, pág. 62.

dad, hasta el punto de valorar negativamente cualquier presencia de la autoría, aún condicionada.

Una cuestión importante se plantea si consideramos que la vía oral no fue la única que hizo perdurar los textos de los romances, pues éstos se escribieron y, sobre todo, se imprimieron en abundancia en fecha temprana hasta el punto de que Menéndez Pidal indica: «De todos los géneros poéticos españoles se puede decir sin error que el Romancero fue el que más ocupó las prensas del siglo XVI»[39]. Si se parte de la tesis de que las formas mantenidas oralmente en esta tradición son las primordiales, entonces las escritas o impresas son sólo fijaciones azarosas de aquéllas; pero también cabe pensar que estas formas escritas o impresas participaron de las características propias de la obra literaria en el sentido de que estas versiones impresas llegaron a poseer una entidad poética propia, sin que esto supusiera conflicto con las versiones recitadas o cantadas, como indica D. W. Foster, que titula un párrafo de su estudio «Oral Versus Written Literature». Esta peculiaridad de que en el romance confluyen las modalidades de ambos órdenes de manifestaciones hace que su estudio requiera unas técnicas flexibles en que puedan contar una y otra. Así pudo darse el caso de que el proceso de la tradición se verificase en un solo acto creador, alcanzándose de un golpe el acierto romancístico. Se da también el caso temprano del coleccionista de romances que recogió las piezas de la vía folklórica y pudo ser un refundidor activo, sobre todo en el caso de que las quisiera publicar. Todo esto se presenta confuso, y en las exploraciones, como dice P. Bénichou, «casi siempre nos tenemos que conformar con probabilidades»[40]. El hecho fue que los romances publicados

---

[39] Ídem, II, pág. 66. Sobre la importancia de los pliegos sueltos, véase el referido artículo de A. RODRÍGUEZ-MOÑINO, *Construcción crítica y realidad histórica en la poesía española de los siglos XVI y XVII*, en especial, páginas 50-51. Por la importancia de los pliegos sueltos en la exploración y conocimiento del Romancero, cito la fuente básica: Antonio RODRÍGUEZ-MOÑINO, *Manual bibliográfico de Cancioneros y Romanceros*, Madrid, Castalia, 1973.

[40] P. BÉNICHOU, *Creación poética en el romancero tradicional*, obra citada, pág. 9.

en pliegos sueltos, cancioneros, romanceros o en las obras de un autor dieron el prestigio de la letra impresa a los textos contenidos. Esto lo reconoce Menéndez Pidal con respecto a los primeros: «Así [con los pliegos sueltos] la tradición se robustecía y fijaba por medio de estas ediciones, destinadas a una máxima difusión» [41]. Esta difusión, pues, resulta de un efecto conservador, y traslada a los romances de la poesía folklórica la determinación propia de la poesía impresa; por modesta que haya sido la función del pliego suelto, pudo servir para recoger y aun corregir la versión oral. Y esto con una eficacia más efectiva que la variante personal de un solo intérprete, pues del pliego se imprimieron un cierto número de ejemplares, y es frecuente la reimpresión de sus textos. Y en los pliegos abunda la mezcla de los romances con otras especies poéticas cuya perduración seguía el criterio de la autoría.

Para la conservación del Romancero hay que contar, pues, con todas las vías posibles, y considerar que una modalidad poética que se mantiene tanto tiempo y en tantos lugares pudo sostenerse por cualquiera de ellas, contando también con la cooperación de las otras.

En cierto modo, la conservación del Romancero llevó implícita la cuestión de su aparición como entidad poética propia. Menéndez Pidal, con la autoridad de sus muchos estudios, escribe: «Cómo nace el Romancero, no lo podemos saber» [42]. Y por eso formula la tesis de la tradicionalidad, en la cual se prescinde de plantear el origen; pero, si consideramos el Romancero como establecido en un grado elemental, puede pensarse que un romance que escribiera un autor podía poseer desde sus inicios una alta participación en el estilo que Menéndez Pidal considera «más perfecto»; la labor que él encomienda a la tradición pudo darse en el acto creador del poeta en virtud del instinto selectivo que éste posee por naturaleza, y mucho más si domina los recursos técnicos de la palabra poética, aplicables al caso del estilo del Romancero. Esto no excluye la existencia

---

[41] R. Menéndez Pidal, *Romancero hispánico*, obra citada, II, pág. 69.
[42] Ídem, II, pág. 4.

de la corriente moldeadora del romance como grupo genérico,
que pudo actuar desde un principio o en el curso de la conservación de la pieza; contar con que en la corriente haya habido poetas «guiadores» parece tan legítimo como considerar
una legión de retocadores, todos laborando en un mismo sentido
de creación estilística.

Debido a esta larga duración en la persistencia literaria del
Romancero desde la Edad Media hasta hoy, y a la gran amplitud de su presencia en el folklore de los pueblos españoles
e hispánicos, una obra que nos dé a conocer el Romancero en
su conjunto ha de ser de grandes vuelos, y tal es uno de los
legados más preciados de Menéndez Pidal. Suya fue la iniciativa
de reunir una gran colección de romances que fuera el mayor
corpus de esta poesía; su propósito fue probar, con la más
amplia documentación posible, la tesis de la función de la tradición en el logro de la perfección poética del Romancero.
Reuniendo los textos manuscritos e impresos con las versiones
que pudo recoger en los muchos años que dedicó a esta tarea,
y con la fiel colaboración de sus discípulos, que prosiguen en
la misma labor[43], establece para cada unidad poética del Ro-

---

[43] Esta gran obra se está publicando por el Seminario Menéndez Pi-
dal, *Romancero tradicional de las lenguas hispánicas (español, portugués,
catalán, sefardí)*. Colección de textos y notas de María GOYRI y Ramón
MENÉNDEZ PIDAL al cuidado de Diego CATALÁN. El tomo I comprende los
«Romanceros del Rey don Rodrigo y de Bernardo del Carpio», Madrid,
Gredos, 1957; el II, los «Romanceros de los Condes de Castilla y de los
Infantes de Lara», Madrid, 1963, el III (1969), IV (1970) y V (1971-1973),
«Romances de temas odiseicos»; el VI (1975), VII (1975) y VIII (1976) sobre
«Gerineldo. El paje y la infanta»; IX (1978), «Romancero rústico»; X y XI
(1977-1978), «La dama y el pastor. Romance. Villancico. Glosas». La colección «Joyas bibliográficas» de Madrid, dirigida por Carlos ROMERO DE LECEA,
viene publicando los pliegos poéticos conservados en las grandes bibliotecas
europeas; de las españolas han aparecido los de la Biblioteca Nacional
de Madrid (1957-1961) y de la de Cataluña (1976); de otras partes, bajo el
cuidado de María Cruz GARCÍA DE ENTERRÍA (en algunos casos con otros
colaboradores), los pliegos de las de Praga (1960), Milán (1973), Munich y
Pisa (1974), Viena, Cracovia y Lisboa (1975) y Oporto (1976); en estos pliegos
se contiene un gran número de versiones de romances.

mancero un curso, muchas veces deslumbrador: «Por eso es preciso poner ante los ojos tal número de versiones que dejen percibir en cada frase, en cada verso, reflejos rielantes y hagan ver el texto del poemita como la corriente de un río rizada de cambiantes centelleos» [44].

En el examen de los efectos de la conservación tradicional, Menéndez Pidal establece la existencia de dos épocas en la continuidad textual de los romances: *a)* la época aédica en la que domina el poder creador de esta poesía, que no sólo aumenta el caudal de los romances, sino que modifica los existentes mejorándolos dentro de las directrices del estilo y disposición que configuran la obra tradicional en trance de alcanzar su manifestación óptima, y *b)* la época rapsódica en la que lo común es la repetición del romance sin dicha tensión creadora, y, por tanto, la pieza pierde cohesión y sus elementos se disgregan, desapareciendo a veces o mezclándose unos romances con otros, mientras que el texto degenera, sustituyéndose términos que no se entienden o siendo interpretados en forma que se cambia el sentido inicial.

Hemos de contar, pues, con que el Romancero medieval se encuentra en la plenitud de la época aédica, que comprende el siglo xv hasta mediados del siglo xvi; la época aédica recoge la sucesiva propagación del Romancero a través de todas las clases sociales hasta llegar a las cortes reales. Trátase de la época en que se da la confluencia entre las manifestaciones folklóricas y las que proceden de la juglaría tardía y las de los poetas cortesanos, y en la cual acaba por perfilarse la condición específica del estilo romanceril, que será la que tome cuerpo poético en cada una de las piezas que alcancen el más alto grado del mismo.

EL ESTILO ROMANCERIL

Dadas las complejas condiciones en que se presenta el Romancero, en último término la clave que recoge la caracte-

---

[44] Obra citada, I, págs. V-VI.

rización del mismo se halla en una determinada conformidad
de estilo que se manifiesta en el conjunto de esta clase de
poesías, sobre todo en el período inicial que aquí nos ocupa; la
diversidad de asuntos puede clasificarse en conjuntos que encierran unas materias específicas (épico-heroicos, noticieros sobre las guerras de banderías y las sostenidas contra los moros,
carolingios, que son abundantes, bretones, que son escasos, novelescos, líricos, de temas antiguos, etc.), y en todos los cuales
cabe reconocer un estilo general, que es el que denominaremos
romanceril. De esta manera, pues, el moldeamiento artístico del
romance, a través de esta realización y reforma estilística, llegó
a ser común al grupo en general en cualquiera de sus manifestaciones, bien procediese de la conservación tradicional, bien de
la obra de los refundidores profesionales o de los autores en
cualquiera de los grados de aproximación hacia estas manifestaciones. Por eso, P. Bénichou comenta, refiriéndose a esta confluencia general: «El autor-legión en sus tanteos, variantes y
rehacimientos hace lo mismo —fundamentalmente— que el
poeta culto en sus correcciones y borradores»[45]. De ahí que el
Romancero ya saliese de la Edad Media con esta fuerza pre-
determinadora. En su tesis, Menéndez Pidal insiste sobre todo
en los efectos del proceso tradicional sobre cada una de las
piezas, pero puede pensarse que los poetas pudieron escribir
los romances desde dentro de este estilo y contando con los
límites de esta predeterminación, según dije hace poco.

Considerada la variedad de versiones que presenta una misma
unidad poética, la elección de la pieza «mejor», en el caso de
cada romance, es empresa arriesgada. Para Menéndez Pidal los
romances más «perfectos» serían los que ofrecen más claramente la caracterización del estilo tradicional.

Frente a esta teoría, sus objetores señalan los fueros de la
actividad creadora consciente, que defiende la función del poeta
en el establecimiento del texto «más perfecto», desde los mismos
comienzos. En el extenso curso del Romancero poseen prioridad,

---

[45] P. Bénichou, *Creación poética en el romancero tradicional*, obra
citada, pág. 9.

desde el punto de vista de Menéndez Pidal, los romances de procedencia épico-heroica, porque serían los que mejor habrían recibido los efectos del proceso de la tradicionalidad. Vossler no cree en este proceso: «... es muy raro que de una desintegración puedan surgir nuevas bellezas, aparte de que el estilo de los romances constituye algo completamente nuevo frente al *Poema del Cid*. Este nuevo estilo, respondiendo a dimensiones más reducidas, es más breve y conciso, más conmovedor, más nervioso y movido, llegando, algunas veces, hasta ser agudo y estridente, impresionista y retador» [46]. Pero Vossler señala que el romance no es una creación libre de lazos, pues toma cuerpo dentro de un conocimiento familiar del fondo histórico correspondiente, dentro del cual se sitúa como formando parte de algo común a todos: «No presuponen en los antepasados un derruido y desmigajado acervo épico, pero sí [demuestran] en los contemporáneos una familiaridad con los destinos y títulos de gloria de la nación» [47].

Si esto ocurre con los romances que se originan en relación con los poemas épico-heroicos de la Edad Media, lo mismo puede decirse de los noticieros y también de los que resultan atemporales por esencia, pero que se unen a los anteriores para constituir un fondo común. El Romancero posee un contenido que es accesible a cualquier público español, y donde la relación histórica se ha perdido queda una «familiaridad» con el suceso contado o con los personajes implicados; y más allá de las raíces históricas se encuentra la adhesión hacia unas figuras poéticas que se consideran como propias; y si también faltan éstas, queda un aire de vida, que puede llegar a ser sólo un ritmo expositivo, un orden poético de las palabras que requiere un levísimo apoyo argumental. Vossler escribió: «Casi todo su romancero, en cuanto poesía popular, es decir, nacional, es la llama poética que sale, en multitud de chispas, del fuego de ese sentir general y común de los españoles» [48].

---

[46] Karl VOSSLER, *Carta española a H. von Hofmannsthal* [1924], en *Algunos caracteres de la cultura española*, Madrid, Espasa-Calpe, 1941, pág. 17.

[47] Ídem, pág. 21.

[48] Ídem, pág. 16.

Aun contando con la limitación de los elementos en juego, intentaré, con brevedad, establecer las condiciones del estilo romanceril, que sea a un tiempo resumen de las observaciones de Menéndez Pidal sobre las directrices de la tradicionalidad, y que valga también para establecer las condiciones poéticas de cualquier romance. En el período medieval ya había culminado el proceso, y estas condiciones quedaron aseguradas por la conformidad —relativa siempre, y admitiendo los matices del caso— entre el gusto popular y el de las clases cortesanas. Pensemos que el romance se establece en la época crítica en que la poesía anónima deja paso a la de autor, y así pudo mantener este doble plano como una característica del conjunto, sin inclinarse decisivamente a una u otra solución.

He aquí resumido el intento:

a) Entendemos que en el conjunto del Romancero pueden detectarse unas fuerzas estilísticas que conducen hacia determinados aspectos formales que son constitutivos del grupo. Si bien todas van en la orientación del romance, no pueden fijarse de una manera histórica, porque actúan a manera de una presión discontinua; por otra parte, la observación de los casos concretos está sujeta al azar de la conservación de la unidad poética correspondiente. Pero se echa de ver que el romance, aun en el caso de que posea un gran número de versiones, manifiesta una gran fuerza de cohesión que mantiene su unidad. Un romance bien logrado poéticamente pudo permanecer así por mucho tiempo. El público sostiene una adhesión firme hacia estas formas «logradas», y entonces los cambios son pocos y de escasa trascendencia. Cabe referirse a una «cultura romancística» de la colectividad en la cual los romances se organizaban de modo que se apoyaban entre sí y cada romance presuponía a los demás; el autor de romances reconocería este conjunto y acordaba su creación personal con él según su criterio.

b) El romance tiende a ser poesía esencializadora; siendo obra de extensión media, prefiere las formas breves. En el caso de una variedad de versiones, suelen ser más perfectas las formas quintaesenciadas, y puede observarse que las partes de las que se prescinde son de las menos intensas o las que resultan menos necesarias para sostener la unidad de la pieza. Esto no significa que ocurra siempre un proceso de esta naturaleza, pues hay romances que mantienen la unidad de la narración expuesta, contando el «caso» desde el principio hasta el fin. Por otra parte, un romance cuyo argumento exponga un caso que el público conozca, pudo perder algunas partes por quedar sobreentendido el conjunto por parte del público; esto aconteció con los romances que eran muy populares (en el sentido de que los conocía un público amplio), como los referentes al Cid, a don Rodrigo, Fernán González, etc., en los épico-históricos; y a Gaiferos, Montesinos, etc., en los procedentes de asuntos extranjeros.

Un factor muy importante de este proceso fue la adopción del romance como letra para la música de la Corte; la necesidad de establecer textos cortos adecuados para la extensión de la melodía (como solían ser los de las otras letras procedentes de la lírica) hizo que se escogiesen sólo trozos de romances. Estos trozos aislados resultaban propicios para constituir nuevas unidades, menores que el romance de origen y de mayor fuerza lírica, por cuanto que concentraban la significación del conjunto.

c) De esta manera resulta que en los romances predomina la organización intuitiva sobre la racional. No es necesario que el argumento se exponga de una manera completa y objetiva; no cuentan el suceso siguiendo un orden, sino que se prefiere una comunicación entrecortada, emocional, de gran eficacia comunicativa y que se mueve por resortes de un valor humano común.

d) Estas tendencias del estilo favorecen la presentación dramática del contenido del romance; esto es, su estructura dialogada (a veces, monólogo). El romance suele alternar las partes descriptivas en forma impersonal con las dialogadas; algunos llegan a ser solamente diálogos o monólogos. Los romances-diálogo y los romances-monólogo resultan de una gran tensión expresiva, porque el mismo diálogo o el monólogo han de contener los elementos de situación mediante vocativos o con referencias al contorno muy precisas. Para Spitzer «la poesía de los romances españoles [son] en su mayoría debates, *contrasti* o diálogos polémicos originados en acciones anteriores, y antecedente a su vez de nuevas acciones»[49]. La forma del diálogo implica una dialéctica, «como si las fuerzas contrarias hubieran adquirido voces y viviesen su debate bajo la forma de la palabra». Los romances contienen un choque de situaciones de la más diversa especie: son intereses de banderías, encuentros entre enemigos de ley y contrariedades de amor. En el romance resulta más importante el enfrentamiento en sí, con la violencia dinámica que desarrolla, que conocer sus consecuencias o llegar a un fin del caso; por eso el romance produce el efecto de ser una pieza incompleta, pues su propósito no es alcanzar una solución, sino presentar el planteamiento y desarrollo siguiendo el aire de la palabra romanceril.

e) El conocimiento repetido en el oyente o en el lector de sucesivos romances lo habitúa para el gusto de esta clase de poesía, que acaba por crear un ámbito de alucinación verbal que es común a la generalidad de las piezas; de esta manera se desprenden de lo que pudiera ser la relación con el origen del romance, y cada pieza obtiene por sí misma una participación en este fondo que pasa a ser patrimonio de la comunidad española en el período de los fines de la Edad Media.

Esta «alucinación verbal» es resultado, sobre todo, de un uso repetido de elementos lingüísticos en una determinada función poética, la del Romancero en este caso. La expresión del Romancero supone una selección de procedimientos lingüísticos que se dan en forma concertada para producir un efecto previsto. Es indudable que algunos de ellos se encuentran también en la épica medieval, pero lo importante es la función que juegan en las nuevas condiciones. Por otra parte, en una consideración de teoría literaria, cabe indicar que estos usos se encuentran entre los procedimientos de la Retórica, identificables en cualquier obra literaria, independientemente de

---

[49] Leo Spitzer, *Notas sobre romances españoles*, «Revista de Filología Española», XXII, 1935, págs. 163-164.

que parezcan establecidos para cada caso, pues son modalidades generales del lenguaje poético.

El Romancero tiene una tendencia estilística arcaizante, y así el «aire» temporal de sus procedimientos está inscrito bajo este signo común [50]. Mencionaré algunos de estos rasgos:

a) El uso de la -*e* paragógica en posición de rima, como en los poemas épicos.

b) Resulta difícil precisar el arcaísmo fonético en casos como la persistencia de f-, desinencias en -*ades*, -*edes*.

c) Los usos del verbo constituyen un orden de conjugación válido sólo para el Romancero, que permite un juego poético de planos temporales de gran agilidad (sobre todo en el caso del pretérito y el presente) [51].

d) El orden morfosintáctico de los adjetivos posesivos *(la mi casa)* es frecuente que sea el arcaico, con artículo antepuesto.

e) Es muy posible que en la Edad Media se fuese estableciendo la selección del léxico romanceril, tanto en los nombres de persona y de lugar, como en la preferencia por vocablos que se estimaron propios del Romancero. Esta preferencia, que trae consigo un uso repetido, no gasta ni agota las palabras, sino que les da un brillo poético singular, sobre todo cuando su uso llega a perderse en el lenguaje común, y quedan entonces como palabras propias del Romancero, como *doliente* por *enfermo*, el adverbio presentador *he+lo*, etc. Otras veces la palabra es exclusivamente poética, como *florido* por *canoso*. Los romances carolingios emplean términos como *paladín; haber, tener* o *ser*

---

[50] Sobre las cuestiones del estilo en el Romancero, véase R. MENÉNDEZ PIDAL, *El Romancero hispánico*, obra citada, I, capítulo III, Parte primera «El estilo tradicional», págs. 58-80; Rafael LAPESA, *La lengua de la poesía épica en los cantares de gesta y en el romancero viejo*, [1964], en *De la Edad Media a nuestros días*, Madrid, Gredos, 1967, págs. 9-28. Cuando compara los procedimientos estilísticos que son comunes al Romancero y a la lírica popular moderna, M. DÍAZ ROIG, en su estudio sobre *El romancero y la lírica popular moderna*, obra citada, verifica una exploración de interés para nuestro propósito.

[51] Véase José SZERTICS SZOMBATI, *Tiempo y verbo en el romancero viejo*, Madrid, Gredos, 1967.

parte; equivalencias de *ser* y *estar;* uso de la desinencia *-s* del francés medieval: *Oliveros, Gaiferos, Carlos,* etc., que se extiende a otros romances novelescos: *Arnaldos, Alarcos,* etc.

f) Menéndez Pidal estima como recurso intuitivo, también presente en la épica, las fórmulas que establecen la presentación, ante el oyente, de los hechos con el uso del verbo *ver:* «viérades...», 'viérais', es decir, 'en el caso de estar vosotros, los que me oís, presentes en los que cuento, vosotros veríais...':

> *viérades* moros y moras
> todos huir al castillo...

Uso de adverbios presentadores (*helo:* «Helo, helo por do viene»; *ya:* «Ya se salen de Castilla»); los apóstrofes iniciales («Gerineldo, Gerineldo»); el pronombre de primera persona, realzado como principio («Yo me estaba allá en Coimbra»).

g) Uso de adjetivos, pronombres y adverbios demostrativos de valor deíctico para situar los personajes en relación con los oyentes.

h) La organización sintáctica del Romancero se establece en el espacio sintagmático del desarrollo métrico $(8+8|8+8|...)$, con una clara tendencia esticomítica. Esto obliga a una andadura en la que las oraciones ocupan espacios de 16 sílabas, con la división de los hemistiquios. La unidad de 32 sílabas dio lugar a una modalidad específica. Por eso abundan las oraciones yuxtapuestas y coordinadas, y son menos las subordinadas explícitas.

i) En un orden estilístico cerrado como el que va configurando el Romancero aparecen en el curso del sintagma disposiciones lingüísticas troqueladas que articulan los elementos. Estas unidades son de gran efectividad. Así ocurre con el uso de bimembres reiterativos («Río Verde, río verde»); ordenaciones del tipo xab...x («*siete* años ha, rey, *siete*»); paralelismos muy diversos:

> ...do la yegua pone el pie, s^1 v c (sinónimo)
> Babieca pone la pata... s^2 v c (sinónimo)

Distribuciones del orden siguiente:

> *Tres* cortes armara el rey   3=
> todas tres a una sazón:
> *las unas* armara en Burgos,   1+
> *las otras* armó en León,   1+
> *las otras* armó en Toledo   1
> donde los hidalgos son...

La anáfora entra en juego en disposiciones muy variadas; así no sólo encabeza verso, sino que a veces se encuentra en la mitad del mismo:

> *quien* izaba, *quien* bogaba,
> *quien* entraba, *quien* salía,
> *quien* las áncoras levaba.
> *quien* mis entrañas rompía,
> *quien* proízes desataba,
> *quien* mi corazón hería...

Otras veces la anáfora no reitera la misma palabra, sino una análoga forma morfológica:

> Tres años anduve, triste,
> por los montes y los valles
> *comiendo* la carne cruda
> *bebiendo* la roja sangre,
> *trayendo* los pies descalzos,
> las uñas *corriendo* sangre.

O con distribuciones de este orden:

> Viérades *moros y moras*
> todos huir al castillo:
> *las moras* llevaban ropa,
> *los moros* harina y trigo,
> *y las moras* de quince años
> llevaban el oro fino,
> y los *moriscos* pequeños
> llevaban la pasa e higo.

j) Es frecuente el uso de formulaciones establecidas para determinadas partes del romance [52]. Así ocurre en los casos siguientes:

— Las de introducción del diálogo: «estas palabras fue a hablar», «desta manera decía», «allí habló... | bien oiréis lo que dirá», etc.

— Las de continuación del diálogo: «desta suerte respondía», «tal respuesta le fue a dar», «allí respondiera [...]». «Respondiérale [...] | de esta suerte le ha hablado».

— Las fórmulas de saludo e invocación a Dios: «Bien vengáis el caballero», «Manténgavos Dios...», «Alá te mantenga, el rey», «Por Dios te ruego...».

k) Determinados personajes van referidos con un epíteto o una mención: así es frecuente el de *buen* rey, *buen* caballero, *buen* Cid, etc.; «el de la barba vellida», etc.

l) Considerada así la variedad de la presentación de los romances, encontramos que constituyen un conjunto al que cada texto supedita la organización de sus elementos constituyentes. Los héroes que en los poemas épicos juegan un extenso papel para llevar a cabo una empresa de interés comunitario, en los romances aparecen empeñados en una aventura que resulta más bien personal que colectiva, y que es fragmentaria si nos atenemos al sentido unitario del poema épico; de los grandes hechos que pudo conocer el que incorporó el romance a la tradición, se recoge un aspecto, y aun basta con una situación. Desde los romances que narran un hecho con todas sus partes hay una gradación matizada hasta los que sólo lo hacen episódicamente, y se llega hasta los que acaban por quedarse incompletos, pues sitúan el final de una manera inesperada, truncándose la continuidad. Menéndez Pidal otorga a estos romances un peculiar valor estético al que llama fragmentismo; de ellos escribe: «El romance no hace esperar nada; conduce la imaginación hacia un punto culminante del argumento y, abandonándola ante un

---

[52] Véase Ruth H. WEBBER, *Formulistic Diction in the Spanish Ballad*, en las «University of California. Publications in Modern Philology», 34, 2, 1951, págs. 175-277.

tajo de abismo impenetrable, la deja lanzar su vuelo a una lejanía ignota, donde se entrevé mucho más de lo que pudiera hallarse en cualquier realidad desplegada ante los ojos» [53].

El Romancero resulta, pues, un grupo genérico que poseyó una gran fuerza cohesiva en el corpus de su conjunto. Un convenio ajustado y establecido sobre bases lingüísticas de gran amplitud receptiva sirvió para mantener esta coherencia. Cada uno de los romances conservados en los manuscritos y en la imprenta (y en el complemento que representan desde nuestro punto de vista las recitaciones conservadas en el folklore actual) ha de considerarse como una versión de lo que constituye la corporación articulada del romance general correspondiente; así «Gerineldo» designa una de estas corporaciones que reúne todos los romances conocidos de Gerineldo e identificables dentro de esta unidad poética. Por tanto, cada versión puede considerarse completa por sí misma en tanto que ofrezca en su texto el efecto de estas directrices estilísticas cuyo origen se puede situar en el Medievo; emplazado entre la poesía oral y la escrita, el Romancero representa así una situación poética entre la Edad Media y los tiempos siguientes en la cual se estableció la conservación del conjunto (o ámbito del Romancero) a través de las distintas versiones de cada pieza, identificables dentro de esta relatividad. Esto mantuvo la persistencia de la forma métrica, que llegó a ser una de las más familiares para el pueblo español. Y también la relación del pueblo con los asuntos del Romancero, con sus héroes medievales, tanto los reales como los fingidos, pues dentro de su ámbito todos se asimilaban hasta representar una verdad exclusivamente poética. El alto grado de popularidad que mantuvo el Romancero hizo que fuese una modalidad poética que se sintiese como espontánea. Se alcanzó una gran familiaridad con los personajes y los hechos de los romances, que así se consideraban como un patrimonio de la nación española; desde el fin de la Edad Media las referencias a versos sueltos o episodios de los romances son frecuentes en coloquios de los que queda testimonio, y en un gran número de

---

[53] R. Menéndez Pidal, *Romancero hispánico*, obra citada, I, pág. 75.

obras literarias de distinta especie (teatro, libros novelísticos, cuentecillos, etc.).

EL ROMANCERO Y SU SIGNIFICACIÓN COLECTIVA

La parte del Romancero que aquí se estudia es sólo la inicial, en lo que recibe el título de *viejo*. Para Menéndez Pidal, a fines del siglo XVI sólo queda una perpetuación rapsódica del romancero viejo en tanto que aparece el *nuevo*, obra de autores determinados [54]. La mención de *viejo* recoge, pues, este período medieval y sus estribaciones renacentistas, mientras perdura esta corriente estilística mencionada. En él se encuentra el arranque de este poderoso grupo literario, extendido en el tiempo hasta hoy, y en el espacio, hasta los límites en que se habló la lengua española. De ahí su interpretación como signo del conjunto de la vida española: «El Romancero, por su tradicionalismo, por la cantidad de vida histórica que representa y por la multitud de reflejos estéticos y morales, es quintaesencia de características españolas» [55].

Como ocurre con las afirmaciones de conjunto, hay luego que matizarlas en sus aplicaciones específicas. Sobre todo en la parte de la Edad Media, estos rasgos no pueden presuponer un sentido nacional, porque España no estaba aún políticamente constituida, y por eso aparecen muchos rasgos del individualismo señorial frente a los reyes. Los romances fronterizos indican una actitud de comprensión humana en cuanto al moro, que es un precedente de la maurofilia. No siempre las mujeres del Romancero muestran una estricta moral católica, sobre todo en las piezas carolingias, donde hay rasgos de erotismo. La «noticia» del romance no es rigurosamente histórica en cuanto a su formulación poética. Por tanto, el Romancero medieval ofrece una gran variedad de manifestaciones, que sobrepasa los

---

[54] Ídem, pág. 60.
[55] R. MENÉNDEZ PIDAL, *Estudios sobre el romancero*, obra citada, «Romances y baladas» [1927], pág. 378.

límites de una estricta caracterización nacional a través de diversas épocas históricas. De ahí que algunos críticos indiquen, como C. C. Smith, que «la razón [de que el Romancero sea con el *Quijote* la obra más conocida de España] se encuentra en su sencillo sentido dramático, en la habilidad única de llegar hasta una gran variedad de emociones humanas de condición universal, en los atractivos de su forma»[56]. El Romancero así considerado ofrece, pues, un valor poético excepcional en el que puede confluir la tradición y la invención, una flexibilidad de adaptación extraordinaria por hallarse situado en esta frontera entre la obra oral y la escrita, y una proyección de enorme alcance, pues convierte la materia de contenidos en una magia verbal que se sustantiva por sí misma, y puede incluso crear nuevas piezas poéticas con la unión de partes diferentes de otras. El Romancero es también un grupo genérico en el que la melodía y la letra estuvieron unidas en sus manifestaciones de origen, y después también como consecuencia de las modas, de tal manera que su sola consideración como «literatura» (sólo la letra) implica una parcialidad; pero, a su vez, el que pudiera considerarse sólo la letra del texto como una entidad poética completa, representa otro fenómeno poético propio de este grupo literario.

Tal cúmulo de condiciones hizo que los romances llegasen a ser poesías de unas grandes posibilidades poéticas en todos los sentidos; el encanto de las palabras, logrado con una selección lingüística que establecía una expresión perceptible por un público amplio (prácticamente el pueblo español entero) y la fascinación de la música lograron aciertos sumos, como el romance del Conde Arnaldos, que, en su versión del *Cancionero de romances* (sin año), es «pura» lírica. Tal tensión poética convertía al Romancero en poesía que, según algunos críticos, podía alcanzar hasta un orden simbólico, propicia para los más complejos contenidos[57], a la vez que se incorporaban al lenguaje

---

[56] Colin C. SMITH, *On the Ethos of the «Romancero viejo»*, en los *Studies on the Spanish and Portuguese Ballad*, obra citada, pág. 24.

[57] Así ocurre con la interpretación simbólica que dio T. R. HART al romance del Conde Arnaldos en *El «Conde Arnaldos» and the Medieval Scriptural Tradition*, ya mencionada en la pág. 223, nota 29.

común sus fragmentos como medios de la expresión común, mezclados con el refranero [58].

---

[58] Así ocurre, por ejemplo, con los siguientes fragmentos: «Vuestra fue la culpa, amigo, vuestra fue que mía, no» (del romance de «Rosa fresca...»; y «Si el caballo bien corría, la yegua mejor volaba» (de «Helo, helo por do viene el moro...»), ambos registrados en el *Vocabulario de refranes...*, Burdeos, Universidad, 1967, ed. Louis COMBET, págs. 524 y 277 respectivamente.

A modo de ejemplificación de cuanto he reunido en este capítulo, he publicado un artículo en el que aplico la descripción que he verificado del Romancero medieval a un romance característico: *El Romancero medieval (II. Comentario del «Romance del rey moro que perdió a Valencia»)*, «Revista de Bachillerato», II, núm. 6, 1978, págs. 26-43.

Capítulo XVIII

EL TEATRO EN LA EDAD MEDIA

La Literatura general prescribe que las obras teatrales tienen que ser representadas para que así cada oyente, reunido en el público que se constituye en cada representación, perciba individual y colectivamente la condición dramática de la obra; con este fin la concibió y le dio forma el autor, contando con que una compañía le diera realidad textual en cada una de las sesiones escénicas. Esta exigencia artística, procedente de la constitución misma del texto teatral, requiere la disposición de un sistema de comunicación, en el cual se reúnen, en un adecuado orden, los elementos que confluyen en la obra teatral. La dificultad del estudio del teatro medieval se encuentra en que este sistema no se conoce de una manera tan clara como ocurrió con el caso del teatro de la Antigüedad, y después con el de los teatros de las literaturas vernáculas, a partir de los Renacimientos respectivos, y que obtuvieron poco después una disposición escénica efectiva, sobre todo en los teatros español, inglés y francés de los siglos XVI y XVII. La serie ordenada de los elementos constituyentes de la obra teatral son: el autor escribe la obra dentro de una tradición genérica; una compañía profesional de intérpretes la representa en el escenario de un edificio teatral ante un público idóneo, estableciendo los efectos dramáticos correspondientes a la condición de la misma. La «representación» es, pues, la conjunción de estos elementos establecida con el fin de comunicar la obra teatral al público. En la Edad Media, decimos, la identidad de estos elementos varía en relación con las que han sido formas habituales del teatro. Antes de entrar en la cuestión de lo que en la Edad Media se consideraba como el teatro de la época, conviene reunir las obras que participan en las condiciones propias de la obra dramática de una manera parcial. Así ocurre con las obras cuya estructura verbal en la comunicación literaria se basa en el diálogo, bien sea el diálogo solo o bien con una breve participación de las otras modalidades narrativas, que se limitan a servir de marco al diálogo. La posibilidad de una representación efectiva es sólo aleatoria, pero el curso de la obra —aunque sólo sea en la percepción de los oyentes o lectores— se sigue a través de una conversación entre los personajes que el mismo texto sugiere en razón de lo que están diciendo unos y otros.

El diálogo resultó una forma de exposición favorecida en la Edad Media, en especial porque resulta adecuada para la exposición de puntos de vista diferentes, y así puede resultar ilustradora de un determinado contenido en una gradación que va desde la persuasión hasta la polémica; sobre todo la intención didáctica, tan general en la literatura medieval, se valía del diálogo porque reproducía el procedimiento más común de la enseñanza mediante el sistema de la pregunta-respuesta, tan propio de cualquier magisterio. Así ocurre con las parejas maestro-discípulo o, de una manera más general, joven-viejo, hombre-mujer, etc.; otras parejas (como caballero-dama, señor-criado, pobre-rico, amigos, etc.) amplían el cuadro. El procedimiento es general, y así los *debates, disputas* y *recuestas* (palabras relativamente tardías en el castellano) constituyen formas de esta literatura de diálogos, favorecida por la constitución de formas análogas en otras literaturas europeas de la época[1]. «La disputa como armazón para desarrollar un argu-

---

[1] Un planteamiento general, en el ámbito románico de estos debates, en Cesare Segre, *Le forme e le tradizione didattiche*, GRMLA, VI, 1, págs. 73-81. Sobre las modalidades de las preguntas y respuestas, particularmente en

mento literario pertenece a la literatura universal», escribe Menéndez Pidal [2] para justificar su presencia en este período. Y así ocurre que el diálogo resulta constitutivo de varios grupos genéricos secundarios: las «preguntas y respuestas» son una modalidad establecida en la lírica cortés; la alegoría implica a veces un diálogo entre las personificaciones que aparecen en su desarrollo [3]. Un grupo genérico como las *Danzas de la muerte* resulta específicamente dialogado por cuanto la Muerte, que es el personaje-eje, habla, y le contestan las diferentes representaciones del género humano, en tanto que se establece el fúnebre baile [4]. A medida que el diálogo ejerce una función más decisiva en el conjunto de la obra y los personajes que lo entablan quedan caracterizados de una manera patente, estas obras se aproximan más a las condiciones del teatro.

F. Lázaro ha incluido en su *Teatro medieval* las *Coplas* de Puertocarrero, contenidas en el *Cancionero general* (1511) y la *Querella* o *Queja* en prosa y verso del Comendador Escrivá

---

la época de Juan II, John G. CUMMINS, *Methods and conventions in the 15th century poetic Debate*, «Hispanic Review», XXXI, 1963, págs. 307-323; del mismo *The survival in Spanish «Cancionero» of the Form and Themes of Provençal and old French Poetic Debates*, «Bulletin of the Hispanic Studies», XLII, 1965, págs. 9-17.

[2] Ramón MENÉNDEZ PIDAL, *Tres poetas primitivos*, Buenos Aires, Espasa-Calpe, 1948, pág. 13; y Rafael BENÍTEZ CLAROS en un repaso general de los escritos de la Edad Media, de una manera aún más radical escribió: «Creo que toda la poesía medieval ha sido construida sobre una base de diálogo» (*El diálogo en la poesía medieval*, «Cuadernos de Literatura», V, 1949, pág. 173).

[3] Planteamiento general desde el punto de vista genérico-formal en P. LE GENTIL, *La poésie lyrique espagnole et portugaise...*, obra citada, I, Parte IX, «Les genres dialogués», págs. 458-519.

[4] Enrique SEGURA COVARSÍ, *Sentido dramático y contenido litúrgico de las «Danzas de la Muerte»*, «Cuadernos de Literatura», V, 1949, págs. 251-271; Margherita MORREALE, *Para una antología de literatura castellana medieval: la «Danza de la Muerte»*, Bari, Cressati, 1963, con bibliografía y edición con fines escolares; y Haydée BERMEJO HURTADO y Dinko CVITANOVIC, *Danza general de la muerte*, Bahía Blanca, Universidad del Sur, 1966. Un estudio general en Joël SAUGNIEUX, *Les danses macabres de France et d'Espagne et leurs prolongements littéraires*, París, Les Belles Lettres, 1972, con textos de las danzas y sobre su eco en los Cancioneros.

(en el mismo *Cancionero general*). Una interpretación semejante se da en el caso del *Diálogo entre el amor y un viejo*, de Rodrigo Cota (segunda mitad del siglo xv), que aparece conservado entre las piezas de la lírica del mismo *Cancionero general*. Elisa Aragone comenta las características dramáticas de la obrita en los siguientes términos: «A nuestro parecer, el *Diálogo* fue escrito no sólo con destino a la lectura, sino también para la representación, y parece muy probable que se haya representado, bien en el restringido ámbito de una sala de corte o en una capilla *palaciana*, o bien acaso con recursos escénicos más felices de cuanto podamos hoy imaginar.» [5]

Las manifestaciones literarias que sostienen esta función del diálogo son comunes en la literatura latina europea y también en las diferentes literaturas vernáculas; desde un principio la literatura del diálogo (y de la controversia, que le es aneja) está en España en relación con los grupos análogos de las literaturas provenzal y francesa. Intervinieron en esto sobre todo los procedimientos de difusión de estas obras y, en especial, la acción «dramática» que realizaban juglares de toda especie; esto se explica, tal como se indicó en el estudio del juglar, porque la actividad literaria del mismo (y aun otros aspectos de ella, como las diversiones de los juegos y bailes) requiere una organización «dramática», pues el juglar es un intérprete (cualquiera que sea el texto de la obra o la acción del entretenimiento) ante un público que premia o rechaza sus habilidades. Sin embargo, esta condición no llega a la complejidad que es inherente al arte teatral, de cuyas condiciones trato en el párrafo siguiente. Y aun ocurre que un historiador del teatro medieval, F. Lázaro, estima que el arraigo y persistencia de la juglaría pudo ser un obstáculo (o al menos una rémora) para el desarrollo del arte específicamente teatral, sobre todo en Castilla [6].

De ahí que se hayan considerado como juglarescas obras dialogadas que pertenecen a un fondo medieval europeo dentro

---

[5] Rodrigo Cota, *Diálogo entre el amor y un viejo*, Florencia, F. Le Monnier, 1961, Introducción de Elisa Aragone, pág. 42; y también pág. 58.

[6] Fernando Lázaro, *Teatro medieval*, Madrid, Castalia, 1976, 4.ª edición.

del cual la intervención del juglar es accesoria en el sentido de que sólo sirvió como intérprete, o acaso sólo se utilizase el procedimiento juglaresco para dar un determinado tono poético a la difusión de la obra. Esto puede pensarse, por ejemplo, de la *Razón feita d'amor con los denuestos del agua y el vino* (o *Siesta de abril*) que «escribió» un tal Lope de Moros; la unidad de esta *Razón* con los *Denuestos* ha sido objeto de diversas interpretaciones[7]. La *Disputa de Elena y María* plantea el conocido tema polémico, propio de los debates clericales y caballerescos, de quién tiene mejores condiciones para el amor, si el clérigo o el caballero[8]. La *Disputa del alma y el cuerpo* es uno de los debates más difundidos en la literatura europea; los textos españoles se relacionan, en último término, con una *Visio Philiberti*, con mezcla en algún caso de un poema moralizador latino «Ecce mortus sepultus»[9]. Otro texto incompleto,

---

[7] Véase la información general de Guillermo Díaz-Plaja, *Poesía y diálogo*, «*Razón de amor*», «Estudios escénicos», 5, 1960, págs. 7-43; Alfred Morel-Fatio, Giuseppe Petraglione, Carolina Michaelis de Vasconcellos opinaron que ambas obras eran distintas; Ramón Menéndez Pidal, E. Monacci y Leo Spitzer se inclinaron por considerarlas unidas. Véase Alicia C. de Ferraresi, *Sentido y unidad de «Razón de Amor»*, «Filología», XIV, 1970, págs. 1-48. Para una interpretación simbólica en un plano religioso de los elementos contenidos en la obra, véase Alfred Jacob, *The «Razón de Amor» as Christian Symbolism*, «Hispanic Review», XX, 1952, págs. 283-301. Texto en Ramón Menéndez Pidal, *Textos medievales españoles* [1905], *OC* citadas, XII, págs. 103-117.

[8] Véase la información general de Guillermo Díaz-Plaja, *Poesía y diálogo*, «*Elena y María*», «Estudios escénicos», 6, 1960, págs. 65-82; y Mario Di Pinto, *Due contrasti d'amore nella Spagna medievale («Razón de amor» e «Elena y María»)*, Pisa, Libreria Goliardica, 1959. Texto en Ramón Menéndez Pidal, *Textos medievales españoles* [1914], *OC* citadas, XII, págs. 119-159.

[9] Véase la información general de Guillermo Díaz-Plaja, *Un olvidado diálogo medieval: «Disputación del alma y el cuerpo»*, en *El ocio atento*, Madrid, Narcea, 1974, págs. 15-22. Textos en *Dos versiones castellanas de la «Disputa del alma y el cuerpo»*. Edición y estudio de Erik von Kraemer, en «Mémoires de la Société Néophilologique», XVIII, Helsinki, 1956; los textos están escritos con rasgos aragoneses sobre un fondo castellano: véase M. Alvar, *Rasgos dialectales de la «Disputa del alma y el cuerpo» (siglo XIV)*, en los *Strenae, Estudios dedicados a M. García Blanco*, Salamanca, Universidad, 1962, págs. 37-41. Texto en Ramón Menéndez Pidal, *Textos medievales españoles* [1900], *OC* citadas, XII, págs. 165-168.

muy corto, se halla en un códice escurialense, la *Disputa entre un judío y un cristiano*, y es una violenta polémica antijudía, tal vez obra de un converso [10].

Este grupo de obras, de difícil clasificación, aparece en la literatura castellana en textos de contextura juglaresca en cuanto a la versificación, señalando al mismo tiempo la fuerza de atracción de esta métrica sobre los asuntos clericales, y también la flexibilidad de adaptación que desde su origen caracteriza a esta literatura.

LA ESCENOGRAFÍA CABALLERESCA

La vida pública de la clase social de la caballería adoptaba unas manifestaciones externas que muchas veces eran de condición escenográfica: el mismo atuendo vistoso de los caballeros en los lugares en que habían de exhibirse con ocasión de justas y torneos poseía este carácter. Se trataba de reuniones donde había un público espectador y unos «actores» que habían de jugar las incidencias de un espectáculo deportivo en un escenario preparado al efecto: los encuentros eran como las escenas con sus diversos desenlaces.

Por otra parte, el lujo de esta vida social obtenía su expresión en fiestas públicas con representaciones de índole alegórica a veces, y otras burlesca; con el nombre de *momos* (y *momear*) ha quedado noticia de unos bailes y juegos con una escenografía en la que se celebraban los mismos, y con unos atuendos también apropiados para el caso.

Los diversos elementos descritos en estos párrafos acaban por encontrarse reunidos en obras propiamente teatrales, cada vez más frecuentes a medida que transcurre el siglo xv.

---

[10] Publicada por Américo CASTRO en la «Revista de Filología Española», I, 1914, págs. 173-181. Sobre la *altercatio* religiosa, véase Cesare SEGRE, *Le forme e le tradizione didattiche*, GRMLA, VI, 1, págs. 83-84.

TEATRO   MEDIEVAL   Y
TEATRO   PRELOPISTA

El estudio del teatro medieval ha de partir de unos pocos
datos documentales. Los elementos constituyentes del teatro,
según la consideración antes enunciada, se encuentran perdidos para la historia literaria: falta muchas veces la noticia del
autor, los textos apenas se conservan; los lugares que valieron
para escenario sólo se reconstruyen con·hipótesis; lo que equivale a la compañía actuante es acaso lo más presumible; y
escasean las noticias directas del público, y apenas hay referencias de la teoría literaria aplicable o de una crítica elemental.
La cuestión es común a las diversas literaturas vernáculas, y
los estudios sobre el teatro medieval se disponen para su mejor
entendimiento en el ámbito amplio de la Cristiandad [11], pues
suelen presentar características análogas en las diversas literaturas europeas.

Siendo esto la tónica general de tales estudios, el teatro
castellano de la época de los orígenes es pobre aun dentro de
esta parquedad general de noticias. Sin embargo, los presupuestos sobre los que se basa la exploración del teatro medieval
se dieron en Castilla lo mismo que en otras partes de España
y de la Europa occidental. Por otra parte, para una más ajustada
consideración del fenómeno literario conviene establecer una
cronología más extensa en el estudio de este género literario;

---

[11] Así ocurre con la fuente bibliográfica general: Carl J. STRATMAN,
Bibliography of medieval drama, New York, F. Ungar Publishing, 1972,
2.ª edición, 2 volúmenes (la parte española, en II, págs. 881-925). Una exposición general, clásica sobre la materia, es la obra de Edmund K. CHAM-
BERS, *The mediaeval stage*, Londres, Oxford University Press [1903], Londres, Lowe and Brydone, 1948, con el estudio de la juglaría, el drama popular, el religioso y las piezas cortas. Del orden de los manuales universitarios es el libro de Richard AXTON, *European Drama of the early Middle
Ages*, Londres, Hutchinson, 1974. Bibliografía para España, en Warren T.
McCREADY, *Bibliografía temática de estudios sobre el teatro español antiguo*, Toronto, University of Toronto Press, 1966.

en efecto, los factores que actúan en la creación artística del teatro medieval sobrepasan el fin del siglo xv y penetran, aún actuantes, en el siglo xvi hasta que Lope de Vega da una conformación definitiva a la «comedia española». De ahí que, junto con la denominación de *teatro medieval*, que se refiere en concreto a este espacio histórico, exista la otra de *teatro prelopista* [12], que señala el período al revés, desde Lope hasta los orígenes medievales. Y la cuestión se prolonga aún más, pues hay que replantear para un período posterior la consideración de algunos aspectos de este teatro que, en el desarrollo de la «comedia española», volverán a actuar para establecer una peculiar rama del teatro religioso, tal como fueron los autos sacramentales. Esta continuidad no aparece tan definida en el teatro de otros países de Europa, y de ahí que en España la menguada noticia de los orígenes se compense con esta penetración en la época siguiente a la Edad Media, donde los aspectos religiosos de este teatro pueden estudiarse con abundancia de documentos y de textos.

EL TEATRO PROFANO MEDIEVAL

Si bien los estudios sobre el teatro medieval insisten en que los orígenes del mismo se encuentran en sus manifestaciones religiosas, estudiadas en el párrafo próximo, conviene señalar que no pudo haber existido al fin del Imperio romano una desaparición radical del teatro profano, entendiendo por tal el que había existido antes en la Antigüedad y habría de darse después en los tiempos modernos. A la función del diálogo referida antes, hay que reunir la labor de los intérpretes. La historia del teatro señala en la Edad Media la existencia de unos intérpretes o «actores» sueltos que realizaban exhibiciones o «representaciones» elementales ante públicos, sobre todo populares, en las reuniones del pueblo llano; los antecedentes de estos actores pueden remontarse a los *mimi* (actores populares en Roma

---

[12] Así ocurre en la obra de J. P. WICKERSHAM CRAWFORD, *Spanish Drama before Lope de Vega*, [1937], Philadelphia, University of Pennsylvania Press, 1968, con un suplemento bibliográfico de Warren T. McCREADY.

de un género dramático burlesco'), *histriones, lusores* y *scurri*, nombres que recogen una amplia actividad de juegos de entretenimiento, que en cierto modo vienen a confluir en los *joculatores*, que es el término más común en la Edad Media (con sus derivados *juglar, jongleur*, etc., ya tratados en otra parte de este libro). En estas representaciones se ofrecían al público *ludi* y *luctae*, luchas y combates de muy diversa especie, a veces en forma de danzas, que podían acompañarse con cantos. Esta corriente, de índole dramática por sus manifestaciones, procede sobre todo de raíces folklóricas, y fue paralela a la que después expondré del teatro religioso, y pudo cruzarse también con ella aprovechando en especial la resonancia popular de esta variedad de actividades [13]. De esta manera las manifestaciones de carácter teatral existentes en las fiestas paganas de la Antigüedad pudieron subsistir a través del tiempo, a veces con una conveniente adaptación o enmascaramiento en el marco social de la Edad Media; y lo mismo pudo ocurrir con otras exhibiciones lúdicas, de un carácter más libre, menos sujetas al calendario de las fiestas establecidas en cada lugar. Así ocurre que, junto al testimonio que Alfonso X nos ha dejado en las *Partidas* de un teatro de índole religiosa (del que me ocuparé en seguida), el rey codificador se refiere en forma negativa a unos *juegos de escarnio*, de condición dramática en sus manifestaciones públicas; así, según las *Siete Partidas*, entre las cosas de las que se deben guardar los clérigos está el que no «...deben ser hacedores de *juegos por* [*o de*] *escarnio* porque los vengan a ver las gentes cómo los hacen; y si otros hombres lo hicieren, no deben los clérigos allí venir porque se hacen allí muchas villanías y desaposturas, ni deben otrosí estas cosas hacer en las iglesias; antes decimos que los deben de allí echar deshonradamente, sin pena ninguna, a los que los hicieren, pues la iglesia de Dios fue hecha para orar y no para hacer escarnios en ella» [14].

---

[13] Sobre los lejanos orígenes del teatro medieval, véase el ensayo de B. Hunninger, *The Origin of the Theater*, La Haya, M. Nijhoff y Amsterdam, E. M. Querido, 1955. Aunque anticuado, Adolfo Bonilla y San Martín, *Las Bacantes o del origen del teatro*, Madrid, Rivadeneyra, 1921.

[14] Alfonso el Sabio, *Las Siete Partidas*, Partida I, Tít. VI, Ley XXXIV.

Esto prueba que, junto a las manifestaciones de intención religiosa, hubo otras exhibiciones de carácter profano, «juegos escénicos», etc., que se celebraban en la misma iglesia, en relación con determinadas fiestas, cuyo carácter así lo permitía (Navidad, San Juan, los Inocentes, los Santos patronos de los lugares, etc.), y que divertían a las gentes, y aun a los clérigos, que las toleraban, a lo menos por la costumbre, difícil de desarraigar, pues las prohibiciones siguieron reiterándose hasta fines de la Edad Media [15].

Otra vía del teatro profano medieval procedía del teatro literario de la Antigüedad, cuyos textos se conservaron en las bibliotecas y que pudieron ser modelo para las piezas escritas en el latín medieval, sobre todo en relación con las escuelas clericales [16]. Si bien este teatro había acabado por desaparecer como espectáculo en el sentido indicado, quedaron estos textos ya sólo como literatura escrita, que podían volver a una realización teatral en cuanto estos elementos se pudieran integrar otra vez en la totalidad literaria de la representación. Esto sucedió con el teatro escolar del latín medieval, que sirve de antecedente y marco genérico a la *Celestina*, contando también con el desarrollo de la comedia humanística; esta obra, escrita en lengua vernácula, enlaza en su planteamiento estructural con este teatro latino de la Edad Media.

De esta procedencia vienen unas pocas obras teatrales en latín, ya muy tardías, como la *Historia Betica* y el *Fernandus servatus*, de Carlos Verardi (en prosa la primera, y puesta en verso la segunda por su sobrino Marcelino), referentes, respectivamente, a sucesos del tiempo de Fernando el Católico: la toma de Granada y el feliz desenlace de un atentado contra el Rey.

---

[15] Véase las referencias de los Concilios desde 314 al siglo XIII en John E. VAREY, *A Note on the Councils of the Church and Early Dramatic Spectacles in Spain*, en *Medieval Hispanic Studies, presented to Rita Hamilton*, Londres, Tamesis, 1976, págs. 241-244.

[16] Aunque de manera ya anticuada se plantea la cuestión en el libro de Alexis CHASSANG, *Des essais dramatiques imités de l'Antiquité au XIVᵉ et au XVᵉ siècle* [1852], Ginebra, Slatkine Reprints, 1974.

El teatro de Corte es un medio para la noticia política, que en latín puede divulgarse por muchos lugares sin la limitación de las lenguas vernáculas.

EL TEATRO RELIGIOSO MEDIEVAL

La liturgia católica de la misa establece una «representación» de los hechos de Jesucristo que, a través del año religioso, mantiene la memoria de la fe cristiana. Así la misa aparece externamente como un espectáculo al que, de manera regular, acude el cristiano; contando con esta secular reiteración de unos mismos textos latinos, comentados en las homilías y sermones en lengua vernácula, la ceremonia de la misa reviste, a través de los tiempos (y en particular en la Edad Media) una evidente trascendencia cultural. El dramatismo implícito en la misa procede de la misma organización litúrgica: el edificio de la iglesia es semejante al del teatro; existe un público, que es el pueblo de Dios, congregado con ocasión de la celebración del memorial; los oficiantes actúan como actores; hay un texto establecido, de base predominantemente bíblica, que es decir de inspiración divina, declarado a los fieles.

Hay que distinguir, pues, entre el sentido dramático de la misa, establecido desde los orígenes y presente para el cristiano en cada celebración hasta nuestros días, y el otro hecho específico de que, dentro de la misa, se desarrolle un orden de manifestaciones que puedan considerarse como propiamente teatrales, en el sentido de su condición literaria. En primer lugar, no pueden identificarse la liturgia como tal y el teatro en el sentido antes descrito; existe un paralelo de manifestaciones en cuanto que coinciden como sistemas de comunicación pública. Hay que tener siempre presente que, en el ámbito medieval, la misa es una ceremonia en la que se proclama una identidad de creencias colectivas: el propósito del acto religioso es declarar la condición eterna y permanente que supone para el cristiano el memorial de la fe; el texto litúrgico es de condición cerrada en el sentido de que se establece volviendo sobre sí mismo cada año (o espacio de ciclo); el actor-sacerdote no representa un papel determinado sino que actúa desde la realidad absoluta de su condición sacramental; el público participa en el acto de una manera total e identificatoria, y reconoce los símbolos expuestos en el curso de la ceremonia con una significación radical, con raíz en la fe que sostiene el conjunto.

En la vida social de la Edad Media, el sistema de la liturgia ejerció una profunda función pública; los símbolos cristianos y las alegorías que se tejieron sobre el fondo de la cultura eclesiástica verificaron una gran influencia en el arte. En el sistema de la liturgia se ha considerado en especial un recurso que pudo ser origen de un proceso de teatralización dentro de las condiciones antes señaladas; esto ocurrió en el caso de los *tropos*, breves diálogos en latín que se cantaban en un principio como antífonas entre el sacerdote y el coro, y que fueron elaborándose con un texto cada vez más amplio, con la intervención de los personajes idóneos, y con la manifestación de una acción escénica conveniente para la representación de los hechos evocados.

El estudio de estos tropos y su desarrollo hacia manifestaciones en que es posible reconocer una índole teatral ha constituido una importante aportación para el conocimiento del teatro religioso de la Europa medieval. K. Young [17] ha realizado un estudio fundamentalmente descriptivo de los tropos, reuniéndolos por un orden lógico de su desarrollo progresivo desde el más sencillo al más elaborado; el más antiguo de los que se conocen es el de Saint-Martial de Limoges (alrededor de 932-934). El proceso de la dramatización literaria habría consistido, según Young, en que el tropo se habría desprendido del ceremonial de la misa, estableciéndose así su «liberación dramática» hacia otro género de manifestaciones en las que obtendría la consideración de drama litúrgico con entidad propia.

Los posteriores estudios han precisado la intención de este desarrollo, que se realiza en un principio, sobre todo, en torno de la Pasión y del Nacimiento de Cristo. El desarrollo del teatro

---

[17] Karl YOUNG, *The Drama of the Medieval Church*, Oxford, Clarendon, 1933, 2 vols. [reedición facsímil 1967].

religioso de índole literaria supone un paso desde la estructura ritual, propia de la misa, hacia la «representación» independiente, con su diálogo propio, establecido entre personajes cada vez más caracterizados, con una relación de carácter teatral con el público, y con las otras formas literarias de condición profana existentes. Las formas literarias del teatro religioso van exponiendo de manera cada vez más predominante el suceso histórico de los hechos representados, con un desarrollo temporal escénico que establece una base de significaciones simbólicas sobre las que el argumento va cobrando independencia [18]; O. B. Hardison entiende que en el drama litúrgico medieval existe una disposición interior, de carácter ritual, que alinea los hechos desde el motivo inicial (_agón_, ocasión del sufrimiento), pasando por la _peripecia_ que encamina la obra hacia la _teofanía_ (o alegría universal); la representación que da figura dramática al hecho expuesto crece en teatralidad a medida que los personajes quedan mejor caracterizados y el diálogo sirve con mayor fluidez a la circunstancia escénica. El drama litúrgico, desprendido del estricto ritual de la misa, es, según B.-D. Berger, la ocasión para que se manifieste «una vasta representación de las realidades en las que cree el hombre de la Edad Media, de todo el mundo de su fe, Cristo, la Virgen, los Santos, entre los cuales, sin vacilar, ese hombre se sitúa, llevando consigo sus miedos y sus angustias, sus demonios interiores y sus pasiones, sus lágrimas y sus gritos de alegría, su risa, en una palabra donde, finalmente, él aporta e interpreta su visión del mundo a través de una base cristiana» [19]. De esta manera, sobre fundamentos que son comunes al sentido católico de la época, la dramatización progresiva de la liturgia aporta una experiencia importante para el desarrollo del teatro literario. No es la única ni la definitiva,

---

[18] O. B. HARDISON, _Christian Rite and Christian Drama in the Middle Ages. Essays in the Origin and Early History of the Modern Drame_, Baltimore, The John Hopkins Press, 1965.

[19] Blandine-Dominique BERGER, _Le drame liturgique de Pâques du Xᵉ au XIIIᵉ siècle. Liturgie et Théâtre_, Paris, Beauchesne, 1976, pág. 243, que se basa, sobre todo, en el estudio del _Officium sepulchri_, con un examen crítico de los precedentes.

pero su función es de gran interés, porque la irradiación cultural de esta dramatización es de gran valor: de orden intrínseco, porque fue una fuente de conocimiento de los elementos simbólicos propios de la iglesia, y esta información, establecida para la formación religiosa del pueblo en general, repercutió en el plano de la profanidad; y de orden extrínseco, por el proceso de teatralización que supuso, paralelo y confluyente con las otras modalidades del teatro de índole profana.

Para el caso de la literatura castellana [20], Alfonso X nos ofrece la noticia de lo que fueron estas representaciones de la naturaleza del drama litúrgico; en las *Partidas* escribe: «...representaciones hay que pueden los clérigos hacer, así como de la nacencia de nuestro señor Jesucristo, que desmuestra cómo el ángel vino a los pastores y díjoles cómo era nacido; y otrosí de su aparecimiento, cómo le vinieron los tres Reyes a adorar; y de la resurrección, que demuestra cómo fue crucificado y resurgió al tercer día» [21]. Las menciones del Rey Sabio se refieren al *Officium pastorum*, la Adoración de los Reyes y al *Officium sepulchri*, que fueron los argumentos más comunes de este drama litúrgico primitivo. Esta clase de representaciones necesitaba un gran aparato escénico, pues el mismo Rey Sabio indica: «esto deben hacer apuestamente y con gran devoción, y en las ciudades grandes donde hubiere arzobispos u obispos, y con su mandado de ellos o de los otros que vieren sus veces,

---

[20] Para la parte española véase Richard B. Donovan, *The Liturgical drama in medieval Spain*, Toronto, Pontifical Institute of Mediaeval Studies, 1958. La citada obra de Fernando Lázaro Carreter, *Teatro medieval*, recoge, modernizados, los textos básicos de la época, con un amplio prólogo de información sobre el tema. El tomo de la Colección «Literatura española en imágenes» de Nicasio Salvador Miguel, *Teatro medieval*, Madrid, La Muralla, 1973, trae una buena colección de ilustraciones, con un prólogo descriptivo orientador. Proyectado hacia la valoración de los autores de fines del siglo XV y comienzos del XVI, que le parecen de condición primitiva, véase el estudio de Humberto López Morales, *Tradición y creación en los orígenes del teatro castellano*, Madrid, Alcalá, 1968.

[21] Alfonso, el Sabio, *Las Siete Partidas*, Partida I, Tít. VI, Ley XXXIV.

y no lo deben hacer en aldeas ni en los lugares viles ni por ganar dinero»[22].

El espacio teatral o escenario de tales representaciones ha sido objeto de estudios detenidos[23]

EL CASO DEL TEATRO
RELIGIOSO CASTELLANO

Los textos del teatro religioso castellano son escasos, y en esto se da un cierto paralelismo con la documentación de la épica medieval. El *Auto de los Reyes Magos*[24] (o *Representación*, según F. Lázaro, o *Misterio*, según otros) es la única pieza incompleta que nos queda; se atribuye su composición a mediados del siglo XII, se sitúa en Toledo, y el carácter lingüístico del texto ha sido diversamente interpretado (R. Lapesa estimó que contenía elementos francos, probablemente gascones, y J. M. Sola-Solé cree que el texto tiene una base mozárabe). La discusión más importante, que toca a los orígenes del teatro reli-

---

[22] Ídem.

[23] Para estos estudios es clásica la obra de Gustave COHEN, *Histoire de la mise en scène dans le théâtre religieux français du moyen âge* [1926], New York, B. Franklin, 1972. Véase William H. SHOEMAKER, *The Multiple Stage in Spain during the Fifteenth and Sixteenth Centuries*, [1935], Westport, Conn, Greenwood Press, 1973 (traducido al español en «Estudios Escénicos», II, 1957, 1-154); N. D. SHERGOLD, *A History of the Spanish Stage from Medieval Times until the End of the seventeeth Century*, Oxford, Clarendon Press, 1967. Referido a Francia, Elie KONIGSON, *L'espace théâtral médiéval*, París, Centre National de la Recherche Scientifique, 1975.

[24] El texto, en Ramón MENÉNDEZ PIDAL, *El Auto de los Reyes Magos*, [1900], en *Textos medievales españoles*, OC citadas, XII, págs. 169-177. Aún presenta interés el encuadramiento del texto establecido por Winifred STURDEVANT, *The «Misterio de los Reyes Magos». Its position in the development of the Mediaeval Legend of the three Kings* [1927], New York, Johnson, 1973. La bibliografía general se menciona en José M. REGUEIRO, *El «Auto de los Reyes Magos» y el teatro litúrgico medieval*, «Hispanic Review», XLV, 1977, págs. 149-164; el trozo citado, en la pág. 141. Sobre la teatralidad de la pieza, Ricardo SENABRE, *Observaciones sobre el texto del «Auto de los Reyes Magos»*, en *Estudios ofrecidos a Emilio Alarcos Llorach*, Oviedo, Universidad, 1977, págs. 417-432.

gioso castellano, se ha entablado sobre si en Castilla hubo o no tradición dramática de esta clase; parece que en el conjunto de España disminuyen los testimonios de un tal teatro a medida que desde la frontera francesa penetramos hacia el Sur. Según J. M. Regueiro, ajustando los pocos datos en una nueva perspectiva, «se vislumbra una actividad dramática mucho más rica y fecunda de la que se ha supuesto hasta ahora», y propone a Ripoll como un foco de irradiación hacia Castilla, sobre todo en cuanto a las representaciones en lengua vernácula. En la interpretación ofrecida por Regueiro para el *Auto*, el *agón* es la duda de los Reyes; la *peripecia*, la presentación de los regalos y su aceptación, y la *teofanía*, la adoración. La pieza castellana resulta más ágil desde un punto de vista dramático que otras paralelas. Otra pieza sobre la huida a Egipto es tardía, de fines del siglo XV o comienzos del XVI [25], lo mismo que un Auto de la Pasión [26].

El drama litúrgico mantiene los argumentos más usados en sus principios y añade otros, en relación con una finalidad religiosa de orden didáctico o con destino a la conmemoración de las fiestas. Alfonso X había señalado la gran eficacia de este vehículo de comunicación, pues recomendaba la realización de tales representaciones por estas razones: «Tales cosas como éstas, que mueven a los hombres a hacer bien y a hacer devoción en la fe, hacerlas pueden; y demás porque los hombres hayan remembranza que, según [dice la Escritura], aquellos fueron hechos de verdad.» [27] Inclinación al bien, manifestación de devoción en la fe cristiana y recuerdo de la verdad intemporal de la Escritura siguieron sosteniendo este teatro, cuyo contenido se iba enriqueciendo con asuntos relativos a la Biblia, la historia de los Santos y la alegorización de los contenidos de la Teología, crecidos sobre los símbolos de fondo del cato-

---

[25] *Auto de la huida a Egipto*, estudio y edición de Justo García Morales, Madrid, Joyas bibliográficas, 1948.

[26] Carmen Torroja Menéndez y María Rivas Palá, *El teatro en Toledo en el siglo XV*, «*Auto de la Pasión*» *de Alonso del Campo*, Madrid, Real Academia Española, 1977.

[27] Alfonso el Sabio, *Las Siete Partidas*, Partida I, Tít. VI, Ley XXXIV.

licismo. Las obras enlazaban la condición religiosa de este fondo con modalidades de la comicidad que unas veces procedían del afán didáctico que ridiculizaba los vicios, y otras, de la condición de los personajes de la comedia que se incorporaban al drama litúrgico[28]. Al final de la Edad Media los escritores de otras especies literarias fueron tratando esta modalidad teatral y teniéndola en cuenta en sus obras: así podrían citarse, entre otros, a Diego de San Pedro con su *Pasión trobada*[29], y al más conocido del grupo, Gómez Manrique, por su *Representación del nacimiento de nuestro Señor*, que cabe considerar como una manifestación madura de esta especie; fue escrita en torno del monasterio de Calabazanos, pequeño lugar de la provincia de Palencia, del que era abadesa una hermana del poeta; es de suponer, y con más motivo en lugares mayores, que tales representaciones serían frecuentes y comunes. La pieza conservada es de buena calidad literaria, y el poeta se vale de una canción lírica de cuna vertida a lo divino, con lo que esto indica el uso de procedimientos profanos para tales representaciones[30]. El mismo Gómez Manrique fue autor también de obras de condición teatral, con una organización alegórica y que se representaron en la corte: una, con ocasión del nacimiento de un sobrino del poeta, y otra, por el cumpleaños de don Alfonso, hermano de Enrique IV, de acuerdo ambas con las formas de los espectáculos cortesanos; si un mismo autor cultiva ambas modalidades, esto demuestra la comunicación entre las obras de una y otra especie, más cercanas acaso de lo que las clasificaciones de la historia literaria hacen suponer en un encasillamiento convencional.

---

[28] Véase Rainer HESS, *El drama religioso románico como comedia religiosa y profana (Siglos XV y XVI)* [1965], Madrid, Gredos, 1976. Del pastor-bobo hay un estudio de John BROTHERTON, *The «pastor-bobo» in the Spanish Theatre before the Time of Lope de Vega*, Londres, Tamesis, 1975.

[29] Dorothy S. VIVIAN, «*La Pasión trobada*, de Diego de San Pedro, y sus relaciones con el drama medieval de la Pasión, «Anuario de Estudios Medievales», I, 1964, págs. 451-470.

[30] Véase el estudio de Stanislav ZIMIC, *El teatro religioso de Gómez Manrique (1412-1491)*, «Boletín de la Real Academia Española», LVII, 1977, págs. 353-400.

La consideración del teatro religioso y profano del siglo XVI que tiene relación con el teatro medieval se verifica con obras que ya se encuentran en el ámbito del Renacimiento y que están fuera de nuestros límites. El estudio del códice de *Autos viejos* lo demuestra, y el de las numerosas piezas teatrales que van constituyendo de manera cada vez más orgánica el teatro hasta Lope. Los elementos de raíz medieval de muchas de las piezas de este teatro son claros; desde el punto de vista del teatro de contenido religioso, abundan los «autos», mejor documentados, en cuanto a los textos, que en la época anterior, y que se pueden considerar como de estructura paralela a los medievales. Del teatro profano hay que indicar que argumentos y personajes enlazan también con los medievales [31].

Si el teatro medieval es pobre en documentación de noticias (acaso porque no se ha rebuscado suficientemente en las fuentes indirectas del mismo), y con pocos textos (pues no se consideraría a sus obras merecedoras de pasar a la escritura por su peculiar carácter), no por eso hay que suponer su inexistencia; todo lo más, podría graduarse el desarrollo de su cultivo en los distintos reinos de la España medieval.

LA «CELESTINA»

El encaje de la *Celestina* [32] (primera edición sin fecha —1499?—) en el curso de las historias de la literatura española

---

[31] Véase Bruce W. WARDROPPER, *Introducción al teatro religioso del Siglo de Oro. Evolución del Auto Sacramental antes de Calderón*, Salamanca, Anaya, 1967.

[32] Para una guía en el estudio de la *Celestina*, puede partirse de la obra de María Rosa LIDA DE MALKIEL, *La originalidad artística de «La Celestina»*, Buenos Aires, Eudeba, 1962, en particular los capítulos I (páginas 27-78) sobre el género, y XI (págs. 283-346) sobre los caracteres o tipos de personajes de la obra; se completa con dos importantes reseñas informativas generales: la de Dean W. McPHEETERS, *The Present Status of «Celestina» Studies*, «Symposium», XII, 1958, págs. 196-206, y la de Gustav SIEBENMANN, *Estado presente de los estudios celestinescos (1956-1974)*, «Vox Romanica», XXXIV, 1976, págs. 160-212. Véase también Adrienne M. SCHIZZANO, *«La Celestina». Studies: A Thematic Survey and Bibliography 1824-1970*, Metuchen. N.J., 1971.

ha sido un problema, de difícil planteamiento y soluciones distintas, a veces eludido abriéndole un capítulo independiente o dándole la condición de obra «crítica» o de obra «impar». Situada al fin del período medieval, su inclusión en este libro sólo trata de manifestar la relación que la obra pudo tener con la Edad Media; y en todo caso sería un ejemplo de la dificultad de establecer en la historia literaria una periodización tajante, con hitos insalvables. La *Celestina* es una obra cuyos orígenes constitutivos tienen su raíz en la Edad Media y, al mismo tiempo, la tensión connotativa que comporta en cuanto a su contenido es uno de los indicios de la situación ideológica propia del Renacimiento. En razón de las peculiares condiciones de la obra, la crítica desde el siglo XIX ha vacilado en considerarla novela o teatro o diálogo. La *Celestina*, según aparece en los textos, es una comedia humanística con fin trágico, dividida en partes que actúan como escenas, y con personajes muy definidos, escrita en castellano. La obra carece de un sentido del tiempo escénico que permita su «representación» completa (si bien ésta no es imposible); tampoco puede situarse el espacio escénico sobre las tablas (pero en su cuidadosa contextura los lugares y su contorno se evocan desde dentro del diálogo, de manera que podría representarse con una escenografía sumaria). El propósito del autor, patente en las primeras declaraciones que rodean la obra, fue escribirla para que la oyese o leyese un auditorio convenientemente preparado en su formación para percibir la compleja labor de su realización literaria; el autor despliega ante el auditorio, a costa de la teatralidad de la obra, su ciencia humanística sobre el poderoso dominio de una lengua literaria, urdida sobre la expresión coloquial: conocía la literatura antigua: Virgilio, por versiones medievales, el teatro antiguo (escasamente), el teatro medieval (comedia humanística y elegíaca, en particular *Pamphilus*), Petrarca (estudiado a fondo por Deyermond), Boccaccio, Rodrigo de Reinosa, etc. El resultado de la elaboración de la obra resultó en extremo acertado en relación con lo que se propuso el autor; de esta plenitud creadora procede el variado enjuiciamiento de su intención (*exemplum*, alegoría moral, del amor, arte de amores, novela sicológica, pieza criptográfica, etc.). Los estudios sobre la *Celestina* abarcan numerosos aspectos, que se refieren a la autoría y génesis del texto, trabajos conducentes hacia la constitución de un texto crítico, lengua y estilo, discusión de lecciones, traducciones, contextos cultural e histórico-social, fuentes y tema, originalidad artística, interpretaciones, descendencia, influencia y adaptaciones, según la clasificación de G. Siebenmann. Cada aspecto particular confluye en la obra enriqueciendo su consideración textual; la percepción de la obra desde ángulos diversos, en relación con las interpretaciones de su contexto y, sobre todo, cuando se refiere a su circunstancia de encrucijada cultural, produce esta abundante bibliografía.

Capítulo XIX

SIGNO CRÍTICO DEL SIGLO XV:
LOS MOROS Y JUDÍOS, Y LA ESPIRITUALIDAD
MODERNA

En el curso de los últimos años del siglo xv, los varios Reinos medievales de la Península (excepto Portugal) fueron reu-
niéndose en uno solo, que constituiría la monarquía española.
Con los Reyes Católicos la política siguió otros cauces que con
los anteriores, y las banderías de los nobles señores quedaron
sometidas hábilmente al poder de los Reyes, mientras se iba
creando el instrumento de un gobierno para el conjunto de la
nación que se estaba constituyendo; la Monarquía hubo de
valerse, con todo, del sistema establecido durante la Edad Media,
recogiendo una situación social que ella impulsaba en el sentido que le resultaba favorable para convertirse en la más alta
representación de la unidad nacional. Cuando Fernando e Isabel
recogieron en sus manos la herencia de las diversas situaciones
de los antiguos reinos, sobre todo de los de Aragón y Castilla,
en ella se encontraba el compromiso de una intervención en los
asuntos de Europa, sobre todo en Italia.

El gobierno de los Reyes Católicos conoció acontecimientos
decisivos que cambiaron propósitos políticos arraigados desde
siglos. La toma de Granada acaba con una guerra secular con-

tra los árabes de España; desde las primeras obras de las lenguas vernáculas, los moros habían sido considerados como los contrarios de los cristianos, sobre todo en la literatura de raíces cultas, en la que desempeñaron el papel de enemigos de la ley cristiana; sin embargo, la convivencia histórica de tantos siglos había creado unas relaciones de las que, como ya se ha dicho, se encuentran efectos en las dos partes (mozárabes, en la parte árabe, y aprovechamiento de la ciencia árabe por parte de los cristianos). Tres meses después de la caída de Granada, el 31 de marzo de 1492 los Reyes firmaron el decreto de expulsión de los judíos que no se convirtieran a la ley cristiana. El descubrimiento de América representó una actividad nueva para el conjunto de los españoles así reunidos bajo el gobierno de la Monarquía.

Todos estos hechos mencionados constituyen una división en el establecimiento de los períodos históricos que se ha trasladado también al dominio de la literatura. Existe, además, el caso de que el desarrollo de la lengua presenta también una división clara entre la lengua castellana medieval y la moderna.

Si esto ocurre en cuanto al establecimiento de un fin para el período medieval en España, hay que tener también en cuenta que la Edad Media no había sido una época uniforme; ella sola, por sí misma, se fue constituyendo a través de una variedad de situaciones que los historiadores han querido ordenar en divisiones internas según criterios diversos. La parte final del período recoge, pues, la tradición acumulada en la extensa época que ha logrado mantenerse, y al mismo tiempo manifiesta el anuncio del período siguiente. Por este motivo, en esta parte última aparece una gran complejidad de hechos que pueden resultar contradictorios y de difícil exposición.

La obra de A. Hauser sobre los períodos estéticos, basada en los fundamentos sociológicos de la literatura y del arte, ha divulgado una serie de conceptos, ordenados históricamente en relación con el transcurso de la Edad Media. Y, sobre todo, escribe: «La unidad de la Edad Media como período histórico es artificial. En realidad la Edad Media se divide en tres períodos culturales completamente independientes: el del feudalismo, de economía natural, de la Alta Edad Media; el de la caballería cortesana, de la Plena Edad Media, y el de la burguesía ciudadana, de la Baja Edad Media.»[1] Esta división radical del proceso no es compatible con lo que ofrece el desarrollo de la literatura española; la caracterización del dualismo del arte «burgués» en el período del gótico tardío es una nota de esta formulación, que no se logra enteramente, como confiesa su autor, en la literatura. «La movilidad espiritual del período gótico puede, en general, estudiarse mejor en las obras de las artes plásticas que en las creaciones de la poesía.»[2] Los problemas históricos, pues, se reúnen con los que se plantean en las distintas manifestaciones artísticas.

El límite entre el período medieval y el que le siguió no puede fijarse más que en relación con un espacio de tiempo en que acontecen los hechos caracterizadores del cambio. Así O. Halecki[3] señala que los cambios que transformaron la vida histórica de esta transición estaban comenzados en 1453 y no habían concluido en 1519. Aplicada la cuestión a la consideración de la literatura, los factores que entran en juego son más complejos; si bien la obra literaria puede situarse en el hito concreto de su aparición como texto acabado y único, esta fecha es sólo un dato indicativo, pues el autor pudo haberla elaborado durante un largo proceso de tiempo y, además, pudo valerse de un criterio conservador (corriente tradicional) o innovador (corriente de la moda). Por otra parte, la obra se extiende por medio de sus oyentes y lectores hacia el futuro de una manera peculiar en relación con su éxito o fracaso mediatos o inmediatos. La cuestión sobre si hubo una moda decisiva que permita una división más o menos general entre un período medieval y otro nuevo, diferente, debe plantearse en la Literatura con toda serie de reservas; sin embargo, lo más común es que en la Europa

---

[1] Arnold Hauser, *Historia social de la literatura y el arte*, [1951], Madrid, Guadarrama, 1969, I, pág. 167.

[2] Ídem, I, pág. 300.

[3] Oscar Halecki, *Límites y divisiones de la Historia europea*, [1950], Madrid, 1958; capítulo VIII, «Las divisiones cronológicas», págs. 219-247.

Occidental adopte el aspecto de un Renacimiento, nombre el más común y que se aplica generalmente a la periodización de la literatura española.

LA CONDICIÓN CRÍTICA DEL PERÍODO

El establecimiento de una periodización de la Historia, ayudándose de la teoría de las generaciones, ha convenido en llamar época crítica a la propia de este período. Las tres o cuatro generaciones que conviven en un mismo tiempo histórico, desarrollan una gran actividad creadora y prueban suerte por otros caminos del arte que los acostumbrados. El pasado sufre un examen en cuanto al repertorio de ideas, técnicas, juicios y fórmulas que se venían transmitiendo de unas generaciones a otras, y se arrinconan algunas que se estima que han perdido su fuerza creadora, quedando como formas arcaicas que pueden persistir donde el influjo de la moda no se muestre intensamente, o los gustos sean muy conservadores. Como las novedades no suelen ser siempre, al menos al principio, aciertos, esto produce desorientación, y el historiador nota desajustes en el cuadro general de las ideas del período precedente; y en la historia del arte se han de abrir nuevos capítulos para estudiar estas manifestaciones críticas que, aunque pueden proceder de influencias de otras partes, acaban por echar raíces y dar nuevos bríos a la creación [4].

A manera de resumen de esta condición crítica general he escrito en una ocasión, refiriéndome a la situación española: La universal armonía que había mostrado la actividad literaria del Rey Sabio en la ordenada relación, de raíces teológicas y humanísticas, establecida entre Dios, la creación de Dios manifes-

---

[4] Conserva aún su interés el ensayo de Johan NORDSTRÖM, *Moyen Âge et Renaissance* [1929], París, Stock, 1933. Véase también el libro de José Luis ROMERO, *Sobre la biografía y la historia*, Buenos Aires, Editorial Sudamericana, 1945.

tada en la Naturaleza, y el hombre histórico que participaba
de los beneficios de ella como criatura predilecta, se descon-
certó cuando este último fue puesto por delante; al pasar el
hombre y los valores de la acción humana a un primer término,
las otras partes de la unidad armónica establecida, aunque vá-
lidas, quedaban al fondo en la consideración de los asuntos de
la vida. Esto ocurrió al tiempo que la política de los distintos
reinos se hacía cada vez más difícil por las banderías y por
el carácter del pueblo hispano, reconocido ya por los romanos
como indómito, y en cuya organización no había arraigado por
entero la ordenación feudal. Las consecuencias del peculiar feudalismo fueron la abundancia de odios menudos, esquivar los
trabajos en común bajo el gobierno de un Rey y el desarrollo
de unas pasiones que favorecieron el individualismo. Estos rasgos se encuentran ya en el siglo XIV, y en el siguiente llegaron a
caracterizar el ambiente de la época. La Iglesia quiso luchar
con las armas espirituales para contener el desorden moral, y
hubo de aplicarse también a su propia reforma interior; un cierto número de hombres de la Iglesia fueron en estos tiempos
gente nueva, procedente de una situación peculiar de los conversos. El beneficio de las obras conducentes al Humanismo proce-
dió en las literaturas vernáculas primero de la clerecía y luego de
una concepción renovadora de los estudios y de la relación con
los antiguos; el cultivo del conocimiento de la Biblia y la función
cada vez más activa de los gentiles antiguos orientó una disciplina filológica de la que participó también la literatura vernácula, y la apreciación de los valores literarios en algunos
casos traspuso la trascendencia moral de las obras. Y ambos, la
Iglesia y el Humanismo, renovados, las más de las veces confundidos en las personas que los representaron, se esforzaron
en conducir la expansiva vitalidad de la nación en ciernes hacia
cauces en los que se procuraba que los fines morales y los afanes políticos se reunieran y dispusieran para una acción común
sobre el pueblo. A veces esto llevó a la confusión y a la mezcla
de los fines de la religión y la Iglesia con los propios de la
política de la nación. Esta situación crítica acabó por obtener
su más clara manifestación en el reinado de los Reyes Católicos;

la obra literaria que corresponde a este designio de transición fue, como su tiempo, variada, y aun, a veces, contradictoria [5].

DIVERSAS DENOMINACIONES DE
LA CRÍTICA ESTÉTICA Y LITERARIA
PARA EL PERÍODO DE TRANSICIÓN

Una manera de estudiar esta época crítica se llevó a cabo buscando las características de la Edad Media que se intensificaron al llegar a la época final o de madurez; este sentido de sazón cultural que se halla al fin de la misma recibió el título de *Otoño de la Edad Media*, y su nombre procede de un libro que se llama así, del historiador J. Huizinga [6]. El libro obtuvo un gran éxito hasta el punto de que aseguró esta denominación para la época de una manera casi general. Sin embargo, no pareció convincente a algunos por cuanto el otoño se asocia con la idea de decadencia y descenso, en tanto que la época en cuestión, a la vez que los rasgos de sazón cultural, presenta otros muchos de signo renovador y ascendente [7].

Aplicando a la ciencia literaria los principios generales de la Estética (particularmente de las ideas de Wölfflin), resultó que también se dieron varias denominaciones de carácter ar-

---

[5] Francisco LÓPEZ ESTRADA, *La retórica en las «Generaciones y semblanzas» de Fernán Pérez de Guzmán*, artículo citado, págs. 310-312.

[6] Johan HUIZINGA, *El otoño de la Edad Media*, [1923], edición antes citada. Reconociendo la importancia de este libro para caracterizar esta época de la vida europea, falta en él la consideración de la situación cultural española; su autor, en el subtítulo del mismo, limitó su alcance: «Estudios sobre las formas de vida y del espíritu durante los siglos XIV y XV en Francia y en los Países Bajos». Para completar su estudio sirve el libro de Martín de RIQUER, *Caballeros andantes españoles*, Madrid, Espasa-Calpe, 1967, en que refiere la vida de los caballeros españoles de esta época.

[7] Véase E. F. JACOB, *Huizinga and the autumn of the middle ages*, en *Essays in Later Medieval History*, Manchester, University Press, 1968, páginas 141-153.

tístico a esta época última de la Edad Media. Así, Díaz Plaja[8] menciona un _Barroco de la Edad Media_, particularmente del _cuatrocientos_, que caracteriza en las modalidades de expresión y en la actitud espiritual como poseedor de características paralelas a lo que después fue el Barroco del siglo XVII. Á. Valbuena Prat (dentro de un criterio de unidad estética que junta las características de las diversas artes, y tomándolo sobre todo de la Arquitectura) llama a la época de Juan II _literatura del gótico florido_, refiriéndose a que «coincide la nueva generación con la época del gótico llamado _flamígero_, en la que los adornos engalanan y transforman el espíritu severo del estilo de los siglos XIII y XIV»[9]; luego llama estilo _plateresco_ al de la poesía de los Reyes Católicos, porque «del mismo modo que en el estilo plateresco de la época convive la abundante ornamentación del gótico florido con las líneas cerradas, limitadoras, del grecorromano, la cultura literaria une los abundantes motivos del Cancionero del siglo XV con las influencias clásicas y el nuevo sentido de la vida de la época del humanismo»[10].

Limitándose más a un dominio literario, M. Durán estima que, faltándole ya al arte el apoyo de un sistema elaborado de alegorías y símbolos, «todo en el gótico florido tiende a la estilización, al decorativismo o a la alegoría»[11]. Los caminos de la renovación están implícitos en los elementos ya existentes, y el sentido de una nueva cohesión poética entre ellos puede marcar el camino de formas muy diferentes. Así ocurre que, según este crítico, «cuando más renacentista se muestra Santillana no es al tratar de aclimatar en España el soneto o al hacer traducir la _Ilíada_, sino al acercarse a los temas populares con

---

[8] Guillermo DÍAZ-PLAJA, _El espíritu del barroco. Tres interpretaciones_, Barcelona, Editorial Apolo, 1941.

[9] Ángel VALBUENA PRAT, _Historia de la literatura española_, obra citada, tomo I, pág. 234. «El renacer del gótico florido» es el título de un capítulo del libro ya mencionado del mismo autor, _Estudios de literatura religiosa española_.

[10] Ídem, pág. 336.

[11] Manuel DURÁN, _Santillana y el Prerrenacimiento_, «Nueva Revista de Filología Hispánica», XV, 1961, pág. 363.

una mentalidad nueva, que los transforma en obra de arte con la que el autor convive...»[12]. La aparición del concepto estético de «manierismo artístico» ha tenido su repercusión en la literatura medieval. El gran esfuerzo de A. Hauser[13] intenta establecer el manierismo en una época histórica determinada, que corresponde a la crisis que conmueve el Occidente en el siglo XVI; y resulta que muchas de las características del mismo se dan en los autores de fines de la Edad Media: el anticlasicismo, virtuosismo, la tendencia a las extremosidades y el cultivo de la paradoja pueden testimoniarse en grado suficiente.

EL PUEBLO HISPANOÁRABE EN LA ÉPOCA CRÍTICA

La situación crítica mencionada supuso, para la política y para la organización de la sociedad, el paso de la Edad Media a la nueva época; una consecuencia de este hecho fue un acomodo de los grupos de distinta religión a los principios de unidad católica que promovió la Monarquía desde los Reyes Católicos. Esto afectó a los grupos de los moros y de los judíos de manera distinta, y representó el fin de unas relaciones entre estos pueblos y el cristiano de España que, con diversas alternativas, duraban desde el hundimiento de la monarquía visigoda el año 711, y que, por lo tanto, habían ejercido una función en el nacimiento y desarrollo de las literaturas vernáculas peninsulares.

A medida que el dominio de los Reyes granadinos iba reduciéndose[14], el moro ganaba favor y popularidad en la literatura

---

[12] Ídem, pág. 345.

[13] Arnold HAUSER, *El manierismo* [1964], Madrid, Guadarrama, 1965, pág. 267; lo cual no le obsta para reconocer que el manierismo «apela a reminiscencias medievales» (pág. 274). Sin embargo, avisa que «la excesiva importancia que se concede, a veces, a los paralelos medievales con el manierismo es, por eso, injustificada, por muy impresionante que sea, en ocasiones, efectivamente este paralelismo» (pág. 267).

[14] Véase el proceso histórico en Rachel ARIÉ, *L'Espagne musulmane au Temps des Nasrides (1231-1492)*, París, Boccard, 1973. Los trabajos del histo-

como personaje representativo. El Romancero, la lírica popular y cortés y las Crónicas muestran testimonios del proceso, que en parte ocurre también por la progresiva castellanización del reducido reino árabe independiente aún, pero sujeto en su supervivencia a una relación (de treguas o de guerras) cada vez más estrecha, sobre todo, con los castellanos. Cuando, por fin, terminan las guerras seculares con la toma de Granada, acaba el trato que los españoles cristianos habían tenido con el moro, considerándole de igual a igual con las armas en la mano, y se abre paso a una situación diferente en la que el moro queda sojuzgado, y se ha convertido en el morisco. Esto pertenece ya a la época nueva, pero hay que indicar que durante más de un siglo la presencia de los moriscos en España, sobre todo en Andalucía y en Levante, representó un testimonio de la larga historia medieval donde había habido una convivencia de las diversas leyes, y también un fermento, ya sin apenas relieve ni memoria cultural, de lo que había sido una brillante y expansiva cultura [15].

EL PUEBLO HISPANOJU-
DÍO EN LA ÉPOCA CRÍTICA

Más importante resultó, desde el punto de vista de sus efectos literarios, el proceso político y social de la minoría judía; la cuestión se encuentra planteada en medio de una controversia entre los que mantienen que la importancia es grande y los

---

riador Juan de Mata CARRIAZO sobre este período están recogidos en el libro *En la frontera de Granada*, Sevilla, Universidad, 1971.

[15] Desde el punto de vista social, véase el informativo libro de Julio CARO BAROJA, *Los moriscos del reino de Granada*, Madrid, 1957. Para conocer las relaciones que hubo entre judíos y musulmanes, véase el libro de Is D. ABBOU, *Musulmans andalous et judéo-espagnols*, Casablanca, 1953. La investigación literaria tiene que ir precedida de exploraciones en los archivos que pongan de manifiesto la condición de las poblaciones mora y judía, como es el caso del libro de Klaus WAGNER, *Regesto de documentos del Archivo de Protocolos de Sevilla referentes a judíos y moros*, Sevilla, Universidad, 1978, relativas a la segunda mitad del siglo XV.

que la niegan, pero de las amplias investigaciones cabe exponer algunos aspectos de la situación que son evidentes en relación con la época crítica de que aquí se trata.

El proceso de las relaciones entre la comunidad judía y la población de los Reinos cristianos de la Península fue distinto al trato que hubo con los moros; y además se planteó de diversa manera según fuese la clase social cristiana que trataba con los judíos. Las costumbres de los judíos favorecían el aislamiento de su comunidad, establecido también en los fueros y usos de villas y ciudades. No hay que olvidar, por otro lado, que la cuestión de las relaciones con los judíos fue general en los reinos de Europa [16], mientras que la de los moros afectó más directamente a los cristianos de España que a los de otras partes. Las medidas políticas, salpicadas de tumultos violentos, que terminaron en las disposiciones reales conducentes a la expulsión de los judíos del reino español, fueron tardías en relación con lo que había sucedido en otros países europeos; es probable que su trascendencia y significación se hayan visto incrementadas por ocurrir precisamente en esta época crítica de constitución de la monarquía única en la nación [17]. La opinión contraria a los judíos se encuentra documentada desde las primeras obras de la literatura medieval; así ocurre con un fragmento que queda de una *Disputa entre un cristiano y un judío*, obra escrita hacia 1220, ya citada antes entre la literatura dialogada. En el siglo siguiente, la convivencia de las tres leyes se deterioró cada vez más, y Alfonso de Valladolid (1270-1349)

---

[16] Una información general sobre la presencia y relaciones de los judíos en el mundo románico, en Pnina Navè, *Die romanisch-jüdischen Literaturbeziehungen im Mittelalter*, en *GRLMA*, I, 1970, págs. 216-263.

[17] En la parte española es clásica la obra de José Amador de los Ríos, *Historia social, política y reigiosa de los judíos en España y Portugal* [1875], facsímil, Madrid, Aguilar, 1973. Información general en Abraham A. Neuman, *The Jews in Spain: Their Social, Political and Cultural Life during the Middle Ages*, Philadelphia, The Jewish Publication Society of America, 1942, 2 vols. Michael Studemond, *Bibliographie zum Judenspanischen*, Hamburgo, Helmut Buske, 1975; otra, Robert Singerman, *The Jews in Spain and Portugal: A Bibliography*, New York y Londres, Garland Pub., 1975.

representa un orden nuevo de literatura que habría de obtener un gran desarrollo en los últimos tiempos de la Edad Media: la de carácter converso. De ley judía hasta la juventud (era el Rabí Abner de Burgos), Alfonso se hizo cristiano y escribió libros polémicos en defensa de su nueva religión y en contra del judaísmo; entre ellos está el *Mostrador de la justicia*, en que explica su conversión y refuta, con conocimiento de ambas leyes, la esperanza del Mesías, ya realizada en Cristo. El siglo xv había traído problemas en las relaciones entre judíos y cristianos, y durante el mismo había ocurrido una grave escisión en la misma comunidad judía. El comienzo de la diáspora sefardí, que culmina con la expulsión del año 1492, viene precedido por violentos disturbios en diferentes lugares, como el de 1391, con el asalto de las juderías y la matanza de judíos en Sevilla y otros actos de violencia civil en diversas partes de España. En estos sucesos estalló el odio represado sobre todo en el pueblo llano y en los incipientes burgueses, sobre los que recaía la carga de los tributos; el motivo fue que los reyes y los señores venían encargando del cobro de los tributos y de la administración de las haciendas a las familias judías, hábiles en estos menesteres. Por su parte, los reyes y los nobles no participaron en estas violencias y procuraron sostener a los judíos, de los que se fueron valiendo en sus oficios hasta los últimos días de la expulsión. Sin embargo, la situación iba siendo cada vez más difícil para la comunidad, y algunos judíos abandonaron antes el país, de manera que en el curso del siglo xv las juderías quedaron maltrechas y sin las riquezas de otros tiempos.

Además de este crítico proceso histórico, en el curso del siglo xv se planteó dentro de la comunidad judía una división que, si bien en principio pudo haberse presentado en cualquier otro período, en esta ocasión resultó el origen de una situación peculiar en un grupo de gentes cuya importancia discuten los historiadores. La cuestión ha sido objeto de vivas polémicas en relación tanto con lo que esto supuso en la vida de este grupo, como por la trascendencia que había de tener en el curso de la literatura de los Siglos de Oro. El problema radica en que la comunidad judía que vivía en la península se partió en dos grupos. Uno de ellos permaneció fiel a la ley mosaica; parte de este grupo se fue trasladando a otras comunidades judías del Mediterráneo, mientras que los demás permanecieron en España sin ocultar su condición, hasta que en 1492, como se dijo, los Reyes Católicos les conminaron a salir de su reino. El otro grupo eligió o se vio forzado a integrarse en la población cristiana, y se convirtió al catolicismo, con lo cual quedaba integrado en la sociedad española desde el punto de vista de la religión confesada. Objeto de especial estudio ha sido la exploración de las condiciones de esta conversión y el grado de su sinceridad. Estas gentes pasaron a llamarse *conversos*[18], y su religiosidad y forma de vida levantaron suspicacias entre los católicos que se preciaban de que su ascendencia religiosa era antigua, por lo que se llamaron cristianos *viejos* frente a los *nuevos*. En éste, como en otros puntos, el juicio de Castro difiere mucho del que formula Sánchez-Albornoz[19]. Para Castro este grupo de conversos fue importante, y su actividad en el

---

[18] Una revisión general de los estudios sobre los conversos españoles se encuentra en Antonio Domínguez Ortiz, *Historical Research on Spanish Conversos in the last 15 years*, en *Collected Studies in honour of Américo Castro's Eightieth Year*, obra citada, págs. 63-82; en la misma Francisco Márquez Villanueva hace un inventario de las cuestiones planteadas en torno de este tema en su artículo *The Converso Problem: An Assessment*, páginas 317-333. Véase Antonio Domínguez Ortiz, *Los judeoconversos en España y en América*, Madrid, Istmo, 1971, con un capítulo dedicado a los judeoconversos y las cuestiones de la creación literaria y su carácter. Sobre las posibles implicaciones en determinados movimientos religiosos de la primera mitad del siglo XVI, véase Antonio Márquez, *Los alumbrados*, Madrid, Taurus, 1972, págs. 86-88.

[19] A. Castro, *La realidad histórica de España*, obra citada, en particular los capítulos XIII y XIV de la edición de 1954; y el capítulo II de la edición de 1962, explicativo de la realidad de «casta» en relación con la vida española de la Edad Media. Véase su consideración como clase: Antonio Domínguez Ortiz, *Los «cristianos nuevos». Notas para el estudio de una clase social*, «Boletín de la Universidad de Granada», XXI, 1949, págs. 249-297; y *La clase social de los conversos judíos en Castilla en la Edad Moderna*, en los «Estudios de Historia Social de España», III, Madrid, 1956. Por otra parte, véase C. Sánchez-Albornoz, *España, un enigma histórico*, obra citada, en particular, tomo II, cap. XIV.

campo de las ideas y de la religiosidad es el motivo de algunas peculiaridades de la vida espiritual del siglo xv, y aun sobrepasó la Edad Media. El movimiento ideológico y religioso del grupo no pudo, según Sánchez-Albornoz, causar efectos decisivos, pues el cristiano viejo siempre anduvo prevenido con el modo de ser de los judíos, y esta prevención se agudizó frente a los conversos. Por otra parte, Sánchez-Albornoz estima que se ha exagerado en cuanto a la sospecha de que algunos escritores tengan algún antecesor converso en su familia; sin embargo, estudiando las condiciones de la vida en la España de la época, resulta claro notar que estos antecedentes procurarían ocultarse y que las pruebas documentales archivadas más bien probarían lo contrario, salvo en casos en que la denuncia estableciese datos sobre cuya autenticidad hay que estar prevenidos y que deben situarse en el contexto social adecuado. Para Sánchez-Albornoz estos conversos fueron «un elemento híbrido, enquistado dentro de la sociedad cristiana española y por largo tiempo no asimilado a ella»[20]. No cree que con la conversión mudasen ni de vida ni de credo, y esto suscitó el recelo de los cristianos viejos y los graves desórdenes.

El problema traspasa los límites de la Edad Media y alcanza a la época siguiente, en donde presenta algunas manifestaciones decisivas: según Castro, los conversos del siglo xv intervinieron activamente en la Inquisición; Sánchez-Albornoz lo admite así, enraizando en la Edad Media esta modalidad de la vida pública de España[21]. En cuanto a los efectos que pudieran darse en la creación literaria dando a la misma una determinada orientación y carácter, hay que insistir en que la apreciación de lo que pudo representar para la vida española de la época la obra del converso ha de establecerse cuidadosamente caso por caso. Con razón declara así Márquez Villanueva esta situación: «Ser cristiano nuevo suponía en el siglo xv para la mayor parte de

---

[20] C. Sánchez-Albornoz, *España, un enigma histórico*, obra citada, II, pág. 241.

[21] A. Castro, *La realidad histórica de España*, obra citada, págs. 510-518; C. Sánchez-Albornoz, *España, un enigma histórico*, obra citada, II, 559, respectivamente.

ellos el estar encuadrados en un panorama de vivísimas urgencias vitales, ante las que era forzoso adoptar unas actitudes intelectuales y, lo que era mucho más grave, una norma de conducta. El conocimiento de esas reacciones es lo que, a su vez, puede ayudarnos mucho para perfilar el contorno de una personalidad en el sentido de una obra creadora. Por eso el descender de judíos convertidos no es un hecho absoluto que tenga en el siglo xv la misma importancia que en el siglo xviii...» [22]. En el siglo xv se perfila y asegura la idea de una «limpieza de sangre», sobre todo en cuanto que la misma se establece como una de las condiciones para ostentar un puesto en las instituciones de la Monarquía. La «limpieza de sangre» como presupuesto de la hidalguía llegó a constituir en los Siglos de Oro no sólo un procedimiento jurídico para alcanzar los títulos de las órdenes militares y religiosas y las mercedes de los cargos, sino que entró a formar parte del sentimiento del honor que cualquier hidalgo estimaba como propio de su identidad social. «La preocupación de la limpieza de sangre estaba tan íntimamente mezclada con la existencia de los españoles que no podemos saber exactamente los límites alcanzados por esta obsesión», escribe A. Sicroff [23] en un documentado estudio de carácter histórico-social.

En cuanto a los efectos que esto pudiera ocasionar en la literatura, resulta que los judíos ya no pudieron seguir siendo, como en siglos anteriores, mediadores entre el pensamiento árabe (por otra parte sobrepasado desde el punto de vista cultural y ya en decadencia) y el cristiano. Los escritores de familia judía, ya conversos, habían asimilado los usos literarios procedentes de la cultura cristiana, con la que, por otra parte, tenían en común los libros bíblicos del Antiguo Testamento y cuanto había formado el espíritu de la ilustración medieval, promovida por Alfonso X, y sus consecuencias literarias; la técnica de la

---

[22] F. Márquez Villanueva, *Investigaciones sobre Juan Álvarez Gato*, obra citada, pág. 44.

[23] Albert A. Sicroff, *Les controverses des statuts de «pureté de sang» en Espagne du XV siècle au XVII siècle*, París, Didier, 1960, pág. 297.

poesía cancioneril les resultaba propia, así como los usos de la prosa. Por otra parte, las actividades económicas y sociales inclinaban a las familias judías a los ejercicios intelectuales, favoreciendo la dedicación de los conversos al menester literario. Así los hallamos como poetas, desde el _Cancionero de Baena;_ con una obra propia, de fuerte acento personal, como en Rodrigo Cota y Antón de Montoro; y apoyando con un cultivo acertado las versiones a lo divino en el caso de Álvarez Gato. En Juan de Lucena, por ejemplo, R. Lapesa [24] encuentra que su postura vital e ideológica «representa fielmente la crisis que hubieron de pasar los conversos del siglo xv al tratar de injertarse en una comunidad hostil». Entre lo que para ellos había sido tradición hebrea y lo que representaba la relativa novedad cristiana (con las diversas corrientes de espiritualidad que contenía), oscilaban su vida e ideas; no se olvide que llevaban muchos años con el uso de la lengua y el cultivo de la literatura española, y que el enfrentamiento mencionado venía ocurriendo desde siglos.

La polémica de la historia cultural —y de la crítica literaria, por lo que aquí toca— se entabló sobre si esta situación que en esta época de transición actúa de la manera indicada, continuó después ejerciendo alguna función en la época siguiente. Castro, proyectando el sentido de vida de los conversos más allá de la Edad Media, resume así la situación medieval: «La tradición cristiana de Castilla no era lúgubre ni desesperada en los siglos xii, xiii, xiv y xv. El _Poema del Cid_, la poesía de Berceo, Juan Ruiz, el marqués de Santillana y Jorge Manrique suscitan impresiones de grata y apacible serenidad. Mirando más tarde hacia fuera de España, ninguna literatura católica del siglo xvi posee nada equiparable a la ascética y picaresca sombría de Santob, Juan de Mena, Rodrigo Cota y Fernando de Rojas, continuada y expandida más tarde por legiones de conversos desesperados, sin cómodo asiento en este mundo» [25]. Frente a los

[24] Rafael LAPESA, _Sobre Juan de Lucena: escritos suyos mal conocidos o inéditos_ [1965], en _De la Edad Media a nuestros días_, Madrid, Gredos, 1967, pág. 124; en este artículo se encontrará bibliografía de este curioso escritor.

[25] _La realidad histórica de España_, obra citada, edición 1954, pág. 534.

esfuerzos de Castro por descubrir las posibles ascendencias judías de determinados autores, la posición crítica de E. Asensio es de cautela, estableciendo dos cuestiones diferentes en el caso: «Son dos problemas que reclaman métodos diferentes. La pesquisa de linaje, que exigirá la consulta de los fondos equivalentes al registro civil —archivos de Inquisición, Órdenes y Colegios—, y el estudio de testimonios fidedignos dispersos en obras literarias e históricas podrán frecuentemente conducirnos a certezas, o, por lo menos, a convencimientos. El deslinde de los modos de pensar y sentir, de las formas de expresión características del «neocristiano», presentará casi siempre incertidumbres y opciones espinosas»[26]. El planteamiento de estos problemas no es de la competencia de este libro, limitándonos aquí a señalar que su origen se halla en los últimos siglos de la Edad Media.

LAS CORRIENTES ESPIRITUALES DE
LA IGLESIA: LA «DEVOTIO» MODERNA

El proceso de la renovación de la espiritualidad religiosa, iniciado en el siglo XIV de una manera general en Europa, continúa en el siglo XV, y en algunos lugares, sobre todo en el norte de Europa, dentro de una situación determinada, recibió el nombre distintivo de *devotio moderna* o *moderna pietas*. En España también se encuentra una corriente que pretende revisar la devoción y la piedad, con el objeto de hacerlas más vivas, con una mayor participación y conciencia del hecho religioso, sobre todo en el orden personal y subjetivo.

En el siglo XIV las obras en prosa que pertenecen a la corriente religiosa, de ser de orden doctrinal pasan a ascéticas, y su expresión es más elaborada y el contenido más complejo. La necesidad de una renovación en las relaciones entre la Iglesia y el pueblo cristiano, que se manifiesta en el IV Concilio de Letrán (1315), había traído la creación de las nuevas órdenes

---

[26] Eugenio Asensio, *La peculiaridad literaria de los conversos*, «Anuario de Estudios Medievales», IV, 1967, pág. 328.

religiosas; y la situación de la Iglesia durante la «cautividad de Babilonia» (o período de Aviñón, de 1309 a 1377), fue crítica y puso en peligro la unidad que el latín representaba. Todo esto repercutió en la literatura religiosa en lengua vernácula con un doble efecto: aumentando los libros de instrucción espiritual y dando lugar a que se escribiese en tono abierto y crítico sobre los religiosos y las demás clases sociales. Esto ocurre en forma ejemplar en el caso del Canciller mayor de Castilla, Pedro López de Ayala (1332-1407), el cual, siendo autor más conocido por su obra en verso y por las Crónicas, se manifestó también como escritor en esta corriente religiosa. En cierto modo esta misma conciencia de la religiosidad sustentaba su restante creación literaria: y así lo encontramos como traductor del *Libro de Job* y de las *Morales* de San Gregorio, y como antologista y recopilador de unas *Flores de los Morales de Job* [27]; estas *Flores* (o selección) fueron cogidas —escribe en el prólogo— «del gran árbol de virtudes, que es el [...] libro de los *Morales* que hizo San Gregorio sobre *Job*, y sacados de latín en romance» por el Canciller mayor. La recopilación se realiza con un criterio artístico, pues dice que guarda «el color de la retórica y la costumbre sobredicha de los sabios que dificultaron sus escrituras y las pusieron en palabras difíciles y aun oscuras, porque las leyesen los hombres muchas veces y mejor las retuviesen y más las preciasen...» [28].

El *Viridario* o *Vergel de Consolación del alma*, procedente de una obra de Jacopo da Benevento, es un libro muy característico de esta prosa que toma su artificio de la oratoria; propiamente es una obra ascética, que examina los pecados mortales y los vicios, describe las virtudes y muestra los efectos del amor de Dios en las criaturas celestiales y en los hombres. La exposición, aderezada con ejemplos y citas muy diversas, adopta un tono sermonitorio, en el que, junto a la doctrina, muestra la realidad social de la época, con vivas amonestaciones al clero.

---

[27] Pero LÓPEZ DE AYALA, *Las Flores de los «Morales de Job»*, edición de Francesco BRANCIFORTI, Florencia, Le Monnier, 1963.

[28] Ídem, págs. 3 y 5.

No faltó en la lengua romance la exaltación de los grandes hombres de la Iglesia, y acaso en relación con la canonización de Santo Tomás (1323) un Pedro Martín o Mártir, probablemente dominico, entre otros compiló de diversos libros y documentos una *Leyenda de Santo Tomás de Aquino*, acaso destinada a una comunidad de monjas; el texto parece de la segunda mitad del siglo XIV.

La corriente religiosa de la piedad renovada[29] procedía de muy diversas fuentes; además de las manifestaciones de esta devoción moderna establecidas en el norte de Europa, hay que contar con las italianas, que venían actuando desde el siglo anterior; así, por ejemplo, entre los franciscanos algunos favorecían a los *espirituales,* término que representó la observancia estricta de la regla de San Francisco. La palabra *espíritu* fue un cultismo del lenguaje religioso, difundido sobre todo desde los orígenes de la lengua sobre el sentido teológico de la Trinidad (así en Berceo, *Milagros,* 837, y en el *Poema del Cid);* la aplicación al sentido general de 'alma' y, en concreto, a los que defendían el cultivo de una conciencia religiosa más patente es el resultado de un largo proceso que se reúne en la denominación de *espiritualidad;* con ello se significa el desarrollo consciente del alma, de sentido religioso en sus inicios y base popular. Los medios de su difusión fueron los sermones y la poesía adaptada para la

---

[29] Véase el libro básico sobre el concepto (aunque no se refiere a España) de Albert HYMA, *The Christian Renaissance. A history of the «Devotio Moderna»,* [1924], Hamdem, Conn., Archon Books, 1965, que reproduce en facsímil la primera edición de 1924 y añade cinco capítulos más recogiendo y discutiendo la crítica de la primera, y otros aspectos. Para España, véase Pierre GROULT, *Los místicos de los Países Bajos y la literatura espiritual española del siglo XVI* [1927], Madrid, Fundación Universitaria Española, 1976, introducción y traducción de Rodrigo A. MOLINA; esta obra se ocupa de una parte de este período. Y del mismo: *Les courants spirituels dans la Péninsule Ibérique aux XVe, XVIe, XVIIe siècles,* «Lettres romanes», IX, 1955, págs. 218-221. José María MOLINER, *Espiritualidad medieval, los mendicantes,* Burgos, El Monte Carmelo, 1974, sobre el nuevo estilo de espiritualidad que acompaña el desarrollo de las literaturas vernáculas hasta la *devotio moderna.*

expresión religiosa [30]; la cuestión, sin embargo, se presentaba polémica sobre si la poesía artística (de orden cancioneril, en este caso) resultaba válida para este menester [31]. Ya me referí a este asunto, que se agudiza en esta época. La moda inclinaba a este orden de manifestaciones, y en la «Significación epistolar» que precede al *Cancionero* de Fray Ambrosio Montesino, dedicada al rey don Fernando, el fraile dice que publica el libro porque: «me ha, muchas veces, vuestra excelencia mandado que juntase todos los tratados que [...] yo he rimado de *coplas de devoción*»; y cuya manifestación artística defiende el fraile con estas palabras: «porque muchas veces saben mejor las cosas divinas a los que no están muy ejercitados en el gusto y dulzor de ellas cuando se les dan debajo de alguna elegancia de prosa o de metro de suave estilo que cuando las participan por comunidad y llaneza de incompuestas palabras...» [32]. Y, en efecto, el

[30] Puede verse mi estudio *Notas sobre la espiritualidad española de los Siglos de Oro (Estudio del «Tratado llamado El Deseoso»)*, Sevilla, Universidad, 1972, referente a la enorme fortuna editorial de una de estas obrillas. Se encuentran algunas de estas piezas en las *Florestas de incunables* recogidas por Antonio PÉREZ GÓMEZ: glosas de oraciones, como *El credo*, el *pater noster*, la *salve regina*, y el *ave maría* y el *ave maristella*, declarados por Luis de SALAZAR (II, Valencia, Incunables poéticos castellanos, 1957); las *Coplas contra los siete pecados mortales*, de Juan de MENA [1500] (I, 1957). Sirva como ejemplo el claro sentido ascético que anima la *Confesión Rimada* de Fernán PÉREZ DE GUZMÁN, publicada en edición crítica con comentarios por Andrés SORIA, «Boletín de la Real Academia Española», XL, 1960, págs. 191-263. Esta obra, escrita casi toda en coplas de arte mayor, comenta los mandamientos, pecados mortales y obras de misericordia; y ha de situarse junto a las obras en prosa que igual que ellas son como el primer escalón de la vida ascética perfeccionable. El tratado *Las setecientas*, de este autor (que contiene también la mencionada *Confesión*) [impreso en 1492] es pieza característica, y ha sido reeditado en forma facsímil, de la edición sevillana, 1506, por Antonio PÉREZ GÓMEZ, Cieza, «la fonte que mana y corre», 1965.
[31] Véase Joaquín GIMENO CASALDUERO, *San Jerónimo y el rechazo y la aceptación de la poesía en la Castilla de finales del siglo XV*, en *La creación literaria de la Edad Media y del Renacimiento*, obra citada, págs. 45-65.
[32] Fray Ambrosio MONTESINO, *Cancionero de diversas obras...*, [Toledo, 1508], edición facsímil de Antonio PÉREZ GÓMEZ, Valencia, «la fonte que mana y corre», 1964, prólogo, fol. aj vuelto. El criterio estilístico de las

Cancionero contiene prosa y verso de esta índole, de evidente base cancioneril, y al mismo tiempo recoge y conforma coplas tan populares como la de «Desterrado parte el niño...» o «No la debemos dormir...», o articula el contenido de otras, de una manera viva, en forma dramática.

Junto con los sermones y las coplas de devoción, y en cierto modo conteniendo textos de unas y otras, y de otros tratados religiosos, se encuentran los libros de la naciente imprenta; el grupo de público que sabe leer aumenta en su número y además de los eclesiásticos y universitarios, crece el de los hidalgos y el de los menestrales y oficiales que lo forman. Su influjo en la literatura consiste en la aparición de obras en las que las tendencias ascéticas se hacen cada vez más patentes. Su manifestación más visible resultó ser el desarrollo de la doctrina de la ejemplaridad de la vida de Cristo, expuesta en prosa y verso, que se relaciona también con una difusión muy extensa de obras de carácter religioso, y en particular de las que comentaban o se referían al Nuevo Testamento. La imprenta del siglo XV inició una corriente de religiosidad popular divulgando obritas menudas, en pliegos de pocas páginas, con asuntos sencillos, que después fueron tomando una vía literaria más definida en forma de *Flores, Ejemplarios, Espejos, Ejercitatorios, Confesionarios*, etc., que en la primera mitad del siglo XVI prepararon el gran y definido desarrollo de la religiosidad literaria española. La compleja red de relaciones que se manifiestan en esta cuestión de la espiritualidad en la segunda mitad del siglo XV, unido a que falta aún por conocer muchos aspectos de la misma, obliga a la cautela en la consideración de estos asuntos. Desde los esfuerzos del «ordo laicorum», que comienza a manifestarse en la segunda mitad del siglo XII, hasta esta ebullición de la espiritualidad del siglo XV, se relacionan y enredan muchos hilos entre los religiosos (seglares y monásticos) y los laicos. La mención aquí usada de «piedad renovada» no ha de

---

formas expresivas de la poesía de fray A. Montesino se estudia en Ana María ÁLVAREZ PELLITERO, *La obra lingüística y literaria de Fray Ambrosio Montesino*, Valladolid, Universidad, 1976, págs. 167-200.

identificarse estrictamente con la *devotio moderna*, dirigida por Gerard Groote, siendo así que se trata de manifestaciones de la compleja corriente general en los países de Europa[33].

La más importante y temprana expresión de esta ejemplaridad de Cristo obtiene forma literaria en el siglo xv en diversos autores, seculares unos, y religiosos otros. Son ejemplares: Diego de San Pedro, que escribe *La Pasión trovada*, de tan cabal título para este sentido poético de las *Meditationes vitae Christi* de raíz franciscana; y el Comendador Román, con las *Coplas de la Pasión con la Resurrección*[34]. Por otra parte, los autores religiosos tratan el asunto con insistencia, hasta convertirlo en un argumento general de esta literatura religiosa para un público profano; además, a su alrededor han de confluir las cuestiones más importantes de esta espiritualidad vernácula. Fray Íñigo de Mendoza escribe una *Vita Christi fecha por coplas...* (1482)[35], extenso poema incompleto; fray Ambrosio Montesino[36] traduce (1502-1503) en buena prosa la *Vita Christi* del monje

[33] Keith Whinnom, *The supposed Sources of Inspiration of Spanish Fifteenth Century Narrative Religious Verse*, «Symposium», XVII, 1963, págs. 268-293.

[34] *La Pasión trovada* de Diego de San Pedro está en la mencionada *Floresta de incunables* [1494-1495] (III, Valencia, Incunables poéticos castellanos, 1958); sobre la *Pasión trovada* y otro poema del mismo autor, *Las siete Angustias de Nuestra Señora*, véase Keith Whinnom, *The Religious poems of Diego de San Pedro: Their Relationship and their Dating*, «Hispanic Review», XXVIII, 1960, págs. 1-15. *Las Coplas de la Pasión con la Resurrección*, de Román, han sido reproducidas por el mismo Antonio Pérez Gómez [1490], Valencia, «la fonte que mana y corre», 1955.

[35] Textos: *Vita Christi fecho por coplas* [¿1482?], edición facsímil, Cieza, «la fonte que mana y corre», 1975; *Cancionero*, edición de Julio Rodríguez-Puértolas, Madrid, Espasa-Calpe, 1968 (Las *Coplas* en págs. 1-153); edición crítica de Marco Massoli, en *Coplas de Vita Christi*, Florencia, D'Anna, 1977. Estudio en Julio Rodríguez-Puértolas, *Fray Íñigo de Mendoza y sus «Coplas de Vita Christi»*, Madrid, Gredos, 1968.

[36] El *Cancionero* de Montesino fue citado en la nota 32; estudio en Ana M. Álvarez Pellitero, *La obra lingüística y literaria de fray Ambrosio Montesino*, allí citado; Marcel Bataillon, *Chanson pieuse et poésie de dévotion: Fr. Ambrosio Montesino*, «Bulletin Hispanique», XXVII, 1925, páginas 228-238.

Ludulfo de Sajonia, obra fundamental para la espiritualidad de la época y muy difundida, y también es autor de composiciones líricas de carácter religioso; Juan de Padilla, el cual, usando aún la exposición alegórica, escribe poemas de arte mayor con el tema del *Retablo de la Vida de Cristo* (ed. 1485) y los *Doce Triunfos de los Doce Apóstoles* (ed. 1521)[37].

El reinado de los Reyes Católicos representa una culminación en esta corriente, y como nota con acierto M. Darbord[38], lo que durante el mismo se aseguró, no había de cambiar hasta la época de Fray Luis de León y San Juan de la Cruz. Esta creación de lírica religiosa había bastado para cubrir la literatura religiosa de este público profano, al menos en gran parte del siglo XVI, hasta que triunfaron las modalidades italianizantes, que lo hacen hacia 1575, con retraso con respecto de las profanas. Sólo entonces se inicia la nueva época de la poesía religiosa de los Siglos de Oro.

---

[37] Enzo NORTI GUARDINI, *Los doce triunfos de los doce Apóstoles*, Messina-Florencia, D'Anna, 1975, vol. I (estudio preliminar).

[38] Michel DARBORD, *La poésie religieuse espagnole des Rois Catholiques à Philippe II*, París, Centre de Recherches de l'Institut d'Études hispaniques, 1965.

CAPÍTULO XX

LA MADUREZ LITERARIA MEDIEVAL:
PRERRENACIMIENTO Y HUMANISMO

En el curso del siglo xv las diferentes manifestaciones literarias que se han referido, alcanzan un punto de madurez creadora, caracterizada por el alto grado de cultivo artístico, la complejidad de los grupos genéricos en juego, cada vez mayor, y la ampliación de los públicos (sobre todo, en el último tercio, por medio de la imprenta). Y todo esto se encauza en un desarrollo creciente de una lengua literaria cuyos medios expresivos van emparejándose en eficacia y prestigio con los que habían sido propios del latín. Examinaré los grupos de prosa y verso, que están vigentes en este siglo, con las divisiones internas más adecuadas.

a) *Cartas y epístolas.*—Cartas y epístolas son resultado de las relaciones entre los hombres que, distantes unos de otros, quieren mantener vivos los lazos familiares, de amistad, políticos, de negocios o de cualquier clase. Dejando de lado el valor biográfico de estos documentos, resulta que desde la Antigüedad existía una retórica aplicada al género epistolar, que se consideraba como el menos artístico y, por tanto, el más cercano a la lengua coloquial. En la historia de la Poética en la Edad

Media el género epistolar llegó a ser una modalidad básica de la organización de la elocuencia (como se vio antes); y, como consecuencia del cultivo artístico del arte epistolar en lengua latina, esta disposición literaria llegó al siglo XV con un gran prestigio, del que a veces se aprovecharon las Crónicas históricas, sobre todo las biográficas [1]. La maestría de las Cartas de Cicerón y, sobre todo, de las de Séneca [2], había asegurado en la Antigüedad este prestigio. Fernán Pérez de Guzmán tradujo algunas *Epístolas* de Séneca, maestro del género en su aplicación moral; y Hernando del Pulgar escribió sus *Letras*, acabada muestra del epistolario plenamente artístico, en el que se reúne la intención didáctica con un amplio planteamiento de problemas humanos. Otros muchos autores de este período escribieron cartas, que a veces hay que espigar con fruto de entre sus obras.

b) *Los libros de viajes.*—En los reinos españoles, predestinados a desparramar sus gentes por Europa y América, sobre todo desde la unidad de Fernando e Isabel, había habido una literatura de viajes, escrita según las fórmulas de la época. Los libros de geografía forman parte de este grupo, y hacia 1223 se escribió una descripción del mundo sobre la base de las *Etimologías* isidorianas y una *Imago Mundi* [3]. En el siglo siguiente se redactó una especie de itinerario de viaje que un franciscano dijo haber hecho por el mundo entonces conocido [4]. El gran siglo de los viajes fue el XV; una embajada de Enrique III al gran Tamor-

---

[1] Así ocurre con Diego de VALERA: véase César REAL DE LA RIVA, *Un mentor del siglo XV: Diego de Valera y sus epístolas*, «Revista de Literatura», XX, 1961, págs. 271-306; las *Epístolas* en Madrid, Bibliófilos Españoles, 1878.

[2] Véase K. A. BLÜHER, *Seneca in Spanien*, obra citada, cuya parte II está dedicada al influjo de Séneca en el siglo XV, págs. 83-175.

[3] *Semeiança del mundo. A Medieval Description of the World*, edición de W. E. BULL y H. F. WILLIAMS, Berkeley-Los Angeles, University of California Press, 1959; Richard P. KINKADE, *Un nuevo manuscrito de la «Semeiança del mundo»*, «Hispanic Review», XXXIX, 1971, págs. 261-270.

[4] *Libro del conosçimiento de todos los reynos e tierras e señoríos que son por el mundo...*, escrito por un franciscano español a mediados del siglo XIV. Notas de Marcos JIMÉNEZ DE LA ESPADA, Madrid, M. Ginesta, 1877.

lán, conducida por Ruy González de Clavijo [5], llega hasta Samar-
canda, en Asia, y regresa (1403-6), llevando puntual cuenta del
camino y los lugares visitados. Pero Tafur [6] hizo también un
largo recorrido por los países del cercano Oriente (1435-9).

Esta prosa de los viajeros castellanos representa el envés del
estilo de los autores latinizantes; valiéndose aún de la armadura
sintáctica de los relatos de sucesos menores, crónicas de contenido muy preciso, el autor tiene que contar las novedades que
va viendo en los largos viajes por tierras ajenas del mundo
cristiano. Se rompen los límites del ámbito de la Europa medieval, y la apreciación de la maravilla de los mundos nuevos
se desborda por entre el léxico limitado, reducido muchas veces
a comparaciones con lo conocido, organizado en una sintaxis
que sólo se ciñe a la misma alineación de los hechos que va
contando. Los dos libros de Clavijo y Tafur representan en la
literatura española lo que los viajes de Marco Polo en la de
Italia; los viajes del veneciano, traducidos, también corrieron
por España [7]. Estos libros muestran el temple curioso de los
viajeros castellanos de la Edad Media, y su participación en la
empresa europea de extender el conocimiento que se tenía del
mundo, que caracteriza el comienzo de la conciencia histórica
de los tiempos modernos; y el hecho fundamental acabó siendo el

---

5 Ruy GONZÁLEZ DE CLAVIJO, *Embajada a Tamorlán*, edición de Francisco LÓPEZ ESTRADA, Madrid, CSIC, 1943.

6 *Andanças e viajes de Pero Tafur por diversas partes del mundo avidos*,
edición de Marcos JIMÉNEZ DE LA ESPADA, Madrid, Col. Libros Esp. Raros
o Curiosos, 1874; edición de José María RAMOS, Madrid, Hernando, 1934.
Con el título del libro, véase el estudio de José VIVES, «Analecta Sacra
Tarraconensia», XIX, 1946, págs. 123-216. La embajada a Tamorlán y las
Andanzas de Pero Tafur se estudian en Franco MEREGALLI, *Cronisti e
viaggiatori castigliani del Quattrocento (1400-1474)*, Milán, Cisalpino, 1957.

7 *Libro de las cosas maravillosas* de Marco POLO, [1518], edición de
Rafael BENÍTEZ CLAROS, Madrid, Bibliófilos Españoles, 1947. Otra obra de
interés para el caso es el *Libro del Infante don Pedro de Portugal*, que,
a partir de alrededor de 1520, obtiene una gran difusión en la imprenta,
como muestra la bibliografía de Francis M. ROGERS, *List of Editions of the
Libro...*, Lisboa, E.N.P. 1959, y del mismo *The Travels of the Infante Dom
Pedro of Portugal*, Cambridge, Mass., 1961.

descubrimiento de América. Hay que señalar que en este acontecimiento hubo una resonancia de la literatura medieval de
viajes, sobre todo en los descubrimientos; los primeros relatos
de Indias siguen la pauta de los libros medievales de viajes, y
la literatura caballeresca, con raíces en el Medievo, estuvo presente en la aventura americana, e incluso llegó a dar nombre a
los lugares del Nuevo Mundo[8].

c) *La historia.*—El desarrollo de la narración de los hechos
reales en la prosa acompaña el signo cada vez más personal de
estos relatos, reflejo de una creciente apreciación por los valores
individuales, sobre todo si éstos se hallan empeñados en el
espíritu de aventura. En el curso del siglo xv existen, en toda su
efectividad, los resultados de la acción personal en los *aventu-
reros*, que solían ser gente noble o hidalga. Sus hijos y sus nietos
dieron en los años del siglo xvi la nota más profundamente
hispánica, la errabundez y el afán viajero, definidor de la nación
en América y en Europa. La prosa recogió con agilidad este
proceso, y su libertad artística frente al verso resultó más adecuada para la expresión de estos casos en que se pretende
comunicar y dar testimonio de este espíritu de individualidad.

Los manuscritos que contenían la labor historiográfica de
Alfonso X (en parte incompleta o sin una configuración final)
no mantuvieron un texto cerrado y uniforme; por el contrario,
se nos presentan como historias que se modifican en sucesivas
adaptaciones de diversa índole. Estas variaciones indican que la
autoría no era sentida con firmeza y que la obra se modificaba
para que resultase propicia a la situación de los círculos de los
oyentes o lectores. Tal adaptabilidad es una característica de
esta prosa histórica, y así se prolonga hasta el fin de la Edad
Media[9].

---

[8] Véase Alberto Sánchez, *Los libros de caballerías en la conquista de
América*, «Anales Cervantinos», VII, 1958, págs. 237-259, y Juan Hernández,
La influencia de los libros de caballerías sobre el conquistador, «Estudios
Americanos», XIX, 1960, págs. 235-256.

[9] Sobre la tradición formada por la obra alfonsí, véase la *Crónica Geral
de Espanha de 1344*, Lisboa, Academia port. da Historia, 1951-1954, edición

La obra histórica escrita después de Alfonso X testimonia
esta progresiva afirmación de los valores individuales que condujo a un desarrollo preferente de los relatos en prosa castellana referentes a reyes y reinos inmediatos a los autores de los
libros y a los oyentes o lectores de los mismos. Así ocurrió
con Pedro López de Ayala (1332-1407), que historió los reinados
de Pedro I, Enrique II, Juan I y los comienzos del de Enrique III. La *Crónica de Juan II*, de Alvar García de Santamaría,
es otra pieza análoga, en la que la historia en prosa se asegura
de una manera definitiva y desplaza las historias latinas, que
pasan a ser sólo un lujo cortesano, como la que escribe Lorenzo
Valla (autor romano, 1407-1457) sobre Fernando rey de Aragón,
protagonista de gran parte de la mencionada *Crónica de
Juan II* [10]. Anotemos que el prestigio histórico de la prosa re-
planteó en este medio de expresión viejos temas de la literatura
medieval en verso, como las prosificaciones de los hechos del
Cid (la llamada *Crónica particular*, edición de 1512 y la reduc-

---

y prólogo de Luis Filipe Lindley Cintra; y los estudios de Diego Catalán,
De Alfonso X al conde de Barcelos, Madrid, Gredos, 1962, y la *Edición crítica* [...] *de la Crónica de 1344...*, Madrid, Gredos, 1970. Otro texto de interés es la *Crónica del moro Rasis...*, edición de Diego Catalán y María Soledad de Andrés... pluritextual, Madrid, Gredos, 1975, que contiene la versión castellana de una traducción portuguesa hecha hacia 1300 por Maho-
mad y Gil Pérez para el rey don Dionís de Portugal. También ha aparecido
la *Gran Crónica de Alfonso XI*, preparada por Diego Catalán, Madrid, Gredos, 1976. Esta serie de obras forman parte de las «Fuentes cronísticas de
la historia de España», elaboradas en el Seminario Menéndez Pidal de la
Universidad Complutense.

[10]   Un planteamiento general, en Benito Sánchez Alonso, *Historia de
la historiografía española*, I, (hasta la publicación de la Crónica de Ocampo
(...-1543), Madrid, CSIC, 1947, que se complementa con las correspondientes
referencias bibliográficas en las *Fuentes de la historia española...*, Madrid,
CSIC, 1952, 3.ª edición, 3 tomos. Véase Robert B. Tate, *Ensayos sobre la
historiografía peninsular del siglo XV*, Madrid, Gredos, 1970. En cuanto
a los textos (consúltense con precaución) de las Crónicas, se hallan en
Crónicas de los Reyes de Castilla... (Biblioteca de Autores Españoles,
tomos LXVI, LXVIII y LXX). Y Andrés Bernáldez, *Memorias del reinado
de los Reyes Católicos*, edición de Manuel Gómez-Moreno y Juan de Mata
Carriazo, Madrid, CSIC, 1962.

ción de una *Crónica abreviada* de Valera sobre el héroe, titulada *Crónica popular*, edición de 1498), los de Fernán González (*Crónica*, edición de 1509). Esta línea del desarrollo de una prosa, de evidente eficacia narrativa, aplicada al relato histórico, se mantendrá cada vez más pujante en tiempo de los Reyes Católicos, y desembocó en los Siglos de Oro, época en que la Historia, después de aprovechar largamente la experiencia medieval y un complejo cultivo con ocasión de los hechos de Indias, acabará por entrar en el dominio de la exposición científica, alejándose de la literatura.

d) *Los libros biográficos.*—Un determinado aspecto de la narración histórica obtuvo un importante desarrollo literario en el siglo xv: el cultivo de una pieza retórica, de aplicación frecuente en la historia y en libros de ficción, condujo a la redacción de galerías de retratos literarios, tal como los hizo con gran acierto Fernán Pérez de Guzmán (1376?-1460). De familia de gentes de letras y armas (sobrino del Canciller Ayala y tío del Marqués de Santillana), dedicó su vida a la guerra y a los libros. Como hombre de armas estuvo entre los parciales del Infante don Enrique de Aragón; por su enemistad con don Alvaro de Luna, se retiró a Batres, donde pasó el resto de su vida dedicado al gobierno de su señorío. Este retiro fue fructífero en obras literarias. De entre los varios libros de Pérez de Guzmán, donde esta intención biográfica aparece mejor manifestada, es en las *Generaciones y Semblanzas*, obra que se halla al final del *Mar de historias*, compilación aumentada del *Mare historiarum* de Juan de Columna [11]. Estas semblanzas de las gentes de su tiempo están escritas con un atinado buen gusto: son a modo de cuadros descriptivos en los que el aspecto físico y la condición moral de cada hombre aparecen en estrecha unidad, y responden, en cuanto a la organización de los datos, al procedimiento retórico que las Artes medievales conocen con la denominación

---

[11] Fernán Pérez de Guzmán, *Generaciones y semblanzas*, edición de Jesús Domínguez Bordona, Madrid, Espasa-Calpe, 1924; edición de Robert B. Tate, Londres, Tamesis, 1965, con extractos del *Mar de historias*.

de la *descriptio personarum;* de ahí la uniformidad en la disposición de todos ellos, que repiten la organización del esquema retórico aconsejado por las Artes. Pero esta uniformidad de procedimiento no troquela la materia literaria en una serie de retratos de rasgos iguales. No hay en Pérez de Guzmán el intento de ofrecer, a la manera de los relatos de ficción, unas figuras perfectas; él busca describir el hombre que es o fue cada uno: quiere expresar lo humano, como manifestación de lo individual de cada personaje. La biografía se enfrenta con la categoría y, amparado por una disposición retórica que ennoblece el contenido, avanza hasta un primer término aquellos valores que constituían una de las raíces culturales del siglo XV. Si es preciso dice de un personaje: «el rostro feo y colorado, la nariz alta y gruesa, el cuerpo empachado...» (Retrato de don Juan de Velasco). Otras veces notará humanas contradicciones: «Amó mucho mujeres. Y es bien de maravillar que franqueza y amores, dos propiedades que requieren alegría y placer, que las hubiese hombre tan triste y tan enojoso.» (Retrato de don García González de Herrera). El estilo de Pérez de Guzmán es directo, lineal. Prefiere el léxico inequívoco, en una organización sin excesivos colores retóricos, que ofrece conscientemente una objetividad expresiva; no se trata de ganar grados en el estilo por los procedimientos comunes de la imitación del latín o del italiano, sino por la disciplina a que se somete la lengua en la función de expresar estos contenidos de condición histórica, pero no referida al pasado, sino a los afanes de la vida cercana o inmediata.

Hernando del Pulgar (1430?-1493?) escribió los *Claros Varones de Castilla* [12], obra semejante en su intención literaria a las *Semblanzas,* con análoga adscripción a la *descriptio* retórica, pero de la que la separan diferencias de estilo. *Los Claros Varones* no tienen la concisión expresiva de la obra de Pérez de Guzmán, sino un mayor gusto por la ornamentación retórica

---

[12] Hernando del PULGAR, *Claros varones de Castilla,* edición de Jesús DOMÍNGUEZ BORDONA, Madrid, Espasa-Calpe, 1942; edición de Robert B. TATE, Oxford, Clarendon, 1971.

que da al conjunto un estilo de Corte semejante al que presenta el arte plateresco. Hernando del Pulgar acaba por vencer su rebeldía y rinde gozosamente su persona al servicio de los Reyes Católicos, pues junto a los veinticuatro retratos de personas de la Corte de Enrique IV, escribe una *Crónica de los señores Reyes Católicos*, cortada por el patrón de Tito Livio.

Además de estas galerías de retratos breves de grandes señores, abundan en el siglo xv las Crónicas personales de relativa extensión: J. de M. Carriazo las ha publicado sistemáticamente (así las referentes a don Álvaro de Luna y al Condestable Miguel Lucas de Iranzo). Recordemos lo que se dijo sobre las Crónicas de los Reyes de los siglos xiv y xv, que a veces semejan historias particulares, pues en algunos casos ponen de relieve más la aventura del señor, aunque éste sea el Rey, que la empresa colectiva. La más característica de las Crónicas personales es la titulada el *Victorial* o *Crónica de Pero Niño* [13], acaso la de más crecido valor literario. Gutierre Díez de Games es el autor; él mismo se declara criado de Pero Niño y testigo de las hazañas de su señor. Gutierre Díez conoce el oficio de escribir: su fin es contar los hechos del caballero, y para ello, en primer lugar, sitúa la vida de Pero Niño en el orden universal: hermosa construcción espiritual que es una justificación de la caballería, sabiamente realizada; en ella queda fijado el lugar del héroe, que no es un ente de ficción sino un hombre que existe en la vida contemporánea y convive con los otros hombres. Y, después de esto, pasa en el relato a contar la acción, que es la aventura del caballero. Pero Niño no es un Amadís imaginado por un autor de relatos de ficción, sino la realidad de una existencia cuyos episodios acontecen por Europa: en primer término, en España, con su alertada vigilia entre el Mediterráneo y el Atlántico; luego el caballero vive en Francia, cuyas formas de vida son razonadoras y elegantes, y en donde la vida social es un delicado artificio del que la mujer es el centro irradiante;

---

[13] Gutierre Díez de Games, *Victorial* o *Crónica de don Pero Niño, conde de Buelna*, edición de Juan de Mata Carriazo, Madrid, Espasa-Calpe, 1940.

va también a Inglaterra, agreste, con las costas erizadas de rocas y leyendas de misterio. En tan diversos lugares, como caballero europeo, Pero Niño pasea la arrogancia de su linaje y de su acción. La obra de Gutierre Díez enlaza la intención didáctica de mostrar las cualidades del hombre activo con el panegírico del señor, al que su autor sirve, pero supera una y otro por la medida humana de su personalidad. Entre el hombre que existe en la España de su siglo y el héroe imaginado del libro de caballerías, se establece una relación de medida humana. El caballero Pero Niño está en la cresta de las dos vertientes, y su vida resulta como una armonía entre la realidad vivida y la ficción imaginada. Cabe aún la existencia de la caballería en el concierto humano, y la pareja Pero Niño-Gutierre Díez tiene mejor suerte que aquella otra imaginada por Cervantes, Don Quijote-Sancho, cuyas aspiraciones se quebraron por serles el tiempo contrario y distinto a sus intenciones. Pero Niño representa en la literatura española el epígono de los caballeros medievales y, a su vez, está en relación con el cortesano de la época siguiente. El comportamiento de Pero Niño reúne la mayor parte de las condiciones del inmediato cortesano renacentista: gusto por las artes, la poesía y la música; la mujer es asimismo esencial en la sociedad de Pero Niño por su bienhechor influjo. El Cortesano tiene en los caballeros, como el descrito en el *Victorial*, la realidad de unas virtudes humanas y sociales que inspiraron su creación y sirvieron para trazar luego el arquetipo literario de Castiglione. El esfuerzo del escritor Gutierre Díez por contar estos hechos, manifiesta la madurez de la prosa narrativa, que logra dar expresión a la afiligranada gracia de estas vidas en un curso lineal y objetivo; es cierto que aún el propósito didáctico y ejemplar se mantiene en el fondo de la obra, y con él una articulación expositiva de orden escolástico con su desarrollo razonador, pero ya la actividad y gallardía del personaje llenan de vida esta disposición formal y comienza a valer el hecho individual por sí mismo, como sustancia, en la comunicación de esta prosa.

a) *La corriente latinizante.*—Una corriente claramente determinada en el conjunto de la época es la que hace patente la intención de acercar lo más posible el castellano al latín en una imitación que se considera de mejor calidad cuanto más cerrada resulta; crúzase con ella un mejor conocimiento del italiano, muchas veces dentro de un cauce común entre esta lengua y el latín. La prosa escrita en la lengua vernácula gana grados en su apreciación dentro de la teoría medieval de los estilos: el humilde queda determinado por personajes como el pastor; el medio, que antes se había adscrito a las cortes de grandes señores, sobrepasa estos límites, y, en las nuevas circunstancias, el escritor en la lengua vernácula aspira al estilo elevado mediante el esfuerzo de los procedimientos retóricos, el tratamiento de asuntos nobles y el apoyo de la maestría de los antiguos. El uso de la prosa para las traducciones de obras antiguas favoreció esta elevación de la dignidad retórica. Recuérdese lo indicado en el capítulo de la prosa religiosa; desde el período prealfonsí se traduce y glosa la Biblia y se utiliza en abundancia en sermones y tratados de la más diversa índole. Lo mismo ocurrió con los Padres de la Iglesia y los grandes tratadistas religiosos del latín medieval. En el dominio de la literatura gentil pasó algo parecido, sólo que con más libertad; así ocurre, por ejemplo, con la *Eneida* en el traslado de Enrique de Aragón o de Villena (1384-1434), con el *Homero romanceado* en la versión de Juan de Mena (edición de 1519) y con las mencionadas *Epístolas* de Séneca, por Pérez de Guzmán (edición de 1496), etc. Estas versiones no poseían el rigor filológico que luego se pediría a tales trabajos, y a veces no se acudía a las mismas obras originales sino a resúmenes o traslados, pero el efecto se logra. La cercanía del original latino con la versión romance fue motivo de que la prosa ganase agilidad y campos de expresión cada vez más amplios, a medida que la filología establecía mejores textos.

b) _Los tratados enciclopédicos y políticos._—En este campo hay que situar los grandes tratados que reúnen la larga experiencia del didactismo medieval, en este caso ya en sus últimas formas, antes que la disciplina humanística imponga una renovada cohesión de los elementos en juego y abra las modalidades renacentistas de la didáctica. Los _Tesoros_ o libros enciclopédicos, con el de Brunetto Latini (en versión castellana de fines del siglo XIII), a veces insertos en marcos diversos (como en el _Libro del caballero y del escudero_, de Juan Manuel), alcanzan la condición de obras extensas; en estas versiones tardías el propósito didáctico logra su más completo desarrollo, expuesto en un arte literario maduro en el que ejerce plenamente su función la expresión alegórica, en combinación con la escolástica razonante.

Abundan en el siglo XV las obras de carácter político que estaban representadas en un principio por los libros de consejos a los gobernantes y sobre todo a Reyes _(Bonium,_ Juan Manuel, etcétera); la obra de Egidio Colonna _De regimine principum_ obtuvo gran difusión en España, y la tradujo hacia 1345 Juan García de Castrojeriz (edición de 1494)[14]. Esta corriente de literatura política dio lugar a extensos tratados que, entre otros, escribieron Diego de Valera, Alfonso de Cartagena, Rodrigo de Arévalo y Alfonso de Palencia[15].

La obra que mejor funde estas diversas especies del didactismo enciclopédico medieval es la _Visión delectable de la filosofía y artes liberales, metafísica y filosofía moral_[16] (como reza el título de la edición de 1526), de Alfonso de la Torre, libro

---

[14] Véase Fernando RUBIO, «_De regimine principum_» de Egidio Romano en la literatura castellana de la Edad Media, «La Ciudad de Dios», CLXXII, 1960, págs. 32-71.

[15] El tomo CXVI de la «Biblioteca de Autores Españoles», titulado _Prosistas castellanos del siglo XV_, prólogo y ed. de Mario PENNA, I, Madrid, Atlas, 1959, está dedicado a la obra política de Diego de Valera, Alonso de Cartagena, Rodrigo de Arévalo y Alfonso de Palencia.

[16] _La Visión delectable_ del Bachiller Alfonso de la Torre puede leerse en el tomo XXXVI titulado _Curiosidades bibliográficas_, de la «Biblioteca de Autores Españoles», Madrid, Rivadeneyra, 1850, págs. 339-402.

compuesto hacia 1440 y de gran difusión (además de los manuscritos, se conocen acaso más de siete ediciones hasta 1554, y traducciones al catalán (1484) e italiano (1566); esta obra representa la culminación del uso de la prosa artística medieval para la expresión unitaria de estos asuntos que pronto derivaría al reparto, dividiéndose los diversos campos, del contenido. La perfección de la obra se ha de considerar dentro del orden de pensamiento al que pertenece, y su homologación en cuanto a su situación en una línea de progreso intelectual se ha de establecer en relación con el sistema de la base de su estructura. En este sentido, se ha podido considerar como índice del retraso cultural de España, siendo así que un juicio comparativo de esta especie con otras obras y lugares resulta improcedente.

c) *Los tratados moralizantes.*—Junto a estos libros de recopilación universal florecieron en el siglo xv otras obras relacionadas, en parte, con el fondo religioso medieval y que, conservando aún estas raíces, adoptan un carácter más profano. Así fue lo que hizo Alfonso Martínez de Toledo (1398?-1470?) en cuanto a una peculiar remodelación del sermón. Entre otros libros de carácter religioso, escribió uno que se conoce con el título de *Corbacho* (que no tiene que ver de manera directa con el *Corbaccio* italiano), o mejor aún, con el de *Arcipreste de Talavera*, y también con el de *Reprobación de amor mundano* [17]. En este libro el Arcipreste reunió en una misma obra dos modalidades de prosa de distinto carácter; una procede de la imitación del estilo eclesiástico de los Padres de la Iglesia, y otra, que quiso ser un reflejo artístico de la conversación popular imitando la manera de hablar del pueblo llano. Esta obra

---

[17] Alfonso MARTÍNEZ DE TOLEDO, *Arcipreste de Talavera*, edición de Joaquín GONZÁLEZ MUELA y Mario PENNA, Madrid, Castalia, 1970; edición de Consuelo PASTOR SANZ, Madrid, Magisterio Español, 1971; edición de Alicia YLLERA, Madrid, Planeta, 1977; estudio general en E. Michael GERLI, *Alfonso Martínez de Toledo*, Boston, Twayne, 1976; las tradiciones del amor idealizador y del que inclina a la misoginia se reúnen en la obra según Christine J. WHITBOURN, *The Arcipreste de Talavera and the Literature of Love*, Hull, University, 1970.

demuestra que la prosa artística medieval se encuentra en un grado de madurez suficiente para conjugar el estilo elevado de la retórica eclesiástica (y su contribución a los libros de la época), con el estilo humilde; el autor recoge el habla popular aprovechando los elementos estilísticos que le convienen, y la remodela reuniéndola en cohesión armoniosa con el estilo elevado, de procedencia eclesiástica. Si bien estas partes populares son ocasionales en el conjunto, el efecto pretendido se logra en forma que un uso de esta naturaleza queda incorporado a la literatura vernácula.

Esta prosa moralizante, de base religiosa, desarrolló una abundante literatura compuesta por manuales de consejos para bien vivir y para bien morir, a veces dirigidos a determinados estados, a religiosos, nobles, doncellas, casadas, etc., en los que abundan las citas bíblicas y sus comentarios en forma aprovechable para los lectores profanos.

Teresa de Cartagena, que nació entre 1420 y 1435, fue una monja agustina o franciscana, descendiente de los Santa María conversos, que escribió dos curiosos escritos, la *Arboleda de los enfermos* [18] y la *Admiración de las obras de Dios*, obras en las que luce un sentido moderno de la introspección sicológica que está en el camino de Santa Teresa. Obras de intención análoga son las de Fray Martín de Córdoba, Fray Lope Fernández de Minaya y Fray Juan Alarcón [19]. Estas obras representan en el dominio de la prosa una corriente literaria religiosa que confluye con la que hemos examinado en el capítulo anterior, en donde aparecían las manifestaciones en verso. Deben, pues, considerarse ambas partícipes de una intención análoga y las dos se

---

[18] Teresa de Cartagena, *Arboleda de enfermos*, edición de Joseph L. Hutton, Madrid, Real Academia Española, 1967.

[19] El tomo II de los *Prosistas castellanos del siglo XV*, «Biblioteca de Autores Españoles» (CLXXI), edición de Fernando Rubio Álvarez, Madrid, «Biblioteca de Autores Españoles», 1964, reúne la obra de Martín de Córdoba, Juan de Alarcón y Lope Fernández de Minaya; del primero hay edición del *Jardín de nobles doncellas*, por H. Goldberg, Portland, Or., University, 1974.

encuentran en este dominio creciente de una espiritualidad que posee una expresión cada vez más ejercitada en la lengua vernácula.

LA PROSA DE FICCIÓN

a) *Relación con la «novella».*—Después de haberme referido a la prosa de hechos reales (realidad del mundo vivido o de la formación y suerte futura del alma), sitúo la prosa que tiene como contenido de comunicación los hechos imaginados por el autor, o sea de carácter ficticio; con esto quiere decirse que los hechos narrados pueden parecer que son reales y el autor cabe que así lo finja; o bien pueden ser imaginados fuera de esta realidad fingida, sin límite en el dominio de la fantasía e inverosimilitud [20]. Ya me referí antes a los cuentos, que representan un desarrollo de la ficción dentro de una intención didáctica, y el *Conde Lucanor* de Juan Manuel resultó la obra más lograda, en una situación cronológica paralela al triunfo de la *novella* en Italia, sobre todo la de Boccaccio.

La historia de esta *novella* hasta alcanzar el grupo genérico de la novela europea [21] es larga y entrecruzada; sus antecedentes se hallan en los relatos de ficción primitivos, en los cuentos con un fin moralizador, y su paso hacia la *novella* viene condicionado por el público. En la base de estos relatos se encuentran los fundamentos sociales de la clase caballeresca, que se verán en los otros libros de ficción medievales (caballerías, sentimentales, etc.); y los motivos más importantes son el amor y la acción aventurera de estos personajes.

---

[20] Información general en John STEVENS, *Medieval Romance, Themes and Approaches*, Londres, Hutchinson, 1973, en relación con textos ingleses y franceses; con igual extensión, Carlos GARCÍA GUAL, *Primeras novelas europeas*, Madrid, Istmo, 1974.

[21] Véase Walter PABST, *La novela corta en la teoría y en la creación literaria. (Notas para la historia de la antinomia en las literaturas románicas)* [1967], Madrid, Gredos, 1972.

No obstante, gracias a la libertad de los principios de la teoría literaria que apoyó a la *novella* desde sus comienzos, el mundo y las acciones de sus personajes crecen y se hacen más variados con la intervención de los burgueses, habitantes de las ciudades, los campesinos agudos, los frailes y hombres de Iglesia que conviven reunidos en este abigarrado conjunto, en el que los lectores pudieron reconocer un reflejo de la realidad social, establecida dentro de un convencionalismo propio del grupo genérico. Los empeños de amor admiten la astucia, y los personajes se valen para esto de los enredos de toda índole, en los que sobresalen los tramados por las mujeres. Y, a través de este enriquecimiento de la anécdota y de los personajes, la *novella* va perfilando el que ha de ser su fin sustancial: «La intención de entretener constituye aún hoy la misión del novelista» [22], señala Vossler. Y el proceso de la novela moderna será desde la Edad Media una progresiva afirmación de este fin. La *novella*, en su desarrollo medieval, representa sólo el comienzo de este proceso hacia la gran novela europea. Y aún cabe decir que la palabra *novela* apenas se encuentra en español hasta avanzado el siglo xv, y sólo se difunde después, en los Siglos de Oro, en un sentido limitado. Ya se trató del caso en el estudio de los inicios de la prosa de ficción: la palabra *cuento* va quedando limitada a la acepción del hecho de contar mediante la palabra oral, en que la comunicación se matiza en cada caso según la gracia del narrador, tal como es propio de la vía folklórica. Por su parte, la palabra *novela* ha de recoger la acepción del relato artístico, sólo transmisible en su integridad textual mediante la lectura. Sin importar si en el fingimiento de la obra el relato se presenta como experiencia de un protagonista o aparece como un cuento narrado en forma independiente, esta novela es obra de extensión relativamente breve, según el modo italiano, a diferencia del *libro*, que es una entidad extensa.

---

[22] Carlos VOSSLER, *La novela y la épica*, en *Formas poéticas de los pueblos románicos*, obra citada, pág. 313.

La *novella*, según el patrón establecido por Boccaccio, penetró en la literatura española en el período renacentista, fuera de los límites de este estudio. La prosa de ficción medieval tuvo en España sus propias manifestaciones; en ellas se recogen grupos genéricos establecidos en el ámbito europeo, del que la literatura española recibe las diversas influencias: así los libros de cuentos, las árabes y antiguas; los libros de caballerías, las francesas y bretonas; los libros sentimentales, las italianas; y los libros epistolares, las italianas y humanísticas.

b) *Los libros de caballerías: el caso del «Amadís».*—Comienzo, pues, tratando de los libros de ficción reunidos en el grupo genérico de «libros de caballerías»[23], que obtuvieron, como se dijo en el capítulo XI, una clasificación en tres materias: la de Francia, la de Bretaña y la de Roma.

Se consideró como materia de Roma unos relatos de ficción, con un contenido narrativo procedente de la literatura alejandrina y de la latinidad tardía, que también penetraron en las literaturas románicas por la vía del verso, en España en el de la cuaderna vía; tratamos antes del *Libro de Apolonio* y desde hace poco se conoce una *Vida e historia del rey Apolonio*, obrita en prosa que traduce un episodio de los *Gesta Romanorum*.

Las otras materias, de Francia y de Bretaña, aportaron un mayor número de obras y más características; en el período final de la Edad Media fueron los libros más propios de la

---

[23] Estudio general en Henry THOMAS, *Las novelas de caballerías españolas y portuguesas* [1920], Madrid, CSIC, 1952, con adiciones, sobre todo en los últimos capítulos. Una información que resume la compleja materia se encuentra en el estudio de Pedro BOHIGAS BALAGUER, *Orígenes de los libros de caballerías*, HGLH, I, págs. 519-541, y *La novela caballeresca, sentimental y de aventuras*, II, págs. 187-236. Colección de textos, con estudio general de Felicidad BUENDÍA, *Libros de caballerías españoles (Cifar, Amadís* —Lovaina, 1551— *y Tirante),* Aguilar, Madrid, 1960. José AMEZCUA GÓMEZ estableció un estudio general, de iniciación, con ejemplos del *Caballero del Cisne, Cifar, Amadís,* y otros en *Libros de Caballerías hispánicos, Castilla, Cataluña y Portugal,* Madrid, Alcalá, 1973.

clase cortesana, caballeros y damas, y su función en la literatura representó como el deporte de las justas y torneos (luchas de entretenimiento) en relación con los combates verdaderos; su expansión fue europea, y formaron una red de obras intrincada, pero de rasgos e intención comunes en donde quiera que existiese el espíritu de la caballería.

Antes de 1500, en los últimos cinco años del siglo anterior lo menos seis libros de caballerías alcanzaron la imprenta. La aportación española a este género fue pequeña; el *Libro del caballero Cifar* [24] puede considerarse como su manifestación más antigua; con un fondo hagiográfico (la leyenda de San Eustaquio), la obra tiene características de relato bizantino con gran cantidad de partes moralizadoras. Cabe también considerarla como obra de este grupo genérico de una manera condicionada, sobre todo por el fin educativo que conlleva, y en la cual curiosamente asoman algunos rasgos picarescos.

Si bien en la literatura española no se dio la conversión en prosa de ficción (libros de caballerías) de la materia literaria procedente de la épica, en alguna ocasión hubo un acercamiento entre los dos grupos genéricos con el resultado de obras situadas en posiciones límites. Así ocurre con la *Crónica sarracina*, escrita hacia 1430 por Pedro del Corral, formando parte de una *Genealogía de los godos con la destrucción de España*. La obra apareció impresa también con el título de *Crónica del rey don Rodrigo*, al que se añadió *con la destrucción de España*

---

[24] Texto: *El Libro del Cauallero Zifar (El libro del Cauallero de Dios)*, edición de Charles Ph. WAGNER, I, Texto, Ann Arbor, University of Michigan, 1929; edición de Martín de RIQUER, Barcelona, Selecciones Bibliófilas, 1951, 2 tomos. Sobre las fuentes, el mismo WAGNER, *The sources of «El cauallero Cifar»*, «Revue Hispanique», X, 1903, págs. 5-104. Estudio de la constitución del libro en James F. BURKE, *History and vision: The figural structure of the Libro del Cavallero Zifar*, Londres, Tamesis, 1974; elementos semíticos, fórmulas y expresiones, en Roger M. WALKER, *Tradition and Technique in «El libro del Cavallero Cifar»*, Londres, Tamesis, 1974; Luciana de STÉFANO, *«El Caballero Cifar», novela didáctico-moral*, «Thesaurus», XXVII, 1972, págs. 173-260.

y luego *cómo los moros la ganaron*, y obtuvo al menos diez ediciones hasta 1587; la *Crónica* trata del asunto que figura en sus títulos a la manera de los libros de caballerías [25].

Pero el más apasionante problema de los libros de caballerías en la Edad Media española radica en el *Amadís* [26]. La cuestión del *Amadís* es una de las más batallonas. En 1350 se menciona este libro en la traducción que hizo Fray García de Castrojeriz del tan difundido tratado *De regimine principum* de Egidio Colonna. Aparece también citado en otros autores de los siglos XIV y XV hasta que, en 1508, Jorge Coci imprime un *Amadís* en Zaragoza, según un texto en el que el regidor de Medina del Campo, Garci Rodríguez de Montalvo, hizo una labor de refundición [27]. Según su declaración corrigió los tres libros primeros, trasladó y enmendó el cuarto y añadió el quinto. La pregunta que se ha planteado ha sido esta: ¿Cómo era el *Amadís* medieval? La discusión de si fue libro castellano, portugués o francés en su origen ha sido ardua, pero ninguna de las noticias sobre un texto anterior al de Montalvo podía darse por segura. En 1956 apareció por vez primera un resto del *Amadís* medie-

---

[25] Véase B. Sánchez Alonso, *Historia de la historiografía española*, I, obra citada, págs. 313-315; su estudio en la *Floresta de leyendas heroicas españolas*, compilada por Ramón Menéndez Pidal, *Rodrigo, el último godo*, I, Madrid, La Lectura, 1927, págs. 107-121, que la considera como la «primera novela histórica» (pág. 107); breve información bibliográfica en páginas 178-183; y antología de textos en págs. 184-287. El texto está en relación con la *Crónica del moro Rasis*. (Véase la nota 9 de este capítulo.)

[26] Información general en Frank Pierce, *Amadís de Gaula*, Boston, Twayne, 1976. Revisión de las cuestiones de la obra en Grace S. Williams, *The «Amadís» Question*, «Revue Hispanique», XXI, 1900, págs. 1-167; un examen de la expresión, en Samuel Gili Gaya, *Amadís de Gaula*, Barcelona, Facultad de Filosofía y Letras, 1956; Frida Weber de Kurlat, *Estructura novelesca del «Amadís de Gaula»*, «Revista de Literaturas Modernas», V, 1967, págs. 29-54.

[27] Textos: La edición más completa, con estudios, es la de Edwin B. Place, *Amadís de Gaula*, Madrid, CSIC, 1959-69, 4 volúmenes, con reimpresión aumentada del I (Madrid, 1971); edición escolar modernizada por Ángeles Cardona de Gisbert y Joaquín Rafel Fontanals, Barcelona, Bruguera, 1969.

val [28]. Por desgracia, son sólo fragmentos de unas páginas del Libro III de la obra, pero resultan lo suficientemente explícitos para asegurar que, a lo menos, hubo un *Amadís* en la Edad Media, escrito en castellano, y que el texto manuscrito era más extenso (parece que como una tercera parte más) que el impreso por Montalvo. Lo más importante ha resultado ser que, contra lo que la crítica en general creía de que Montalvo amplió la obra, su arreglo muestra (al menos en los trozos conservados) que redujo la extensión; la lengua del manuscrito es del primer cuarto del siglo xv, y hay indicios de que procede de una tradición anterior de textos.

c) *Los libros sentimentales: el caso de la «Cárcel de amor».*— Para el estudio de los libros sentimentales [29], hay que tener en cuenta el proceso desde la interpretación musical de la épica hasta su recitado; también la crónica leída pudo ser una lección y un entretenimiento que se mezcló con las obras de ficción, propias de la clase social cortesana. La prosa va progresando hacia la ampliación de las formas de la literatura vernácula, y, en paralelo a la relación: épica-historia-ficción, cabe establecer otro proceso que va desde las formas cantadas en verso de la lírica cortés, a través de los cancioneros que van renovándose con las formas de los *decires* (lírica recitada o leída) hasta las prosificaciones que, valiéndose a veces del artificio de tra-

---

[28] Antonio Rodríguez Moñino, *El primer manuscrito del «Amadís de Gaula» (Noticia bibliográfica)*, «Boletín de la Real Academia Española», XXXVI, 1956, págs. 199-216. Seguido del estudio paleográfico por Agustín Millares Carlo (págs. 217-218 del mismo número); y del lingüístico por Rafael Lapesa (págs. 219-225).

[29] Dinko Cvitanovic, *La novela sentimental española*, Madrid, Prensa española, 1973. José Luis Varela, *Revisión de la novela sentimental*, «Revista de Filología Española», XLVIII, 1965, págs. 351-382. Una comparación entre los libros sentimentales y caballerescos, en Armando Durán, *Estructura y técnica de la novela sentimental y caballeresca*, Madrid, Gredos, 1973; véase el estudio de P. Bohigas sobre los libros sentimentales, citado en la nota 23 de este capítulo.

tados y discusiones de constitución escolástica, adoptan la disposición de lo que llamaré «libros sentimentales». Ocurre que los autores de estos libros suelen serlo de obras de lírica cancioneril, tanto de las que son expresión personal como de las que adoptan la forma de debates; hay algunas que, con sólo cambiar el curso medido del verso por el libre de la prosa, podrían integrarse en los libros. Por otra parte, en estos libros se da la intercalación de estas poesías, que así obtienen un perfecto encaje estilístico con la prosa de la obra.

Un signo constitutivo de este grupo genérico aparece como fundamental: que el relato ocurre en primera persona, apoyándose, a veces, en un *autor* que actúa más o menos directamente dentro del libro, o bien el autor cede el uso de la palabra a los protagonistas para que ellos descubran (en forma muchas veces rigurosamente razonada) al lector el estado de ánimo en que se encuentran, y que es causa de la conducta que exponen. Esta primera persona se ayuda a veces de la segunda (YO-TÚ), pero la obra no llega a ser ni confidencia personal continuada ni tampoco obra de condición teatral, aunque puede valerse parcialmente de algunos de los medios estilísticos de ambas; este orden de relaciones favorece también el uso de la correspondencia epistolar entre los personajes, que se integra en mayor o menor grado en el curso de la obra.

Se considera que el grupo genérico de los libros sentimentales, constituido por pocas obras con un grado escaso de cohesión, comienza hacia 1440 con el *Siervo libre de amor*, de Juan Rodríguez del Padrón [30], culmina a fines de siglo con la *Cárcel de Amor*, de Diego de San Pedro [31] y se ramifica en obras en las

---

[30] Juan Rodríguez del Padrón, *Siervo libre de amor*, edición de Antonio Prieto, Madrid, Castalia, 1976.

[31] Textos de la *Cárcel de Amor*: edición facsímil de Sevilla, 1492, por Antonio Pérez Gómez, Valencia, «la fonte que mana y corre», 1967; edición de Samuel Gili Gaya, Espasa-Calpe, 1967; edición de Keit Whinnom, Madrid, Castalia, 1972; edición de Enrique Moreno Báez, Madrid, Cátedra, 1974; *Tratado de amor con el Sermón*, edición de Keith Whinnom, Madrid, Castalia, 1973. Un planteamiento general en Keith Whinnom, *Diego de San Pedro*, Boston, Twayne, 1974. Una interpretación política de la obra, en

que dominan aspectos diversos de la composición hasta que el proceso de introspección amorosa (después de haber creado la gran obra portuguesa de _Menina e Moça_, de Bernardim Ribeiro (1554), y formas aún mixtas, como la _Ausencia y soledad de amor_, de Antonio de Villegas, edición de 1565), obtiene un triunfo decisivo en la literatura española con la _Diana_, de Jorge de Montemayor, cabeza del género pastoril [32].

Si en los libros de caballerías, acción y amor se reunían, siendo además las soluciones de este último varias y reconociéndose su logro como un bien, en los libros sentimentales la acción se reduce y esquematiza considerablemente. El amor se limita a las formas de la pasión sin correspondencia, propias de la lírica cortés, cuyo convencionalismo, dentro del criterio de que «el que más sufre, es el mejor», se asegura una vez más, en una perspectiva que desde la experiencia literaria de un lector actual se puede denominar romántica.

Los propósitos de prosificar las situaciones o glosar las motivaciones implícitas en la lírica cortés tenían antecedentes conocidos en la literatura italiana; desde la _Vita Nuova_ de Dante hasta la _Fiammeta_ de Boccaccio encontramos situaciones válidamente análogas; y lo mismo ocurre con la humanística _Historia de duobus amantibus_ (1444) de Eneas Silvio, después papa Pío II, muy leída y traducida, que usa en abundancia del retoricismo epistolar. Estos títulos, propuestos por Menéndez Pelayo como arranque de los libros sentimentales españoles, aportan, en efec-

---

Francisco MÁRQUEZ VILLANUEVA, _Cárcel de amor (novela política)_, [1966], en _Relecciones de literatura medieval_, Sevilla, Universidad, 1977, págs. 75-94; insiste en sus puntos de vista, planteando el caso como un ejemplo de la metodología, en _Historia cultural e historia literaria: el caso de la «Cárcel de Amor»_, artículo aparecido en _The Analysis of Hispanic Texts: Current Trends in Methodology_, New York, Second York College Colloquium, 1976, págs. 145-157. Por su parte K. WHINNOM expuso sus argumentos en la antes mencionada edición del _Tratado de amor_, págs. 14-21. Estudio fundamental de la obra, en Regula LANGBEHN-ROHLAND, _Zur Interpretation der Romane des Diego de San Pedro_, Heidelberg, C. Winter, 1970.

[32] Véase mi obra _Los libros de pastores en la literatura española_, Madrid, Gredos, 1974.

to, una experiencia paralela, pero los críticos más recientes señalan que las obras sentimentales de nuestra literatura son más radicales en los diversos aspectos que conjugan, el alegorismo es más funcional en la trama, y las pruebas y exposiciones se inclinan al rigor escolástico, de forma que es evidente un aire más medieval que humanístico; la condición del amor se muestra inflexible hasta insinuar las extremosidades de la honra personal mezclada con la social; la aventura sentimental no se enriquece por la vía sicológica, sino por el rigor de un curso que sólo conduce a la muerte inexorable o, en el mejor de los casos, a la apatía filosófica; el juego del convencionalismo cortés se establece en sus modalidades más rigurosas, gozándose con la negación de la carne; también el retoricismo es el signo externo de esta exaltación espiritual del sentimiento humano, de tal manera que estas obras resultan joyas estilísticas en punto al arte de su creación.

Gallego, del Padrón, es Juan Rodríguez de la Cámara, de confusa y movida biografía, autor del mencionado *Siervo libre de amor*, compleja obra, en forma declarada de «Tratado», en la que se suceden las confidencias de la intimidad sentimental —¿propia?— con un relato de aventuras de caballerías.

La *Cárcel de amor* (escrita entre 1483 y 1492, difundida por una edición de Sevilla, seguida de por lo menos 20 ediciones españolas, y de 9 con texto español y francés, y 18 traducciones al catalán, italiano, francés, inglés y alemán, sin contar las modernas) es la obra que ofrece la fórmula más afortunada del grupo. Estuvo precedida (y aun puede decirse que pudo ser paralela) del *Tratado de Arnalte y Lucenda, por elegante y muy gentil estilo hecho por Diego de San Pedro, enderezado a las damas de la reina doña Isabel. En el cual hallarán cartas y razonamientos de amores de mucho primor y gentileza...* (Según el título de la edición de Burgos, 1491, con sólo dos o tres ediciones siguientes). El solo título sirve como suficiente indicio del contenido: cuenta una triste historia de amor, desarrollada en un ambiente de malos augurios.

El equilibrio, en cierto modo inestable, pero eficaz, de la materia sentimental, conjugada con los toques caballerescos y ayudándose de los recursos epistolares, se nos ofrece mejor logrado en la *Cárcel de Amor*. El argumento de la anécdota es leve: el autor relata cómo va a un castillo, cárcel de Amor, donde está preso Leriano; el castillo es una alegoría que el preso explica punto por punto. Leriano cuenta al autor su amor por Laureola, hija del rey; el autor, conmovido por el caso, consigue que se entable una correspondencia entre ambos enamorados. Acusada falsamente la dama por lo que se creen amoríos indignos, se la condena a muerte; la liberta su amante, pero ella lo rechaza, y el caballero muere de pena de amor. La *Cárcel de Amor* se aparta de los libros de caballerías en que el feliz fin amoroso que era de esperar entre Leriano, vencedor de lides, y Laureola, salvada por el esfuerzo del caballero, no puede realizarse por cuanto, aun contando con el cuidado que pone él en salvar incluso las apariencias de la honra («Tanto deseaba Leriano guardar su honestad [la de Laureola] que nunca pensó hablarla en parte donde sospecha en ella se pudiese tomar...») [33], la doncella rechaza a Leriano para demostrar así paradójicamente a la vez el secreto de su pasión y que pudieran parecer ciertas las imputaciones del mal amor de que se les había acusado, con lo que condena a muerte al caballero, mártir así del amor. Por este camino se aseguran para el siglo siguiente el predominio argumental de los amores «honestos» en los libros de pastores. El libro obtuvo una gran fortuna, según muestra el gran número de ediciones, como lectura cortesana; y este espíritu que pone por delante la fuerza de las apariencias convencionales como una medida del amor, se difundió a través de los manuales de cortesanía del Renacimiento. La mujer como dama no podía lograr una más alta consideración, puesto que así se convertía en señora absoluta de la vida del caballero. Leriano moría de mal de amores para que el servicio de amor se demostrase, y sus últimas

---

[33] Diego de San Pedro, *Cárcel de amor*, edición citada de K. Whinnom, pág. 150.

palabras eran una encendida y escolástica exposición con quince causas y veinte razones en defensa de las mujeres.

De esta manera, los libros sentimentales se escriben en defensa de las mujeres dentro del curso de un debate abundante en la literatura medieval. Como contrapartida puede señalarse otra obra en prosa, del escritor Luis de Lucena, autor de una *Repetición de amores*, aparecida en edición de 1493 [34]. El «Tratado de amores» toma en este caso forma de «repetición» (o memoria presentada a la Universidad, de Salamanca en este caso), y justifica así que literalmente la cuestión se trate con empaque doctoral, un mucho pedante, lejos de la cortesanía inherente a las obras anteriores. Esta obra no tuvo trascendencia en los lectores, pero sí obtuvieron favor la *Historia de Grisel y Miravella* y el *Breve tratado de Grimalte y Gradissa* [35], aparecidas después de la *Cárcel de Amor* en impresiones de 1495, obras de un oscuro Juan de Flores, que se tradujeron al italiano, francés, inglés, alemán e incluso al polaco, y dejaron huella en algunas obras de la literatura universal.

Finalmente añadiré que esta diferente gradación entre la alegoría, el tratado didáctico del caso de amor y la anécdota, también podía establecerse en el cauce de la literatura epistolar [36], como en el *Proceso de cartas de amores que entre dos*

---

[34] Luis de Lucena, *Repetición de amores*, edición de José María de Cossío, Madrid, Joyas bibliográficas, 1953, edición de Jacob Ornstein, Chapel Hill, University of North Carolina, 1954.

[35] *Grimalte y Gradissa*, edición de Pamela Waley, Londres, Tamesis, 1971, con estudio del influjo de Boccaccio. Por los numerosos datos que contiene sobre esta literatura sentimental de fines del siglo xv, es de interés el estudio de literatura comparada de Bárbara Matulka, *The Novels of Juan de Flores and Their European Diffusion*, New York, Institut of French Studies, 1931, que publica los textos de ambos libros.

[36] Véase Charles E. Kany, *The Beginnings of the Epistolary Novel in France, Italy and Spain*, Berkeley, University of California Press, 1937. Para la función literaria del epistolario medieval, y el estudio de sus cauces retó- ricos, mi *Antología de Epístolas*, Barcelona, Labor, 1960, págs. 57-64, y una selección en págs. 215-254.

amantes pasaron (obra impresa tardíamente en 1548)[37], antecedente de las novelas epistolares desarrolladas en el siglo XVIII.

LA CONCIENCIA DE LA TEORÍA
LITERARIA EN LA OBRA EN VERSO

Las modalidades de la poesía cancioneril se mantienen en el período final de la Edad Media de manera pujante. Prosiguen las diversas especies de la misma, con un peculiar desarrollo de las que resultan expresión literaria de las situaciones sociales, políticas y humanas. El injerto de la poesía popular caracteriza sobre todo el período final, y así aparece en el *Cancionero* de Hernando del Castillo, ya mencionado, y en otros. Una nota que hay que señalar es un aumento de la conciencia de la teoría literaria, que da lugar a la aparición de Tratados sobre el asunto; se trata del desarrollo de lo que fue ya constitutivo de la tradición provenzal, adecuado al caso. Una pieza fundamental de este rasgo fue la *Carta-Prohemio* del Marqués de Santillana[38], de la que se hizo abundante uso en la parte teórica.

LOS MAESTROS DEL VERSO EN EL S. XV:
J. MANRIQUE, SANTILLANA Y MENA

a) *Un período monótono.*—La perfección técnica que alcanzó el cultivo artístico de las distintas modalidades de la poesía cancioneril crea una situación de la que el escritor difícilmente puede salir para destacarse en primera fila con un despliegue de características personales. La nómina de escritores del siglo XV es muy extensa, pero su calificación crítica es monótona:

---

[37] Edición crítica de Edwin B. PLACE, Evanston, Northwestern University, 1950.

[38] Véase la nota 19 del capítulo V, págs. 155-156. Para el estudio del verso castellano en el siglo XV de los autores que menciono y otros más, véase Dorothy C. CLARKE, *Morphology of the Fifteenth Century Castilian Verse*, Pittsburgh, Pa., Duquesne University, 1964.

difícilmente pueden distinguirse las poesías de un autor de las de otro, sobre todo si se eligen de entre las que corresponden al tono medio y general de la época. El aire del Cancionero aparece en todas partes, y la renovación procedente de la poesía popular no sirve para apoyar rasgos personales porque por naturaleza es también obra que rechaza la huella del creador original. De todas maneras, como ocurre siempre que se está ante un depósito amplio de poesía, pueden elegirse algunos autores dentro de los cuales se hallan determinadas obras que han pasado a ser las piezas maestras del período. Pero hay que tener en cuenta que en estos mismos autores domina la obra cancioneril común por lo general, y que sólo una crítica que matice muy apuradamente logra juicios sobre el carácter personal de este conjunto de poetas en la obra de cada uno.

Dentro de esta monotonía pueden señalarse, sin embargo, algunas soluciones poéticas definitivas en su grado estético y definidoras en su relación con la época; así ocurre con la quintaesencia del medievalismo, con el equilibrio en el filo del tiempo nuevo, y con la pasión humanística de la nueva época que apunta; y añadiré un párrafo sobre las *Coplas satíricas* que suelen citarse como características del turbulento reinado de Enrique IV [39].

b) *Jorge Manrique.*—En Jorge Manrique [40] (1440?-1479) hallamos un poeta situado de manera muy característica dentro de

---

[39] Los poetas que estudio en los próximos epígrafes aparecen reunidos en una exposición de conjunto en Domingo YNDURÁIN, *Los poetas mayores del XV (Mena, Santillana, Manrique)*, en *Historia de la literatura española*, planeada por J. M. Díez Borque, edición citada, I, págs. 425-461. Los textos de los mismos se encuentran en el *Cancionero castellano del siglo XV*, edición citada de R. FOULCHÉ-DELBOSC (J. Manrique, I, págs. 228-256; Santillana, II, págs. 449-575; y Mena, I, págs. 120-221); por desgracia, la edición carece de referencias bibliográficas.

[40] Textos: *Cancionero*, edición de Augusto CORTINA, Madrid, Espasa-Calpe, 1971, 6.ª edición; *Poesía*, edición de Jesús Manuel ALDA TESÁN, Madrid, Cátedra, 1976; edición modernizada de Margarita SMERDOU, Madrid, Novelas y Cuentos, 1975. Estudios de Ana KRAUSE, *Jorge Manrique and the Cult of Death in the Cuatrocientos*, Berkeley, University of California, 1937; Luigi SORRENTO, *La poesia e i problemi della poesia di Jorge Manrique*,

la obra de Cancionero. Fue un noble engreído de los tiempos de Juan II y Enrique IV, que participa, como los de su clase, en un común ideal poético de carácter cortesano, y lo manifiesta en la depurada técnica de que da muestras su estilo. Sin embargo, en una de las poesías logró el acierto genial: las *Coplas a la muerte de su padre* representan una obra culminante en el género, expresión del más alto logro de la poesía medieval española. Y el acierto no radica en el grupo genérico (que es el *planctus* medieval, autorizado por la elegía antigua) ni en el motivo personal (la pena del hijo por la muerte de su padre), ni en su interpretación (suma de tópicos sobre la poquedad humana, reunidos con la consideración propia de las Danzas de la muerte); estos elementos son comunes a la literatura de la época. El acierto se encuentra en el logro de una tensión poética de orden universal en la expresión de un dolor que es común a cada hombre. La aflicción de la experiencia personal del caso (pues el caballero muerto es su padre) queda templada por una lección de conformidad universal en cuanto a lo que es el inevitable curso de la vida seguida de la muerte, asegurada en la condición humana. La reflexión religiosa del caso no ahoga el sencillo patetismo del caso civil, pues es un hombre de Corte el que escribe, y una serena aceptación del destino se conjuga con la esperanza de la vida eterna. Los lugares comunes vuelven a su hondura poética original, y las expresiones reviven con un brío que había quedado inerte en el virtuosismo técnico de esta poesía de Cancionero. La estrofa de pie quebrado [41] resulta perfecta para contener de manera elástica el entrecortado discurrir de la elegía personal, a la que da fuerza un noble dolor de hijo, noble por lo que tiene de expresión de la virtud cristiana de

---

Palermo, Palumbo, 1941; Pedro SALINAS, *Jorge Manrique o tradición y originalidad*, obra citada; Antonio SERRANO DE HARO, *Personalidad y destino de Jorge Manrique*, Madrid, Gredos, 1966; Américo CASTRO, *Cristianismo e Islam, Poesía en Jorge Manrique* [1958], en *Los españoles: cómo llegaron a serlo*, Madrid, 1965, págs. 179-196.

[41] Tomás NAVARRO, *Métrica de las coplas de Jorge Manrique*, [1961], en *Los poetas en sus versos. Desde Jorge Manrique a García Lorca*, Barcelona, Ariel, 1973, págs. 67-86.

respeto al padre según el mandamiento de Dios, y noble como corresponde al linaje de la familia de los Manrique.

c) *El Marqués de Santillana.*—Entre Manrique y Mena, Íñigo López de Mendoza, Marqués de Santillana (1398-1458) [42], aparece como una acabada figura de esta época difícil. Considerado como uno de los claros varones de Castilla, Fernando del Pulgar dijo de él: «Tuvo en su vida dos notables ejercicios: uno, en la disciplina militar, otro, en el estudio de la ciencia». Con *ciencia* quiso decir su condición de hombre de letras, no ya poeta sólo, sino también teórico de la literatura, historiador y crítico, y como tal se ha mencionado varias veces en esta obra con motivo de su Carta al Condestable de Portugal. De una parte, su ciencia se hallaba en el conocimiento del arte poético y de su técnica; también fue impulsor del humanismo filológico, como se dijo; sus lecturas están probadas en el catálogo de su biblioteca. Por otra parte, su condición de poeta fue varia; si la ciencia le inclinaba desde el estilo cancioneril a abrirse al influjo italianizante, su buen gusto lo acercó al cantar tradicional; siguió valiéndose de la alegoría de origen dantesco en combinación con los recursos mitológicos, como en la *Defunsión* dedicada a su maestro Enrique de Villena. Si la reflexión cortesana le hizo escribir

---

[42] Bibliografía: *Los libros del Marqués de Santillana*, Madrid, Biblioteca Nacional, 1977. Textos: *Obras completas*, edición de José AMADOR DE LOS RÍOS, Madrid, Rodríguez, 1852 (con intención de ser completa, pero anticuada); *Los Proverbios con su glosa*, edición facsímil de la de Sevilla, 1494, por Antonio PÉREZ GÓMEZ, Valencia, «...la fonte que mana y corre...», 1965; *Canciones y decires*, edición de Vicente GARCÍA DE DIEGO, Madrid, La Lectura, 1912; *Poesías Completas* (I, Serranillas, cantares y decires, y sonetos), edición de Manuel DURÁN, Madrid, Castalia, 1975; *La Comedieta de Ponza*, edición de Maximiliaan P. A. M. KERKHOOF, Groningen, texto en copia facsímil mecanografiada, 1976. Estudios: información general en David W. FOSTER, *The Marqués de Santillana*, Boston, Twayne, 1971; Rafael LAPESA, *La obra literaria del Marqués de Santillana*, Madrid, Ínsula, 1957; Joaquín GIMENO CASALDUERO, «*La Defunsión de don Enrique de Villena*», del Marqués de Santillana: composición, propósito y significado [1974], en *Estructura y diseño en la literatura castellana medieval*, obra citada, páginas 179-195.

obras didácticas de envergadura, no desdeñó anotar el refrán. «Hombre completo y armónico» lo llama Rafael Lapesa, y lo es en un tiempo en que este propósito es de difícil realización. Al asegurar así el equilibrio en su obra, no se entrega a una sola voluntad de acción o a una sola teoría, sino que elige con un criterio amplio y armónico, y con ello demuestra una condición humanística que no depende ya sólo de la educación en las letras antiguas y su cultivo, sino que es efecto de su curiosidad y buen sentido artístico.

d) *Juan de Mena.*—Juan de Mena [43] (1411-1456), el humanista bifronte, representa la otra diversa especie de escritor. Con una formación humanística que se aseguró en Salamanca y se coronó en Roma, ocupó en la Corte de Juan II el cargo de secretario de cartas latinas, y fue caballero veinticuatro de su ciudad natal, la Córdoba de Lucano y Séneca. En él se rompe la armonía de letras y armas para quedarse sólo con las primeras. Menéndez Pelayo lo consideró el primer hombre puro de letras en la literatura española; en este período crítico su función fue un intento de renovar la literatura avanzando en temas, en técnica y en expresión por la vía culta de la imitación vivificadora del latín. En Mena se desdibuja la armonía de las letras y las armas

---

[43] Textos: *Las CCC* o *Laberinto de Fortuna*, ed. facsímil de la de Sevilla, 1496, por Antonio Pérez Gómez, Valencia, «...la fonte que mana y corre...», 1955; edición de José Manuel Blecua, Madrid, Espasa-Calpe, 1943; edición de John G. Cummins, Salamanca, Anaya, 1968 (sobre el ms. 229 de la Biblioteca Nacional de París); edición (con grafía medieval regularizada) con los *Poemas menores* de Miguel Ángel Pérez, Madrid, Editora Nacional, 1976; edición de Louise Vasvari Fainberg, Madrid, Alhambra, 1976 (sobre el manuscrito de París, con grafía medieval regularizada). Véase Marcel Bataillon, *La edición princeps del «Laberinto» de Juan de Mena* [1951], en *Varia lección de clásicos españoles*, Madrid, Gredos, 1964; estudio básico: María Rosa Lida de Malkiel, *Juan de Mena, poeta del prerrenacimiento español*, México, El Colegio de México, 1950. Ph. O. Gericke, *The Narrative Structure of the «Laberinto de Fortuna»*, «Romance Philology», XXI, 1968, págs. 512-522; *Tratado de amor (atribuido a Juan de Mena)*, edición crítica de M. L. Gutiérrez Araus, Madrid, Alcalá, 1975; *Tratado sobre el título de Duque*, edición crítica de Louise Vasvari Fainberg, Londres, Tamesis, 1976. Sobre las cuestiones de la métrica de Mena, véase pág. 178.

como representación del ideal de la Corte. Si bien en su obra funciona con eficiencia el determinismo social del linaje y sus consecuencias, su labor de autor (creador) aparece en un primer término y orienta el estilo con la intensidad del rasgo de época que era el latinismo.

Sus obras aún tienen una disposición medieval: tanto su poesía breve como los grandes poemas pertenecen al arte cancioneril, al que en muchas ocasiones se atiene siguiendo la norma común; hay en sus escritos una voluntad de estilo que le hace pulir y ajustar las piezas de la expresión con un sentido nuevo: la «regla de Juan de Mena» como dijeron otros poetas es un esfuerzo inteligente por arrimarse al artificio que lo hizo triunfar, pues su fama quedó asegurada como la del poeta más notable del período.

Es claro su intento por penetrar en la obra de los antiguos y pasarla a la lengua romance. Esto lo hizo, por ejemplo, en su *Iliada en romance u Homero romanceado,* que tomó de una obra, *Ilias latina* (atribuida a un Píndaro Tebano y a Silio Itálico y por un manuscrito del siglo XV a un desconocido Baebius Italicus), y en los comentarios procedentes de la materia ovidiana que se hallan esparcidos en las glosas exegéticas de la *Coronación del Marqués de Santillana* [44]. Es significativo este hecho de que el poeta escriba su propio comentario, y que del elogio al otro poeta amigo salga un tan abundante muestrario de referencias y leyendas, expresadas ya con un decidido sentido artístico; así ocurre con la que M. R. Lida considera la mejor traducción de la obra, realizada sobre una fábula de Ovidio [45]. Toda esta ciencia literaria, en forma de aparato crítico de las ediciones, fue a parar a la imprenta de los incunables. De Mena escribió M. R. Lida en su analítico estudio: «hombre de dos edades, no se contenta con un ideal fecundo en el pasado y tiende a otro, al

---

[44] *La Coronación,* edición facsímil de la de ¿Toulouse, 1489?, por Antonio Pérez Gómez, Valencia, «...la fonte que mana y corre...», 1964.

[45] M. R. Lida, *Juan de Mena, poeta del prerrenacimiento español,* obra citada, págs. 134-136; el texto se encuentra en los folios LXI vuelto-LXIII vuelto *(Metamorfosis,* IV, 297; fábula de Sálmacis y Hermafrodito o Troco).

ideal de la prosa latina clásica que plantea al romance un delicado problema de adaptación y trae aparejada una alteración total en la concepción del estilo elevado» [46].

El poema que lo puso en primera línea fue durante mucho tiempo *El Laberinto*, obra cuya intención estilística se empareja con la de Dante en la *Divina Comedia;* lo mismo que ésta, termina a la manera de comedia (esto es, con un buen fin). Representa el propósito de unir los estilos «tragedio [trágico] y cómico», como lo propuso Benvenuto di'Imola, con la intención de lograr una manifiesta demostración del estilo elevado. El vigor de la obra ha hecho que se pueda interpretar como un poema épico, recogiendo la tradición medieval de la elevación estilística [47].

Aunque hoy puede parecer que Mena se excedió en su propósito, hay que tener en cuenta que su obra aparece en un medio literario en que la tendencia culta era la moda imperante; y, en relación con el gusto de su época y contorno, siguió la corriente latinizante con un buen instinto lingüístico. Sin embargo, el dominio de esta moda de signo culto cambió pronto, y con Garcilaso y los suyos la lengua poética corrió por otros cauces. Con todo, aunque la obra de Mena quedase pronto como un esfuerzo sobrepasado por lograr una lengua específicamente poética (y por eso, artificial), su consideración literaria siguió manteniéndose en alto, y su obra fue publicada con comentarios, como la de los antiguos [48]. Se le tuvo como el primero en la línea

[46] Ídem, pág. 147.

[47] Véase Dorothy C. CLARKE, *Juan de Mena's «Laberinto de Fortuna»: classic epic and mester de clerecía*, Mississipi, University, 1973.

[48] Hernán NÚÑEZ DE TOLEDO fue autor de una edición con *Glosas* de este *Laberinto* (Sevilla, 1499, enmendada en Granada, 1505, y luego repetidas veces impresa), de la que se trató antes. Sobre el trabajo que hizo Hernán Núñez con la obra de Mena, véase Florence STREET, *Hernán Núñez and the earliest printed editions of Mena's «El laberinto de Fortuna»*, «The Modern Language Review», LXI, 1966, págs. 51-63; y Karl KOHUT, *Der Kommentar zu literarischen Texten als Quelle der Literaturtheorie im spanischen Humanismus. Die Kommentar zu Mena und Garcilaso de la Vega*, en *Der Kommentar in der Rennaissance*, ed. August BUCK y Otto HERDING, Boppard am Rhein, H. Boldt Verlag, 1975, págs. 191-208.

de los «maestros», esto es, de los consagrados por la fama literaria. En efecto, en una Máscara celebrada en Madrid, «Triunfo de la Verdad a San Isidro» (1622?), van los grandes poetas detrás del dios Apolo; Virgilio y Horacio, Homero y Menandro, Petrarca y Dante, van acompañados de los españoles Juan de Mena y Garcilaso, según se indicó en la pág. 91.

e) *La poesía satírica.*—La poesía satírica, de larga ascendencia medieval [49], halló un medio propicio de desarrollo sobre todo en tiempos de Enrique IV. No hay que pensar, sin embargo, que esta especie poética fuera la decisiva de la época, pues estaba entre las modalidades de la poesía cortés, como entretenimiento de señores; su cultivo se hallaba entre la intención admonitoria y la denuncia de los vicios de la nobleza. Con razón Menéndez Pelayo [50] avisa de que la obra regeneradora de la reina Isabel no fue un patente milagro, como parecería si lo atribuyésemos todo a su acción personal; el propósito moralizador, que estaba en la raíz misma de la obra literaria de la época, dio a veces sus frutos en forma violenta y más o menos declarada, lo mismo que había creado una obra política o doctrinal.

Las *Coplas de Revulgo* se difundieron con una glosa de Hernando del Pulgar [51]; el glosador declara que ésta es una de las

---

[49] Textos en *Coplas satíricas y dramáticas de la Edad Media*, edición modernizada de Eduardo Rincón, Madrid, Alianza Editorial, 1968. Estudios de Julio Rodríguez Puértolas, *Poesía de protesta en la Edad Media castellana*, Madrid, Gredos, 1968; y el de Kenneth R. Scholberg, *Sátira e invectiva en la España medieval*, Madrid, Gredos, 1971, que comprende el desarrollo del tema en las literaturas catalana, gallega y castellana de los siglos XII al XV.

[50] Véase en particular el cap. XV de la *Antología de poetas líricos castellanos*, OC, obra citada, II, págs. 285-302.

[51] *Coplas de Mingo Revulgo*, edición facsímil de la de 1485, por Antonio Pérez Gómez, Valencia, «...la fonte que mana y corre...», 1953; edición facsímil de la de Sevilla, 1545, por Federico Carlos Sainz de Robles, Madrid, Espasa-Calpe, 1972; edición de José Domínguez Bordona, Madrid, La Lectura, 1929; edición facsímil y paleográfica del códice de la Biblioteca Nacional, de Luis de la Cuadra, Madrid, Clavileño, 1963. Atribución a Fray Íñigo de Mendoza por Julio Rodríguez Puértolas, *Sobre el autor a las coplas*

obras que se escribieron «para provocar a virtudes y refrenar vicios», y el comentario pretende «dar a entender la doctrina que dicen so color de rusticidad»[52]. Estrofa tras estrofa, el pueblo, que se llama Revulgo, expone sus quejas, y Pulgar declara el significado con el mismo cuidado que si se tratase de la obra de un filósofo. El estilo elevado no se tenía como adecuado para la afectividad de la sátira, y esta imitación del estilo humilde representa un apurado artificio lingüístico, pues se trata de una imitación poética paralela a la del cultismo. Tal oposición expresiva viene muy bien a esta época compleja, tal como se vio en la obra del Arcipreste de Talavera.

Más lisa es la expresión de las *Coplas del Provincial*[53], sobre las que Menéndez Pelayo lanzó indignadas palabras[54]; no parece, sin embargo, que sea una obra tan tremenda si la situamos en el grupo que le corresponde y cuyo cultivo puede ser medio para difundir la infamia, pero también despropósito audaz de copleros reidores. En estos versos las alusiones van referidas a personas de la Corte, y es probable que fuesen escritas por varios autores y que creciesen en maledicencia en cada retoque. Las cuestiones del linaje son la obsesión de la sátira, y el asunto de los conversos aparece en aguda crisis; apúntanse ya situaciones de este orden, como el de Francisco Tovar, «muy pobre, más por eso triunfando de hidalguía», al que se acusa de converso. Los problemas referidos antes al caso de los judíos están manifiestos, y también las acusaciones de deshonras familiares. Me-

de *Mingo Revulgo*, en *Homenaje a Rodríguez-Moñino*, II, Madrid, Castalia, 1966, págs. 131-143.

[52] Ídem, edición 1485, fol. A.

[53] Antonio Rodríguez Moñino, *El Cancionero manuscrito de Pedro del Pozo (1547)*, Madrid, S. Aguirre, 1950. Este *Cancionero* contiene las *Coplas*, y Rodríguez Moñino se refiere a ellas en las págs. 11-16; y el texto, en las págs. 59-80. Esta obra apareció en el «Boletín de la RAE», XXIX, 1949, págs. 453-509; XXX, 1950, págs. 123-146 y 263-312.

[54] «...pasquín infamatorio...». «El cuadro monstruoso que describe provoca a náuseas el estómago más fuerte» (*Antología de poetas líricos castellanos, OC*, edición citada, II, pág. 288).

néndez Pelayo vio claro al decir que era preciso que hubiese mucha vida en el fondo de aquella agitación monstruosa [55].

Completan el grupo las *Coplas de la Panadera* (o de *Ay, Panadera)* [56], sátira de los nobles que lucharon contra Don Álvaro de Luna en Olmedo, pieza suelta, con violencia análoga a las precedentes.

HUMANISMO Y PRERRENACIMIENTO

Del examen a que se sometió el desarrollo de la prosa y el verso en este período final, se deduce que las corrientes humanísticas fueran perfilándose con más precisión, y ejercieron una función decisiva cuyo encuadre corresponde al concepto general de Prerrenacimiento. Sin embargo, hay que contar también con los otros aspectos de las influencias de Italia y de Francia para que el cuadro resulte completo [57].

Un elemento básico en la caracterización del concepto es el que procede de la consideración de los antiguos, que es una constante en la literatura medieval. Ya se trató de una literatura clerical y se señaló la vía de la consideración del Humanismo, en extremo compleja, con el arrastre de la literatura religiosa y las sucesivas aportaciones de los antiguos gentiles a través de una interpretación variada; no existe un descubrimiento radical de la Antigüedad en los inicios del Renacimiento, sino la progresión de un punto de vista diferente en su percepción e influjo.

Un ejemplo del Humanismo medieval se encuentra en *Los doce trabajos de Hércules* de Enrique de Villena (1384-1434) [58]. El autor usó las conocidas fuentes de Ovidio, Virgilio, Lucano,

---

[55] Ídem, pág. 286.

[56] *Coplas de la Panadera*, edición de Vicente ROMANO GARCÍA, Madrid, Aguilar, 1963; sigue el texto establecido por Miguel ARTIGAS. Otro texto en el *Ensayo...*, de B. J. GALLARDO, obra citada, I, cols. 613-617.

[57] Un planteamiento de la complejidad de factores que intervienen en el concepto del humanismo de la época, en Ottavio DI CAMILLO, *El Humanismo castellano del siglo XV*, Valencia, F. Torres, 1976.

[58] Enrique de VILLENA, *Los doce trabajos de Hércules*, edición de Margherita MORREALE, Madrid, RAE, 1958.

Boecio, etc. El fin que se propuso está claramente determinado: Villena escribe para que su obra «haga fruto y de que tomen ejemplo, acrecimiento de virtudes y purgamiento de vicios; [a]sí será espejo actual a los gloriosos caballeros en armada caballería, moviendo el corazón de aquellos en no dudar los ásperos hechos de las armas y a prender grandes y honrados partidos, enderezándose a sostener el bien común, por cuya razón caballería fue hallada. Y no menos a la caballería moral dará lumbre y presentará señales de buenas costumbres, deshaciendo la tejedura de los vicios y domando la ferocidad de los monstruosos actos...»[59]. Cada capítulo se destina a un estado del hombre en la sociedad: príncipe, prelado, caballero, religioso, ciudadano, mercader, labrador, menestral, maestro, discípulo, solitario; y mujer. La ordenación interna de la materia muestra un rigor de perfección: comienza con la «historia»; sigue la «declaración»; después va la «verdad»; y acaba con la «aplicación». No se manifiesta, pues, la intención de percibir el valor poético del mito, sino de aprovechar la disposición medieval de la exégesis con un fin de enseñanza. En el lenguaje del autor se encuentra el latinismo léxico y sintáctico, pero la obra es una interpretación medieval del mito de Hércules al servicio de la moralización.

Pero el camino de un punto de vista diferente, necesario para el arraigo del concepto de Prerrenacimiento, fue abriéndose en el curso del mismo siglo xv, y un hito más avanzado lo representa, por citar otro ejemplo, una obra de Juan de Mena, autor que sirvió como ejemplo de la madurez de la Edad Media, y cuyos propósitos cultistas fueron enunciados. Es cierto que sigue con la confusión entre los «filósofos» y los poetas, pues en el prólogo de su *Homero romanceado* menciona a Virgilio y Ovidio como «filósofos y scientes»[60]. Si por una parte usa para su versión de la *Ilíada* una tardía y floja abreviación de los libros homéricos, no deja de señalar que la «seráfica y casi divinal obra de Homero» apenas logró pasar del griego al latín, y

<hr/>

[59] Ídem, pág. 7.
[60] Véase M. R. Lida de Malkiel, *Juan de Mena*, edición citada, págs. 138-143 y 531-532.

aún más pobre resulta la traducción en lengua romance. El poeta reconoce que el valor de la creación se halla en la obra original, y no en estas versiones de la latinidad tardía, como tampoco se encuentra en las obras del latín medieval o en las francesas. Mena cita a los antiguos con un cuidado que testimonia el fruto de una consideración filológica en la que se junta el rigor de la erudición y la apreciación de la poesía. Los loores de Homero que escribe Mena «por causar a los lectores nuevo amor y devoción con las altas obras de este autor», señalan un nuevo punto de vista. La «defensa» de la poesía homérica se establece desde una apreciación literaria, y no se atiende a su significación histórica o a su carácter moralizador. El camino, sin embargo, había de ser aún largo, y en cierto modo se establecería más bien en la sensibilidad apreciativa de los escritores, que en obras declaradas [61].

Antonio de Nebrija (1444-1522) es contemporáneo de Juan del Encina (y aun algunos lo tienen por su maestro en Salamanca); hay testimonios declarados de la consideración en que tenía Encina a Nebrija. Pues bien, fue este último el que apareció como el filólogo que hizo posible la formulación decisiva del humanismo que supondría la superación de este concepto de Prerrenacimiento hacia el Renacimiento declarado. La labor se realizó desde el lado de la lengua y asegurando la afirmación de la Retórica; y esto se hizo tomando la base en el latín pero valiéndose también de la lengua vernácula, y dándole dignidad artística y política. No se olvide que Nebrija conocía a fondo lo que había ocurrido en Italia de una manera directa; por otra parte, la enseñanza gramatical formaba parte de la disciplina de las Universidades españolas, y Nebrija tuvo la fortuna de representar el conjunto de esta corriente amplia.

Nebrija actuó desde la cátedra universitaria, desde donde defendió lo que él estimaba como novedad: «Así yo por desarraigar la barbarie de los hombres de nuestra nación, no comencé por otra parte, sino por el estudio de Salamanca...».

---

[61] Véase José María de Cossío, *Fábulas mitológicas en España*, Madrid, Espasa-Calpe, 1952, capítulo I: «Antecedentes medievales» (págs. 11-37).

Dice que sus obras de gramática fueron recibidas «por un maravilloso consentimiento de toda España». Sus *Diccionarios* (latino-español y español-latino) fueron los instrumentos necesarios para compaginar los léxicos de ambas lenguas, puestas en condiciones de corresponderse una a la otra en su función expresiva. El más importante para nuestro propósito es el español-latino, ordenación consciente del léxico de su época; como un signo de la condición crítica de este libro, ya registra la primera palabra americana que entra en el español: «canoa, nave de un madero; monoxjlum-i» [62]. Las *Introducciones* a la Gramática latina van unidas al *Arte de la lengua castellana* (1492), obra capital para servir de hito entre dos períodos.

El caso de la versión de las *Bucólicas* de Juan del Encina es ilustrador, como ya indiqué antes [63].

Sin embargo, la labor y la obra de Nebrija no han de considerarse aisladas del conjunto de los autores que justifican el concepto de Prerrenacimiento. Nebrija tuvo un alto concepto de sí mismo —indudablemente justificado—, pero algunas de sus exposiciones más difundidas por los críticos son más evidentes aciertos de propaganda personal que realidades culturales. El gran movimiento de la literatura del siglo xv fue lo que hizo posible la continuidad que supuso la aparición del Renacimiento, que no fue ni repentino ni sorprendente ni puede depender sólo de la obra filológica de un autor.

---

[62] *Dictionarium latino-hispanorum*, edición facsímil de Salamanca, 1495?, Madrid, RAE, 1951.

[63] Véase J. Richard ANDREWS, *Juan del Encina, Prometheus in Search of Prestige*, Berkeley, University of California Press, 1959, págs. 33-53; aparecerá pronto un estudio mío sobre el *Arte poética* de Encina.

Capítulo XXI

LA CONSIDERACIÓN DE LA EDAD MEDIA DESDE LOS SIGLOS DE ORO HASTA HOY

EDAD MEDIA Y SIGLOS DE ORO

Las referencias que hizo Nebrija sobre la Edad Media, de condición negativa tal como indiqué antes, deben entenderse en relación con las ideas preconcebidas de que se valía el humanista para reforzar su posición intelectual, de acuerdo con su conocimiento de la situación italiana y en favor de una mejor interpretación filológica de la Antigüedad. Le era necesario adoptar a veces una actitud combatiente, que no siguieron, por lo general, los humanistas de los Siglos de Oro, aunque la conciencia «profesional» de los mismos les condujera a que se ocupasen con más empeño de los autores antiguos, en los que se situaban los maestros y guías de la literatura, que de los medievales, que para ellos representaban una situación de modernidad, con menos prestigio. Esta afirmación es relativa, y está sujeta a las especies de obras y a la condición del escritor. Pero aun contando con esta apreciación de menos valer y en muchos casos con un escaso o nulo conocimiento de las obras medievales, existió también una actitud de benevolencia, cuando no de aprecio, por la Edad Media; y esto lo encontramos aun en autores que usan los tópicos generales de un humanismo sobre todo libresco y academizante. Por eso observó F. J. Sánchez Cantón: «Este amor singular de los humanistas españoles a la Edad Media es uno de los rasgos distintivos —apenas señalado— de nuestro Renacimiento, y el que quizá explica mejor su carácter de continuación de la historia de España, no de renovación revolucionaria de los ideales de cultura que en otras partes tuvo. Del gusto con que los hombres de letras de nuestro siglo XVI estudiaban obras y monumentos medievales, son claros ejemplos: Nebrija, autor de la primera Gramática de la lengua vulgar; [Francisco Sánchez de las Brozas] el Brocense, que publica anotadas las obras de Juan de Mena; Juan Ginés de Sepúlveda, al escribir la vida de Don Gil de Albornoz; Covarrubias, al estudiar con suma erudición la dobla castellana y el maravedí viejo; Ambrosio de Morales, que admira las iglesias asturianas, busca con ahínco códices góticos y describe la Mezquita de Córdoba y las ruinas de Medina Azzahra; y fuera enojoso recordar, por de sobra conocidas, las colecciones de refranes y romances viejos, a porfía impresas y reimpresas durante todo el siglo XVI. Alvar Gómez de Castro, después de traducir a Epicteto, extractaba al canciller de Ayala, copiaba a Horacio y en la siguiente página recordaba estrofas del Arcipreste de Hita, y con la misma tinta con que dirigía a Juan de Vergara una ciceroniana epístola, anotaba la suscripción de un manuscrito del siglo X; confusión de asuntos que juzgarían sacrílega un Budeo o un Valla»[1]. Este juicio, expuesto con tales pruebas por Sánchez Cantón, es de gran valor, pues muestra una vía para los efectos de esta tradición en los escritores de nuestros Siglos de Oro, que se manifiesta, sobre todo, por preferir la realidad de una historia continua y «presente» a encerrarse en cotos intelectuales preconcebidos. Así ocurrió que las formulaciones agresivas del Humanismo del siglo XVI no fueron suficientes para asegurar el triunfo de un gusto literario dentro de una disciplina de orientación «clásica». Y, por otra parte, la existencia de una romanidad hispana fue otra causa del desvío del

[1] Francisco Javier Sánchez Cantón, estudio preliminar de la edición de *El «Arte de Trovar», de don Enrique de Villena*, «Revista de Filología Española», VI, 1919, pág. 161.

magisterio de los autores romanos (esto es, italianos) que habían alcanzado esta consideración de «clásicos». Si los humanistas españoles querían sentirse a la vez como pertenecientes a España y a Roma, entonces establecían el elogio del lugar nativo dentro de la universalidad del Imperio; y con más motivo si era posible señalarle a la patria (lugar de nacimiento) una ascendencia romana: por esto Antonio Martínez de Cala adoptó como apellido el de Nebrija, latinización romanceada de su Lebrija natal.

Esta misma cuestión, aplicada a la autoridad de los maestros, tiene consecuencias importantes: si los escritores de los siglos XVI y XVII dan preferencia a Séneca, Lucano, Marcial y Quintiliano por ser hispanorromanos, sobre Cicerón, Virgilio y Ovidio, ocurre entonces que los escritores del tiempo moderno tienen ante sí la posibilidad de elegir por entre una gran diversidad de autores antiguos «españoles». Los hispanorromanos fueron en el tiempo antiguo autores de «moda», que representaron una modalidad diferente a los «clásicos» de Roma propiamente dichos y, por tanto, una desviación del sentido creador de los mismos; puede decirse que fueron modelos de extremosidades, y con esto hicieron posible la renovación de los géneros con estilos muy personales. La cuestión se plantea como una realidad de conciencia literaria, «sea o no válida objetivamente la noción de la españolidad de los escritores romanos» de Hispania, como dice A. Collard[2], reuniendo diversos testimonios en que estos autores se enlazan con Juan de Mena. Según Curtius[3], el culteranismo y el conceptismo, aspectos de la literatura llamada «barroca» del siglo XVII, representan la persistencia de los ideales de la literatura antigua no clásica (como la de los mencionados hispanorromanos, para la que el crítico alemán propone en conjunto el nombre de «manierismo»), que resultó más fácilmente compatible con la más cercana tradición medieval[4].

---

[2] Andrés COLLARD, *Nueva poesía: conceptismo, culteranismo en la crítica española*, Madrid, Castalia, 1967, pág. 87, y también 88.

[3] E. R. CURTIUS, *Literatura europea y Edad Media latina*, obra citada, «Manierismo», Capítulo XV, págs. 384-422.

[4] Véase cómo valora E. R. CURTIUS la perduración de Alfonso de la Torre en los Siglos de Oro, cuya *Visión delectable* mantiene ideas del

Esto aparece pronto, ya en la época en que el Humanismo que adopta la disciplina italiana logra la mayor fuerza expansiva; por eso escribí en un artículo que quería fijar el carácter literario del Emperador Carlos: «El perfil literario del Emperador muestra la subsistencia de los ideales medievales de Borgoña y de España en un príncipe cuyos caballeros lo imitan y algunos —los menos, los innovadores— trabajan por abrir nuestras letras al influjo italiano, sin dejar por eso de cultivar la modalidad que mantiene la tradición cancioneril y popular. Perfil arcaizante, arrimado a la caballería y a la moral, cumple digna y conscientemente su función pública cuando los vientos de la historia están cambiando la dirección de la política» [5].

Esta corriente liberal del magisterio y la teoría literaria en que se apoya, establece en los Siglos de Oro unas características originales de creación. La primera es que los grupos genéricos de la literatura mantienen una continuidad que no se interrumpe con la aparición de modas y gustos nuevos. Menéndez Pidal ha subrayado, según dije al principio, esta característica como una de las primordiales, y le ha dado un nombre que usa con frecuencia: la nuestra es, según él, una literatura de *frutos tardíos*. Recordemos lo que se dijo en los comienzos de este libro, de que el cambio fonético del castellano medieval al moderno se verifica en el curso del siglo XVI, hasta lograr una nueva situación fonológica, que no es, sin embargo, uniforme. El romancero, género de raíces medievales, se conserva en la mayor parte por textos de los Siglos de Oro, y perpetúa la materia de la tradición épica cuando desapareció el poema heroico medieval. Cristóbal de Castillejo defiende el estilo tradicional de la poesía cancioneril, y crea en su cauce una obra fuertemente personal, de gran empuje poético, en la que puede expresarse una condición innovadora. Pero aún hay más: los autores que desde Garcilaso representaron la corriente italianizante que se desenvuel-

Renacimiento francés del siglo XII en autores como Lope de Vega; también el artículo «El 'retraso' cultural de España», excurso XX del libro mencionado *Literatura europea y Edad Media latina*, págs. 753-756.

[5] En mi artículo *Perfil literario del Emperador Carlos*, «Anales de la Universidad Hispalense», XXII, 1962, págs. 63-84; la cita en la pág. 84.

ve hasta Góngora, si bien en su técnica logran asegurar las nuevas formas, algunos mantienen un aire lírico dentro de la manifestación conservadora del espíritu medieval. Las formas de raigambre cancioneril, sobreviviendo con fuerza a la moda italiana en una perduración paralela, llegan hasta el fin de los Siglos de Oro (y aún más allá). Si, por una parte, Juan de Mena se publicó, como dije antes, en la imprenta áurea con la técnica con que había que reproducir una obra digna de honores clásicos (lo mismo que luego ocurriría con Garcilaso), tenemos que las glosas han de difundir reiteradamente la creación de autores que se consideraron cifra del espíritu medieval, sobre todo los del siglo xv. Esto ocurre con Jorge Manrique, glosado por A. de Cervantes (1501), R. de Valdepeñas (antes de 1541), D. de Barahona (1541), F. de Guzmán (1548), L. de Aranda (1552), J. de Montemayor (1554), L. Pérez (1561), G. Silvestre (1582), aparte de los manuscritos [6]. La ficción caballeresca sigue triunfando con el *Amadís* y los libros que le siguieron, mantenedores del mismo patrón estructural. Y en España los libros de caballerías (al menos como tales libros con cuerpo de impresión) tienen su culminación en el *Quijote*, obra que (entre otras significaciones que posee) interpreta genialmente la crisis entre la ideología de la caballería medieval, representada por los afanes de don Quijote, y los tiempos nuevos que ocupan el ámbito en que se desarrolla la trama y mueven a las gentes con las que el héroe tiene que tratar en una convivencia imposible. El teatro religioso medieval se prosigue en los triunfantes *Autos*, lo mismo que el Romancero penetra en la comedia como modalidad estrófica, sirviendo de motivo temático y recogiendo en su curso las mismas piezas poéticas [7].

---

6 Véase Antonio PÉREZ GÓMEZ, *Noticias bibliográficas* [sobre las glosas a *Coplas de J. Manrique*], al fin de los seis tomos (Cieza, «la fonte que mana y corre», 1961-1963) en que publicó las ediciones facsimilares de las glosas de los autores citados.

7 Véase Francisco E. PORRATA, *Incorporación del Romancero a la temática de la comedia española*, Madrid, Playor, 1973.

Pero esto no es sólo privativo del dominio de la creación poética; también la erudición presenta esta perduración de las interpretaciones medievales de la tradición antigua. Así ocurre, por ejemplo, con Juan Pérez de Moya cuando se refiere a las fuentes que utiliza para su *Philosophia Secreta* y a la interpretación de la obra en estos términos: los libros de fábulas (y Ovidio es una de sus más importantes fuentes) se inventaron y escribieron para «inducir a los lectores a muchas veces leer y saber su escondida moralidad y provechosa doctrina»[8]; o sea que les aplica un criterio que había sido medieval.

Por otra parte, no hay que pensar que la transición entre Edad Media y Siglos de Oro esté representada por un aumento fulminante en la difusión de la literatura de signo nuevo; aun cuando la imprenta es un instrumento decisivo en el cambio, la poesía lírica nueva tarda en pasar al conocimiento común de las gentes, mientras que la de tradición medieval permanece. La perspectiva literaria que tenía en torno un lector de los Siglos de Oro, como ha mostrado Rodríguez-Moñino[9], es muy diferente de la que posee un crítico (o, simplemente, un lector) actual, y la lentitud en la penetración de las modas persiste por diversas razones, de tal manera que a veces hay una relativa similitud de condiciones entre el autor de la Edad Media y el de los Siglos de Oro. Por otra parte, en sentido contrario, la imprenta es, a veces, un factor conservador que hace que se sobrepasen los límites que habitualmente se asignan a los grupos genéricos, de tal manera que, por ejemplo, los libros de caballerías no se acaban con el *Quijote,* sino que su materia se reitera en ediciones modestas de pliegos sueltos hasta... el siglo XX[10].

Y además el arte barroco presenta otro acercamiento a la Edad Media. Antes se habló de la concepción manierista y su

---

[8] Juan Pérez de Moya, *Philosophia Secreta* [Madrid, 1585], edición de Eduardo Gómez de Baquero, Madrid, 1928, pág. 7.

[9] Véase A. Rodríguez-Moñino, *Construcción crítica y realidad histórica en la poesía española de los siglos XVI y XVII,* obra citada, en especial págs. 48-50.

[10] Véase Julio Caro Baroja, *Ensayo sobre la literatura de cordel,* Madrid, Revista de Occidente, 1969.

relación con el Medievo; para el caso de la literatura española J. Silés ha encontrado una serie de rasgos medievalizantes
en el período barroco: meditación de la muerte, abundancia de
la predicación, uso de la alegoría, persistencia de Dante y Petrarca didácticos, etc. Su idea es que «hay en la literatura y el
pensamiento barrocos un substrato vivo de lo medieval, cuya
supervivencia [...] debe buscarse tanto en el escepticismo con
que la óptica de este período enjuicia su propio presente, como
en el espíritu de la Contrarreforma...»[11].

LA EDAD MEDIA Y EL SIGLO XVIII

El siglo XVIII ofrece un replanteamiento de la presencia de
la Edad Media desde otros puntos de vista. Por de pronto se
inicia un conocimiento cultural de la época que ni es una repetición, ya topificada, de los aspectos que la tradición poética
venía reiterando ni tampoco es un desprecio por la obra medieval en nombre de la moda neoclásica. Se trata de un trabajo de
erudición que está implícito en lo que dice Juan Andrés en estos
términos: «Séame lícito observar aquí cuán vana es la preocupación esparcida comúnmente entre los literatos [...] que España estuvo envuelta en densas tinieblas hasta que volvió a ella
Antonio de Nebrija para disiparlas...»[12]. Y, en efecto, los eruditos comenzaron a estudiar la Edad Media y recopilaron los documentos y leyeron las obras con una nueva perspectiva, y con
ello juzgaron que había que publicarlas para su mejor difu-

---

[11] Jaime SILÉS, *El barroco en la poesía española*, Madrid, Doncel, 1975,
pág. 169. Análoga conjunción entre tradición y popularismo señala María
del Pilar PALOMO en su obra *La poesía de la Edad Barroca*, Madrid, Sociedad General Española de Librería, 1975, págs. 38-48. Véase también Andrés
SORIA, *La literatura medieval europea en el Siglo de Oro*, en *Actas del Primer Congreso Internacional de Hispanistas*, obra citada, págs. 447-454;
Otis H. GREEN, *El amor cortés en Quevedo*, Zaragoza, Bib. del Hispanista,
1955.

[12] J. ANDRÉS, *Origen, progresos y estado actual de toda la literatura*
(versión castellana, 1784), edición citada, II, págs. 198-199.

sión. Y así enlazamos con el capítulo I, donde hice una breve reseña de la erudición e historia literarias de la Edad Media, que comienza en el siglo XVIII con las referidas obras de Velázquez, Sarmiento, T. A. Sánchez, etc. La resurrección de la Edad Media se realiza bajo un signo patriótico (en el sentido de que se quiere conocer mejor la historia total de la nación); y es propia de las Academias y de los ilustrados, que encuentran en ella un nuevo filón de lecciones para una sociedad que busca crearse una conciencia y una imagen «nuevas». Escribe D.-H. Pageaux: «La Edad Media ha abierto, sin paradoja, la vía a una 'modernidad' en literatura, de la que se aprovecharon, a su modo, las generaciones futuras. Poco a poco la mitología, como recurso estilístico y como motivo de inspiración, desaparece en provecho de los personajes históricos que ofrece la época medieval [...]; así se abre espacio para el héroe medieval, portador de ejemplos, de virtudes y de una densidad humana que la sociedad del tiempo reclama, puede que de manera inconsciente, en el siglo XVIII, y de manera imperiosa después de 1808»[13]. En el proceso complejo de esta época de transición, la Edad Media se proyecta desde los grupos minoritarios hacia su trascendencia en la colectividad.

DESDE EL ROMANTICISMO HASTA HOY

Desde los aspectos medievalizantes de este prerromanticismo inicial (mitos de Ossian, las baladas, etc.) hasta la raíz misma del Romanticismo, la Edad Media se convierte en un elemento integrante de la nueva cultura en un aspecto activo de creación. No podemos aquí sino mencionar la importancia del hecho, del que en este libro he tratado lo que más me interesaba: la aparición de una historia y una crítica románticas que apoyaron la revivificación del arte medieval (en nuestro caso, literario). La

---

[13] Daniel-Henri PAGEAUX, *L'Espagne des Lumières et la leçon des temps médiévaux*, en *Moyen Âge et Littérature Comparée*, «Actes du Septième Congrès National de la Société Française de Littérature Comparée» [Poitiers, 1965], París, Didier, 1967, págs. 140-141.

cuestión se había planteado en un dominio estético y afectó en común al arte europeo. La literatura española cumplió un gran papel en el conjunto, sobre todo en relación con la difusión de determinadas noticias poéticas que se incorporaron a los principios de la teoría literaria del Romanticismo (la poesía popular, mantenida en España desde la Edad Media, el Romancero, el espíritu caballeresco, etc.); y esto pertenece al dominio de la literatura comparada, que puede decirse que en Europa se plantea en esta ocasión, antes de que propiamente se formulase como técnica de estudio.

En cuanto a la literatura española, el aprovechamiento del filón medieval fue importante, pero no alcanzó el grado creador que hubiese requerido la importancia del asunto, pues dominó el reflejo extranjero de la época, sobre todo en la novela y el teatro [14].

En el curso del siglo XIX los movimientos de la Estética europea volvieron a acercarse a la Edad Media con ocasión del enfrentamiento con la filosofía positivista y el arte del Realismo y del Naturalismo. Así ocurrió sobre todo con el Simbolismo y el Prerrafaelismo y sus consecuencias estéticas [15], que en España penetraron, en muchas ocasiones mezclados, por causa del Modernismo, a partir de la última década del siglo. Así en Rubén Darío [16] la Edad Media ejerce un papel importante en su concepción poética, y los escritores españoles del Modernismo (entendido en un sentido amplio) incorporan a la nueva sensibilidad literaria su interpretación poética de la época medieval, como ocurre en el caso de Manuel y Antonio Machado [17]. Por otra

---

[14] Para una información sobre la Edad Media y el Romanticismo, véase Edgard A. PEERS, *Historia del movimiento romántico español*, Madrid, Gredos, 1954, en especial I, págs. 207-274 y otros lugares.

[15] Véanse los estudios de Janine R. DAKYNS, *The Middle Ages in French Literature 1851-1900*, Londres, Oxford University Press, 1973; y de Alice CHANDLER, *A Dream of Order: The Medieval Ideal in Nineteenth-Century English Literature*, Lincoln, University of Nebraska Press, 1970.

[16] Lo trato en mi libro *Rubén Darío y la Edad Media*, Barcelona, Planeta, 1971.

[17] En mi libro *Los «Primitivos» de Manuel y Antonio Machado*, Madrid, Cupsa, 1977.

parte, el enlace entre el Medievo y la poesía popular de índole folklórica fue otra veta que se encuentra en el popularismo de los poetas del grupo de 1927, como en Alberti [18] y García Lorca [19].

Por su lado, la crítica literaria ha señalado esta proyección de las obras y asuntos medievales sobre la época moderna; así ocurrió con la épica [20], la lírica cancioneril [21], Juan Ruiz [22], el Romancero [23], Juan Manuel [24], etc. De la cuestión de las versiones modernas de las obras medievales se trató en el capítulo sobre la técnica de las ediciones, y queda sólo por citar el problema escénico que supone la representación dramática de *La Celestina* [25].

---

[18] Véase José Luis Tejada, *Rafael Alberti entre la tradición y la vanguardia (Poesía primera: 1920-1926)*, Madrid, Gredos, 1976.

[19] Véase Francisco Mena Benito, *El tradicionalismo de Federico García Lorca*, Barcelona, E. Rondas, 1974.

[20] Véase R. Menéndez Pidal, *La epopeya castellana a través de la literatura española*, obra citada, que dedica sendos capítulos a su presencia en los Siglos de Oro (págs. 175-207) y a los temas heroicos en la poesía moderna (págs. 209-239).

[21] Véase N. Salvador Miguel, *La poesía cancioneril. El «Cancionero de Estúñiga»*, obra citada, capítulo sobre la pervivencia de la poesía cancioneril, págs. 330-332.

[22] Véase M. R. Lida, *Juan Ruiz [...] y estudios críticos*, obra citada, págs. 30-32.

[23] Véase M. Díaz Roig, *El Romancero y la lírica popular moderna*, obra citada, 1976. Recogiendo la noticia del auge romancístico en la guerra civil española pero negando su relación con la tradición, se manifiesta Antonio Ramos Gascón, «*Romancismo» y Romancero durante la Guerra Civil española*, «Ideologies and Literature», I, 1977, págs. 53-59.

[24] Se pueden espigar las referencias de ecos modernos en la bibliografía de D. Devoto, *Introducción al estudio de don Juan Manuel*, obra citada. La extensión alcanza a la literatura hispanoamericana, como, por ejemplo, Cristina González, *Don Juan Manuel y Borges...*, «Ínsula», n. 371, octubre 1977, págs. 1 y 14.

[25] Álvaro Custodio ha establecido una adaptación escénica de *La Celestina* en tres actos (México, Ediciones Teatro Clásico, 1966), y en el prólogo estudia las adaptaciones teatrales de la obra (págs. 20-35).

CAPÍTULO XXII

CONSIDERACIÓN FINAL SOBRE LA LITERATURA
ESPAÑOLA DE LA EDAD MEDIA

EN EL MARGEN DE LA UNIDAD EUROPEA

Convertir en un resumen de pocas líneas un estudio que
abarcó cerca de cinco siglos es siempre empresa aventurada.
Hice, en otra parte [1], algo parecido, pero desde una perspectiva
opuesta: escribí el capítulo introductor de una historia de la
literatura medieval. Ahora se trata de cerrar este Manual con
una consideración que reúna lo más importante y definidor de
lo que se ha dicho en las páginas anteriores, en cuanto al conjunto aquí reunido. En otros lugares de este libro me he referido
a caracterizaciones aplicables a la literatura en relación con la
cultura española, pero esto es algo distinto. Considero cualquier
generalización como un riesgo, y puede que el estudio de una
o varias obras sirva de testimonio contrario a lo que se pueda
aquí decir en esta consideración. Pero corriendo este peligro,
sólo que en el campo total de la literatura europea, un crítico e
historiador de la francesa, P. Zumthor, formula este principio
que me parece bien suscribir de entrada, con las matizaciones
que expondré: «El conjunto de las 'literaturas' románicas y
también germánicas ofrece durante el período convencional-

---

[1] Así en la *Historia de la literatura española*, planeada por J. M. DÍEZ
BORQUE, obra citada, I, págs. 45-76.

mente llamado Edad Media una notable unidad; la mayor parte de las proposiciones que formulo a propósito de la poesía francesa, podrían fácilmente traspasarse y verificar su aplicación a la italiana, la española o la alemana»[2]. En el camino hacia la época moderna, las nuevas literaturas europeas parten juntas, y desde nuestra perspectiva se nos ofrecen partícipes en una unidad cuyo sentido conviene precisar en lo que toca sobre todo al dominio de la Romanidad, a la que pertenece la española. La base lingüística y la aportación inicial de la literatura antigua, que le fue propia, representan el punto de partida. Así lo reconoce M. Delbouille: «En el mundo románico, las afinidades sico-lingüísticas, ya profundas en el punto de partida por la riqueza de la cultura romana, no han cesado de ser confirmadas y precisadas en el curso de los siglos por la acción incesante que esta cultura ejerció a través del gran número de obras que había producido»[3]. Esta unidad de fondo se vio reforzada por los diversos factores coincidentes: cristianismo y su organización católica, con sede en Roma, organizaciones sociales y políticas paralelas; unos peligros análogos a los que hacer frente, técnicas semejantes en el trabajo, límites geográficos comunes en el espacio cultural, etc. Los factores unitivos confluyen con más o menos fuerza en el proceso de las diversas comunidades políticas; esto ocurre en la aparición de los primeros testimonios literarios en las diferentes lenguas vernáculas y también en esta primera parte de su desarrollo que representa el período medieval. Estas lenguas se benefician de los factores coincidentes bajo el signo de la unidad señalada por Zumthor. Las lenguas que aparecen en el período inicial de la literatura española (en su sentido más amplio) son de condición románica, y desde esta base se verifica la progresión en un cultivo literario que no se interrumpe.

Y también la unidad cultural mencionada debe considerarse que comporta una relativa variedad, procedente, por una parte,

---

[2] Paul ZUMTHOR, *Langue. Texte. Énigme*, París, Seuil, 1975, pág. 9.
[3] Maurice DELBOUILLE, *Tradition latine et naissance des littératures romanes*, en *GRLMA*, I, pág. 5.

de la acción de factores previos —sustratos—, y, por otra, de elementos sobrepuestos —superestratos— de diversa índole. Es importante, en este sentido, tener en cuenta la situación de cada grupo en el conjunto europeo por lo que pudiera implicar en sus consecuencias culturales; así, en cuanto a una posición geográfica, en las partes extremas del este y del oeste europeos, se encuentran unos pueblos para los que mantenerse dentro de esta unidad y en relación con ella representó un evidente esfuerzo, asegurado entre violencias frente a otros órdenes culturales; así sucedió con los árabes, los mongoles y los turcos, que fueron los mejor organizados para oponerse al sentido unitario de la vida europea. A España le tocó el enfrentamiento con el árabe, que duró desde 711 y acompañó hasta el fin de la Edad Media el desarrollo de la literatura medieval. Los reinos cristianos españoles, sometidos a una fuerte presión, no cedieron a la fuerza árabe en cuanto a las condiciones fundamentales que constituían una participación en la común cultura europea. El ritmo de la creación artística no pudo ser el mismo en todos los lugares de Europa, y los países situados en las partes extremas acusan esta situación, y aun tienen la difícil misión de servir para relacionar las culturas que se enfrentan. De ahí que aparezcan rasgos que se refuerzan, mientras que otros se debilitan. En el caso español aparece un signo arcaizante inicial, presente ya en el Imperio romano, y que se continúa en el caso de las relaciones con el mundo árabe a través del Islam español, que fue también el más alejado de sus fuentes culturales de origen. La guerra con el árabe (y la defensa que suponía al mismo tiempo la asimilación de su cultura en un grado que no comprometiese la unidad europea) fue una alternativa propia de la parte cristiana, que tuvo su contrapartida en la europeización del pueblo arabigoandaluz. La literatura española se encuentra en la encrucijada, y acusa esta situación en numerosos aspectos. Esto obedece a una posición marginal, que se manifiesta también en relación con Roma, el centro de la cristiandad, del que se encuentra alejada. Es concebible, por tanto, que domine un signo arcaizante, que desde la Antigüedad romana impone un carácter marginal; la posición de combate se comparte con una relación inevitable a través de las fronteras, y la necesidad de afirmar una tradición que refuerce esta conciencia de la unidad europea.

Las lenguas románicas de la Península Ibérica que impulsaron una creación literaria fueron varias; en este libro se trató fundamentalmente de una, y si se indica que el castellano resultó la que iba a sobreponerse a las demás, esto sólo quiere decir que fue la que sirvió de base para la constitución de una lengua de la nación española, y también por la enorme expansión que obtuvo en otras partes del mundo. La literatura medieval que aquí traté tiene como lengua principal de expresión el castellano; y además, ha habido que referirse al leonés y al aragonés por la peculiar relación que tuvieron con el castellano en cuanto a que en las tres lenguas transfundieron unos mismos textos literarios; y también he tenido que tratar del gallego-portugués porque llegó a ser una «lengua de grupo genérico» y creó una lengua mixta con el castellano dentro de este mismo fin.

El dialecto castellano comienza a afirmarse como lengua establecida por el uso escrito literario en la prosa con la actividad de Alfonso X; y en el verso asegura su existencia escrita en las obras de la clerecía. Junto a estas manifestaciones de signo culto, la literatura oral asegura una obra que va ganando cada vez más en consideración artística. De esta manera la lengua literaria vernácula, resultado de esta confluencia, penetra en los varios dominios de la literatura latina y va abriendo también el crédito literario para las manifestaciones nuevas que se le incorporan. Esta es la situación en la época de orígenes, y desde ella la lengua literaria se enriquece progresivamente y asimila los influjos de lo que son las modas renovadoras: árabe, provenzal, francés e italiano. El latín permanece siempre junto a la lengua vernácula desde los orígenes al fin del período medieval, y sigue siendo durante el mismo el modelo más elevado de la escritura literaria.

El resultado es que el castellano se convierte en un idioma paralelo a los que en Europa servirán para las diversas literaturas de Francia, Inglaterra, Italia, Alemania, etc. Puede decirse además que, durante la Edad Media, con una cronología y una intensidad peculiares, la literatura castellana ofrece los mismos grupos genéricos que constituyeron el conjunto de la literatura europea o equivalentes análogos, procedentes de la situación marginal en la que se estableció su desarrollo.

LOS PROMOTORES DE LA LITERATURA

La literatura medieval plantea numerosas cuestiones en cuanto se trata de establecer el proceso de su creación. Por de pronto, el realizador de la obra (o sea el autor) aparece rodeado de incertidumbre, sobre todo en la época de orígenes, y de una manera fundamental en las formas orales de la literatura. De ahí que prefiera en esta breve exposición reunir a los autores en varios grupos formados por los que llamo promotores de las obras literarias. En un principio las obras oscilan entre los criterios de la anonimia y de la autoría, y cabe señalar que ambas posiciones no aparecen en forma radicalmente opuesta y a veces se dan de una manera matizada, fundamentalmente en relación con el carácter de la obra y con el ámbito de expansión que le corresponde. El largo proceso de la literatura medieval representa el progresivo triunfo y afirmación del criterio de la autoría, con el efecto de la consecuente fijación cada vez más firme de los textos de las obras. Sin embargo, durante este período (y en la literatura española, aun mucho después) un cierto número de obras continuarán difundiéndose de manera anónima y también en relación con una descuidada autoría.

La primera promoción literaria procede de la literatura «popular», cuyo origen se encuentra en los textos folklóricos que llegaron a participar de la condición literaria; estas obras provienen de un fondo de orígenes populares, y no pasan de una ma-

nera directa a la literatura sino mediante una determinada formulación. Las leyendas, las canciones, los cuentos y los refranes
son sus vehículos formales más característicos, y el acceso al
texto escrito resulta esporádico y a través de determinadas situaciones. Contando con esta limitación general, la literatura
castellana se muestra propicia a la incorporación de la obra folklórica, y aun a la folklorización de la obra literaria, como es
el caso del Romancero. De todas maneras en esto sigue una
corriente general de la literatura europea, en la que se encuentra una situación semejante en otros lugares. Relacionando esta
promoción literaria con el público que le corresponde, Menéndez Pidal caracterizó la literatura española como favorecedora
de un «arte de mayorías»; con él coincidió Sánchez-Albornoz
que, desde el punto de vista de la historia, refiere esta relación
entre la obra y el público en los siguientes términos: «Arte para
mayorías, constitución interna mayoritaria, sensibilidad comunal, maneras populares en las minorías aristocráticas, el pueblo
más pueblo de Europa...» [4]. Se trataría, en todo caso, de una
apreciación basada en un *más* que así representa la tendencia
del número más amplio. La sociedad, constituida sobre este
sentido de un *pueblo* dominante, asegura la persistencia de las
obras que están dentro del gusto colectivo. Los historiadores
han establecido que la organización social de Castilla y su expansión trajo el predominio de la hidalguía, que representaba un
número relativamente crecido de la población [5]; el feudalismo
poco consistente, la hidalguía (por razón de la lucha contra el
moro) y la naturaleza de las repoblaciones habían creado en la
práctica una población fluida, con acceso a una incipiente nobleza, asegurada en los hechos. Una población de esta naturaleza, en la que los hidalgos como base de la nobleza estaban
cerca del pueblo llano, mantuvo una literatura de raíces folklóricas, que asegura una tradición común para todas las clases
sociales. La identificación con el común pasado literario es ge-

[4] C. SÁNCHEZ-ALBORNOZ, *España, un enigma histórico*, obra citada, I,
pág. 604.
[5] Ídem, I, pág. 672.

neral, pues se considera un signo de la comunidad política; por otra parte, las obras que pertenecen a la moda (y son, por tanto, renovadoras) se aceptan también con tal de que no se opongan a la tradición, y es frecuente que se acomoden pronto a las corrientes y tendencias comunes. De esta manera el «hidalgo» (entendiendo por tal al hombre que ha logrado asegurar un «linaje», desde el hidalgo rural a la más alta nobleza) actúa como un factor que asegura una literatura de amplia base; sin embargo, esto debe entenderse en el sentido de que tanto el hombre de Iglesia como el de más acusada nobleza aceptan también la literatura que es propia de las minorías vinculadas con el signo de la cultura de la moda europea. Por eso D. Alonso afirma que «no deja nunca de haber [durante la Edad Media] una presencia de espíritu de selección en la literatura de España»[6]. Los grupos literarios de esta clase se desarrollan en la literatura española, siendo frecuente que los autores que muestran una mayor inquietud intelectual (como el Marqués de Santillana) estén a un tiempo con la mayoría y con la minoría, y logren crear una tercera situación, específicamente castellana (la serranilla, por ejemplo).

Otra promoción de la literatura vernácula procede de la Iglesia, y actuó en dos sentidos: de una manera directa, ejerciendo la función de su competencia que fomentaba una literatura de carácter doctrinal con un fin religioso, y de una manera indirecta, ejerciendo una función activa en la mediación entre el latín y las corrientes que tendían a levantar la dignidad literaria de la lengua vernácula. En este sentido, el proceso es análogo en todos los lugares en donde la Cristiandad estableció la disciplina espiritual de Roma. El adoctrinamiento del pueblo se hizo pronto en la lengua común, siendo el sermón el medio más general y más eficaz; las consecuencias del Concilio de Letrán (1215) y sobre todo la actividad de las órdenes de los Predicadores y de los Franciscanos favoreció el desarrollo de una lite-

---

[6] Dámaso ALONSO, *Escila y Caribdis en la literatura española*, en *Ensayos sobre poesía española* [1927], *OC*, edición citada, V, pág. 252.

ratura «espiritual» en lengua vernácula cuya importancia crece en la época final del Medievo. Además, contando con que la Iglesia fue la institución más importante desde el punto de vista cultural, en muchas ocasiones la obra literaria aparece mediatizada por la intención religiosa, sobre todo en cuanto toca a cuestiones de adoctrinamiento, enseñanzas o consejos para la vida. De ahí que resulte difícil la expansión de una literatura estrictamente profana, y en este sentido la difusión de la poesía cortés fue el episodio más importante.

La Iglesia estuvo en el origen de las Escuelas y de las Universidades, y mantuvo su disciplina intelectual dentro de las mismas. La atención y curiosidad por los escritores de la Antigüedad representó un factor ambiguo, y lo común fue su adaptación al espíritu cristiano; de ahí la abundancia de dichos y consejos de los «sabios», en los que los autores antiguos se mezclan con los cristianos. La depuración de la tradición antigua fue lenta, y la literatura vernácula tarda también en recibir los influjos de una manera libre. Un factor de gran importancia fue el desarrollo de las teorías sobre la Poética y la Retórica, que fueron a un tiempo ocasión para que los antiguos ganaran en el aprecio formal y para que la literatura vernácula recibiese los beneficios de esta disciplina de la expresión literaria de signo poético. Todos estos elementos van juntos, y en la literatura europea el *Alejandro* del siglo XIII ejerce una acción que está en la línea que conduce a los imitadores cercanos de Séneca y de Cicerón en la última parte de la Edad Media. Y esto sirvió también para que se pudieran percibir las corrientes paralelas entre las diversas literaturas europeas que muchas veces convergían en el fondo común antiguo; esto ocurrió en especial con la literatura italiana (sobre todo con Dante, Petrarca y Boccaccio), que alcanzó la consideración de una categoría de segundo orden en relación con la de primer orden, que poseía el latín.

Otro centro promotor de la literatura medieval fue la Corte. El término «corte» resulta un tanto difuso; se trata del lugar en el que se realiza la manifestación de la cortesía, una entidad de orden civil (que no religiosa, aunque los hombres de la Iglesia también se incluyan en ella), que tiene por cabeza al rey cuando se trata de una corte real (y entonces se relaciona con la cancillería), o al gran señor en una medida de rango menor. La cortesía como forma de vida social, procedente del formulismo amoroso de Provenza, implicó la importante manifestación de la lírica cortés; y por esta vía se llega a Alfonso X, que tan importante función tuvo en la afirmación de la obra escrita en la lengua vernácula; las sucesivas manifestaciones de los libros de caballerías y sentimentales, junto con la lírica cortés, dominaron la creación literaria del fin del Medievo europeo, y esto acontece en España en forma coincidente. El caballero-letrado resulta un esquema de perfección social que va derivando hacia el humanismo a medida que crece la conciencia filológica. El camino es la lectura; así, por una parte, el que adoctrina a Pero Niño le dice: «El que ha de aprender y usar arte de caballería, no conviene despender luengo tiempo en escuela de letras; cúmpleos lo que ya de ello sabéis»[7]. Y por otra Gómez Manrique escribe al conde de Benavente: «comoquiera que algunos haraganes digan ser cosa sobrada el leer y saber a los caballeros, como si la caballería fuera a perpetua rudeza condenada, yo soy de muy contraria opinión porque a éstos digo yo ser cumplidero el leer y saber las leyes [...] y las hazañas y vidas y muertes de muchos famosos varones. A estos [caballeros] es conveniente darse al templado estudio [...] porque sepan aprovechar por teórica lo que habrán de poner en práctica»[8]. La cuestión está en ir ensanchando el campo del saber, y el caballero realiza el ejercicio de las letras como signo social. Por otra parte, en la literatura de la Edad Media no es concebible que exista el autor «profesional», y hay que contar siempre con que se requiere una actividad desde la que resulte posible el hecho de la creación poética.

---

[7] Gutierre Díez de Games, *El Victorial*, obra citada, pág. 64.
[8] Gómez Manrique, en el *Cancionero castellano del siglo XV*, edición citada, II, págs. 1-2.

LOS CAUCES FORMALES

Una característica general de la literatura europea en la Edad
Media es la existencia de unos poderosos cauces de contenido
y expresión conjuntos por los cuales discurre la creación literaria; estos cauces actúan sobre el proceso creador en los autores y, al mismo tiempo, sirven al público para una identificación literaria de la obra. La condición de estos cauces —grupos
genéricos— representó un factor favorable para la unidad de
la literatura europea. Zumthor, al asegurar esta unidad por encima de la diversidad lingüística, añade que se debe a la «unidad
muy fuerte del sustrato común, diferenciado en la superficie
según los modelos y los medios de comunicación: eso que se
designa con el término abusivo de *géneros*. Una sincronía latente se descubre, en el curso de muchos siglos, por debajo de
las diacronías patentes»[9]. En el curso de este Manual he ido
describiendo estas formas que condicionaban un contenido análogo, como constituyendo una unidad inseparable: métrica o prosa literaria conformaron los diversos grupos genéricos en una
encabalgada sucesión donde encontramos las diferentes combinaciones que se dan dentro de las disposiciones genéricas básicas: épica, dramática, lírica y didáctica, implicadas en proporción diferente según los grupos. La intensidad con que se manifiestan los elementos literarios y el tratamiento que muestran es
diferente en cada caso, y en esto se ha de encontrar la caracterización del conjunto español dentro de la unidad europea y
románica. De esta manera hemos examinado la lentitud o rapi-
dez, congruencia o discontinuidad con que se dan los procesos:
así el anisosilabismo y la cuaderna vía van a ser formas dominantes en disposición paralela, reduciendo e inhibiendo a veces
otras posibilidades; la copla de arte mayor absorbe un amplio

---

[9] P. ZUMTHOR, *Langue. Texte. Énigme*, obra citada, pág. 9.

espectro de contenidos; el romance ofrece una enorme fuerza de atracción, etc. Por otra parte, los cauces genéricos se desvían y rompen con frecuencia, y esto da lugar a la formación de nuevos grupos menores de una gran potencia poética, tal como ocurre con una obra tan compleja como la *Reprobación*, del Arcipreste de Talavera, o con la *Celestina*, etc.

Desde el punto de vista de la documentación literaria, es patente la escasez de los textos escritos, con la épica casi perdida, y el *Amadís* soterrado, y una relativa pobreza en la iluminación de los manuscritos literarios. Como compensación se encuentra la persistencia de la literatura oral, mantenedora de la materia temática a veces, y transfusora de los contenidos. Un factor diferencial es el uso de los alfabetos árabe y hebreo para conservar obras literarias; la materialidad de una letra que no es latina, ofrece la ocasión para que los contenidos de las culturas respectivas penetren en la literatura castellana, ofreciendo con esto una nota de novedad, pero sin romper la unidad fundamental europea. Más dentro de la literatura castellana, es objeto de discusión el papel de esta relación con las otras culturas, como en el caso de Juan Ruiz, que dio una versión profundamente castellana a una obra con paralelos con otras europeas; Juan Manuel fijó con el cuento una solución poética tan válida como la *novella* de Boccaccio; el Bachiller Alfonso de la Torre establece un desarrollo intelectual propio al planteamiento del Humanismo, etc. También es objeto de debate el alcance del fermento converso, sobre todo en el último siglo de la Edad Media, pero esto se hizo sin abandonar las formas castellanas. Estos elementos, marginales hasta cierto punto, anómalos en relación con otros procesos europeos, acaban por integrarse en el conjunto literario del castellano y no lo desvirtúan en grado suficiente como para apartarlo del fondo europeo común que Zumthor señala para las diversas literaturas de Europa.

Como remate de esta consideración final, establezco un cuadro en el que he procurado exponer y compensar las características estrictamente literarias del extenso conjunto examinado.

a) *Canción*

palabra poética [+música vocal y|o instrumental]

b) *Recital*

palabra poética [+melodía cadenciosa y|o instrumental]

c) *Lectura pública*

Texto manifestado en voz alta a un grupo de oyentes.

d) *Lectura personal*

Texto leído por el lector para sí mismo en el libro.

e) *Representación teatral*

Texto comunicado por unos intérpretes en un escenario ante un público.

Los grupos mencionados pueden especificarse en modalidades determinadas según las siguientes referencias:

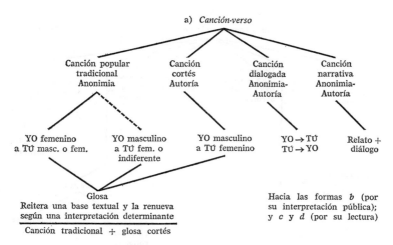

a) *Canción-verso*

| Canción popular tradicional Anonimia | Canción cortés Autoría | Canción dialogada Anonimia-Autoría | Canción narrativa Anonimia-Autoría |

YO femenino a TÚ masc. o fem. — YO masculino a TÚ fem. o indiferente — YO masculino a TÚ femenino — YO → TÚ / TÚ → YO — Relato + diálogo

Glosa
Reitera una base textual y la renueva según una interpretación determinante

Canción tradicional + glosa cortés

Hacia las formas *b* (por su interpretación pública); y *c* y *d* (por su lectura)

Formas orales → Formas escritas

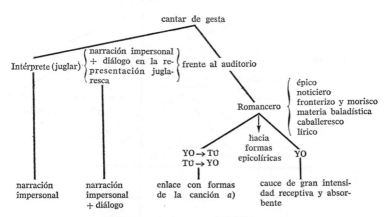

b) *Recital salmódico-verso*

cantar de gesta

Intérprete (juglar) { narración impersonal + diálogo en la representación juglaresca } frente al auditorio

Romancero { épico / noticiero / fronterizo y morisco / materia baladística / caballeresco / lírico }

hacia formas epicolíricas

YO → TÚ / TÚ → YO

YO

narración impersonal — narración impersonal + diálogo — enlace con formas de la canción *a)* — cauce de gran intensidad receptiva y absorbente

Juglar como intérprete o vía folklórica → paso hacia la documentación escrita de los textos

Conversión de la noticia poética en verso en noticia histórica en prosa (y viceversa)

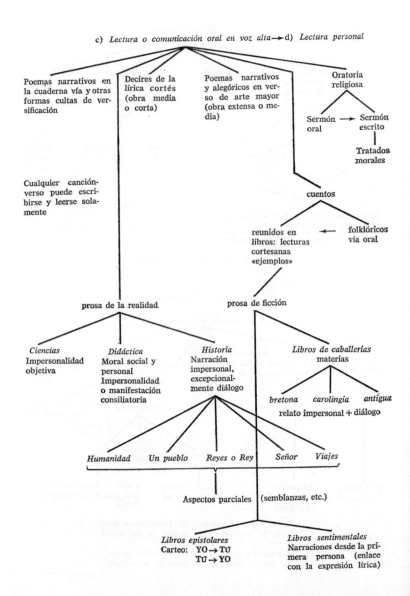

c) *Lectura o comunicación oral en voz alta* → d) *Lectura personal*

Poemas narrativos en la cuaderna vía y otras formas cultas de versificación

Decires de la lírica cortés (obra media o corta)

Poemas narrativos y alegóricos en verso de arte mayor (obra extensa o media)

Oratoria religiosa

Sermón oral → Sermón escrito

Tratados morales

Cualquier canción-verso puede escribirse y leerse solamente

cuentos

reunidos en libros: lecturas cortesanas «ejemplos» ← folklóricos vía oral

prosa de la realidad

prosa de ficción

Ciencias
Impersonalidad objetiva

Didáctica
Moral social y personal
Impersonalidad o manifestación consiliatoria

Historia
Narración impersonal, excepcionalmente diálogo

Libros de caballerías
materias

bretona   carolingia   antigua
relato impersonal + diálogo

Humanidad   Un pueblo   Reyes o Rey   Señor   Viajes

Aspectos parciales   (semblanzas, etc.)

Libros epistolares
Carteo: YO → TÚ
          TÚ → YO

Libros sentimentales
Narraciones desde la primera persona (enlace con la expresión lírica)

e) *Teatro*

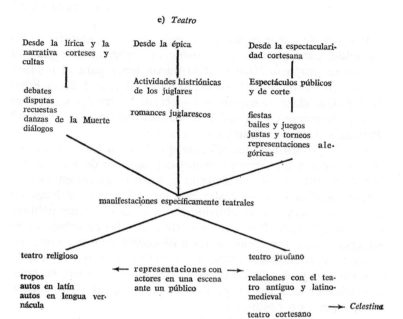

Desde la lírica y la narrativa corteses y cultas

debates
disputas
recuestas
danzas de la Muerte
diálogos

Desde la épica

Actividades histriónicas de los juglares

romances juglarescos

Desde la espectacularidad cortesana

Espectáculos públicos y de corte

fiestas
bailes y juegos
justas y torneos
representaciones alegóricas

manifestaciones específicamente teatrales

teatro religioso

tropos
autos en latín
autos en lengua vernácula

← representaciones con actores en una escena ante un público →

teatro profano

relaciones con el teatro antiguo y latino-medieval

teatro cortesano → *Celestina*

¿ESFUERZO VANO?

Después de haber expuesto en este Manual la materia de su contenido, cabe plantear si el esfuerzo realizado vale para el fin que se propuso. ¿Qué sentido puede tener para el hombre de nuestro tiempo el conocimiento de la literatura de la Edad Media? ¿Qué clase de objeto de conocimiento resulta ser? ¿Consigue proyectarse en un orden de cultura válido para muchos? ¿Pertenece sólo a un campo profesional?

Por de pronto hay que afirmar que la obra literaria medieval pertenece a un tiempo distinto del nuestro; de los motivos de vida y cultura que envolvieron el texto medieval en su concepción poética y en su realización en el lenguaje, y luego en las circunstancias de la difusión de la obra entre un público, apenas queda nada. Por tanto, en este propósito de volver a una percepción de estas obras, se trata de conseguir una reconstitución que, partiendo del texto, se amplíe al autor (en el sentido más amplio) y al público de su época. En todo caso, se trata de establecer otra vez un público actual para las obras medievales, y ¿es esto posible?

Queda, en primer término, la relación a través de la lengua, y esta es la primera vía para llegar a la interpretación del texto. Si se puede o no lograr, depende del grado en que se estime posible el enlace entre el español de hoy con el medieval. Cualesquiera que sean las diferencias entre ambos —que hay que conocer y destacar— la continuidad entre uno y otro es un factor innegable; lo prueba la filología como ciencia, pero la cuestión está en el límite en que acaba el lenguaje vivo y si habría que plantear el caso de una «traducción» dentro de la propia lengua. La dualidad, que algunos creen incompatible, *sincronía* (cuadros cerrados y diferentes en la Edad Media y en la actualidad) - *diacronía* (la línea del desarrollo temporal de los elementos) tiene que sobrepasarse con la concepción de una *pancronía*: el texto literario medieval fue una realidad lingüística y constituye una unidad de habla como es propio de su constitución poética; por lo que fue desde su origen sucesivamente hasta hoy, representa una continuada experiencia de lecturas o audiciones que llega a través de lectores y oyentes hasta nuestro tiempo. Es evidente que hay vacíos para algunas obras y grupos genéricos: el *Libro de Buen Amor*, la obra culminante de la Edad Media, permaneció ignorada de los autores y del público de los Siglos de Oro. Pero, por otra parte, el Romancero y la poesía lírica tradicional se mantuvieron y aun transfundieron a otros grupos genéricos, como la comedia. La curiosidad hacia el Medievo aparece por la vía erudita del siglo xviii, y el Romanticismo le dio amplitud e inundó el mundo literario con una Edad Media, recreada con más o menos fortuna, que llega hasta el siglo xx. Considérese que no se trata de un «tiempo» abstracto e inoperante, sino de las realidades sucesivas que han conducido la obra hasta nuestro tiempo. En algunos casos esta continuidad es tan patente, que a ella dediqué el capítulo anterior. Pero hay algo más —y mucho más importante, puesto que sobrepasa la anécdota—, y es que desde entonces hasta ahora hubo siempre un contorno literario entre los hablantes del español en el que la sucesión encabalgada de las experiencias literarias puede remontarse hasta este pasado medieval de una manera o de otra, de tal modo que, aun a través de los vacíos, el enlace es posible.

En este punto, sin embargo, es imprescindible reconocer que la obra medieval nos es ajena y pertenece a una cultura que no es la nuestra. La literatura ha llegado hoy a ser totalmente distinta de lo que fue la medieval. Pero, aun contando con esta afirmación cabe asegurar que el enajenamiento y la diferencia mencionados son de un grado distinto al que —por citar un ejemplo distante— siente el español del siglo xx en relación con la literatura china del mismo período de la cronología medieval. Diferente y ajena —repito— hay, sin embargo, una disposición intelectual que nos permite emprender la aventura del conocimiento con muchos más elementos en juego mediante la consideración de los factores que puedan implicar una relación o una resonancia del pasado medieval. Esto es algo distinto del alegre historicismo decimonónico y resulta al mismo tiempo más difícil que una consideración negativa radical como ocurre en algunas posiciones extremas, evidentemente más cómodas.

No se puede, pues, confiar en que este conocimiento de la obra literaria medieval podrá ser como el que se obtiene en el caso de una obra del siglo xx. Sin una previa preparación, la lectura o audición de una obra de la Edad Media pueden conducirnos a una asimilación poética, válida en cuanto experiencia individual, pero que no posee el rigor de la disciplina propio de un conocimiento científico. Pero ¿se hizo la obra para que fuese a dar en esto? Evidentemente, no, pero cabe que las condiciones semióticas que implica la obra literaria permitan sobrepasar las limitaciones de la comunicación de origen y prolongarla después en determinadas condiciones, mientras siga siendo posible el hecho de la comunicación, como ocurre en este caso.

La cuestión está en saber quiénes tienen que proponerse esta disciplina de percepción; en principio cabe considerar que es general a cuantos pertenecen a la comunidad lingüística con una conciencia cultural activa. Es un aspecto más, de entre otros muchos, propio de la aventura del conocimiento, signo de esta entidad europea en la que se dan los hechos aquí examinados. La formación del hombre moderno necesita esta expansión fuera de las fronteras del presente; la ciencia-ficción representa la aventura literaria hacia el futuro, lo mismo que la ciencia-historia lo es hacia el pasado. Intentarla es, pues, de buena ley, aun sabiendo que el resultado será incierto y del orden de la aproximación. Lo que no es lícito es considerar la obra con prejuicios, del orden que sean. Hay que dejar que la obra se muestre tal como fue y que mantenga los compromisos que le fueron inherentes a su época, y no relacionarla de una manera inmediata con la nuestra; no hay que violentar una relación que se encuentra en la línea de otras muchas y cuya legitimidad se basa en la inercia histórica que cualquier hombre lleva consigo por pertenecer a una comunidad determinada.

De todas maneras el hecho literario implica siempre una relativa indeterminación; se trata de descifrar un signo complejo que por su esencia poética es inagotable. No es lo mismo un documento notarial de la Edad Media que una obra literaria; aquél asegura algo concreto, cuanto más mejor, pero caducado, y ésta, por el camino de sucesivas reiteraciones, puede llegar hasta hoy, manteniendo, hasta cierto grado, la condición poética de origen.

Queda, además, el aspecto profesional del planteamiento. Este Manual se escribió para servir en este intento por lograr la relativa revalidación de la obra literaria de la Edad Media. El estudio de la obra literaria requiere el marco de un contexto en el que sí cabe adoptar la actitud científica, y la prueba es cuanto hemos dicho en este libro sobre el texto y su preparación, las diferencias entre el autor de antes y el de ahora y la función del anonimato en la obra, la constitución de las unidades superiores del grupo genérico, la cuestión de los modelos, la teoría y técnica literarias, el ritmo de la lengua, etc. Estos y otros aspectos se concentran y confluyen hacia el entendimiento de la obra y tratan de asegurar la peculiar unidad que le es propia y entender su contenido a través de la forma que le es inherente. Fuera de este marco literario que es de nuestra competencia, existe una enorme extensión de conocimientos que hay, en cierto modo, que tener en cuenta por cuanto están implicados en la «materia» literaria: historia, religión, folklore, estética, derecho, sociología, etc. Y las fronteras son tan imprecisas que la invasión hacia estos otros campos es, a veces, inevitable; y mantenerse en los límites del campo de la Literatura con respecto a ellos es un prolongado esfuerzo y a veces un pacto.

Pero, dejando de lado estas extensiones, para nosotros lo fundamental es que no puede percibirse la obra literaria sin reconocer y formular su Poética, y ésta no existe más que sobre la experiencia de aquélla; también se cuenta con la ayuda de las teorías formuladas y con las que pueden establecerse mediante el examen descriptivo de las obras y de las relaciones que se descubren en su composición.

La distancia a que queda la obra de la Edad Media después de esta labor profesional a que la sometemos es imprevisible.

¿Más cerca o más lejos? ¿Seguirá ajena del todo o la tendremos por algo propio de nuestra experiencia cultural, de la que nos es propia como hombres de este lugar y de este tiempo? Tengamos en cuenta que en cualquier época el hecho literario no fue siempre percibido con la misma intensidad, aun en iguales condiciones objetivas; la condición artística entraña una determinada disposición personal que, aunque teóricamente sea igual en todos, en la realidad difiere bastante de unos a otros. Así a los que nos interesa la literatura de la Edad Media en este aspecto profesional, somos profesores de literatura o estudiantes —esto siempre—, o estamos en cierta relación con la Historia; en este sentido el aspecto profesional exige una suma de conocimientos concretos que se establecen sobre esta realidad que es para nosotros la obra medieval. Nuestro propósito es bien modesto, pero no deja por eso de implicar una gran responsabilidad: si hemos reunido un caudal de noticias suficiente para que la obra se conozca *mejor*, habrá sido suficiente. Esto es el indicio de que habremos hecho lo que estaba en nuestros medios para descifrar mejor el signo literario que es la obra, reconociendo al mismo tiempo que su percepción absoluta es imposible. En nuestra Ciencia de la Literatura hemos de contar con la dificultad de que somos sujetos y objeto: la obra está ahí, fuera de nosotros, en el texto, pero para llegar a ella sólo contamos con su percepción (la mía y la del que me lee, la de cada uno) que es el objeto final de nuestro cometido. Y en su fundamento semiótico esta percepción es siempre aproximada; el grado de perturbación con que nos llega una «señal» literaria establecida en la Edad Media es intenso, y esto implica confusión. Lograr la mejor interpretación posible del texto es nuestro propósito y con esto alcanzaremos lo que de científico podemos conseguir en la Literatura.

ÍNDICE DE NOMBRES, OBRAS Y ASUNTOS

Este índice recoge los nombres de los autores (escritores, críticos, editores, historiadores, eruditos, etc.) mencionados y el de las obras anónimas; los títulos de los asuntos más importantes figuran ordenados por la mención más accesible para una consulta, y recojo también los términos técnicos del estudio de la Literatura citados en el curso de la obra. Cuando una cifra de los envíos está en cursiva indica que se refiere al lugar en donde la obra o artículos se citan extensamente. Agradezco al profesor D. Víctor Infantes de Miguel su eficaz ayuda en la redacción de estos índices.

ÍNDICE GENERAL